Eberhard Rathgeb

Deutschland kontrovers

Schriftenreihe   Band 494

Eberhard Rathgeb

Deutschland kontrovers

Debatten 1945 bis 2005

bpb: Bundeszentrale für politische Bildung

Bonn 2005
Lizenzausgabe für die
Bundeszentrale für politische Bildung

© Carl Hanser Verlag München Wien 2005

Umschlaggestaltung: Michael Rechl, Kassel
Umschlagfotos: oben: Willy Brandt, Konrad Adenauer
                      Keystone
              Mitte: Forschungslabor in Thüringen
                      Jan-Peter Kasper / picture-alliance/ZB
              unten: Heinrich Böll, Theodor W. Adorno, Siegfried Unseld
                      Klaus-Jürgen Roessler / Keystone

Satz: Satz für Satz. Barbara Reischmann, Leutkirch
Druck und Bindung: Ebner & Spiegel, Ulm

ISBN 3-89331-615-9

Inhalt

Vorwort   9

I
Gericht und Gewissen
1945 – 1956

Carlo Schmid: Vaterländische Verantwortung (1945)   18
Thomas Mann: Warum ich nicht nach Deutschland zurückgehe (1945)   22
Kurt Schumacher: Konsequenzen deutscher Politik (1945)   28
Konrad Adenauer: Grundsatzrede (1946)   32
Eugen Kogon: Gericht und Gewissen (1946)   35
Ernst Friedlaender: Die Abrechnung (1947)   40
Alexander Abusch: Der Irrweg einer Nation (1946)   46
Helmuth Plessner: Deutschlands Zukunft (1948)   50
Hans Sedlmayr: Verlust der Mitte (1948)   53
Elisabeth Selbert: Rede zur Gleichstellung
    von Mann und Frau (1949)   57
Stefan Heym: Memorandum zum Juni-Aufstand (1953)   61
Franz Josef Strauß: Rede zu den Pariser Verträgen (1955)   64
Theodor Eschenburg: Herrschaft der Verbände? (1954)   68
Friedrich Sieburg: Die Lust am Untergang (1954)   72
Günther Anders: Die Welt als Phantom und Matrize (1955)   76
Theodor Heuss: Vom Recht zum Widerstand –
    Dank und Bekenntnis (1954)   80
Hellmut Becker: Kulturpolitik und Schule (1956)   86
Karl Jaspers: Die Atombombe und
    die Zukunft des Menschen (1956)   91

II
Politik und Verbrechen
1957 – 1966

Helmut Schelsky: Die skeptische Generation (1957)   99
Arnold Gehlen: Die Seele im technischen Zeitalter (1957)   105

Theodor W. Adorno: Was bedeutet: Aufarbeitung
   der Vergangenheit (1959) 110
Rüdiger Altmann: Das Erbe Adenauers (1960) 113
Ulrike Meinhof: Hitler in euch (1961) 118
Rudolf Augstein: Geht Berlin verloren? (1961) 122
Wolfgang Abendroth: Zusätzliche Notstandsermächtigungen? (1962) 127
Hans Egon Holthusen: Brief an Rolf Hochhuth (1963) 131
Robert Havemann: Dialektik ohne Dogma? (1964) 135
Marion Gräfin Dönhoff: Versöhnung: ja, Verzicht: nein (1964) 139
Hannah Arendt und Hans Magnus Enzensberger:
   Politik und Verbrechen (1964/65) 143
Georg Picht: Die deutsche Bildungskatastrophe (1964) 151
Erich Kuby: Das Volk ist seine Presse wert (1964) 155
Ernst Benda: Verjährung (1965) 161
Ralf Dahrendorf: Gesellschaft und Demokratie
   in Deutschland (1965) 166
Alexander Mitscherlich: Die Unwirtlichkeit unserer Städte (1965) 173
Wolf Jobst Siedler: Preußens Auszug aus der Geschichte (1965) 175
Heinrich Böll: Brief an einen jungen Nichtkatholiken (1966) 180
Willy Brandt: Wieder in Deutschland (1966) 184

III

Kritik und Kampf

1967 – 1977

Rudi Dutschke im Gespräch mit Günter Gaus (1967) 192
Jürgen Habermas: Rede über die politische Rolle
   der Studentenschaft in der Bundesrepublik (1967) 195
Karl Markus Michel: Die sprachlose Intelligenz (1968) 200
Gespräch mit Ernst Bloch über den Prager Frühling (1968) 204
Wilhelm Hennis: »Demokratisierung«. Zu einem häufig
   gebrauchten und vieldiskutierten Begriff (1969) 207
Karl Rahner: Zum Problem der genetischen Manipulation
   aus der Sicht des Theologen (1969) 211
Sebastian Haffner: Die Anerkennung der DDR (1970) 215
Ernst Topitsch: Machtkampf und Humanität (1970) 219
Hans Küng: Unfehlbar? (1970) 222
Alice Schwarzer: Frauen gegen den § 218 (1971) 228

Walter Jens: Antiquierte Antike? (1971) 231

Peter Brückner und Alfred Krovoza: Staatsfeinde (1972) 235

Hans Joachim Fränkel: Was haben wir aus dem
    Kirchenkampf gelernt? (1973) 237

Helmut Schmidt: Rede in der Antiterror-Debatte (1975) 243

Jürgen Dahl: Auf Gedeih und Verderb (1974) 248

Wolfgang Harich: Kommunismus ohne Wachstum? (1975) 251

Marielouise Janssen-Jurreit: Sexismus (1976) 255

Jean Améry: Der ehrbare Antisemitismus (1976) 257

Joachim Fest: Linke Schwierigkeiten mit »links«.
    Ein Nachwort zu R. W. Fassbinder (1976) 263

Rudolf Bahro: Die Alternative (1977) 269

IV
Natur und Frieden
1978 – 1989

Daniel Cohn-Bendit: Eine Schwalbe macht noch keinen Sommer.
    Gespräch über alternative Bewegungen (1978) 274

Fritz J. Raddatz: Bruder Baader (1978) 278

Dolf Sternberger: Verfassungspatriotismus (1979) 283

Günter Grass: Die Bundesrepublik ist (k)ein
    Einwanderungsland (1981) 286

Rainer Eppelmann im Gespräch:
    Perspektive Entmilitarisierung und Wiedervereinigung? (1981) 290

Heinrich Albertz: Von der Angst der Kirche
    vor der Bergpredigt (1982) 295

Karl Heinz Bohrer: Falkland und die Deutschen (1982) 299

Heiner Müller: Ich glaube an Konflikt. Sonst glaube ich an nichts.
    Ein Gespräch (1982) 305

Petra Kelly: In der Tradition der Gewaltfreiheit (1983) 311

Hermann Lübbe: Es ist nichts vergessen,
    aber einiges ausgeheilt (1983) 315

Robert Spaemann: Brief an Heinrich Böll (1984) 324

Richard von Weizsäcker: Der 8. Mai 1945 – 40 Jahre danach (1985) . . . 328

Ernst Nolte: Vergangenheit, die nicht vergehen will (1986) 332

Reinhard Merkel: Der Streit um Leben und Tod (1989) 338

V
Krieg und Würde
1989 – 2005

Christa Wolf: Sprache der Wende (1989) 346
Eduard Beaucamp: Dissidenten, Hofkünstler, Malerfürsten (1990) ... 350
Monika Maron: Letzter Zugriff auf die Frau (1990) 355
Niklas Luhmann: Dabeisein und Dagegensein (1990) 358
Wolf Biermann: Kriegshetze, Friedenshetze (1991) 362
Herta Müller: Die Tage werden weitergehen (1992) 368
Jens Reich: À la lanterne? (1993) 373
Günter Kunert: Meine Nachbarn (1992) 378
Botho Strauß: Anschwellender Bocksgesang (1993) 383
Hartmut von Hentig: Die Schule neu denken (1993) 387
Peter Schneider: Erziehung nach Mölln (1993) 391
Christian Meier: Auszug aus der Geschichte (1996) 396
Otto Schily: Rede zur Wehrmachtsausstellung (1997) 400
Martin Walser: Erfahrungen beim Verfassen
    einer Sonntagsrede (1998) 404
Reinhart Koselleck: Die Widmung (1999) 410
Joschka Fischer: Rede zum Nato-Einsatz im Kosovo (1999) 415
Henning Ritter: Das Schisma (2004) 419
Christiane Nüsslein-Volhard:
    Wann ist der Mensch ein Mensch? (2002) 424
Frank Schirrmacher: Das Methusalem-Komplott (2004) 431

Anhang

Textnachweis 439
Bildnachweis 444
Sachregister 445

Vorwort

Wir leben in einer Gesellschaft, in der die Chancen für ein materiell glückliches Leben ungleich verteilt sind. Immer noch haben die Männer das Sagen und Walten, und immer noch müssen sich die Frauen Gedanken darüber machen, wie sie Kind und Karriere miteinander vereinen und wie sie beruflich in der Männerwelt besser zum Zuge kommen. Schulen und Hochschulen sind in einem besorgniserregenden Zustand. Das Fernsehen trägt nach besten Kräften zur psychischen Schrumpfung einer Gesellschaft bei, die sich darin gefällt, im Konsum einen Ausdruck ihrer Freiheit zu sehen. Die Bevölkerungsstruktur kippt, es werden zu wenig Kinder geboren, die Sorgen um das materielle Fortkommen machen aus dem Kinderwunsch einen heiklen Posten in der Vorbilanz auf das Leben. Die sozialen Systeme, ob Rentenversicherung oder Krankenversicherung, wackeln. Die beiden Teile Deutschlands haben nach der Einigung nicht zueinander gefunden, weite Strecken im Osten sind gleichsam verwüstet, die jungen Menschen sind in den Westen gegangen. Die Biowissenschaften und die Biotechnologien führen ethische Probleme mit sich, angesichts derer die Bundesregierung sogar einen Nationalen Ethikrat ins Leben gerufen hat. Die Weltökonomie liegt wie ein Eisenkorsett aus Wettbewerbszwängen um das Land herum. Die Politiker knobeln an Lösungen und rücken dabei programmatisch immer enger zusammen. Doch existieren über das ganze Land verstreut zahlreiche Zusammenschlüsse, Vereine und Foren, die sich engagiert besonderer Probleme theoretisch und praktisch annehmen und die oft nur in der weiten Öffentlichkeit des Internet miteinander ihre Auseinandersetzungen führen.

Die Debatten florieren, aber es ist merkwürdig still in Deutschland. Kaum kommt es zu Demonstrationen, in denen sich der Unmut über die sozialen Zumutungen und eine unnachgiebige Kritik an den bestehenden Verhältnissen zusammenballen. Fast scheint es, als würden die besorgten und erregten Bürger durch die ominöse allgemeine Lage selbst zur Ruhe gerufen. Überall wird nachgedacht, der Sachverstand wird aus allen Ecken mobilisiert, und mit Überzeugung und Vehemenz wird geschrieben und gesprochen. Doch die Hände, die Grundlegendes ändern würden, scheinen ein für alle Mal gebunden. Wir bleiben letztendlich, in welchen Gremien wir auch auftauchen, in welchen Gesprächskreisen wir auch vorstellig werden, in welche Weiten wir unsere Botschaften auch schicken, daheim in unseren kleinen Weltausschnitten sitzen und warten. Die Stimmung welkt dahin vor einer Wirklichkeit, die als Ganzes gesehen fast schon dem Wetter gleicht, auf das man auch keinen Einfluß nehmen kann.

Das vorliegende Buch über die deutschen Debatten der letzten sechzig Jahre möchte die Tür zur Straße hin aufmachen, auf der die Zeitgenossen mit ihren Vorstellungen lauthals schon im Mai 1945 losgelaufen sind, als die Diktatur besiegt war. Während langer Jahre waren die meisten der Intellektuellen, die sich zu Wort meldeten, dabei offensichtlich ganz guter Dinge. Der Zustand des Landes schien die Zuversicht nicht zu zerstören, daß der Kritiker nicht auf verlorenem Posten stand. Warum das so war, das wird das Buch zeigen.

Die Zeitumstände und die persönlichen Biographien brachten es damals mit sich, daß die Wortmeldungen ein enormes Gewicht hatten. Die Welt war in zwei ideologische Blöcke geteilt, die verfeindet waren und sich bis an die Zähne bewaffnet gegenüberlagen, um gegebenenfalls die andere Seite zu vernichten. Das konnte nur den Blinden und Tauben gleichgültig lassen. Die Debattierenden standen aber auch im langen Schatten des Hitler-Regimes. Jede Wortmeldung, jede heftige Diskussion mußte als ein Beweis für eine funktionierende Demokratie gesehen werden. Es gab den ethischen und politischen Impetus, daß in Deutschland nicht mehr geschwiegen werden sollte wie in den zwölf Jahren der Diktatur. Am verbalen Schlagabtausch ließ sich ablesen, daß die Deutschen in das demokratische Prozedere mit Engagement hineinfanden. Sie stritten um Mehrheiten für Vorstellungen über ihr Land in einer in West und Ost, Kapitalismus und Sozialismus zweigeteilten Welt. Rasch gewannen dadurch die Protagonisten der zahlreichen deutschen Debatten an Profil. Das ist heute anders, weil die scharfen ideologischen Fronten in den öffentlichen Debatten eingeebnet sind. Wir leben offensichtlich in *einer* Welt – der beschworene Kampf der Kulturen wird nicht ideologisch, sondern vor allem strategisch geführt.

Lange Jahre war wichtig oder entscheidend, wer sich zu welchem Problem mit welchen Argumenten zu Wort meldete. Diese Vorgabe hat die folgende Darstellung der deutschen Debatten bestimmt. In diesem Buch werden die Debatten nicht über die Jahre hinweg thematisch geordnet und vorgestellt. Der Leser findet kein Kapitel über die Diskussionen zur deutschen Vergangenheitsbewältigung, kein Kapitel über das schwierige gesellschaftliche Verhältnis von Frau und Mann. Die folgende Geschichte der deutschen Debatten geht chronologisch vor. Die letzten sechzig Jahre wurden in fünf Kapitel eingeteilt. Diese Gliederung – kleine Pausen, bevor der nächste Akt beginnt – orientiert sich vor allem an bedeutsamen politischen Einschnitten. Die vergangenen sechzig Jahre sind letztendlich ein einziges, nicht abreißendes, mit großem Engagement geführtes Gespräch über die Vergangenheit, die Gegenwart und die Zukunft des Landes mit vielen Stimmen.

Im folgenden werden herausragende oder themenbestimmende Personen vorgestellt, die für die deutsche Debattenkultur wichtig waren – unabhängig davon, für welche Positionen sie ihre Argumente fanden. Es waren immer intellektuelle Physiognomien, die markant waren und die Zeitgeschichte geprägt haben. Auch das ist heute anders, wie der Blick auf die Debatten seit sechzig Jahren zeigt.

Das Buch möchte all jenen dienen, die vielleicht die deutsche Zeitgeschichte und einige ihrer Wortführer in den Grundzügen kennen, aber einen Überblick über die zahlreichen und langen Diskussionen gerne in die Hand nehmen. Es gab in den sechzig Jahren sehr viele Wortmeldungen, und die Auswahl für diese Buch fiel in manchen Fällen nicht leicht. Nicht nur erschienen in diesen Jahrzehnten zahlreiche Bücher, die für die Zeitgeschichte interessant wurden, es erschienen auch Unmengen von Artikeln in Zeitschriften und Zeitungen. Entscheidend für die Auswahl eines Debattenbeitrags war die Überlegung, ob der Text das intellektuelle Profil desjenigen, der sich in die Diskussion einmischte, angemessen früh und in deutlicher Weise darstellte. In den meisten Fällen hatte, wer sich zum ersten Mal auf der Bühne der Öffentlichkeit sehen ließ, sofort auch seine intellektuelle Rolle und Position gefunden. Die Auswahl der Texte versucht, diesen ersten Auftritten zu folgen. Die Texte sollen aber grundlegenden Hinweis auf die intellektuelle Statur dessen geben, der sich zu Wort meldete. Berücksichtigt wurde auch, ob der Beitrag für sich stehen kann, das heißt, er sollte nicht auf unverständliche Weise auf Gegner und deren Argumente eingehen, er sollte ein Problem in einer umfassenden und rasch verständlichen Weise darstellen und noch heute mit Interesse und Gewinn gelesen werden können.

Fast alle der hier nur mit einem Text vorgestellten Intellektuellen, darunter auch einige Politiker, griffen häufig in mehrere Diskussionen ein. Das vorliegende Buch kann der argumentativen Vielfalt der Debattenführer nicht bis in alle Einzelheiten gerecht werden. Wer noch mehr über die einzelnen Protagonisten erfahren möchte, der muß sich ihrem Werk zuwenden oder ausführliche Biographien über sie lesen. Das Interesse beim Leser daran zu wecken ist auch ein Ziel des Buches. Die Zwischentexte verbinden die einzelnen Debattenbeiträge, sie führen einen roten Faden durch die sechzig Jahre, und sie liefern eine kleine, aber notwendige Geschichte der Ereignisse, ohne die mancher Einwand, mancher Vorwurf nicht zu verstehen ist. Zeitgenossenschaft ist ein Reflex auf die Gegenwart – oft im Wissen um die Vergangenheit, oft in der Hoffnung auf die Zukunft. Diesen Reflex möchten die Kommentare aufnehmen. Jede Zeit hat ihren blinden Fleck – früher wurde dieser Fleck rasch Ideologie genannt. Auch die Gegenwart hat diesen blinden Fleck in dem Auge, mit dem zurückgeschaut wird, und ahnt nichts davon.

Die Idee zu diesem Buch entstand nach der Arbeit an dem Buch »Inventur. Deutsches Lesebuch 1945 – 2003«, das ich zusammen mit dem Schriftsteller Norbert Niemann herausgeben habe. Dort haben wir exemplarische Texte von deutschen Schriftstellern vorgestellt. Wir wollten keinen Kanon der deutschen Literatur präsentieren, sondern zeigen, daß die Literatur als ein ästhetischer Prozeß zu begreifen ist, in dem die Schriftsteller darum ringen, vor der Wirklichkeit nicht zu kapitulieren, sondern ihr ein dichterisches Votum entgegenzuhalten. Die Schriftsteller stehen nicht alleine für sich, sondern in einer gleichsam kollegialen Reihe, die von jenen gebildet wird, welche der grauen Sprache der Realität nicht das letzte Wort überlassen wollen. In dieses Buch haben wir einige Soziologen und Philosophen aufgenommen, die zu ihrer Zeit ebenfalls die Sprache und damit die Sicht auf die Wirklichkeit entscheidend prägten. Damals wurde uns klar, daß ein Buch über die Intellektuellen, darunter auch Politiker, fehlte, die in ihrer eigenen Sprache Zeitgenossenschaft bewiesen, als sie sich in die Diskussionen einmischten und diese – im herausragenden Falle – in eine bestimmte Richtung trieben. Diese Lücke möchte das vorliegende Buch füllen.

Die chronologische Darstellung der Debatten vermag mehr von den Zeitstimmungen zu vermitteln, als das eine thematische Gliederung vermöchte. Auch kommt sie der Vorstellung näher, daß es sich bei den Protagonisten vor allem um Intellektuelle handelt, die von einer Idee oder von einer Grundsatzhaltung geprägt und getrieben waren. Es waren nicht nur gewichtige Argumente, die sie einwarfen, sondern gleichsam ihre Existenz. Das gab ihren Argumenten jenes Gewicht, das man heute bei den Debatten oft vermißt, bei denen sich immer häufiger kühle Experten oder analytisch geschulte Seminaristen oder medienpolitisch versierte Redner zu Wort melden – ohne daß ihr Lebensethos sie gleichsam dazu zwänge. Die Verbindung von Argument und Existenz hat sich weitgehend aufgelöst. Das vorliegende Buch möchte auch daran erinnern, daß diese Verbindung einmal bestand. Zum letzten großen Bruch zwischen Argument und Existenz kam es, als die ideologischen Fronten durch den Niedergang des sowjetischen Systems verlorengingen. Die deutsche Einheit hat die Republik nicht sprachlos, sondern in einem emphatischen Sinne existenzarm gemacht. Die Probleme der Gegenwart haben die Vorstellungen vom richtigen Leben weitgehend überdeckt.

Ich möchte diese Buch Valja widmen, die vielleicht in zehn, zwölf Jahren darin lesen wird und für deren Generation der Verlag vielleicht eine Neuauflage, sollte das Buch seinen Zweck erfüllen, ins Auge fassen wird.

Eberhard Rathgeb,
Hamburg, Frankfurt am Main, im Mai 2005

I

Gericht und Gewissen

1945 – 1956

Als der Zweite Weltkrieg im Mai 1945 zu Ende war, teilten die vier Siegermächte – die Vereinigten Staaten, die Sowjetunion, Frankreich und Großbritannien – das Land der Besiegten in Zonen auf, besetzten gemeinsam die Hauptstadt Berlin und richteten dort einen Alliierten Kontrollrat ein. Sie wollten alle Entscheidungen, von denen ganz Deutschland betroffen war, gemeinsam fällen. Auf der Potsdamer Konferenz im August 1945 wurde beschlossen, Deutschland zu entmilitarisieren, zu entnazifizieren, zu demokratisieren und zu dezentralisieren. Das besiegte Land sollte den Siegern Reparationen zahlen. Die Gebiete, die östlich der Oder-Neiße-Linie lagen, sollten unter sowjetische beziehungsweise unter polnische Verwaltung kommen. Deutsche Bevölkerungsgruppen sollten aus Polen, der Tschechoslowakei, aus Jugoslawien und Ungarn ausgesiedelt werden. Im November 1945 begann der Nürnberger Prozeß gegen vierundzwanzig Hauptkriegsverbrecher. Der Prozeß stand unter der Hoheit der vier Siegermächte. Die Alliierten wollten Gericht halten über Nationalsozialisten, nicht über das deutsche Volk, sie wollten Gericht halten über einen Verbrecherstaat, nicht über die deutsche Nation – sie wollten ein völkerrechtliches Exempel statuieren.

Sollte es mit Deutschland wieder aufwärts gehen, dann mußten Deutsche beim Aufbau mit Hand anlegen. Der amerikanische Außenminister James F. Byrnes hatte in einer Rede in Stuttgart im September 1946 hervorgehoben, das amerikanische Volk wolle dem deutschen Volk helfen, wieder »einen ehrenvollen Platz unter den freien und friedliebenden Nationen der Welt« einzunehmen. Diese Worte fielen, nachdem wenige Monate vorher Winston Churchill davon gesprochen hatte, daß sich ein Eiserner Vorhang durch Europa ziehe, welcher die freie westliche von der kommunistischen östlichen Welt trenne. Einen Monat nach Byrnes' Stuttgarter Rede erklärte der amerikanische Präsident Harry S. Truman, daß die Vereinigten Staaten die freien Völker im Kampf gegen den Kommunismus unterstützen würden. Diese Absicht wurde die Truman-Doktrin genannt. Der amerikanische Außenminister George Marshall sprach wenig später davon, daß die europäischen Völker einen gemeinsamen Plan zum Aufbau Deutschlands fassen sollten, die Vereinigten Staaten wollten die dazu notwendige wirtschaftliche Hilfe geben. Die Sowjetunion blieb außen vor, so daß diese Unterstützung schließlich nur Westdeutschland und anderen europäischen Ländern zugute kam. Mit der Währungsreform in den westlichen Zonen einerseits und in der sowjetischen Zone andererseits im Sommer 1948 war die Teilung Deutschlands bare Münze geworden.

Die Integration der Westzonen in die freie und der Ostzone in die kommunistische Welt hatte zur Folge, daß sich das Augenmerk der Sieger von der Strafverfolgung der Mitläufer des Hitler-Regimes abwandte und den Aufgaben der deutschen Zukunft zuwandte. Auf dem Weg in diese Zukunft wurden auf beiden Seiten des Eisernen Vorhangs ehemalige Nationalsozialisten wieder zur Mitarbeit herangezogen.

Der Philosoph Jean Améry, der seine Leiden im Konzentrationslager nicht verwinden konnte und Ende der siebziger Jahre Selbstmord verübte, sah auf seinen Reisen durch das westliche Deutschland der Nachkriegsjahre auffallend stolze Gesichter, die ihm wie aus Stein gemacht schienen. Viele Deutsche im Westen genauso wie im Osten unterschieden zwischen der deutschen Führung, welche das nichtsahnende Volk verführt habe, und dem deutschen Volk, das von seiner verbrecherischen Führung verführt worden sei. Der Kern des Volkes und der Kern der Nation blieben auf diese Weise gut. Viele Deutsche hatten auch nach dem Krieg am Nationalsozialismus grundsätzlich wenig auszusetzen.

Die Mehrzahl der Deutschen litt, abgesehen von der materiellen Not der ersten Nachkriegsjahre, vor allem unter dem Los der Besiegten. Weder in den westlichen Zonen noch in der sowjetisch besetzten Zone überwog das Gefühl der Befreiung die Qual und die Schmach der Niederlage. Die Niederlage wurde um so stärker empfunden, als die begangenen Verbrechen zu dem geführt hatten, was in Westdeutschland in den achtziger Jahren als ein »Zivilisationsbruch« bezeichnet wurde.

Die Deutschen hatten nach der Kapitulation im Ersten Weltkrieg ihre inneren Angelegenheiten bald wieder in die eigenen Hände nehmen können. Ihnen wurden damals drastische Sanktionen auferlegt, sie wurden entwaffnet, verloren Land und mußten hohe Reparationen an die Sieger zahlen. Einige Deutsche sollten sich in Kriegsverbrecherprozessen verantworten – sie wurden aber nicht ausgeliefert. Die Deutschen blieben ihre eigenen Herren – nicht einmal die Kriegsschuldfrage war eindeutig geklärt.

Nach dem Ende des Zweiten Weltkrieges war das anders. Die Sieger konnten sich nicht mit den üblichen Maßnahmen zufriedengeben, mit denen die Kriegstreiber bestraft wurden. Die Ungeheuerlichkeit der von den Deutschen begangenen Verbrechen und auch die Tatsache, daß von deutschem Boden zum zweiten Mal ein Weltkrieg ausgegangen war, ließen die Siegermächte zu besonderen Sanktionen greifen. Diese Sanktionen machten aus den Siegern moralische Richter – Richter, die sich offenbar für ihre eigenen Verbrechen im Krieg nicht zu verantworten hatten. Dieser Vorwurf gegen eine sogenannte Siegerjustiz wurde damals und auch später von Deutschen immer wieder erhoben, und er richtete sich vor allem gegen die Sowjetunion und die von ihr verübten Kriegsverbrechen. Vor allem die Bombardierung deutscher Städte durch die Alliierten gegen Kriegsende, aber auch der amerikanische Abwurf der Atombombe auf Hiroshima am 6. August 1945 und auf Nagasaki einen Monat später schürten die Ressentiments von Deutschen gegen das Richteramt der Sieger.

Die Angst vor der Rache der Sieger war groß, und sie war, wie sich schnell herausstellte, vor allem in der Sowjetischen Besatzungszone berechtigt. Tausende von Deutschen verschwanden auf Jahre in den sowjetischen Arbeitslagern, wo viele den Tod fanden, während die Amerikaner gefangene Soldaten, die sie in Deutschland nur in Notlagern unter katastrophalen Bedingungen unterbringen konnten, häufig schon nach wenigen Wochen und Monaten nach Hause schickten.

Es war für die Deutschen, die aus dem nationalsozialistischen Wahn in das Elend der Niederlage fielen und aus den Schrecken des Krieges kamen oder aus den Kellern der zerstörten Häuser krochen, nicht selbstverständlich, unmittelbar nach dem Ende des Krieges am Aufbau ihres Landes unter der Leitung der Siegermächte mitzuarbeiten. Das roch nach Verrat nicht nur an der persönlichen Geschichte, sondern auch am nationalen Schicksal. In diese Situation fiel Carlo Schmids Aufruf »Vaterländische Verantwortung«, der am 26. September 1945 in der »Stuttgarter Zeitung« erschien. Schmid, 1896 in Südfrankreich geboren, hatte am Ersten Weltkrieg als Kriegsfreiwilliger teilgenommen und war während des »Dritten Reiches«, nachdem ihn die Nationalsozialisten wegen mangelnder weltanschaulicher Zuverlässigkeit von allen Berufungen und Beförderungen ausgeschlossen hatten, als juristischer Berater der deutschen Oberfeldkommandantur in Lille tätig gewesen. Unmittelbar nach dem Krieg war er Professor für Öffentliches Recht in Tübingen und wurde von der französischen Militärverwaltung mit der Aufgabe betreut, das neugebildete Land Württemberg-Hohenzollern aufzubauen. Er gehörte 1948/49 zum Parlamentarischen Rat, war Fraktionsvorsitzender der Sozialdemokratischen Partei und lehrte von 1953 bis zu seiner Emeritierung in Frankfurt am Main Politische Wissenschaften.

Carlo Schmid versuchte im September 1945 seine Landsleute davon zu überzeugen, daß sie Deutschland nicht verrieten, wenn sie mit den Alliierten zusammenarbeiteten. Er sprach nicht von einer nationalen, sondern von einer vaterländischen Verantwortung der Deutschen. Die Zukunft dessen, was deutsche Nation hieß, war vor dem Hintergrund der im Namen Deutschlands durchgeführten Verbrechen beängstigend schwarz, während die Gegenwart der unmittelbaren Nachkriegszeit die Deutschen vor ganz praktische Aufgaben stellte. Das Vaterland brauchte erst einmal tätige Menschen, »Patrioten«, wie Schmid sagte – die Nation aber brauchte letztendlich eine Idee, wie Deutschland sich selber in seiner langen und im zwanzigsten Jahrhundert unheilvollen Geschichte verstehen konnte. Schwierig war und blieb die Beziehung der Deutschen zu ihrem Land. Das Wort Patriotismus mußte noch öfter helfen. In den siebziger Jahren schrieb der Politikwissenschaftler Dolf Sternberger, die Deutschen der Bundesrepublik sollten und könnten stolz vor allem auf ihre Verfassung sein, und er prägte den Begriff des Verfassungspatriotismus.

 **Carlo Schmid.** Es hat keinen Sinn, nach Vergleichen zu suchen, wenn man sich die Lage Deutschlands verdeutlichen will; es gibt keinen geschichtlichen Vorgang, der irgendwie hierfür taugte, und so müssen wir denn auf die Tröstungen verzichten, um deretwillen wir so gerne den Pfad der Analogie zu betreten pflegen. Wir müssen uns schon mit einfachen Feststellungen begnügen, und dabei werden wir gut tun, so wenig als möglich in Begrifflichkeiten zu reden als vielmehr in Dinglichkeiten. »Das Deutsche Reich ist vernichtet«, das ist zwar ein gewichtiges Wort, aber das konnte man ja auch 1918 aussprechen, und wer lachte nicht heute, wenn einer sich vermäße, dieses Gestern mit der gleichen Vokabel auszudrücken wie unser Heute? So wäre auch mit diesem Satz, der alles auszudrücken scheint, nicht viel gesagt. Um etwas zu sagen, was Hand und Fuß hätte, müßten wir hier schreiben können: Es sind soundso viele Millionen Deutsche gefallen, unter Trümmern begraben, verhungert und erfroren, an Seuchen gestorben; es sind soundso viele hunderttausend (oder sind es Millionen?) Häuser zerstört, die keiner wieder aufbauen kann; von den deutschen Fabriken stehen nur noch soundso viel Prozent; die deutschen Eisenbahnen werden soundso viel Jahre lang nicht einmal den notdürftigsten Bedarf befördern können; soundso viele Millionen Menschen aus den Ostgebieten und den sterbenden Städten werden ohne Hab und Gut landflüchtig über uns kommen und verlangen, daß wir unser Letztes mit ihnen teilen ... Um dieses »soundso viel« näher zu konkretisieren, fehlt uns heute aber noch das zureichende Wissen, und so bleiben wir auf das Spiel der Ahnungen angewiesen; die Phantasie kann oft recht exakt sein, wenn sie Mut genug zum Blick ins Schwarze hat. Mit Ahnungen aber wird eine seriöse Zeitung nicht operieren wollen, und so müssen wir uns denn eine genaue Zustandsschilderung versagen und uns doch mit allgemeineren Feststellungen begnügen; und wenn wir das oben in dem Satz in Anführungszeichen angeschlagene Thema ein wenig aufgliedern, können wir aufgrund auch des Wenigen, das wir heute genau wissen, folgendes sagen: Das deutsche Volk hat gerade in den produktivsten Altersklassen mehrere Millionen Männer verloren, was bedeutet, daß der einzelne Werktätige mehr Menschen ernähren muß als vorher; da schon bisher ein Mann im

allgemeinen gerade seine Familie ernähren konnte, bedeutet dies, daß Millionen von Kindern, Frauen und alten Leuten unversorgt sein werden. Die deutsche Industrie ist zu einem erheblichen Teile vernichtet, so vernichtet, daß an einen Wiederaufbau in absehbarer Zeit nicht zu denken ist; das bedeutet (ganz abgesehen von den fehlenden Rohstoffen), daß zu wenig Produktionsmittel da sind, um den Konsumbedarf des Volkes zu befriedigen; dieser Satz ist aber nur eine wohltönende Umschreibung der schlichten Worte Mangel und Not. Alle Großstädte sind mehr oder weniger vollständig zerstört; ein großer Teil der mittleren und kleineren Städte ist es ebenfalls; damit ist der in einigen Jahrhunderten zusammengebrachte Spartopf der Nation ausgeleert, und an die Stelle eines spendenden Füllhorns ist etwas getreten, das wie ein böser Sog das bißchen, was draußen noch ist, wegschlingen wird, und dabei ist noch nicht einmal an den Aufwand für einen Wiederaufbau gedacht.

Solche Feststellungen ähnlicher Schwärze könnte man noch ein gutes Dutzend treffen, und dabei dürfte man die eine nicht unterschlagen: daß ungefähr zehn Jahrgänge deutscher Jungmannschaft durch Kaserne und Krieg daran gehindert worden sind, einen Beruf und überhaupt etwas zu erlernen, und daß sie eines gründlichst verlernt haben, nämlich die Arbeit.

Man kann diese Feststellungen vielleicht in ihren Auswirkungen verschieden beurteilen; leugnen kann man sie nicht. Was soll und kann man angesichts ihrer tun? Nun, zum Teil nimmt uns die Mühe der Beantwortung dieser Frage der Umstand ab, daß wir heute einen Herrn haben, der uns gelegentlich sagt, was wir zu tun haben, nämlich die Besatzungsmacht, und es ist durchaus natürlich und legitim, daß dieser Herr, den wir uns in den letzten Jahren verdient haben, dabei in erster Linie an seine Interessen und nicht an die unseren denkt. Für den weitaus größten Bereich der Wirklichkeiten, innerhalb derer wir existieren, sind wir auf uns selbst angewiesen, und da selbst in der schwärzesten Nacht auch das dürftigste Leben sich behaupten will, bedeutet dies, daß wir werden versuchen müssen, mit den Dingen fertig zu werden, und sei es nur so, wie der Galeote mit seinem Ruder fertig zu werden versuchen muß. Da aber in einem Verbande irgendwelcher Art Ordnung und Planung walten müssen, wenn irgend etwas Nutzbringendes geschehen soll – am meisten aber auf dem Floße der Schiffbrüchigen in der Verlassenheit des Ozeans unter einem Himmel ohne Sterne –, bedeutet dies, daß einige Menschen es auf sich nehmen müssen, den übrigen zu sagen, was zu tun sei und manchmal, ohne viel zu fragen, was sie davon halten und ob das, was angeordnet wird, auch mit ihren Vorstellungen und Vorlieben übereinstimmt.

Die Männer, die solches tun, sind die Patrioten, und sie sind es um so mehr, je klarer sie von den erkannten Wirklichkeiten ausgehen und je weniger sie sich und ihren Landsleuten ein Leben aus der Illusion und der Erinnerung an vergangenen Glanz erlauben – nicht jene andern, die mit der Zeit schmollen oder in Verschwörerkränzchen von alten Fanfaren träumen. Auf dem Floß kann es auch nötig sein, die wehende Flagge abzunehmen, um damit ein rissiges Segel zu stopfen; es kann auch nötig werden, teure Güter, die es gefährlich beschweren, über Bord zu werfen, ja, sogar das Schlepptau von dem anzunehmen, der das Schiff in Grund gebohrt hat – lauter Dinge, auf die grundsätzlich nur verzichten kann, wer entschlossen ist, unterzugehen. Diesen Entschluß aber können nur einzelne fassen, ein ganzes Volk nie, und dies wiederum bedeutet, daß, wer an sein Volk denkt, die Armen und Elenden und Verzweifelnden, die es ausmachen, sich selbst den Heroismus des Untergangs versagen muß, denn keiner kann sich überflüssig machen.

Freilich darf keiner wähnen, daß man ihm Gerechtigkeit werde widerfahren lassen. Er muß sich von Anbeginn klar darüber sein, daß man ihn verdächtigen wird, daß er, aus Ehrgeiz etwa, sein Vaterland verkaufe oder aus Niedrigkeit der Gesinnung sich zum Knechte des Siegers erniedrige. Er muß wissen, daß gerade jene, die am unbedenklichsten die Früchte seiner Kreuztragung ernten, ihm am eindringlichsten vorwerfen werden, daß er statt der schwarzen Fahne des heldischen Aufruhrs die weiße der Ergebung in der Niederlage aufgezogen habe, und daß sie sich in ihren Konventikeln an Schimpf und Hohn auf ihn berauschen werden. Er muß das wissen und sich prüfen, ob er ein Leben unter solchen Voraussetzungen ertragen kann. Glaubt er, es zu können, dann gehe er nüchtern ans Werk. Es wird ein Werk sein ohne Pathos, ein Sichmühen um kleinste Dinge ohne Glanz, ein Gang durch tausend Erniedrigungen, ein tägliches Stöhnen unter Nackenschlägen, ein Sichwinden durch Mißerfolge, ein Keuchen unter dem Würgegriff der Verzweiflung über Torheit und Unverstand der Menschen hüben und drüben, und es wird ein Werk sein, bei dem jede Stunde ihn lehren wird, wie verächtlich die Menschen sein können. Nur wenn er dies alles weiß und sein Volk trotzdem mehr lieben muß als sich selbst, mache er sich auf den Weg, das leere Kreuz oben am Berg immer vor Augen. 1945

Auch die Emigranten sollten am Aufbau Deutschlands mitarbeiten. Viele Kommunisten – solche, die ins Ausland geflohen waren, und all jene, die in Deutschland gekämpft und gelitten hatten – gingen in die sowjetisch besetzte Zone. Dort aber wurden ihre Hoffnungen auf einen gesellschaftlichen Neubeginn in vielen Fällen rasch zerstört, weil der Aufbau eines anderen, eines besseren

Deutschland von der stalinistischen Sowjetunion und ihrem Terrorsystem gesteuert wurde.

Zu den prominenten Emigranten gehörte der in Deutschland mit seinem Roman »Die Buddenbrooks« in jungen Jahren berühmt gewordene Schriftsteller
Thomas Mann, der 1875 in Lübeck geboren worden war. Er hatte unmittelbar nach
dem Ersten Weltkrieg die Abhandlung »Betrachtungen eines Unpolitischen« geschrieben und sich dort zu einem Kulturpatriotismus bekannt. Thomas Mann
schwärmte von der Überlegenheit der deutschen Kultur über die französische
Zivilisation. Er kehrte 1933 von einer Vortragsreise nicht mehr nach Deutschland
zurück und flüchtete 1938 vor der Hitler-Diktatur ins amerikanische Exil. Dort war
er der Repräsentant der deutschen Kultur.

Thomas Mann sah die deutsche Kultur von Traditionen durchsetzt, in deren
Konsequenz die Verführbarkeit zum Nationalsozialismus lag. Er spürte in der
deutschen Tradition die romantische Todessehnsucht gären und den bürgerlichen
Lebenswillen lähmen. Was individuell vielleicht berauschend wirkte, war in seinen
Augen politisch bis zum Weltverlust verfault. Sein 1924 erschienener Roman »Der
Zauberberg« handelt von dieser Lähmung des bürgerlichen Lebenswillens durch
die Todessehnsucht.

In den Vereinigten Staaten hielt Thomas Mann unmittelbar nach Kriegsende
über diese tragische Schwächung der deutschen Kultur durch den romantischen
Affekt einen Vortrag. Der Vortrag bot eine Geschichte der deutschen Innerlichkeit.
Thomas Mann hoffte, mit diesem Gang durch die Seelengeschichte bei seinen
amerikanischen Zuhörern Verständnis für die Deutschen und für Deutschland zu
wecken. In Deutschlands Weltscheu, erklärte er, »war immer so viel Weltverlangen, auf dem Grunde seiner Einsamkeit, die es böse machte, ist, wer wüßte es
nicht! der Wunsch, zu lieben, der Wunsch, geliebt zu sein. Zuletzt ist das deutsche
Unglück nur das Paradigma der Tragik des Menschseins überhaupt. Der Gnade,
deren Deutschland so dringend bedarf, bedürfen wir alle.«

In Radiovorträgen hatte Thomas Mann während des Krieges zu seinen Landsleuten in Deutschland gesprochen. Doch als er nach dem Krieg nach Deutschland
zurückkehren konnte, da kam er nicht. Erst in den fünfziger Jahren siedelte er in
die Schweiz über, nachdem er sich in den von der Kommunistenfurcht aufge-
schreckten Vereinigten Staaten nicht mehr wohl fühlte. Er brachte es nicht über
sich, in ein Land zu gehen, in dem die Vernichtung der europäischen Juden geplant
und durchgeführt worden war und wo das Konzentrationslager Buchenwald in
nachbarschaftlicher Nähe zu Goethes Weimar lag – ein Sinnbild für die Unheim-
lichkeit Deutschlands, an das gerade Schriftsteller auch später immer wieder erinnerten. Als die Amerikaner das Konzentrationslager Buchenwald befreit hatten,
führten sie die Einwohner Weimars durch das Lager, wo sich noch die Leichen-

berge türmten. Die Deutschen aus der Stadt des berühmtesten deutschen Dichters, als dessen Nachfolger im Amt des Repräsentanten deutscher Kultur sich Thomas Mann gerne sah, konnten das Gesehene nicht fassen und sagten den Amerikanern, sie hätten von dem unsäglichen Leiden im Umkreis ihres kleinstädtischen Lebens nichts gewußt.

Thomas Mann schrieb einen offenen Brief an den Schriftsteller Walter von Molo, der ihn zur Rückkehr nach Deutschland aufgefordert hatte. Der Brief datiert vom 7. September 1945 und wurde zum ersten Mal drei Wochen darauf veröffentlicht. Zu der Bemerkung Thomas Manns, alle Bücher, die zwischen 1933 und 1945 in Deutschland erschienen sind, seien wertlos, sei hier angemerkt, daß die beiden ersten Bände seiner Tetralogie über die biblische Gestalt Josephs in den Jahren 1933 und 1934 in Deutschland veröffentlicht wurden. Thomas Manns Einspruch gegen die Vorstellung, es sei doch Kultur in Deutschland möglich gewesen, auch wenn die Welt zur Hölle gefahren sei, findet sich zwanzig Jahre später wieder in dem Vorbehalt einer jungen kritischen Generation gegen jede unpolitische, reine Kultur in einer ungerechten zerstörerischen Welt. Thomas Manns Vorstellung vom sozialen Humanismus der deutschen Kultur fand ihr Pendant in der Vorstellung vom Humanismus der Klassiker, mit der in der Deutschen Demokratischen Republik das Erbe der deutschen Kultur angetreten wurde.

Thomas Mann. Fern sei mir Selbstgerechtigkeit! Wir draußen hatten gut tugendhaft sein und Hitlern die Meinung sagen. Ich hebe keinen Stein auf, gegen niemanden. Ich bin nur scheu und ›fremdle‹, wie man von kleinen Kindern sagt. Ja, Deutschland ist mir in all diesen Jahren doch recht fremd geworden. Es ist, das müssen Sie zugeben, ein beängstigendes Land. Ich gestehe, daß ich mich vor den deutschen Trümmern fürchte – den steinernen und den menschlichen. Und ich fürchte, daß die Verständigung zwischen einem, der den Hexensabbat von außen erlebte, und Euch, die Ihr mitgetanzt und Herrn Urian aufgewartet habt, immerhin schwierig wäre. Wie sollte ich unempfindlich sein gegen die Briefergüsse voll lange verschwiegener Anhänglichkeit, die jetzt aus Deutschland zu mir kommen! Es sind wahre Abenteuer des Herzens für mich, rührende. Aber nicht nur wird meine Freude daran etwas eingeengt durch den Gedanken, daß keiner davon je wäre geschrieben worden, wenn Hitler gesiegt hätte, sondern auch durch eine gewisse Ahnungslosigkeit, Gefühllosigkeit, die daraus spricht, sogar schon durch die naive Unmittelbarkeit des Wiederanknüpfens, so als seien diese zwölf Jahre gar nicht gewesen. Auch Bücher sind es wohl einmal, die kommen. Soll ich bekennen, daß ich sie nicht gern gesehen und bald weggestellt habe? Es mag Aberglaube sein, aber in meinen Augen sind Bücher, die von 1933 bis 1945 in Deutschland überhaupt gedruckt werden konnten, weniger als wertlos und nicht gut in die Hand zu nehmen. Ein Geruch von Blut und Schande haftet ihnen an; sie sollten alle eingestampft werden.

Es war nicht erlaubt, es war unmöglich, ›Kultur‹ zu machen in Deutschland, während rings um einen herum das geschah, wovon wir wissen. Es hieß die Verkommenheit beschönigen, das Verbrechen schmücken. …

Und doch, lieber Herr von Molo, ist dies alles nur eine Seite der Sache, die andere will auch ihr Recht – ihr Recht auf das Wort. Die tiefe Neugier und Erregung, mit der ich jede Kunde aus Deutschland, mittelbar oder unmittelbar, empfange, die Entschiedenheit, mit der ich sie jeder Nachricht aus der großen Welt vorziehe, wie sie sich jetzt, sehr kühl gegen Deutschlands nebensächliches Schicksal, neu gestaltet, lassen mich täglich aufs neue gewahr werden, welche unzerreißbaren Bande mich denn doch mit dem Lande verknüpfen, das mich ›ausbürgerte‹. Ein amerikanischer Weltbürger – ganz gut. Aber wie verleugnen, daß meine Wurzeln dort liegen, daß ich trotz aller fruchtbaren Bewunderung des Fremden in deutscher Tradition lebe und webe, möge die Zeit meinem Werk auch nicht gestattet haben, etwas anderes zu sein als ein morbider und schon halb parodistischer Nachhall großen Deutschtums.

Nie werde ich aufhören, mich als deutschen Schriftsteller zu fühlen, und bin auch in den Jahren, als meine Bücher nur auf englisch ihr Leben fristeten, der deutschen Sprache treu geblieben – nicht nur, weil ich zu alt war, um mich noch sprachlich umzustellen, sondern auch in dem Bewußtsein, daß mein Werk in deutscher Sprachgeschichte seinen bescheidenen Platz hat. Der Goethe-Roman, der, geschrieben in Deutschlands dunkelsten Tagen, in ein paar Exemplaren zu Euch hineingeschmuggelt wurde, ist nicht gerade ein Dokument des Vergessens und der Abkehr. Auch brauche ich nicht zu sagen: »Doch schäm ich mich der Ruhestunden, Mit euch zu leiden war Gewinn.« Deutschland hat mir nie Ruhe gelassen. Ich habe »mit euch gelitten«, und es war keine Übertreibung, als ich in dem Brief nach Bonn von einer Sorge und Qual, einer »Seelen- und Gedankennot« sprach, »von der seit vier Jahren nicht eine Stunde meines Lebens frei gewesen ist und gegen die ich meine künstlerische Arbeit tagtäglich durchzusetzen hatte«. Oft genug habe ich gar nicht versucht, sie dagegen durchzusetzen. Das Halbhundert Radiobotschaften nach Deutschland (oder sind es mehr?), die jetzt in Schweden gedruckt wurden – diese immer sich wiederholenden Beschwörungen mögen bezeugen, daß oft genug anderes mir vordringlicher schien als ›Kunst‹. …

Man höre doch auf, vom Ende der deutschen Geschichte zu reden! Deutschland ist nicht identisch mit der kurzen und finsteren geschichtlichen Episode, die Hitlers Namen trägt. Es ist auch nicht identisch mit der selbst nur kurzen Bismarck'schen Ära des Preußisch-Deutschen Reiches. Es ist nicht einmal identisch mit dem auch nur zwei Jahrhunderte umfassenden Abschnitt seiner Geschichte, den man auf den Namen Friedrichs des Großen taufen kann. Es ist im Begriffe, eine neue Gestalt anzunehmen, in einen neuen Lebenszustand überzugehen, der vielleicht nach den ersten Schmerzen der Wandlung und des Überganges mehr Glück und echte Würde verspricht, den eigensten Anlagen und Bedürfnissen der Nation günstiger sein mag als der alte.

Ist denn die Weltgeschichte zu Ende? Sie ist sogar in sehr lebhaftem Gange, und Deutschlands Geschichte ist in ihr beschlossen. Zwar fährt die Machtpolitik fort, uns drastische Abmahnungen von übertriebenen Erwartungen zu erteilen; aber bleibt nicht die Hoffnung bestehen, daß zwangsläufig und notgedrungen die ersten versuchenden Schritte geschehen werden in der Richtung auf einen Weltzustand, in dem der nationale Individualismus des neunzehnten Jahrhunderts sich lösen, ja schließlich vergehen wird? Weltökonomie, die Bedeutungsminderung politischer Grenzen, eine gewisse Entpolitisierung des Staatenlebens überhaupt, das Erwachen der Menschheit zum Bewußtsein ihrer praktischen Einheit, ihr erstes Ins-Auge-Fassen des Weltstaates – wie sollte all dieser über die bürgerliche Demokratie weit hinausgehende *soziale Humanismus*, um den das große Ringen geht, dem deutschen Wesen fremd und zuwider sein? In seiner Weltscheu war immer so viel Weltverlangen; auf dem Grunde der Einsamkeit, die es böse machte, ist, wer wüßte es nicht, der Wunsch, zu lieben, der Wunsch, geliebt zu sein. Deutschland treibe Dünkel und Haß aus seinem Blut, es entdecke seine Liebe wieder, und es wird geliebt werden. Es bleibt, trotz allem, ein Land voll gewaltiger Werte, das auf die Tüchtigkeit seiner Menschen sowohl wie auf die Hilfe der Welt zählen kann und dem, ist nur erst das Schwerste vorüber, ein neues, an Leistungen und Ansehen reiches Leben vorbehalten ist. 1945

Wäre Thomas Mann nach Deutschland zurückgegangen, hätte er für die Zukunft Deutschlands ein Zeichen gesetzt. Andere Schriftsteller kamen in die westlichen Besatzungszonen zurück, wie Alfred Döblin, der dort in französischer Uniform erschien, oder sie gingen in die Sowjetische Besatzungszone, wie die nach Mexiko ausgewanderte Kommunistin Anna Seghers. Thomas Mann aber galt als der unangefochtene Stellvertreter der deutschen bürgerlichen Kultur. Vor allem er hätte diese durch die Hitler-Diktatur in Verruf geratene Kultur, die sich so viel auf den Humanismus ihrer Klassiker einbildete, in den Augen der Deutschen und in den Augen der ganzen westlichen Welt rehabilitieren, vor allem er hätte die sinnverödete Gegenwart mit der an Idealen reichen Vergangenheit verbinden können, deren Fortwirken mit Hitler zerstört worden war. Für eine neue Idee der deutschen Nation wäre durch die Rückkehr Thomas Manns vielleicht eine erste Grundlage gewonnen worden. Die deutsche Kultur hätte eine erste Brücke in die freie Welt des Westens schlagen können.

Der Philosoph Karl Jaspers hatte auf Wunsch der amerikanischen »Neuen Zeitung« im Oktober 1945 eine Antwort an die norwegische Schriftstellerin Sigrid Undset veröffentlicht. Die Schriftstellerin hatte jede Hoffnung auf eine Umerziehung der Deutschen verloren. Jaspers wehrte sich vehement gegen die Diffamierung alles Deutschen. Er schrieb: »Es wird zur geschichtlichen Selbstbesinnung gehören, die Voraussetzungen für die Möglichkeit des Nationalsozialismus in uns auszuleuchten. Das aber bedeutet keineswegs, daß wir anerkennen könnten, ›die deutsche Gedankenwelt‹, ›das deutsche Denken der Vergangenheit‹ schlechthin sei der Ursprung der bösen Taten des Nationalsozialismus. Unsere Gedankenwelt ist die Welt Lessings, Goethes, Kants und der vielen Großen, deren Wahrheit und Adel für uns unantastbar sind.«

Thomas Mann ging nicht nach Deutschland, und das nahmen ihm viele Deutsche übel. Sie fühlten sich durch ihn verraten, weil er im Ausland ausgeharrt hatte und jetzt über sie richtete. In den sechziger Jahren fühlten sich manche Deutsche von Willy Brandt provoziert, der vor den Nationalsozialisten ins schwedische und norwegische Exil geflohen war, im Widerstand gegen Deutschland gekämpft hatte, für das sie in den Krieg gezogen waren, und nun ihr neuer Bundeskanzler werden wollte. Thomas Mann war, als er den Brief an Walter von Molo schrieb, von der Kollektivschuld der Deutschen überzeugt. Die Frage nach der Schuld der Deutschen wurde im Exil unter den Emigranten diskutiert und nach dem Ende des Kriegs auch in Deutschland.

In den ersten Nachkriegsjahren hat der in Heidelberg lehrende Karl Jaspers über die Schuldfrage einflußreiche Vorlesungen gehalten, die auch als Buch erschienen. Seine Schülerin, die Philosophin Hannah Arendt, die vor den Nationalsozialisten in das amerikanische Exil geflüchtet war, hatte über die Frage der deut-

schen Schuld einen Aufsatz geschrieben, der 1946 in der von ihrem Lehrer herausgegebenen Zeitschrift »Die Wandlung« veröffentlicht wurde und den Titel »Organisierte Schuld« trug. Hannah Arendt mochte von Kollektivschuld nicht reden
und sah im schnellen individuellen Bekenntnis zu einer allgemeinen Schuld nur
einen bequemen Weg, sich vor weiterreichenden Einsichten zu drücken. Denn der
willfährige deutsche Helfer unter Hitler war in ihren Augen keine deutsche Aus-
nahmeerscheinung, sondern der moderne Massentypus schlechthin. Sie bezeich-
nete den tumben Handlanger der Barbarei als einen »Spießer« und verstand darunter einen Menschen, der sich über nichts Gedanken machen möchte, was aus
dem beschränkten Blickfeld seines Alltags und seines Amtes fällt. Der Spießer
habe die Trennung von öffentlich und privat, Beruf und Familie perfektioniert. In
seiner Person, in seinem Erleben seien beide Sphären nicht mehr miteinander verbunden. Hannah Arendt war der Ansicht, daß die Scham, in die ein Mensch angesichts der nationalsozialistischen Verbrechen versinke, keine spezifisch deutsche
Scham sein könne. Diese Scham gehe über alle nationalen Grenzen hinaus, sie
rühre an die grenzenlose Empfindung, angesichts dieser Verbrechen noch ein
Mensch zu bleiben. Dieser Empfindung, schrieb Hannah Arendt, liege die Idee der
Menschheit zugrunde. Der Mensch in dieser Not müsse einsehen, daß er für alle
Verbrechen auf der ganzen, der einen Welt verantwortlich sei.

Beide Vorstellungen – der Spießer als Familienvater und Massenmörder in
einer Person sowie die moralische Verantwortung für die ganze Welt – wachten
fünfzehn, zwanzig Jahre später in einer jungen rebellierenden Generation wieder
auf. Diese Generation rollte die forcierte Vergangenheitsbewältigung ihrer im
deutschen Wirtschaftswunder steckenden Eltern einerseits, der rasch wieder
selbstbewußten Bundesrepublik Deutschland andererseits noch einmal auf
und schrieb die internationale Solidarität mit den Befreiungsbewegungen in aller
Welt auf ihre Fahnen.

Von der Scham sprach auch Bundespräsident Theodor Heuss. Er hielt im Dezember 1949 vor der Gesellschaft für christlich-jüdische Zusammenarbeit in
Wiesbaden eine Rede. Dort nahm er die These von der Kollektivschuld auf und
verwandelte sie in die These von der Kollektivscham der Deutschen: »Aber etwas
wie eine Kollektivscham ist aus dieser Zeit gewachsen und geblieben. Das
Schlimmste, was Hitler uns angetan hat – und er hat uns viel angetan –, ist doch
dies gewesen, daß er uns in die Scham gezwungen hat, mit ihm und seinen Gesellen gemeinsam den Namen Deutsche zu tragen.«

In der Bundesrepublik Deutschland entwickelte sich im Laufe der Jahrzehnte
eine sogenannte Erinnerungskultur der Verantwortung der Deutschen für die nationalsozialistischen Verbrechen. Die Deutsche Demokratische Republik schob die
Erinnerung an die Verantwortung für die nationalsozialistischen Verbrechen mit

dem Hinweis von sich, daß sich im Land des antifaschistischen Blocks, der bald nach dem Ende des Krieges gebildet worden war, die Gegner des Nationalsozialismus gesammelt hätten, deren Erinnerungskultur durch den Kampf gegen den Faschismus geprägt sei.

Von einer Gesamtschuld der Deutschen mochte Kurt Schumacher, Vorsitzender der Sozialdemokratischen Partei, nicht sprechen. Er wies auf den verlustreichen Kampf der »deutschen Arbeiterklasse« gegen den Nationalsozialismus hin. Schumacher, 1895 in Culm in Westpreußen geboren, war Soldat im Ersten Weltkrieg gewesen und als Mitglied der Sozialdemokratischen Partei Deutschlands 1930 in den Reichstag gewählt worden. Dort zog er zwei Jahre später den Haß der Nationalsozialisten auf sich, als er in einer Rede davon sprach, daß der Nationalsozialismus an den »inneren Schweinehund im Menschen« appelliere. Während der nationalsozialistischen Diktatur wurde Schumacher für viele Jahre in Konzentrationslagern inhaftiert, aus denen er als schwerkranker Mann 1943 entlassen wurde, weil er in einen Hungerstreik getreten war. Er weigerte sich, mit den Kommunisten zusammenzuarbeiten, weil er sie für die Machtergreifung Hitlers mitverantwortlich machte. In seinem Aufruf aus dem Jahr 1945 griff er die deutschen Kommunisten an, weil sie sich als einzige deutsche Partei zur These von der Kollektivschuld bekannt hätten – aus außenpolitischen Gründen, wie Kurt Schumacher mutmaßte. Die deutschen Kommunisten hätten sich damit auf die Seite der Sowjetunion gestellt, die im Großen Vaterländischen Krieg gegen Deutschland offenbar nicht zwischen guten und bösen deutschen Arbeitern unterscheiden konnte. Dabei hatten weder Stalin noch die Kommunisten von einer deutschen Kollektivschuld gesprochen.

Kurt Schumacher war ein deutscher Sozialist, der an das lebendige politische Interesse der Deutschen glaubte. Er prangerte schon im Sommer 1945 die neue Formierung der alten Nationalsozialisten an und forderte die Enteignung der Großindustrie, weil Hitler auch über diesen Steigbügel an die Macht gelangt sei. Der Journalist Ernst Friedlaender hat dagegen den Einfluß der alten Nationalsozialisten unmittelbar nach dem Krieg für unerheblich erklärt, als er sich Gedanken über die sogenannte Renazifizierung in einem Leitartikel für die Wochenzeitung »Die Zeit« machte, der am 3. April 1947 veröffentlicht wurde. Er schrieb dort: »Die Nazis waren immer in der Minderheit und sind heute in einer verschwindenden Minderheit.« Kurt Schumachers Aufruf »Konsequenzen deutscher Politik« stammt aus dem Sommer 1945.

 **Kurt Schumacher.** Die Deutschen stehen in der schwersten Periode ihrer Geschichte, die in mancher Hinsicht peinvoller und hoffnungsloser ist als nach dem Dreißigjährigen Kriege. Aber es gibt immer noch Leute, denen dieser Anschauungsunterricht nicht genügt, die sich so aussichtslos in die Sackgasse des Nazismus, des Nationalismus und Militarismus verrannt haben, daß sie von ihren alten Formen zu denken und zu handeln nicht loskommen können. Dieselben Menschen, die mit diesen Mitteln ihr Vaterland zerstört und unsägliches Unheil über die Welt gebracht, und dazu noch die vielen, die sich durch die Passivität und ihren Diktaturglauben mitschuldig gemacht haben, möchten Vergleiche ziehen zwischen den Zuständen im Dritten Reich und den heutigen Verhältnissen. Die Schuldigen machen damit ihre Schuld noch größer, ohne sich daran zu kehren.

»Unter Hitler hatten wir es besser!« raunt ihre Flüsterpropaganda. An den Ungeheuerlichkeiten des Blutterrors und des Räubertums gehen sie achselzuckend vorüber. Für sie ist das alles nur gegnerische Agitation und Propaganda. Sie empfinden es als »nicht geschmackvoll«, daraufhin angesprochen zu werden. Sie weigern sich einfach, die Tatsachen zur Kenntnis zu nehmen, und wo ihnen diese doch entgegengehalten werden, erklären sie alles für »Übertreibung«. Sie haben außerhalb der Menschheit gelebt und wollen auch weiter so leben. Nur die Hilfe der Menschheit möchten sie gern annehmen. Einsicht und Einkehr, Scham und Reue sind ihnen gleich fremd. Unempfindlich für fremdes Leid sind sie um so empfindlicher für den kleinsten Nachteil, den sie selbst zu spüren bekommen.

Es ist an der Zeit, dem deutschen Volke klarzumachen, daß es jetzt die unabwendbaren Folgen dessen erlebt, was es zu seinen großen Teilen selbst verschuldet hat. Weil weite Volkskreise eine Regierung gewollt und geduldet haben, die sich jeder Kontrolle entzog, werden die Deutschen heute von anderen Mächten kontrolliert. Weil das Dritte Reich andere Völker vernichten und aussaugen wollte, liegt Deutschland heute zerbrochen am Boden. Weil das Hitlerregime Europa geplündert und ausgestohlen hat, verlieren wir heute die wichtigsten Produktionsmittel. Alle Mißstände, alle Qualen und Schwierigkeiten sind die Ergebnisse des Dritten Reiches. ...

Immer wieder hört man ausländische und deutsche Stimmen, daß in Deutschland kein wirkliches politisches Interesse vorhanden sei. Die Deutschen hätten nur Sorgen wegen ihrer täglichen Nöte, würden nur an Wohnung, Ernährung und Heizung denken.

Tatsächlich sind in Deutschland ein sehr großes politisches Interesse und ein ebenso starker Drang, sich zu betätigen, vorhanden. In den verschiedensten Formen und mit starken lokalen Aufsplitterungen haben die Feinde des Nazismus die Grundlagen ihrer politischen Organisation über die zwölf Jahre hinweg zu bewahren verstanden. Vom Tage des Zusammenbruchs an haben diese Kräfte sich auch zu rühren und neu zu organisieren begonnen. Weite Kreise der Bevölkerung haben diese Regungen mit Aufmerksamkeit und Sympathie verfolgt und drängen ihrerseits an die politischen Parteien heran. Es sind das die Teile des Volkes, die dem Nazismus innerlich ablehnend und meist auch äußerlich distanziert gegenübergestanden haben.

Die heute so oft festgestellte Teilnahmslosigkeit und Müdigkeit ist die herrschende Stimmung bei den Nazis und den reaktionären Mitschuldigen. Für sie ist die Politik wertlos, weil sie nicht mehr ihre eigene Politik sein kann. Dieselben Leute würden sehr viel politisches Interesse zeigen und wären sehr aktiv, wenn es möglich wäre, eine nationalistische und militaristische Politik gegen die Demokratie und gegen die arbeitenden Massen zu treiben.

Weil ihre eigene Herrschaft untergegangen ist, gefallen sie sich in einer Weltuntergangsstimmung und hindern so die Möglichkeiten des Aufbaues. Jetzt flüchten sie sich in die These, daß jeder vernünftige Mensch sich nicht um Politik, sondern um sein persönliches Wohlergehen zu kümmern habe. Wenn sie diese Einsicht nur früher gehabt hätten, dann wäre Deutschland heute das glücklichste Land. Sie verseuchen mit der Atmosphäre der Resignation und der Mutlosigkeit die ihnen erreichbaren Teile des Volkes, vor allem der Jugend.

Inzwischen aber lassen sie es sich nach Kräften wohlergehen. Es ist ja auch Nazitradition, auf Kosten der Allgemeinheit ein möglichst gutes Leben zu führen. Dazu hat man früher die Politik als Hilfsmittel benutzen können. Jetzt bleibt für den Durchschnittsnazi nur der Egoismus und das Schiebertum übrig.

Die Nazis helfen einander in jeder erdenklichen Weise, in der Versorgung mit Lebensmitteln und Gegenständen des täglichen Bedarfs, der Arbeitsbeschaffung und in allen Formen der geschäftlichen und privaten Bevorzugung. Das ist ein sozialer Tatbestand von weitreichender Bedeutung, den die Nazigegner schmerzlich zu spüren bekommen. Die Massenhaftigkeit der Nazis und die Tatsache, daß sie überall noch ihre Leute oder wenigstens ihre Verbindungen haben, schafft unerträgliche Zustände. In einer unvorstellbaren großen Anzahl von Fällen lebt heute der Nazi besser als der Nazifeind. Im Volke geht das bittere Spottwort um, daß man Nazi gewesen sein müsse, wenn man es heute zu etwas bringen wolle. Hinter dem geschäftlichen Zusammenwirken der Nazis steht eine unausgesprochene politische Solidarität.

Die Nazis kleben aneinander nicht nur deswegen, weil ein Druck von außen sie zusammenpreßt, sondern auch weil sie glauben, daß die letzte Entscheidung noch nicht gefallen sei. Alle Schuldigen an dem großen Unheil hoffen noch auf eine Chance der politischen Wiederkehr irgendeiner Form der Reaktion. …

Für den moralischen und politischen Aufbau in Deutschland ist die Frage nach der Schuld des gesamten deutschen Volkes von größter Bedeutung. Ein solches Schuldbekenntnis für das gesamte Volk haben wir bisher nur aus dem Munde von Männern gehört, die durch ihre politische Vergangenheit Repräsentanten einer geschichtlichen Schuld großer Teile des deutschen Volkes am Nazismus und damit am zweiten Weltkrieg sind. Wenn frühere nationalistische Militaristen, die jetzt ein geistliches Gewand tragen, von einer Schuld sprechen, dann ist das ein Bekenntnis, das begrüßenswert ist, solange sie nur für sich und ihre Kreise reden. Wenn die Kommunisten als einzige Partei in Deutschland sich zu einer Gesamtschuld bekennen, dann kann man sich das zwar außenpolitisch erklären, empfindet es aber als Undankbarkeit gegen die zahlreichen Opfer des Faschismus aus ihren eigenen Reihen. Das Schuldbekenntnis für die Kommunistische Partei ist an sich eine Selbstverständlichkeit, denn ohne die Haltung der Kommunisten wäre das Versagen des deutschen Parlamentarismus und damit die Möglichkeit für die Nazis, an die Regierung zu kommen, nicht gegeben gewesen.

Wenn aber diese Männer und Richtungen sich für berechtigt halten, ein Schuldbekenntnis für die gesamte deutsche Nation auszusprechen, dann erklären wir ihnen, daß sie dazu nicht legitimiert sind. Mit dieser Methode dehnen sie ihren eigenen historischen Schuldanteil auf Menschen und Richtungen aus, welche die eigentlichen Gegenspieler des Nazismus gewesen sind und auch heute noch sind. Mit dem Wort von der Gesamtschuld beginnt eine große geschichtliche Lüge, mit der man den Neubau Deutschlands nicht vornehmen kann. Diese Exmilitaristen und Antidemokraten haben alle Veranlassung, sich an die Brust zu schlagen und ihre Schuld zu beklagen. Aber sie dürfen nicht sich und ihr eigenes Verschulden hinter dem breiteren Rücken der Kämpfer für die Demokratie unehrlich verstecken. Soll nur jeder seinen Anteil an der Schuld bekennen und nicht so krampfhaft Mitschuldige suchen.

1945

Kurt Schumacher

Auch Konrad Adenauer, geboren 1876 in Köln, gehörte zu jenen Deutschen, die in Deutschland blieben, als Hitler regierte. Er war seit 1917 Oberbürgermeister von Köln und wurde von den Nationalsozialisten nach deren Machtantritt sofort aus seinem Amt entlassen. Die Amerikaner haben Adenauer nach dem Sieg sofort wieder in sein Amt eingesetzt, die Briten ihn wieder entlassen. Er übernahm in der Britischen Zone den Vorsitz der im Sommer 1945 neu gegründeten Christlich Demokratischen Union und wurde im Jahr 1949 der erste Bundeskanzler der Bundesrepublik Deutschland. Er blieb lange, bis 1963, in diesem Amt.

Adenauer war Katholik und glaubte an den raschen Wiederaufbau des befreiten Deutschland. Er war ein Gegner des Bolschewismus und glaubte an den freien Westen. Die Idee der Nation, die er in jenen Jahren den Deutschen mitgab, tauchte am Horizont eines christlichen Abendlandes auf, dessen Geschichte schwerer wiegen mußte als die Barbarei von zwölf Jahren. Zum damals florierenden politischen Kampfbegriff des Abendlandes fiel dem Dichter Gottfried Benn in einem Brief aus dem Jahr 1948 an die Redaktion der Monatszeitschrift »Merkur« ein: »Das Abendland geht nämlich meiner Meinung nach gar nicht zugrunde an den totalitären Systemen oder den SS-Verbrechen, auch nicht an seiner materiellen Verarmung oder an den Gottwalds und Molotows, sondern an dem hündischen Kriechen seiner Intelligenz vor den politischen Begriffen.«

Das Deutschland der unmittelbaren Nachkriegszeit war demographisch gesehen ein Land der Frauen und der vaterlosen Familien. Die traditionellen Rollen wurden in den fünfziger Jahren sofort wiederhergestellt, der Mann ging zur Arbeit, und die Frau blieb daheim bei den Kindern zurück – bis Alice Schwarzer kam und den Frauen den »kleinen Unterschied« und die großen Folgen, wie ihr Bestseller aus den siebziger Jahren hieß, klarmachte und sie zum Ausbruch aus diesen tristen Verhältnissen – und sei es durch Geburtenverweigerung – aufforderte.

Die deutsche Kultur war für Adenauer in ihrem Kern christlich. Die Besinnung auf diese Tradition wies Deutschland in Adenauers Augen einen festen Platz im Bollwerk der abendländischen Welt gegen das bolschewistische Heidentum zu. Diese Brücke der Freundschaft wurde von einem Politiker geschlagen, der sich nicht vorzuwerfen hatte, den Nationalsozialisten die Hand gegeben zu haben. Sein Pragmatismus für die Bundesrepublik Deutschland reichte so weit, daß er Nationalsozialisten um sich herum duldete und die Amnestie für die Mitläufer im Hitlerstaat unterstützte, über die bald nach Kriegsende auch im Bundestag heftig debattiert wurde. Die Verwunderung und Empörung über den offiziellen Umgang mit den Mitläufern des Hitler-Regimes reichte über die sechziger und siebziger Jahre hinaus. Zwei Jahre vor dem deutschen Mauerfall erschien Ingo Müllers bedrückendes Buch über deutsche Richterkarrieren unter dem Titel »Furchtbare Juristen. Die unbewältigte Vergangenheit unserer Justiz«.

Adenauer hatte die Vorstellung, daß die materialistische Weltanschauung des Marxismus den Boden für den Nationalismus bereitet habe. Jahrzehnte später tauchte eine weitentfernte Variante dieser Verbindung bei dem Berliner Historiker Ernst Nolte auf, der meinte, man solle nicht vom Faschismus und Nationalsozialismus sprechen, ohne die Angst der Nationalsozialisten vor dem Bolschewismus zu erwähnen.

 **Konrad Adenauer.** Ich verlange kein Schuldbekenntnis des gesamten deutschen Volkes, obgleich viele Deutsche eine sehr schwere, viele eine Schuld trifft, die zwar minder schwer ist, aber doch Schuld bleibt. Ich glaube auch nicht, daß die vernünftigen und ruhiger denkenden Menschen in den nichtdeutschen Ländern ein solches öffentliches Schuldbekenntnis verlangen.

Aber eine Gewissenserforschung müssen wir für uns anstellen in unserem eigenen Interesse, damit wir den richtigen Weg finden zum Wiederaufstieg.

Was sind die tiefsten Gründe dafür, daß wir schließlich in einen solchen Abgrund gestürzt sind? Auf die Einzelheiten kommt es bei einer solchen Untersuchung nicht an; sie sind auch vielfach noch nicht klar gestellt, aber die tieferen, die wirkenden Ursachen dieser Katastrophe liegen klar zutage. Sie reichen weit zurück vor das Jahr 1933. Der Nationalsozialismus hat uns unmittelbar in die Katastrophe hineingeführt. Das ist richtig. Aber der Nationalsozialismus hätte in Deutschland nicht zur Macht kommen können, wenn er nicht in breiten Schichten der Bevölkerung vorbereitetes Land für seine Giftsaat gefunden hätte. Ich betone, in breiten Schichten der Bevölkerung. Es ist nicht richtig, jetzt zu sagen, die Bonzen, die hohen Militärs oder die Großindustriellen tragen allein die Schuld. Gewiß, sie tragen ein volles Maß an Schuld, und ihre persönliche Schuld, deretwegen sie vom deutschen Volk vor deutschen Gerichten zur Rechenschaft gezogen werden müssen, ist um so größer, je größer ihre Macht und ihr Einfluß waren. Aber breite Schichten des Volkes, der Bauern, des Mittelstandes, der Arbeiter, der Intellektuellen, hatten nicht die richtige Geisteshaltung, sonst wäre der Siegeszug des Nationalsozialismus in den Jahren 1933 und folgende im deutschen Volk nicht möglich gewesen.

Das deutsche Volk krankt seit vielen Jahrzehnten in allen seinen Schichten an einer falschen Auffassung vom Staat, von der Macht, von der Stellung der Einzelperson. Es hat den Staat zum Götzen gemacht und auf den Altar erhoben. Die Einzelperson, ihre Würde und ihren Wert hat es diesem Götzen geopfert. Die Überzeugung von der Staatsomnipotenz, von dem Vorrang des Staates und der im Staat gesammelten Macht vor allen anderen, den dauernden, den ewigen Gütern der Menschheit, ist in zwei Schüben in Deutschland zur Herrschaft gelangt. Zunächst breitete sich diese Überzeugung von Preußen ausgehend nach den Freiheitskriegen aus. Dann eroberte sie nach dem siegreichen Krieg von 1870/71 ganz Deutschland.

Der Staat wurde durch den von Herder und den Romantikern aufgedeckten Volksgeist, vor allem durch Hegels Auffassung vom Staat als der verkörperten Vernunft und Sittlichkeit, in dem Bewußtsein des Volkes zu einem fast göttlichen Wesen. Mit der Überhöhung des Staates war zwangsläufig verbunden ein Absinken in der Bewertung der Einzelperson. Macht ist mit dem Wesen des Staates untrennbar verbunden. Die Einrichtung, in der sich staatliche Macht am sinnfälligsten und eindrucksvollsten äußert, ist das Heer. So wurde der Militarismus zum beherrschenden Faktor im Denken und Fühlen breitester Volksschichten.

Nach der Gründung des Kaiserreichs unter preußischer Vorherrschaft wandelte sich der Staat aus seinem ursprünglich lebendig gefügten Wesen mehr und mehr in eine souveräne Maschine. Die großen äußeren Erfolge, die, wenn auch historisch gesehen nur für kurze Zeit dem Bismarckschen Reich, seiner Auffassung vom Staat und der Macht beschieden waren, die schnell zunehmende Industrialisierung, die Zusammenballung großer Menschenmassen in den Städten und die damit verbundene Entwurzelung der Menschen machten den Weg frei für das verheerende Umsichgreifen der materialistischen Weltanschauung im deutschen Volk. Die materialistische Weltanschauung hat zwangsläufig zu einer weiteren Überhöhung des Staats- und Machtbegriffs, zur Minderbewertung der ethischen Werte und der Würde des einzelnen Menschen geführt.

Die materialistische Weltauffassung des Marxismus hat zu dieser Entwicklung in sehr großem Umfange beigetragen. Wer eine Zentralisierung der politischen und der wirtschaftlichen Macht beim Staate oder bei einer Klasse erstrebt, wer demzufolge das Prinzip des Klassenkampfes vertritt, ist ein Feind der Freiheit der Einzelperson, er bereitet zwangsläufig den Weg der Diktatur im Fühlen und Denken seiner Anhänger vor, wenn schließlich auch ein anderer den so vorbereiteten Weg der Diktatur beschreitet. Daß diese Entwicklung zwangsläufig ist, zeigt die Geschichte solcher Staaten, in denen Karl Marx der Messias und seine Lehre das Evangelium ist.

Der Nationalsozialismus war nichts anderes als eine bis ins Verbrecherische hinein vorgetriebene Konsequenz der sich aus der materialistischen

Weltanschauung ergebenden Anbetung der Macht und Mißachtung, ja Verachtung des Wertes des Einzelmenschen. In einem Volk, das so erst durch die preußische überspitzte und übertriebene Auffassung vom Staat, seinem Wesen, seiner Macht, den ihm geschuldeten unbedingten Gehorsam, dann durch die materialistische Weltanschauung geistig und seelisch vorbereitet war, konnte sich, begünstigt durch die schlechte materielle Lage weiter Volkskreise, verhältnismäßig schnell eine Lehre durchsetzen, die nur den totalen Staat und die willenlos geführte Masse kannte, eine Lehre, nach der die eigene Rasse die Herrenrasse und das eigene Volk das Herrenvolk ist und die anderen Völker minderwertig, zum Teil vernichtungswürdig sind, nach der aber auch in der eigenen Rasse und im eigenen Volk der politische Gegner um jeden Preis vernichtet werden muß.

Der Nationalismus hat den stärksten geistigen Widerstand gefunden in denjenigen katholischen und evangelischen Teilen Deutschlands, die am wenigsten der Lehre von Karl Marx, dem Sozialismus, verfallen waren!!!

Das steht absolut fest!   1946

Der Katholik und ehemalige Häftling des Konzentrationslagers Buchenwald Eugen Kogon hat unmittelbar nach dem Ende des Krieges im Auftrag der Sieger einen Bericht über die Organisation des Lebens und Leidens im Lager geschrieben, der den nüchternen Titel »Der SS-Staat« trug und schnell berühmt wurde. Kogon stand am Ende der Schilderung vor einer Frage, die für die Beurteilung der moralischen Statur der deutschen Bevölkerung entscheidend war: Was hatten die Deutschen von den Konzentrationslagern gewußt? Kogon griff bei seiner Antwort auf die Geschichte der deutschen Innerlichkeit zurück. Er sah die Seele der Deutschen zwischen Pflicht und Gehorsam ausgespannt. Sein Hinweis auf den Zusammenhang von Protestantismus und Staatsglauben erinnert an die Gedanken des Schriftstellers Hugo Ball in seinem Buch »Zur Kritik der deutschen Intelligenz«, das er unmittelbar nach dem Ende des Ersten Weltkrieges veröffentlicht hatte.

Eugen Kogon, 1903 in München geboren, appellierte an das Gewissen. Auch wenn die meisten Deutschen über die Existenz der Konzentrationslager Bescheid gewußt hätten, so stehe doch der einzelne Deutsche mit seinem Gewissen alleine und müsse sich jetzt eindringlich fragen, ob er immer seiner Pflicht für Recht und Freiheit nachgekommen sei. Damit wurde dem deutschen Volk, das angesichts der Verbrechen unter das in der Luft schwebende Verdikt der Kriegsgegner hätte fallen können, nur eine Ansammlung von Barbaren zu sein, wieder die grundsätzliche Möglichkeit zuteil, eine moralisch intakte Statur und einen in der demokratischen Welt ernstzunehmenden politischen Willen zu haben. Eugen Kogon hat

Ende der vierziger Jahre in der von ihm und Walter Dirks herausgegebenen, einflußreichen Zeitschrift »Frankfurter Hefte« einen berühmten Aufsatz veröffentlicht. Darin setzte er sich mit den Erfolgen und den Grenzen der Entnazifizierung auseinander. Jedem Anhänger der Nationalsozialisten, ob er ein nahes Parteimitglied oder ein ferner Mitläufer gewesen war, räumte er darin das Recht zum politischen Irrtum ein: »Wir wollen es ohne Umschweife aussprechen: Es ist nicht Schuld, sich politisch geirrt zu haben. Verbrechen zu verüben oder an ihnen teilzunehmen, wäre es auch nur durch Duldung, ist Schuld.« Anfang der fünfziger Jahre, als die öffentlichen Gedanken über Schuld und Gewissen hinter den wirtschaftlichen und politischen Leistungen der Bundesrepublik zu verschwinden drohten, stellte er Eugen Kogon einen Sieg der Ehemaligen, eine Wiederkehr der Gestrigen und den Erfolg der – wie eines der damals entscheidenden politischen Stichworte hieß – Restauration fest.

Eugen Kogon. *Was hat der Deutsche von den Konzentrationslagern gewußt?* Außer der Existenz der Einrichtung beinahe nichts, denn er weiß heute noch wenig. Das System, die Einzelheiten des Terrors streng geheimzuhalten und dadurch den Schrecken anonym, aber umso wirksamer zu machen, hat sich zweifellos bewährt. Viele Gestapobeamte kannten das Innere der KL, in die sie ihre Gefangenen einwiesen, nicht; die al‑  lermeisten Häftlinge hatten vom eigentlichen Getriebe des Lagers und von vielen Einzelheiten der dort angewandten Methoden kaum eine Ahnung. Wie hätte das deutsche Volk sie kennen sollen? Wer eingeliefert wurde, stand einer ihm neuen, abgründigen Welt gegenüber. Das ist der beste Beweis für die allgewaltige Wirksamkeit des Prinzips der Geheimhaltung. Und dennoch! Kein Deutscher, der nicht gewußt hätte, daß es Konzentrationslager gab. Kein Deutscher, der sie für Sanatorien gehalten hätte. Niemand, der nicht Angst vor ihnen gehabt hätte. Wenig Deutsche, die nicht einen Verwandten oder Bekannten im KL gehabt oder zumindest gewußt hätten, daß der und jener in einem Lager war. Alle Deutschen, die Zeugen der vielfältigen antisemitischen Barbarei geworden, Millionen, die vor brennenden Synagogen und in den Straßenkot gedemütigten jüdischen Männern und Frauen gleichgültig, neugierig, empört oder schadenfroh gestanden haben. Viele Deutsche, die durch den ausländischen Rundfunk einiges über die KL erfahren haben. Mancher Deutsche, der mit Konzentrationären durch Außenkommandos in Berührung kam. Nicht wenige Deutsche, die auf Straßen und

Bahnhöfen Elendszügen von Gefangenen begegnet sind. In einem am 9. November 1941 an alle Staatspolizeileitstellen, an alle Befehlshaber, Kommandeure und Inspekteure der Sicherheitspolizei und des Sicherheitsdienstes, sowie an alle Kommandanten der Konzentrationslager und den Inspekteur der KL ausgegebenen Rundschreiben des Chefs der Sipo und des SD heißt es: »Insbesondere ist festgestellt worden, daß bei Fußmärschen, zum Beispiel vom Bahnhof zum Lager, eine nicht unerhebliche Zahl von Gefangenen wegen Erschöpfung unterwegs tot oder halbtot zusammenbricht ... Es ist nicht zu verhindern, daß die deutsche Bevölkerung von diesen Vorgängen Notiz nimmt.« Kaum ein Deutscher, dem nicht bekannt gewesen wäre, daß die Gefängnisse überfüllt waren, und daß im Lande unentwegt hingerichtet wurde. Tausende von Richtern und Polizeibeamten, Rechtsanwälten, Geistlichen und Fürsorgepersonen, die eine allgemeine Ahnung davon hatten, daß der Umfang der Dinge schlimm war. Viele Geschäftsleute, die mit der Lager-SS in Lieferbeziehungen standen, Industrielle, die vom SS-Wirtschafts-Verwaltungs-Hauptamt KL-Sklaven für ihre Werke anforderten, Angestellte von Arbeitsämtern, die wußten, daß die Karteikarten der Gemeldeten Vermerke über die politische Zuverlässigkeit trugen und daß große Unternehmen SS-Sklaven arbeiten ließen. Nicht wenige Zivilisten, die am Rande von Konzentrationslagern oder in ihnen selbst tätig waren, Medizinprofessoren, die mit Himmlers Versuchsstationen, Kreis- und Anstaltsärzte, die mit den professionellen Mördern zusammenarbeiteten. Eine erhebliche Anzahl von Luftwaffenangehörigen, die zur SS kommandiert worden sind und etwas von den konkreten Zusammenhängen erfahren haben. Zahlreiche höhere Wehrmachtsoffiziere, die über die Massenliquidierungen russischer Kriegsgefangener in den KL, außerordentlich viele deutsche Soldaten und Feldgendarmen, die über die entsetzlichen Greueltaten in Lagern, Getthos, Städten und Dörfern des Ostens Bescheid gewußt haben.

Ist eine einzige dieser Feststellungen falsch?

Dann wollen wir in gleicher Ruhe und Sachlichkeit die weitere Frage stellen: *Wie hat das deutsche Volk auf das Unrecht reagiert?* Als Volk überhaupt nicht. Das ist eine bittere Wahrheit, aber es ist die Wahrheit. Man hat zur Erklärung des Versagens anführen wollen, daß Deutschland zu spät in der Geschichte seine Einheit erlangt habe; es sei ihm dadurch die Möglichkeit verschlossen geblieben, über gewöhnliches nationales Empfinden hinaus eine öffentliche Meinung von Rang zu entwickeln und für höhere Werte geschlossen aufzutreten. Abgesehen von der Tatsache, daß es nationale Einheiten gibt, die im gleichen Jahrhundert, ja um dieselbe Zeit entstanden sind, ohne daß man sagen könnte, diese Völker hätten Unrecht so hingenommen wie die

Deutschen, verwechselt jener Erklärungsversuch Ursache und Wirkung: die besondere Art des Deutschen ist es, die ihn so spät zur nationalen Einheit hat gelangen lassen, nicht die späte staatspolitische Konkretisierung, die seine Art erzeugt hätte. Während alle übrigen europäischen Völker – von einigen slawischen vielleicht abgesehen – ein festes, bestimmtes Verhältnis zu der Wirklichkeit haben, in die sie gestellt sind oder die sich ihnen eröffnet, so daß sie ihren realpolitischen Weg in der Geschichte bald fanden und mit einer gewissen Konsequenz, wenn auch mit wechselndem Erfolg gehen konnten, sind die Deutschen ein Volk der Möglichkeiten, nicht der Tatsachen. Schweifend im Reich der Phantasie, unerschöpflichen Plänen, vielen Empfindungen und Träumen hingegeben, sieht es in jeder Konkretisierung eine Beeinträchtigung des Hohen und Idealen. Wie es dem Irrglauben aus Glaubensüberfülle verfällt, so auch leicht einer realen Bindung, die gar nicht einmal aus ihm stammt. Ihr unterwirft es sich räsonierend-resignierend, am Ende zufrieden mit einer Philosophie des Besseren, oder es hält das brüchige Regiment, wenn andere Motive und Umstände noch dazu verleiten, eine Zeitlang gar für die Realisierung des Anfangs der ersehnten Idealgemeinschaft, wütend womöglich in diese fremde Wirklichkeit verbissen, weil es ihm doch endlich einmal gelingen müsse, politischen Erfolg zu haben »wie andere Völker«.

Der Protestantismus deutscher Herkunft und deutscher Prägung, Ausbruch des individuellen Gewissens aus fester Norm, hat diese Tendenzen des Deutschtums noch wesentlich verstärkt. Denn er trennte das Gewissen, das er dem Schöpfer unmittelbar verbunden sah, auf den religiös-kirchlichen Raum es beschränkend, vom Machtgetriebe des irdischen Staates, der ihm verderbt, dem Bösen unterstellt und einem eigenen Gesetz immanenter Schlechtigkeit hörig erschien. Je kraftvoller die Autorität, die ihn im Zaume hielt, umso besser daher und umso gottwohlgefälliger. Ein bedeutender Impuls zum Absolutismus in Deutschland ging von dieser Anschauung aus. Er ließ die Kraft zur politischen Gemeinschaftsbildung erst recht verkümmern, und keine Intelligenzschicht, das nationale Gewissen verkörpernd, überwand den Widerstreit zwischen dem deutschen Möglichkeitenreichtum und den unzulänglichen politischen Ausdrucksformen. Denn der deutsche Geistesträger – bezeichnenderweise »Akademiker« genannt – hatte selbst kein reales Verhältnis zur Politik außer dem des Untertanen. Sein Reich war der Geist, das Denken und Dichten. Viele widerspruchsvolle Züge im deutschen Charakter und in der deutschen Geschichte werden durch diese Grundveranlagung erklärlich. Ein solches Volk konnte hohe Individualitäten von überragendem Kulturrang hervorbringen; sie mußten aber, bei aller Wirkung auf Einzelne, doch isoliert bleiben. Es konnte politisch debattieren, ohne je an den realen Kern der Politik heranzukommen. Es konnte rechtlich gesinnt sein und sich doch, als Volk, jeder autoritätsverkleideten Gestalt unterwerfen, sodaß es den Terror schon fürchtete, ehe er überhaupt in Aktion trat. …

Der Deutsche hat während der Diktatur sogar mannigfache Beweise dafür erbracht, daß er aus Angst und aus einer gewissen Unbehaglichkeit bereit war, sich täuschen zu lassen, dem Ernst der Sache aus dem Wege zu gehen und die dunkle Angelegenheit zu verdrängen. Viele machten sich – gedankenlos, aber bezeichnenderweise – das schändliche Nazi-Wort »Konzertlager« zu eigen, durch das der Schrecken verniedlicht wurde. Sie enthoben sich, aus den angedeuteten Motiven, der Pflicht, den Vorgängen auf den Grund zu kommen, und verschlossen ganz bewußt ihre Augen jeder weiteren Kenntnis. Wissen hätte Verpflichtung gebracht, daher war es doppelt gefährlich. Außerdem erschien es ihnen wohl nicht so ausgemacht, daß alle, die in Konzentrationslager geschickt wurden, zu Unrecht hineinkamen, wie? Prinzipiell, wenn man sich die Sache genau überlegte, immerhin – die Absonderung hatte bei dem und jenem vielleicht doch ihre Berechtigung … Fälle von Justiz-Irrtümern ereigneten sich ja wohl dann und wann, aber daß der Staat, die anerkannte Autorität, systematisch Unrecht tun könnte, das war doch schwer anzunehmen. Möglicherweise handelte es sich da und dort um Übertreibungen oder bei dem, was man so hörte, um individuelle Ausschreitungen. Im Ganzen – nein, so schlecht konnte eine deutsche Obrigkeit nicht sein, daß sie die pure Willkür, dazu mit einem System von Marterungen, betrieb. Noch gab es schließlich Richter im Lande! Das individuelle Rechtsempfinden des Deutschen, der Autoritätstreue hörig, führte in der Tat zu der Denkparadoxie des Morgensternschen Gedichtes vom Autounfall, den der als Opfer im Krankenhaus liegende Palmström sich selber logisch wegdisputierte, »weil, so schloß er messerscharf / Nicht sein kann, was nicht sein darf«. Genau diesen Gedanken bringt eine sonst vorzügliche, an vielen Stellen in erhebliche Tiefen reichende Denkschrift der Leipziger Juristenfakultät zum Ausdruck, wenn sie bei Erörterung »der Ursachen für die Möglichkeit des Hitler-Regimes in Deutschland« und der »Haltung der deutschen Intellektuellen zur nationalsozialistischen Regierung« im Zusammenhang mit der Frage der Mitschuld an den deutschen Greueltaten schreibt: »Wenn bei vielen die Behauptung Gehör fand, es handle sich nur um Feindpropaganda, so beruhte das nicht so sehr auf politischer Gleichgültigkeit als vielmehr darauf, daß viele Deutsche einfach überzeugt waren, es sei unmöglich, daß es sich nicht nur um einzelne Ausschreitungen handle, wie sie bei einer Revolution in allen Ländern auftreten, sondern daß eine deutsche Regierung solche

Terrormethoden zum System mache.« Ihre fast bedingungslose Autoritätsgläubigkeit machte die Deutschen allmählich geneigt, selbst in der Diktatur die Verhafteten, nicht die Verhaftenden als Verbrecher anzusehen. …

Mir ist von einem deutschen Polizisten erzählt worden, der im Osten wie so viele seiner Kollegen den Befehl bekommen hatte, bei Bevölkerungs-»Liquidierungen« mitzuwirken. Als ihm ein blasses zwölfjähriges jüdisches Mädchen, schon in der Leichengrube stehend, flehend die Ärmchen entgegenstreckte und bat, er möge nicht schießen, senkte er die Pistole. Sein Offizier brüllte, er solle vorwärtsmachen, sonst werde er selbst die Kugel bekommen. Da schoß er. Der Mann ist trübsinnig geworden, weil er das schmale Gesicht des niederbrechenden Kindes nicht mehr vergessen konnte. Befehl? Zwang? Terror? Nein! Die Gebote des höchsten sittlichen Kodex kann kein Feldwebel und kein Blockwart, kein Minister und kein Feldherr, kein Himmler und kein Hitler über den Haufen kommandieren. Frage sich jeder, ob er nach diesem Maßstab, nicht nach dem wilden Grundsatz: Recht ist, was dem deutschen Volke nützt, oder gar was einem Parteiaktivisten paßt, immer und unter allen Umständen seine Pflicht, *die wahre Pflicht* getan hat. Und nehme sich nur keiner pharisäisch aus, kein Bischof und kein Pfarrer, kein großer und kein kleiner Politiker, kein Lehrer, kein Unternehmer, kein Ingenieur, kein Arbeiter, – niemand, weder Mann noch Frau! Haben wir wirklich alle, immer und überall, für Recht und Freiheit unsere Pflicht getan? Wäre es geschehen, die Wandlung des deutschen Volkes brauchte nicht erst jetzt zu beginnen, sie hätte längst begonnen – vor dem Kriege schon, während dieses entsetzlichen Krieges, zumindest aber am 20. Juli 1944. Unter den fünftausend Männern aller Schichten, die damals ihr Leben in die Waagschale warfen, befanden sich wahre Märtyrer für die deutsche Zukunft. Sie gaben das große Beispiel sittlicher Kraft und persönlichen Mutes. Diese hohe Bedeutung ihrer Tat wird nicht herabgemindert durch den echt deutschen Mangel an gleich großer politischer Klugheit, noch gar durch den Abenteurer- und Konjunkturisten-Anhang, den sie hatten; sie hat auch nichts zu tun mit den reaktionären Bestrebungen einiger von ihnen. Ihr Vorbild wird den Deutschen nicht verlorengehen, wenn sie nur einsehen lernen, daß Mann und Frau im Kampf um Freiheit und Recht – nicht des Kollektivs, sondern aller Einzelnen! – über berechtigte und gar über unberechtigte Bedenken hinweg zum höchsten Wagnis sich erheben müssen.   1946

Wo der einzelne Deutsche mit seinem Gewissen über seinen Taten zu Gericht sitzen sollte, das hatte Eugen Kogon nicht gesagt. Schon unmittelbar nach dem Krieg regte sich unter Deutschen der Unmut darüber, daß die Alliierten viele Deutsche in Haft genommen hatten, wo sie auf einen Prozeß warteten. Ernst Friedlaender, geboren 1895 in Wiesbaden, war im Ersten Weltkrieg Soldat gewesen und hatte während der Hitler-Diktatur in der Schweiz und in Lichtenstein gelebt. Er kehrte 1946 nach Deutschland zurück und wurde stellvertretender Chefredakteur der Wochenzeitung »Die Zeit«. Friedlaender sprach sich für eine Amnestie aus. In den Westzonen sowie schließlich in der im Mai 1949 gegründeten Bundesrepublik Deutschland wurden viele wegen ihrer nationalsozialistischen Vergangenheit verurteilte Deutsche begnadigt oder ihre Strafen abgemildert. Auch in der Sowjetischen Besatzungszone sowie in der im November 1949 gegründeten Deutschen Demokratischen Republik wurden Mitglieder der Nationalsozialistischen Arbeiterpartei Deutschlands und sogar Wehrmachtsoffiziere, wenn sie nicht zu langen Zuchthausstrafen verurteilt worden waren, in die neue »Volksgemeinschaft« aufgenommen, während Oppositionelle seit dem Sommer 1945 verfolgt und inhaftiert oder, wie der letzte frei gewählte Vorsitzende der Christlich-Demokratischen Union in der Sowjetischen Besatzungszone, Jakob Kaiser, zur Flucht gezwungen wurden. Ernst Friedlaenders Artikel »Die Abrechnung« erschien am 11. Dezember 1947 in der »Zeit«.

 **Ernst Friedlaender.** Ein neuer »Winter unseres Mißvergnügens« hat begonnen, der dritte seit der bedingungslosen Kapitulation. Und noch immer sind wir gefesselt durch einen unheimlichen, waffenlosen Zweifrontenkampf, den wir mit der Vergangenheit und um die Zukunft führen. Es gelingt uns weder, eine Zukunft zu gewinnen, noch die Vergangenheit zu überwinden. Wir finden den Anschluß an das Kommende nicht, gerade weil wir nicht fertig werden mit dem Gewesenen.

Die Vergangenheit heißt Nazismus und stand im Zeichen von Unrecht und Unfrieden. Nur mit dem Recht und mit dem Frieden können wir davon loskommen. Das gilt nach außen für unsere Einordnung in eine Gemeinschaft der Völker, und es gilt nach innen für die Gemeinschaft unseres Volkes. Wir wissen, daß wir eine Handlungsvollmacht nach außen überhaupt nicht und nach innen nur sehr beschränkt besitzen. Das entläßt uns nicht aus der Verantwortung am wenigsten dort, wo das Recht und der Friede in Deutschland unter Deutschen neu zu begründen ist. Selbstverständlich gehört es zur Überwindung des Nazismus, daß eine Abrechnung mit den schuldigen Nazis erfolgt. Aber auch das gehört dazu, daß diese Auseinandersetzung im neuen Geiste des Rechts und des Friedens und nicht im alten Geiste der Rache und des Hasses durchgeführt wird. Auf eine Umwertung der Werte kommt es an, nicht auf eine bloße Änderung der Rollenverteilung zwischen Menschen und Menschengruppen. Jeder von uns – vom Nazi bis zum Antifaschisten – ist dafür verantwortlich, ob er mit seinem Handeln und mit seinem Unterlassen, mit seinem Reden und mit seinem Schweigen den Werten oder den Unwerten gedient hat in diesen zweieinhalb Jahren seit der Kapitulation.

Die Liquidation des Nazismus ist bis heute rechtliches Stückwerk geblieben, und das trifft nicht nur für die Ostzone zu, in der, unter anderen Vorzeichen, die Konzentrationslager fortbestehen. Auch liegt die Unzulänglichkeit nicht allein darin, daß in jeder Zone ein anderes Recht gilt. Vielmehr hat keine der vier Zonen eine Rechtsordnung, von der sich sagen ließe, daß sie mit der personellen Abrechnung wirklich fertiggeworden ist, weder sachlich noch zeitlich.

In der britischen Zone hat diese Abrechnung so viele Unterabteilungen, daß es überaus schwerfällt, sich darin zurechtzufinden und die Zusammenhänge zu begreifen. Da gibt es die Kriegsverbrecherprozesse vor britischen Militärgerichten. In diesen Prozessen werden Deutsche abgeurteilt, denen Untaten gegen Angehörige der Vereinten Nationen zur Last gelegt werden. Verbrechen, die Deutsche gegen Deutsche oder gegen Staatenlose begangen haben, werden von ordentlichen deutschen Gerichten geahndet, wobei das deutsche Strafrecht in Verbindung mit dem Kontrollratsgesetz Nr. 10 Anwendung findet. Dieses Kontrollratsgesetz, zusammen mit dem Nürnberger Urteil und der Verordnung Nr. 69 der britischen Militärregierung, ist auch die Grundlage der in der britischen Zone tätigen deutschen Spruchgerichte. Sie verhandeln gegen Angehörige derjenigen Organisationen, die vom Internationalen Militärgerichtshof in Nürnberg für verbrecherisch erklärt worden sind, und zwar lautet die Anklage dahin, daß der Beschuldigte in Kenntnis ihres verbrecherischen Charakters Mitglied der betreffenden Organisation gewesen ist, und zwar nach dem 1. September 1939. Es handelt sich dabei um das Führerkorps der NSDAP bis herunter zum Ortsgruppenleiter, um die Gestapo und den SD sowie um die SS. Die zulässige Höchststrafe beträgt zehn Jahre Gefängnis. Völlig hiervon getrennt ist die Entnazifizierung im engeren Sinne, für die die Verordnung der britischen Militärregierung Nr. 110 gültig ist, ein Rahmengesetz, zu dem jetzt die Länder der britischen Zone Ausführungsgesetze zu erlassen haben. Die Entnazifizierung wird durch die bekannten Ausschüsse und nicht durch Gerichte durchgeführt. Sie beruht auf den Grundsätzen und Vorschriften der Direktiven Nr. 24 und Nr. 38 des Kontrollrats. Die deutschen Entnazifizierungsinstanzen können nur politische Maßregeln, Beschäftigungsbeschränkungen, Bußen, Vermögens- und Kontensperren und Beschränkung der Freizügigkeit verhängen, dagegen keine Freiheitsstrafen.

Das ist immer noch nicht alles. Denn die britische Militärregierung behält sich die Verhandlung gegen die Entnazifizierungskategorien I und II selbst vor, desgleichen alle Maßregeln gegen Militaristen. Auch die Verwaltung der Zivilinternierten-Lager, in denen sich hauptsächlich Angehörige der als verbrecherisch erklärten Organisationen befinden, liegt in den Händen der Militärregierung.

Dieses komplizierte und vielschichtige System ist allmählich und stückweise seit der Kapitulation zustande gekommen und wurde aus ganz verschiedenen Rechtsquellen gespeist. Es ist nicht etwa von einer zentralen Stelle aus geschaffen worden, mit dem Ziel und Zweck, für die Abrechnung mit den Schuldigen der Nazizeit eine Gesamtregelung zu schaffen. Vielfach wirken bis auf den heutigen Tag Maßnahmen weiter, die im Sommer 1945 verständlich waren, aber jetzt nicht mehr verständlich sind. Der Durchschnittsdeutsche, für den hier ein Anschauungsunterricht des besseren Rechts gegeben werden müßte, hat jeden Überblick verloren. Wenn zum Beispiel der Kölner Bankier von Schröder vor einem Spruchgericht steht, so erwartet das Publikum, daß nun zur Sprache kommen werde, wie dieser Mann seinerzeit Hitler in den Sattel geholfen hat. Die Rechtsbelehrung, daß es sich gar nicht darum handelt, sondern um Schröders Zugehörigkeit zu einer verbrecherischen Organisation seit dem 1. September 1939, dringt überhaupt nicht durch. Oder wenn ein Angeklagter von einem Spruchgericht zu drei Jahren Gefängnis verurteilt worden ist, so denkt das Publikum, daß damit für diesen Mann alles erledigt sei. Weit gefehlt. Nachdem er seine Strafe verbüßt hat, muß er erst noch das Verfahren der Entnazifizierung durchlaufen. Während der ganzen Zeit, die er im Gefängnis zu verbringen hat, weiß er nicht, was nachher mit ihm geschehen wird, ob und wann er von Beschränkungen und Bußen mannigfacher Art frei sein wird. Auf zehn Jahre Gefängnis kann ein deutsches Spruchgericht erkennen. Im Jahre 1957 kann es also immer noch ein Entnazifizierungsverfahren geben.

Die Entnazifizierung im engeren Sinne ist bisher durchaus unbefriedigend geblieben. Das liegt daran, daß sie ein politisches Verfahren ist und im wesentlichen den Irrtum bestraft. Deshalb sind viele unsachliche Faktoren, wie Ressentiment, Rachsucht und Konkurrenzneid – von Korruption und

Ernst Friedlaender

bloßem Zufall ganz zu schweigen –, an ihr beteiligt, und damit weder dem Recht noch dem Frieden gedient. Menschen kaltstellen, Bürger minderen Rechts schaffen und somit in neuer Zusammensetzung auf lange Sicht wieder Deutsche zweiter und dritter Klasse haben, das alles bringt uns nicht vorwärts. Aus der Sackgasse der Entnazifizierung gibt es nur einen befreienden Ausweg: die Generalamnestie. Sie müßte kein Recht auf die alte Position bedeuten, wohl aber das Recht auf Betätigung überhaupt im Wettbewerb aller unangetastet lassen. Nicht auf Grund von Gesetzesparagraphen, sondern durch die Auswahlfunktionen einer Gemeinschaft freier Menschen würde sich dann entscheiden, wem welche Arbeit zufällt. Nach zweieinhalb Jahren Anlaufzeit der Demokratie sollte das Vertrauen in die Kräfte der Selbstreinigung und der Selbstheilung stärker sein als der Glaube an Zwang und an Verbote.

Auch die Spruchgerichte sind bisher nicht volkstümlich geworden. Sie beruhen auf dem neuartigen und deshalb ungewohnten Begriff des Organisationsverbrechens. Und deutsche Gerichte, zumal Sondergerichte, die nach alliiertem Recht verfahren, haben es ohnehin nicht leicht. Fachjuristische Erörterungen, die im wesentlichen für den bereits Sachkundigen wertvoll sind, helfen da wenig. Es wäre notwendig, den Deutschen klarzumachen, daß sich unsere Justiz diese Verfahren als eine deutsche Notwendigkeit zu eigen gemacht hat, und hierfür eine jedem verständliche Begründung zu geben. Etwa so: Der Nazistaat unter Führung Hitlers und seiner NSDAP war ein Unrechtsstaat. Er hatte normale Verwaltungsabteilungen und anormale kriminelle Abteilungen. Zu diesen zählen das engere Führerkorps der Partei, der SD und die Gestapo, weil der unmittelbare Sinn und Zweck dieser Organisationen verbrecherisch gewesen ist. Folglich hat jeder, der aus eigenem Entschluß bei einer dieser Organisationen aktiv mitgewirkt hat und wußte, um was es sich dabei handelte, dem Verbrecherstaat eine solche Beihilfe geleistet, daß er auch dann zur Verantwortung zu ziehen ist, wenn ihm eine einzelne verbrecherische Handlung persönlich nicht nachzuweisen ist. Der Sonderfall des Verbrecherstaates mit seinen Folgen für die ganze Welt rechtfertigt eine solche Sonderbehandlung. Er rechtfertigt sie sogar als ein »nachträgliches« Recht, da der Unrechtsstaat nach Art und Ausmaß nicht vorhersehbar war und es folglich ein »Gesetz vor dem Verbrechen« gar nicht geben konnte.

Wir können uns also den Begriff des Organisationsverbrechens durchaus aneignen. Sehr schwer ist es dagegen, die Grenze zwischen den verbrecherischen und den nichtverbrecherischen Organisationen klar und gerecht zu ziehen. Das Nürnberger Urteil ist hierbei sehr weit gegangen, als es die Ortsgruppenleiter kleiner Gemeinden dem Führerkorps zuzählte und die Waffen-SS für verbrecherisch erklärte. Der kleine Ortsgruppenleiter war von der kriminellen Staatsspitze allzuweit entfernt, und in der Waffen-SS sind zwar Verbrechen vorgekommen, aber ihr Hauptzweck bestand im Kämpfen an der Front, war also nicht kriminell. Hier ist demnach eine Fortentwicklung des Rechts durch die Rechtsprechung notwendig, damit von einer echten Aneignung gesprochen werden kann. Zum Teil ist das schon dadurch geschehen, daß die britische Militärregierung die untersten Ränge der Waffen-SS außer Verfolgung gesetzt hat. Des weiteren wäre es nach deutschem Rechtsempfinden vorzuziehen, wenn Geldstrafen, insbesondere auch Vermögenseinziehung, nur in Verbindung mit Freiheitsstrafen, nicht aber allein verhängt würden. Die Geldstrafe trifft sehr ungleichmäßig und wirkt angesichts der ganzen Sachlage für sich allein wenig angemessen. Desgleichen wäre zu erwägen, ob nicht, gerade wegen der Nichtwiederholbarkeit des Tatbestandes und seiner Beziehungslosigkeit zu anderen Delikten, auf eine Eintragung ins Strafregister allgemein zu verzichten wäre. Bei allen denen, die persönlich kein Verbrechen gegen die Menschlichkeit begangen haben, kommt sehr viel darauf an, daß sie nach Verbüßung ihrer Strafe nicht in irgendeiner Form Bürger zweiter Klasse sind. Die Eintragung ins Strafregister könnte sich als eine Dauerdiskriminierung auswirken, und das muß unbedingt vermieden werden.

Wichtig ist aber auch, daß der Zufall soweit wie irgend möglich ausgeschaltet wird. Hier kann die Revisionsinstanz Gutes wirken, indem sie Urteile verschiedener Spruchgerichte, die zu sehr voneinander abweichen, ausgleicht. Vor allem aber darf es kein Lotteriespiel werden, welcher Fall früher und welcher später zur Verhandlung kommt. Denn solange die Angeklagten Internierte sind, bedeutet jede Verzögerung der Verhandlung zugleich verlängerte Haft. Das wiegt um so schwerer, als die Internierung ohne Vorführung vor einen Richter in vielen Fällen mehr als zwei Jahre bestanden hat, bevor die Rechtsprechung der Spruchgerichte im Sommer 1947 begann. Die Statistik der Urteile zeigt, daß die überwiegende Mehrzahl der Strafen ohnehin durch die lange Internierungshaft abgegolten war. Deshalb sollte auf weitere Haft überall da verzichtet werden, wo im Sinne der deutschen Strafprozeßordnung kein dringender Fluchtverdacht besteht, da von einer Verdunkelungsgefahr sowieso keine Rede sein kann. 1947

Dem deutschen Volk war nicht nur mit dem Recht zum politischen Irrtum geholfen. Den Deutschen wurde auch mit den Traditionen ihrer Geschichte unter die Arme gegriffen. Der Faschismus und der Nationalsozialismus waren für die Marxisten nur eine verrutschte Stufe der historischen Entwicklung, durch welche

Ernst Friedlaender

die kapitalistische Gesellschaft zum Sozialismus gelangen sollte. Im Westen wurde die Ansicht des Soziologen Max Horkheimer aus dem Jahr 1939 noch Jahrzehnte später wiederholt, wer vom Faschismus rede, der solle vom Kapitalismus nicht schweigen – sie fiel bei der rebellierenden Jugend der sechziger Jahre auf einen fruchtbaren Boden. Obwohl die Gedanken über die deutsche Geschichte in Ost und West unterschiedliche Wege gingen, trafen sie an einigen neuralgischen Punkten zusammen. Schon die Siegermächte hatten hier gleichsam Vorgaben gemacht, unheilvolle Traditionen der deutschen Geschichte gebrandmarkt und dabei vor allem den verheerenden Einfluß des preußischen Militarismus auf die deutsche Nation hervorgehoben.

Der Historiker Gerhard Ritter, der während der Hitler-Diktatur eine Professur für Geschichte in Freiburg innehatte und im Zusammenhang mit dem Attentat auf Hitler am 20. Juli 1944 in Haft genommen worden war, hat 1948 in einer kleinen Schrift über »Geschichte als Bildungsmacht« die deutsche Geschichte aus der vielbefahrenen antipreußischen Sackgasse zu lösen versucht. Die Geschichte des deutschen Staates war in seinen Augen reichhaltiger. Die Staatsräson verteidigte Gerhard Ritter vehement auch in der Gegenwart, als »Spiegel«-Redakteure 1962 wegen eines Artikels von der Bundesregierung festgenommen und angeklagt wurden, Staatsgeheimnisse preisgegeben und damit Landesverrat begangen zu haben, was die sogenannte »Spiegel«-Affäre und Empörung über das Vorgehen der Staatsgewalt unter der kritischen Öffentlichkeit auslöste. Gerhard Ritter schrieb damals an die »Frankfurter Allgemeine Zeitung« einen Leserbrief, in dem nicht die vaterländische Verantwortung, sondern das vaterländische Empfinden als Argument auftauchte: »Was haben wir erlebt? Einen ›Spiegel‹-Artikel, der jedem schlichten Staatsbürger, der sich den Rest des heute weithin als ›altmodisch‹ verschrienen oder belächelten vaterländischen Empfindens bewahrt hat, die Zornesröte ins Gesicht treiben mußte. . . . sind wir durch das ewige Starren auf die Schrecknisse der Hitlerdiktatur nachgerade so blind geworden für die uns umgebende Wirklichkeit, daß wir lieber jeden noch so groben Mißbrauch der im Rechtsstaat garantierten Freiheitsrechte hinnehmen als die eine oder andere Ungeschicklichkeit (oder auch Inkorrektheit) unserer Strafverfolgungsorgane?«

Auch in der Sowjetischen Besatzungszone hatte die Historie Hilfe beim Aufbau zu leisten. Im Jahr 1946 erschien eine Gesamtschau über die Geschichte Deutschlands unter einem Titel, der Erklärungsnöte ausschloß: »Der Irrweg einer Nation«. Ihr Verfasser hieß Alexander Abusch, ehemals ein Mitarbeiter der kommunistischen Zeitung »Rote Fahne«. Abusch, 1902 in Krakau in einer deutsch-jüdischen Familie geboren, war vor den Nationalsozialisten rechtzeitig aus Deutschland nach Paris und schließlich nach Mexiko geflohen. In der Sowjetischen Besatzungszone saß er in der Zentrale des »Kulturbundes zur demokratischen Erneuerung Deutschlands«. Der Kulturbund war im Juli 1945 gegründet worden, sein erster Präsident war der aus dem Exil heimgekehrte Schriftsteller Johannes R. Becher. Alexander Abusch wurde 1958 zum Leiter des Kulturministeriums ernannt und trat damit die Nachfolge Johannes R. Bechers an.

Eines der Bücher über den deutschen Widerstand gegen Hitler, die Abusch sich erhofft hatte, erschien 1953 im Rowohlt Verlag in Hamburg. Der Titel lautete: »Der lautlose Aufstand. Bericht über die Widerstandsbewegung des deutschen Volkes 1933–1945«. Der Schriftsteller Günther Weisenborn hatte das Buch herausgegeben. Auf der ersten Seite befindet sich ein Aufruf von Ricarda Huch, der in der deutschen Presse im Jahr 1946 publiziert worden war. In diesem Aufruf bat die Schriftstellerin die Öffentlichkeit, ihr Nachrichten und Informationen über deutsche Widerstandskämpfer zu schicken. Sie habe es sich zur Aufgabe gemacht, schrieb sie, »Lebensbilder dieser für uns Gestorbenen aufzuzeichnen und in einem Gedenkbuch zu sammeln«. Das ihr zugesandte Material überreichte Ricarda Huch kurz vor ihrem Tod Günther Weisenborn.

Alexander Abusch. Der Kampf der deutschen Antifaschisten, der nach 1933 im Untergrund gegen die Hitlerdiktatur weiterging, war zu schwach, um die mächtigste Terrororganisation der Welt zu Fall zu bringen. Das vermochten nur die Kriegsanstrengungen der demokratischen Welt in fast sechs Jahren. Doch die Männer und Frauen, unbekannt und ungenannt, die illegal seit 1933 kämpften, waren das Licht in der deutschen Düsternis. Es kann niemals vergessen werden, daß das deutsche Volk und insbesonders die deutsche Arbeiterklasse zu einer Zeit, da die Regierungen Westeuropas noch geruhig dem Wüten der braunen Bestialität in Deutschland zuschauten, zahlreiche Helden des Untergrundkampfes hervorbrachte: Deutsche, die in den Folterkellern der Gestapo oder beim Gang auf das Schafott eine größere Charakterstärke und mehr Standhaftigkeit zu beweisen hatten, als je von einem Soldaten im Feuer der Schlacht gefordert werden kann. ...

In diesen Menschen verkörperte sich in seiner reinsten und konzentriertesten Gestalt alles Gute, was deutsches Denken und deutsches Wesen in Jahrhunderten geboren. Die Erben des deutschen Humanismus schrieben illegale Zeitungen, starben für die Internationale der arbeitenden Menschheit und für eine neue demokratische Nation. Zehntausende von Liebknechts, Hunderttausende von Huttens büßten ihr: »Ich hab's gewagt« mit dem Tod oder mit qualvoller Haft. Im ersten Weltkrieg wurden zwei deutsche Matrosen, Reichpietsch und Koebis, wegen Rebellion standrechtlich erschossen, – im zweiten Weltkrieg waren bis zum 30. November 1944 (nach einem geheimen Dokument der SS, aufgefunden in der Wohnung des Generals Reinecke in Berlin) 9513 deutsche Soldaten wegen rebellischer Einzeltaten füsiliert worden. ...

Die Dialektik der Geschichte brachte gerade in der Zeit der entfesselten Bestialität des deutschen Nazismus auch aus dem deutschen Volk große Charaktere und standhafte Menschen hervor, ebenbürtig den Renaissancegestalten der Hutten, Reuchlin, Sickingen und Münzer: der kriegsverstümmelte Graf Philipp Klaus Schenk von Stauffenberg, der ein Auge und einen Arm verloren, an der Seite seiner Kameraden in der patriotischen Offiziersverschwörung von 1944 zum Galgen geschleift; – Sophie Scholl, Eva Maria Buch und Lieselotte Hermann, junge Studentinnen, die unverzagt auf das Schafott stiegen; – Edgar André, der lebenslustige Kämpfer, der den Kopf unter das Beil legte, und der Held des deutschen Geistes Carl von Ossietzky, im Konzentrationslager zu Tode geschunden, dem der Friedens-Nobelpreis zur Märtyrerkrone wurde – der kommunistische Transportarbeiter Ernst Thälmann und der sozialdemokratische Holzarbeiter Wilhelm Leuschner, jeder in seiner Art die Überzeugungstreue der deutschen Arbeiterbewegung noch in seinem Sterben verkörpernd.

Das Buch über jene Zehntausende, die wie sie litten und fielen, wird noch geschrieben werden. Die Frauen und Männer kamen aus dem deutschen Volke, dem auch der despotische Fridericus der »eiserne« Bismarck, der verstiegene Kaiser Wilhelm II. und zu unserer Zeit solche Ausgeburten des Menschengeschlechts wie Hitler, Himmler, Göring, Goebbels und ihre Banden entstammten. Alle Fragen, die die deutsche Geschichte aufwirft, resultierten aus dem ungelösten Widerspruch dieser inneren Kräfte des deutschen Volkes.

Das Unheil für Deutschland bestand bis in die Gegenwart nicht darin, daß es in ihm an mutigen Kämpfern für den Fortschritt, Gestalten echten Humanismus, Meistern der Kultur gefehlt hat. Es zog bisher wie ein Erbfehler durch die deutsche Geschichte, daß in ihr das Volk niemals – wie die Engländer unter Cromwell und die Franzosen unter Robespierre – dem Alten, Bedrückenden, Überlebten den Kopf abschlug. In den beiden Revolutionen von 1848 und 1918 vermochten die Deutschen nicht, ihre demokratischen Kräfte so zu vereinheitlichen und zu konzentrieren, daß sie die demokratische Revolution zu Ende führten. Dieser Mangel an Konsequenz und die Kapitulation des deutschen Bürgertums vor der Reaktion, aus Furcht vor der Arbeiterbewegung, wurden in der Vergangenheit stets tödlich für die deutsche Demokratie. Nicht wenige Deutsche hatten es gut verstanden, für die Freiheit zu sterben, – doch sie hatten es noch nicht erlernt, im Kampfe für die Freiheit zu siegen wie andere Völker. …

Die Deutschen müssen wiedergutmachen, was deutsche Hände verbrachen. Ohne diesen ersten und ehernen Grundsatz kann es keine moralische Erneuerung des deutschen Volkes geben. Es handelt sich nicht um Rache, nicht um biblische Schuld und Sühne, sondern – neben der materiellen Hilfe für die ausgeplünderten Völker Europas – um die Hinführung der Deutschen zu ihrem besseren Selbst, um die Voraussetzung aller Umerziehung. Denn die Vernichtung der Naziverbrecher ist nur ein Teil der deutschen Selbstreinigung.

Unter den eigenartigen Verhältnissen einer jahrelangen Besetzung durch die Armeen der Vereinten Nationen muß sich die deutsche Nation an Haupt und Gliedern erneuern. Das bedeutet, daß sie die dringendsten Lehren ihrer Geschichte im neuen Handeln realisiert und die demokratische Umwälzung von 1848 und 1918 nunmehr in einem Anlauf zu Ende führt. Die Aufteilung der Junkergüter unter kleinen Bauern und die völlige Beseitigung der imperialistischen Kapitalsmonopole in Deutschland wird – auch ohne Barrikaden – die Vollendung einer demokratischen Revolution, der Vollzug einer historischen Notwendigkeit sein. Durch solche tiefen Eingriffe in die frühere Struktur Deutschlands wird das Gesicht der Nation verändert.

Durch dieses Tun wird ein gesunder Boden für die Erneuerung der deutschen Kultur bereitet: aus dem Reinsten der Vergangenheit, aus dem Besten der Gegenwart. Die erzieherische Mühe – nach der Befreiung der Erziehung aus ihren militärischen Fesseln – wird nicht gering sein, bis die Spuren der zwölf Jahre und des falschen politischen Erbes aus den Köpfen besonders junger Menschen gelöscht sein werden. Einer demokratischen deutschen Literatur der Gegenwart wird die große nationale Aufgabe gestellt sein, zu helfen: die deutsche Realität endlich in den deutschen Köpfen bewußt zu machen, das deutsche Gefühl humanistisch zu lenken – im Glauben an die unerschöpfliche, sich auch aus der schwersten Krankheit regenerierende Kraft des Volkes.

1946

Vom sozialistischen Sieg über den Kapitalismus aus gesehen, stand Deutschlands Zukunft nicht in den Sternen, sondern lag in den Händen der sozialistischen Arbeiter und Bauern. Im September 1945 war in der Sowjetischen Besatzungszone die Bodenreform durchgeführt worden, auf deren Grundlage der Großgrundbesitz und die großbäuerlichen Hofwirtschaften enteignet wurden.

Ganz anders stellte sich die deutsche Zukunft für den Westen dar, der keinen radikalen sozialistischen Neuanfang machte, sondern an demokratische und freiheitliche Traditionen anschloß, die in der Weimarer Republik existiert hatten, aber den Aufstieg Hitlers nicht hatten verhindern können. Der Sozialphilosoph Helmuth Plessner, geboren 1892 in Wiesbaden, hatte während der Hitler-Diktatur im Ausland gelebt, in der Türkei und in Holland gelehrt, bis er in den besetzten Niederlanden von den Nationalsozialisten aus dem Amt entlassen worden war. Nach dem Krieg saß er in Holland auf einem Lehrstuhl für Soziologie und Philosophie. Er kehrte erst Anfang der fünfziger Jahre nach Deutschland zurück und wurde Professor in Göttingen.

Plessner hatte 1935 sein Buch »Das Schicksal des deutschen Geistes im Ausgang seiner bürgerlichen Epoche« veröffentlicht, das Anfang der sechziger Jahre unter dem Titel »Die verspätete Nation« berühmt wurde. In die Diskussion über den Weg der deutschen Geschichte in die Katastrophe führte Plessner erfolgreich seine These vom deutschen Sonderweg ein. Dieses Wort wurde immer wieder gerne mit mahnendem Unterton in Debatten hervorgeholt, zuletzt, als sich Deutschland den Vorstellungen der Amerikaner nicht fügte und nicht in den Krieg gegen den Irak zog. Ohne die Zustimmung der Vereinten Nationen war dieser sogenannte dritte Golfkrieg 2003 von den Amerikanern mit der Absicht begonnen worden, den irakischen Diktator Saddam Hussein zu stürzen und dem internationalen Terrorismus einen Schlag zu versetzen.

In Plessners ideengeschichtlicher Studie hatte sich Deutschland unter der Last der Kleinstaaterei und eines innerweltlichen Protestantismus nur langsam – viel langsamer als sein französischer Nachbar – zu einer stabilen Nation mit einem ausbalancierten Staatsbewußtsein entwickelt. Angesichts des geteilten Deutschland konnte sich Plessner die deutsche Einheit nur als ein föderales System vorstellen. Diese Vorstellung tauchte in den neunziger Jahren, als die Mauer, die Deutschland teilte, fiel und die Diskussion um die praktische Einheit Deutschlands geführt wurde, erneut auf, vor allem bei dem Schriftsteller Günter Grass. Plessners Artikel über Deutschlands Zukunft erschien 1948 in der »Hamburger Akademischen Rundschau«. Der Aufsatz ging auf einen niederländischen Vortrag zurück, den Plessner 1946 im Rahmen einer »Debat over Duitsland«, einer Debatte über Deutschland, gehalten hatte.

Helmuth Plessner. Über Deutschlands Zukunft zu sprechen, setzt meiner Ansicht nach dreierlei voraus: 1. daß es eine erreichbare Zukunft sein muß, die an die Tatsachen der heutigen Lage anknüpft; 2. daß es eine Zukunft sein muß, die nicht aufgebaut ist auf den alternativen Möglichkeiten des berühmten dritten Weltkrieges zwischen West und Ost und daß es 3. eine Zukunft sein muß, für die die Deutschen gewonnen werden können; eine Zukunft, die ihnen nicht einzig und allein durch Gewalt auferlegt und gewährleistet wird, sondern die zur deutschen Jugend spricht, Möglichkeiten eröffnet und Aussichten sowohl materieller als auch ideeller Art für eine dauerhafte Befriedigung bietet.

Ich bin mir vollkommen bewußt, daß die Mehrheit, vielleicht sogar die übergroße Mehrheit in den westlichen Ländern, zu denen ich auch die Deutschen in den Westzonen rechne, nicht auf eine solche Zukunft zu hoffen wagen und sich damit zufrieden geben, die heutigen Einschränkungen vorläufig hinzunehmen. Dem vorläufigen Deutschland, aufgeteilt in eine westliche und eine östliche Interessensphäre, braucht dann nicht gerade durch einen kurzfristigen Krieg ein Ende gemacht zu werden, aber man kann es sich dort nicht anders vorstellen, als daß allmählich eine der beiden Parteien sich zurückzieht und die Angelsachsen an der Oder oder die Russen am Rhein stehen werden. Es hat – darüber werden wir uns einig sein – wenig Sinn, uns über Eventualitäten zu unterhalten. Es herrscht noch kein Friede. Die Parteien versuchen ihre Stellungen für die bevorstehenden Verhandlungen zu verstärken und auszubauen, vollendete Tatsachen zu schaffen und sich soviel Pfandgüter und Tauschobjekte wie möglich zu sichern. Dies ganz gewöhnliche Spiel verläuft dem besonderen Charakter dieses Waffenstillstandes und den gewaltigen Ausmaßen der damit zusammenhängenden Kräfte gemäß sehr dramatisch; sowohl in materieller als auch in ideeller Hinsicht. Dies darf für uns jedoch kein Anlaß sein, auch unsererseits die Fehler zu begehen, danach zu fragen, was die Russen eigentlich wollen und ob die Amerikaner mit dem Atomkrieg beginnen werden und derartige Fragen mehr.

In unserer Betrachtung des Problems und angesichts der drei genannten Bedingungen wollen wir uns zunächst fragen, worüber man sich in bezug auf Deutschland einig ist und wie ein Kompromiß aussehen muß, der den Überlegungen der Parteien entgegenkommen will; zweitens, inwieweit ein solcher Kompromiß Anknüpfungspunkte in der deutschen Geschichte hat und drittens, welche Illusionen wir aufgeben müssen, wenn wir diese Lösung des Problems erfolgreich durchführen wollen. Die Sieger dieses Krieges sind sich einig, daß Deutschland nie mehr die Möglichkeit bekommen darf, das zu werden, was es unter Wilhelm II. und unter Hitler gewesen ist, nämlich eine für die imperialistische Politik der Junker, der Industriebarone und der Militärkaste empfängliche Großmacht. Der Einfluß des ostelbischen Adels und der preußischen Tradition muß endgültig beseitigt werden. Zweifellos beraubt die Abtrennung des Gebietes östlich von Oder und Neiße Deutschland des oberschlesischen Industriegebietes und des großen Grundbesitzes in Westpreußen, Pommern, Posen und Schlesien. Preußen in der ursprünglichen Bedeutung des Wortes hat aufgehört zu bestehen. Was noch an Großgrundbesitz in der russischen Zone Deutschlands übrigbleibt, verschwindet und wird vollständig unter Landarbeiter und Bauern verteilt.

Demgegenüber steht die Westzone, in ihrer sozialwirtschaftlichen Struktur unverändert und auf Zusammenarbeit mit den Westmächten angewiesen. Das für die europäische Geschichte schicksalhafte Bündnis zwischen den preußischen Großgrundbesitzern und der rheinisch-westfälischen Schwerindustrie, das dem Reich Bismarcks seinen Stempel aufdrückte und die Bahn geebnet hat für die militärisch inspirierte Politik des Monopolkapitalismus, ist damit zwar zerschlagen, aber die alte Gefahr, die einem Zusammengehen dieser westlichen und östlichen Wirtschaftskräfte erwachsen ist, hat einer neuen für Europa nicht weniger bedrohlichen Gefahr Platz gemacht, die aus einem Druck zwischen West und Ost entstehen würde. Es liegt natürlich auf der Hand, die Grenzlinie, die mitten durch Deutschland läuft, als die Abgrenzung eines politisch-strategischen Glacis anzusehen, das die Russen niemals völlig aufgeben werden, bevor sie es wirklich ihrer Interessensphäre einverleibt haben. Wird die Politik des »eisernen Vorhangs« Wirklichkeit, dann schließen sich der westliche und südliche Teil Deutschlands automatisch der atlantischen Interessengemeinschaft, oder wie wir die unter angelsächsischem Einfluß stehende Vereinigung des Westens nennen wollen, an. Eine derartige Aufteilung Deutschlands, irgendwie vergleichbar mit dem, was Polen zu wiederholten Malen erdulden mußte, würde für immer die Einheit des Landes vernichten und den Ostdeutschen dem West- und Süddeutschen mehr oder weniger entfremden. Es wird in diesem Zusammenhang auf alle möglichen Maßnahmen hingewiesen, die die Russen auf religiösem und kulturellem Gebiet schon getroffen haben sollen, Maßnahmen, die zweifellos geeignet sind, eine neue Gesellschaft aufzubauen. Wenn wir aber das Abkommen von Potsdam, das an der Wirtschaftseinheit des Landes festhält, noch nicht ganz als toten Buchstaben betrachten und weiter den föderativen Aufbau des künftigen Reiches ins Auge fassen, der weniger Gelegenheit zur Zentralisation bietet als es sich im Bismarckschen Reich zeigte, so scheint mir die Gefahr eines Auseinanderfallens in zwei Gebiete, die gleichsam durch eine Grenze zweier Welten voneinander getrennt sein würden, längst nicht so groß und keinesfalls unüberwindbar. Hier bestehen im Gegenteil sogar große Möglichkeiten. Die Föderation der deutschen Staaten würde eine Zwischenstellung einnehmen, die gerade die Aufgabe eines Bindeglieds zwischen zwei Welten erfüllen könnte in dem Maße, wie sie es vermeidet, sich der einen oder anderen Blockbildung anzuschließen.   1948

Die Teilung Deutschlands zog sich auch durch die Vorstellungen darüber, was Kunst sei. In der Sowjetischen Besatzungszone und später in der Deutschen Demokratischen Republik wurde gegen den Formalismus der Moderne agitiert und der Humanismus der Klassiker in ein volkserzieherisches Ehebündnis mit dem sozialistischen Menschenbild gezwungen. Im Westen stritten sich die Verfechter einer Heilsordnung, in der die Kunst letztendlich Gott und dem Göttlichen diente, mit den Verfechtern einer nüchternen und heilsfernen Moderne. Der Kunsthistoriker Hans Sedlmayr, 1896 im Burgenland geboren, im Ersten Weltkrieg Soldat in der österreichischen Orientarmee, lehrte seit 1936 an der Universität in Wien das Fach Kunstgeschichte und nach dem Krieg an der Universität in München. Sedlmayr erhielt 1946 Publikationsverbot und wurde vorzeitig in den Ruhestand versetzt, da sein bisheriges Verhalten keine Gewähr dafür bot, daß er sich jederzeit für eine unabhängige Republik Österreich aussprechen würde. Das stellte eine Sonderkommission beim österreichischen Bundesministerium für Unterricht fest. Schon 1937 hatte Sedlmayr in einem Vortrag in Berlin die Rolle Österreichs in der deutschen Kunst behandelt und dabei von einer gesamtdeutschen Kunst und einem Reichsstil gesprochen. Im Januar 1938 war er der Nationalsozialistischen Arbeiterpartei Deutschlands und dem Nationalsozialistischen Dozentenbund beigetreten.

Sedlmayr veröffentlichte 1948 sein umstrittenes und erfolgreich verkauftes Buch »Verlust der Mitte«. Es war das letzte Gefecht der alten Welt, die den Untergang des christlichen Abendlandes konstatierte. Die Vorstellung des Katholiken Sedlmayr, daß die Moderne den Menschen aus der Einheit mit der Welt und der Natur gestoßen und daß dadurch auch die Kunst ihren Rang verloren habe, war ein intellektueller Rückzug in ein Glaubenssystem und stieß bei den Verfechtern der Moderne auf Widerstand. Den Gegenpart dieser Ansicht vertrat damals der Künstler Willi Baumeister auf einem legendären »Darmstädter Gespräch«. Der aus dem amerikanischen Exil zurückgekehrte jüdische Philosoph und Soziologe Theodor W. Adorno hielt gegen Sedlmayrs Glaubensfluchten daran fest, daß aus dem Schatten der nationalsozialistischen Barbarei nicht zu entkommen sei und

Welt ohne Heil

nur der entkomme, der sich in Ideologien flüchte. Diese Vorstellung von der nachwirkenden Übermacht der Barbarei teilte die rebellierende kritische Jugend der sechziger Jahre. Sie drängte die Kunst schließlich ganz in die Arme der Politik, so daß eines Tages vom Tod der Literatur gesprochen werden würde. Daß die Kritiker den Kampf gegen die kapitalistische Gesellschaft mit einer Theorie aus dem neunzehnten Jahrhundert aufnahmen, schien sie nicht zu stören.

Hans Sedlmayrs Verlustrechnung endete mit dem Verlust des autonomen Menschen – eine Vorstellung, die sich nicht nur mit den illusionslosen Zeitbildern des Soziologen Arnold Gehlen und Theodor W. Adornos traf, sondern noch Jahrzehnte später vor allem von dem französischen Philosophen Michel Foucault mit Erfolg vertreten wurde. Der folgende Text stammt aus dem Buch »Verlust der Mitte«.

Hans Sedlmayr. Vor allem zeigen die kritischen Erscheinungen der Kunst, daß die Störung sich auf alle Verhältnisse des Menschen erstreckt.

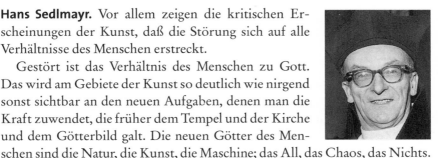

Gestört ist das Verhältnis des Menschen zu Gott. Das wird am Gebiete der Kunst so deutlich wie nirgend sonst sichtbar an den neuen Aufgaben, denen man die Kraft zuwendet, die früher dem Tempel und der Kirche und dem Götterbild galt. Die neuen Götter des Menschen sind die Natur, die Kunst, die Maschine; das All, das Chaos, das Nichts.

Gestört ist das Verhältnis des Menschen zu sich selbst. Er betrachtet sich – das wird unmittelbar anschaulich im Menschenbild – mit Mißtrauen, Angst und Verzweiflung. Er fühlt sich dem Tode ausgeliefert. In ihm selbst ist auseinandergerissen die Welt des Verstandes und der Triebe. Dieser Riß spiegelt sich in dem Gegensatz zwischen dem Kult des Verstandes im modernen Bauen und dem Kult des Irrationalen in der modernen Malerei. Der einen Region fehlt die Wärme – die Eiseskälte des modernen Denkens ist in der konstruktivistischen Baukunst unmittelbar anschaulich –, der anderen Region das geistige Licht, sie glüht, aber nur dunkel. So illustrieren die beiden Hauptrichtungen der modernen Kunst, diejenigen, auf die der moderne Mensch am stolzesten ist, unmittelbar die Diagnose, die W. Iwanow gestellt hat: »Niemals, scheint es, war der Mensch so geschmolzen und flüssig und niemals war er gleichzeitig so verschlossen und vermauert in sein Selbst, so herzenskalt wie heute.«

Gestört ist das Verhältnis des Menschen zu anderen Menschen. Das wird unmittelbar anschaulich in jenen Richtungen der modernen Malerei, in denen der Mensch auf das Niveau der übrigen sichtbaren Dinge, zum Schluß der toten und totesten Dinge herabgedrückt, sich – wie in pathologischen Störungen des Einzelbewußtseins – des psychischen Lebens der anderen nicht mehr bewußt wird.

Gestört ist das Verhältnis des Menschen zur Natur. Es verwandelt sich – unmittelbar anschaulich im Phänomen des »Parks« – in ein passives, sentimentalisches; der Mensch fühlt sich nicht mehr als »Krone der Schöpfung«, als Herr und Mitte der Natur. Es verwandelt sich andererseits – unmittelbar anschaulich in den Werken des Konstrukteurs – in ein kaltes und brutales. Gestört ist besonders auch das Verhältnis zur Erde, mit der der Mensch solidarisch ist – überdeutlich sichtbar an der »bodenlosen« Baukunst.

Gestört ist das Verhältnis des Menschen zur Zeit. Da er die Ewigkeit nicht als etwas außer der Zeit zu fassen vermag, faßt er sie als endlose Zeit. Verloren ist ihm die Gegenwart; sie ist ihm nicht das Stillstehen der Zeit in dem »Augenblick«, in dem sich Zeit und Ewigkeit berühren, sondern nur ein ausdehnungsloser Punkt zwischen dem, was nicht mehr, und dem, was noch ist: Nihilismus des Zeitlichen. Seinen verlorenen vollkommensten Zustand sucht er einerseits in der fernen Vergangenheit, andererseits in der fernen Zukunft; unmittelbar anschaulich daran, wie die Architektur zwischen Futurismus und Historismus hin- und hergerissen wird, die Malerei zwischen Futurismus und Primitivismus. Sein Paradies liegt nicht im Ewigen, sondern in der Zeit- oder Raumferne hier auf Erden, in der »Unschuld« der Südsee oder in der Utopie der vollkommenen Gesellschaft. Oder in der einsamen Tiefe des Unbewußten.

Gestört ist das Verhältnis des Menschen zu der geistigen Welt. Es sind gleichsam geöffnet die Tore der Unterwelt, die sich jetzt in das ganze Leben ergießt und es durchsetzt. Unmittelbar sichtbar wie nirgends sonstwo ist diese Dämonisierung der Kunst in jenen Richtungen der modernen Malerei, die bewußt oder unbewußt das Eindringen dieser chaotischen unteren Welt in die Welt des Menschen sichtbar machen mit einer Kraft der Anschauung, die früher nur an die Darstellung der heiligen Welt gewandt wurde.

Die Erscheinungen der Kunst enthalten aber auch einen deutlichen Hinweis darauf, in welcher Zone die primäre Störung – »der innerste Kern« – zu suchen ist.

Innerhalb der Kunst ist das Primäre offenbar das Streben nach »Autonomie«, nach »Reinheit«, sei es der Kunst, sei es der einzelnen Künste. Daraus lassen sich das Ableiten der Kunst und der Künste in Unterkünstlerisches und eine ganze Anzahl von anderen Phänomenen zwanglos erklären. Aus dem Streben nach reiner »Architektur« folgt die Auflösung der Architektur und ihr Ersatz durch bloße Konstruktion, auch ihre »Bodenlosigkeit«. Aus

Hans Sedlmayr

dem Streben nach reiner Malerei folgt die Herabsetzung des Menschen auf das Niveau der toten Dinge, es folgt daraus der Verzicht auf Gegenständlichkeit überhaupt. Aus beiden folgt die Polarisierung von Architektur und Malerei. Aus dem Streben nach vermeintlich »reiner« Kunst folgt die Ausscheidung des intellektuellen Gehalts und das Herabsteigen der Kunst in die Region des Unterrationalen, ihr Zerfall in Konstruktion, Photographie und Traum.

Nicht aber kann man umgekehrt von diesen peripheren Phänomenen die zentralen erklären.

Überträgt man nun diese Beobachtungen vom Ganzen der Kunst auf das Ganze des Menschen, so ist der Schluß naheliegend, daß die primäre Störung auch hier in dem Streben nach »Autonomie des Menschen« besteht, nach dem »reinen« Menschen und dem »reinen« Gott – unter Ausscheidung des Überweltlichen im Menschen und des Persönlichen in Gott.

Dieser allzu kühn anmutende Analogie-Schluß wird durch die historischen Tatsachen voll gerechtfertigt. In demselben historischen Raum, der das Quellgebiet der zur Autonomie strebenden modernen Kunst ist, und zur selben Zeit – nur, wie man es erwarten durfte, etwas früher – ist es zu dieser hier rein aus den Tatsachen der Kunst erschlossenen Trennung von Gott und dem Menschen gekommen, zur Proklamation des »autonomen Menschen«.

Im Pantheismus und Deismus des 18. Jahrhunderts wird eine Kluft zwischen Gott und dem Menschen aufgerissen. Zunächst scheint die Idee Gottes viel reiner und erhabener als die des persönlichen Gottes. Man treibt aus der Idee von Gott das scheinbar Anthropomorphe so aus wie aus der Architektur. Aber dieser Gott der Philosophen löst sich damit in die Natur auf und verschwindet. Und zugleich nimmt man dem Menschen das Theomorphe, das Gottförmige, und schraubt ihn damit – obwohl man die Reinheit des Menschentums herzustellen meint – zurück auf die Rolle von Automat oder Dämon.

Es fehlt die Vermittlung zwischen Gott und den Menschen, die es in irgendeiner Form immer gegeben hat, seit es Menschen gibt – der Glaube an den Menschen als Ebenbild Gottes, ohne welchen die Idee des Menschen nicht festgehalten werden kann. Deshalb ist die Störung auch eine einzigartige, für die es keine historische Analogie gibt. Auch die echte Kunst ist eine solche Vermittlung, und deshalb muß sie – obwohl scheinbar von uralten »Fesseln« befreit – verschwinden. Die persönliche Beziehung zwischen dem Menschen und Gott – als dem eigentlichen »Du« des Menschen – geht verloren.

Es ist nun offenbar so, daß dieses Auseinanderhalten dem Wesen des Menschen (und Gottes) widerspricht, und durchgeführt zu einem Absturz des

Menschen ins Untermenschliche führen muß, auch wenn das ursprünglich nicht gemeint war. *Dem 19. und 20. Jahrhundert scheint es auferlegt zu sein, die Falschheit der Annahme vom autonomen Menschen in einem ungeheuren historischen Experiment unter entsetzlichen Leiden zu demonstrieren und zu widerlegen.*

Denn der Ausgang des Experiments, der heute schon sichtbar ist, kann nur so verstanden werden, daß es den autonomen Menschen nicht gibt und nicht geben kann. 1948

Gott war verschwunden, der autonome Mensch war im Verschwinden und Gottes selbsternannter Statthalter auf Erden, der Mann in seinem patriarchalischen Dasein, geriet ins Wanken. Der Gedanke, daß der deutsche Militarismus das Ergebnis einer Männergesellschaft gewesen sei, tauchte damals öffentlich nicht auf. Hier kam der entscheidende Anstoß erst in den siebziger Jahren, als sich die Jugend vom selbsterzeugten Druck einer radikalen Politisierung etwas befreit hatte und nicht mehr stumm für die »Herrschaftsverhältnisse« zwischen den Geschlechtern war, wie damals gesagt wurde. Die deutsche Ausgabe des Buches »Sexus und Herrschaft. Die Tyrannei des Mannes in unserer Gesellschaft«, geschrieben von der Amerikanerin Kate Millett, war 1971 erschienen. Das Buch gab unter anderem Auskunft über die Sexualpolitik im nationalsozialistischen Deutschland und in der Sowjetunion unter Lenin und Stalin.

Im September 1948 war der Parlamentarische Rat in Bonn eröffnet worden, der sich mit der Abfassung des Grundgesetzes beschäftigte. Konrad Adenauer war der Präsident des Rates. Dort konnte die Juristin Elisabeth Selbert, geboren 1896, nach einer harten Auseinandersetzung mit der Mehrheit der Männer durchsetzen, daß die Gleichstellung von Frau und Mann in das Grundgesetz aufgenommen wurde. Auf ihr Drängen ging auch die Übergangsregelung zurück, mit der festgelegt wurde, daß alle dem Prinzip der Gleichheit nicht entsprechenden Gesetze bis 1953 verändert werden sollten. Das Gesetz über die Gleichberechtigung von Mann und Frau auf dem Gebiet des bürgerlichen Rechts wurde schließlich 1957 erlassen. In welcher inneren provinziellen Verfassung die westdeutsche Nachkriegsgesellschaft dämmerte, wird auch aus der Tatsache ersichtlich, daß sich die Frauen erst Mitte der siebziger Jahre das Recht erkämpfen konnten, einen Beruf auszuüben, ohne nachweisen zu müssen, daß dieser mit ihren Pflichten in der Ehe und in der Familie nicht kollidierte. In der Deutschen Demokratischen Republik wurde die Gleichberechtigung von Mann und Frau als eine Errungenschaft des Sozialismus ausgegeben. Die Betriebe kümmerten sich um die Kinderbetreuung. Mitte der sechziger Jahre wurde von der Volkskammer das Familiengesetzbuch verabschiedet, das eheliche und uneheliche Kinder gleichstellte. In der Bundesrepublik kam es erst 1960 zu einer Reform des Rechts für nichteheliche Kinder. Die Debatte um die Gleichberechtigung und die Vereinbarkeit von Beruf und Familie reicht bis in die Gegenwart, wo auch der rapide Geburtenrückgang dazu führte, sich öffentlich Gedanken über moderne Formen der Familie zu machen. Die Sozialdemokratin Elisabeth Selbert hielt am 19. Januar 1949 im Rundfunk eine Rede über die rechtliche Gleichstellung von Mann und Frau.

Elisabeth Selbert. Meine verehrten Hörerinnen und Hörer, der gestrige Tag, an dem im Hauptausschuß des Parlamentarischen Rates in Bonn dank der Initiative der Sozialdemokraten die Gleichberechtigung der Frau in die Verfassung aufgenommen worden ist; dieser Tag war ein geschichtlicher Tag, eine Wende auf dem Wege der deutschen Frauen der Westzonen. Lächeln Sie nicht! Es ist nicht falsches Pathos einer Frauenrechtlerin, das mich so sprechen läßt. Ich bin Jurist und unpathetisch und ich bin Frau und Mutter und zu frauenrechtlerischen Dingen gar nicht geeignet. Ich hätte frauenrechtlerische Tendenzen auch gar nicht nötig in meiner Partei, die die Gleichberechtigung der Frau seit der Zeit eines August Bebel ... seit den 90er Jahren des vorigen Jahrhunderts verfochten hat. Ich spreche aus dem Empfinden einer Sozialistin heraus, die nach jahrzehntelangem Kampf um diese Gleichberechtigung nun das Ziel erreicht hat. Nur in einer Synthese männlicher und weiblicher Eigenart, aufgebaut auf dieser Gleichberechtigung von Mann und Frau, sehe ich den Fortschritt im politischen, staatlichen und überstaatlichen Leben und auch in der Ehe, als der kleinsten Zelle der Gemeinschaft, ... die aufgebaut ist auf der Zusammenkunft zweier gleichberechtigter Menschen ...

Darüber hinaus spreche ich zu Ihnen als weiblicher Anwalt, der in langen Jahren beruflicher Erfahrung das Unrecht der minderen Rechtsstellung der Frau aus der Fülle des täglichen Lebens in seiner ganzen Härte und Tragik erlebt hat. Ich sehe im Geiste eine lange Reihe von Frauen, die im Laufe der Jahre in meiner Sprechstunde mir gegenübergesessen haben – Geschäftsfrauen, Landfrauen und andere –, die in ihrer Ehe aus irgendwelchen Gründen Schiffbruch erlitten hatten, weil der Mann der alten Frau eine jüngere vorzog oder weil man sich in dem Wandel der Zeit entfremdet oder in Kriegsjahren auseinandergelebt hatte. Wie groß war immer das Erschrecken dieser Frauen, die vielleicht ein ganzes Leben lang hinter dem Ladentisch gestanden hatten, als sogenannte Seele des Geschäftes oder des landwirtschaftlichen Anwesens oder der Familie den Wohlstand miterarbeitet, in Kriegsjahren allein erarbeitet hatten, wenn sie dann hörten, daß sie bei der Scheidung mit leeren Händen aus dem Hause gingen, weil sie nach dem Bürgerlichen Gesetzbuch verpflichtet waren, im Geschäft oder im Betrieb des Mannes mitzuarbeiten, ohne allerdings an dem Gewinn oder dem Vermögen, das sie miterarbeitet hatten, beteiligt zu sein.

Wissen überhaupt die meisten Frauen, wie rechtlos sie sind? Wissen Sie alle, Sie Hörerinnen, daß Sie beispielsweise bei einem Rechtsgeschäft, das über die Schlüsselgewalt hinausgeht, die Genehmigung des Mannes in jedem Fall brauchen, genauso wie ein Minderjähriger? Die meisten Frauen wissen es nicht. Die Frauen, die in einer harmonischen Ehe mit einem verständigen Gatten zusammenleben, erfahren es vielleicht nie. Aber wie viele andere erleben es, und welchen Krisen ist heute die Ehe ausgesetzt bei dem ungeheuren Frauenüberschuß oder bei den Auswirkungen, die der Krieg mit sich brachte, der ja familienzerstörend, ehezerstörend gewirkt hat. Das Bürgerliche Gesetzbuch in seinen Tendenzen widerspricht in einer ganzen Reihe von Bestimmungen der Würde und der Wertigkeit einer persönlichkeitsbewußten Frau, die heute nicht mehr aus der Obhut und der Biedermeier-Szene eines guten Elternhauses, sondern aus dem harten Berufsleben heraus in die Ehe tritt, und die besonders in den letzten Jahren die ganze Härte des Lebens erfahren hat. Können Sie daher ermessen, was die Gleichberechtigung bedeutet und welches Empfinden der gestrige Tag gerade auch in mir ausgelöst hat? Mein Kampf im neuen staatlichen Leben und ganz besonders bei der Schaffung dieser neuen Verfassung galt daher ganz bewußt der Reform des Familienrechtes, und diese haben wir durch die neue Verfassung nunmehr ausgelöst. Dem kommenden Bundestag ist die Verpflichtung auferlegt, bis zum Jahre 1953 – früher ist eine solche gesetzgeberische Reform nicht zu machen – die Gleichstellung der Frau zu verwirklichen und alle entgegenstehenden Bestimmungen aufzuheben. ... Die Frauen, die heute das Schwergewicht der Wählerschaft darstellen und im demokratischen Staat infolgedessen auch eine ganz besondere Verantwortung tragen, sie müssen bei dieser Aufgabe mithelfen. Eine große Zahl von weiblichen Abgeordneten muß im neuen Bundestag diese Reform durchführen, mit der nötigen fraulichen Reife, mit dem klaren Blick für politische Zusammenhänge müssen sie helfen, das Werk der Befreiung der Frau endgültig zu vollenden.

Und zum Schluß noch ein paar Worte zur Frage des unehelichen Kindes. Wenn es uns in der Frage der Gleichberechtigung gelungen war, die anderen Parteien zu überzeugen, so ist es uns leider in dem Punkt der Gleichstellung

Elisabeth Selbert

des unehelichen Kindes nicht gelungen – zu meinem größten Bedauern. Wir hatten von der sozialdemokratischen Fraktion aus beantragt, daß das uneheliche Kind dem ehelichen gleichgestellt werden sollte; wir hatten auch beantragt, daß es in Zukunft mit seinem natürlichen Vater als verwandt gelten soll, um ihm einen Erbanspruch zu geben. ... Ich muß offen sagen: ich habe mich darüber sehr gewundert, ich war sogar erschüttert darüber, wie die anderen Parteien ihre Augen vor den Realitäten des Lebens verschließen. Alle diese Argumente, die die weiblichen Abgeordneten der anderen Parteien brachten, sind sicher schon einmal bei der Beratung der Weimarer Verfassung gebracht worden, und inzwischen ist doch eine Welt in Trümmer gegangen. Inzwischen haben sich neue Lebensformen angebahnt, und wir wissen doch davon, wie die Millionen Frauen, die heute auf eine Ehe verzichten müssen, nach neuen Lebensformen suchen, und zwar auf der Grundlage sittlicher Reife. Wenn sie nicht heiraten können, so soll man ihnen nicht zumuten, auch auf das Glück – ein Lebensglück und auch auf Liebesglück und das Glück der Mutterschaft – zu verzichten. Das alles hat man verkannt, gestern. Man diffamiert das uneheliche Kind, man diffamiert die uneheliche Mutter weiter. ... Wir waren der Meinung, dieses alte Unrecht müsse gutgemacht werden. Und uns hat sich dieser Gedanke aufgedrängt bei den Reden der anderen Abgeordneten, die so oft von dem göttlichen Ursprung des Lebens reden – besonders denke ich dabei an ihre Einstellung zur Frage des keimenden Lebens und der Abtreibung. Wir Sozialisten geben aber den Kampf nicht auf und ich hoffe, daß es uns gelingen wird, dann im kommenden Bundestag diese Gleichstellung des unehelichen Kindes zu erreichen. 1949

Im Juni 1950 brach der Koreakrieg aus. Damals siedelten wie jedes Jahr Tausende von Menschen aus Ost- nach Westdeutschland und nach West-Berlin über. Hier wie dort wurde über freie demokratische gesamtdeutsche Wahlen gesprochen. Im März 1952 schlug Stalin den Westmächten die Wiedervereinigung und die bewaffnete Neutralität Deutschlands vor. Der Westen reagierte auf dieses Angebot, das als Stalin-Note bekannt wurde, skeptisch und hielt daran fest, zuerst freie gesamtdeutsche Wahlen durchzuführen. Als Stalin sich dazu bereit erklärte, machten die skeptischen Westmächte einen Rückzieher und schlugen das Angebot aus. Im März 1953 starb Stalin. Aus Moskau erreichte die Führung der Deutschen Demokratischen Republik die Aufforderung, einen »Neuen Kurs« einzuschlagen, innenpolitisch zu liberalisieren und die schlechten Lebensverhältnisse zu verbessern. Das strapazierte Verhältnis zu den Kirchen sollte entspannt werden.

Am 16. Juni 1953 protestierten auf zwei Berliner Großbaustellen Arbeiter gegen eine geplante Erhöhung der Produktionsnormen. Am 17. Juni brach im ganzen Land ein Aufstand aus. In mehreren hundert Betrieben wurde die Arbeit niedergelegt, in mehreren hundert Städten und Dörfern wurde demonstriert. Gefängnisse wurden gestürmt und Häftlinge freigelassen. Die sowjetischen Truppen griffen ein. Das Kriegsrecht wurde verhängt. Nach wenigen Tagen war der Streik niedergeschlagen, fünfzig Demonstranten waren getötet, Hunderte von Demonstranten verletzt worden. Unter den Sicherheitskräften war es zu Verlusten gekommen. Rund sechstausend Aufständische wurden verhaftet. Im Telegramm des Bitterfelder Streikkomitees vom 17. Juni 1953 wurde gefordert, daß die Regierung zurücktreten müsse, daß freie Wahlen durchgeführt und die politischen Gefangenen freigelassen werden sollten. Auch die deutsche Einheit wurde an vielen Orten gefordert. Nach dem Aufstand setzten die Säuberungen ein. Die Regierung erklärte, daß der Aufstand ein Resultat westlicher Unterwanderung und Propaganda sei. Die Bundesrepublik hielt in der angespannten weltpolitischen Lage den Atem an und kam den Aufständischen nicht zu Hilfe.

Der Schriftsteller Stefan Heym, geboren 1913 in Chemnitz, war vor den Nationalsozialisten geflohen und hatte in der amerikanischen Armee als psychologischer Berater gedient. Aus Protest gegen den Krieg in Korea war er im Jahr 1952 in die Deutsche Demokratische Republik gegangen. Dort wurde er 1979 aus dem Schriftstellerverband ausgeschlossen, aber noch 1989 auf der Großkundgebung auf dem Alexanderplatz in Berlin schwärmte er von einem besseren Sozialismus. Für Oberst Michail Petrowitsch Sokolow, den Chefredakteur der Tageszeitung »Tägliche Rundschau«, die von der sowjetischen Militärverwaltung herausgegeben wurde, schrieb Stefan Heym am 21. Juni 1953 ein »Memorandum zum Juni-Aufstand«, aus dem der folgende Text stammt.

Nach Ansicht der Kritiker der sozialistischen Idee hätte die Niederschlagung des Juni-Aufstandes auch im Westen den Anhängern eines anderen, eines christlichen Sozialismus, zu denen auch Eugen Kogon gehörte, die Augen darüber öffnen können, daß die schöne Theorie der Weltverbesserung hinter der kruden Praxis der Macht hinterherhinkte. Im Westen kam es unter der kritischen rebellierenden Jugend, die ihre sozialistischen Hoffnungen nicht in der Deutschen Demokratischen Republik begraben lassen wollte, in den sechziger Jahren zu einer Renaissance des Marxismus, der gerne als undogmatischer Marxismus apostrophiert und damit auf Distanz zur Herrschaft im Osten gehalten wurde.

Stefan Heym. Sehr verehrter Herr Sokolow! Auf Ihren
Wunsch versuche ich, die Gedanken und Eindrücke,
die ich Ihnen gestern bei unserer Unterredung mitzuteilen trachtete, schriftlich zu fixieren. Wie auch bei unserer Unterhaltung möchte ich vorausschicken, daß ich
mir keine Autorität irgendeiner Art anmaße. Meine Beobachtungen und Schlußfolgerungen mögen irrig sein.
Aber ich glaube, daß ich als Schriftsteller und Journalist einigermaßen daran gewöhnt bin, Umstände mit offenen Augen zu sehen
und den Menschen mit offenen Ohren zuzuhören. . . .

Die Grundtatsache in Deutschland ist, daß die deutschen Arbeiter *keine*
Revolution gemacht haben, und daß sie 1945, in ihrer Mehrzahl, zwar den
Krieg satt hatten, aber deshalb noch keine neue Gesellschaftsordnung wollten. Die deutschen Kapitalisten unter Hitler waren klug genug gewesen, die
deutsche Arbeiterklasse zu einem Teil an ihrer Beute teilnehmen zu lassen;
ebenso wie die amerikanischen Arbeiter in den entscheidenden Industrien an
der Weltausbeutung durch den amerikanischen Imperialismus beteiligt sind.
Das erklärt die Tatsache, die mir von Frau Volkskammer-Abgeordneten Le-
witt-Küter berichtet wurde, daß am 17. Juni auf einem Transparent an einem
Betrieb die Losung auftauchte: »Wir wollen unsere Ausbeuter wieder!« Das
erklärt die Tatsache, mir berichtet durch die Frau des Schriftstellers Petersen,
daß ein Arbeiter beim Vorbeifahren der sowjetischen Tanks sagte: »Das sind
die Burschen, die der Hitler vergessen hat zu vergasen.« Das erklärt die Tatsache, mir berichtet durch den Schriftsteller Peter Kast, der am 17. Juni aus
der DDR nach Berlin reiste und mir sagte: »Es war eine Reise durch Feindes-
land.« Vielleicht sind diese letzten Beispiele nicht typisch; aber sie zeigen eine
Tendenz an.

So wie Radio, Presse, Gewerkschaften und offensichtlich auch Teile der
Partei bis zum 17. Juni dieser Bevölkerung gegenüber versagten, so versagten
sie auch am 17. Juni.

Ich kam unter Schwierigkeiten gegen ein Uhr nachmittags in den Schriftstellerverband. Dort waren ca. zwanzig Angestellte und zwanzig Schriftsteller versammelt, bereit zu kämpfen, bereit, etwas zu tun. Es kamen, soviel mir
bekannt ist, keine Anweisungen zum Handeln.

Das Radio spielte Operettenmusik, und die ersten Kommentare kamen
erst gegen Abend. Ich muß Ihnen über die Arbeit der westlichen Sender
während dieses entscheidenden Tages nicht berichten. Wo aber war unser
Lautsprechersystem? Wo waren die Lautsprecherwagen der Regierung und
Partei? Wo waren die Extraausgaben der Zeitungen?

In der Redaktion der »Neuen Berliner Illustrierten« forderte einer der Redakteure, sofort Fotoreporter auszusenden. Es wurde ihm abgelehnt mit der Begründung: »Wir werden doch solche Sachen nicht noch bei uns drucken!« Am nächsten Tag schickte man ihn nach West-Berlin, um die entsprechenden Bilder bei United Press einzukaufen.

In der Kulturredaktion des »Neuen Deutschland« wurde einem jungen Schriftsteller, der sich erbot, Artikel über die Vorgänge zu schreiben, von dem zuständigen Redakteur Girnus erklärt: »Darüber brauchen Schriftsteller überhaupt nicht zu schreiben; das ist Angelegenheit des politischen Kommentars.«

Beim Rundfunk wurden fähige Schriftsteller, die sich erboten, in dieser Ausnahmezeit freiwillig mitzuhelfen, das Programm zu gestalten, mit den Worten abgewiesen: »Wir sehen keinen Grund, unser Programm zu ändern.«

Es ist klar, daß der unmittelbare Anlaß zum 17. Juni auf die Agentenarbeit der Westmächte zurückzuführen ist. Sonst wäre ja nicht zu gleicher Zeit an so vielen Stellen in dieser organisierten Form losgeschlagen worden. Die Ursache ist aber nicht der Anlaß – und die Ursache zu den Ereignissen liegt in der DDR. Denn wenn die Agenten keinen Boden vorgefunden hätten, der sich für ihre Arbeit eignete, so wären sie sofort isoliert worden oder hätten gar nicht erst losgeschlagen.

Ich möchte Sie, verehrter Herr Sokolow, und durch Sie die verantwortlichen sowjetischen Stellen bitten – ich bitte Sie um Ihrer eigenen Landsleute und um des Weltfriedens willen –, sich in diesem Punkt keine Illusionen zu machen. Ein paar Erleichterungen auf sozialem Gebiet ändern die Grundlage nicht, *wenn nicht auf allen Gebieten des Lebens in der DDR eine neue Haltung den Menschen gegenüber geschaffen wird.* Das bezieht sich auf Gewerkschaften wie auf Parteiapparat, und was die Schriftsteller betrifft, auf das Gebiet der Kultur, der Presse, des Radios. Man muß den Arbeitern und allen Bevölkerungsteilen eine Presse geben, der sie wieder Vertrauen schenken. Man muß in einer Sprache zu ihnen sprechen, die sie verstehen und die die ihre ist. Man muß die Dinge drucken, die die Leute interessieren, und zwar deshalb interessieren, weil es *ihre* Dinge, *ihre* Probleme sind. Man muß die Wahrheit schreiben und drucken. Man muß aufhören zu beschönigen. Man muß lernen, wie man die Menschen überzeugt. Man überzeugt sie einmal durch Taten – und das ist im Augenblick das allerwichtigste –, aber auch dadurch, daß man die Taten richtig und *verständlich* interpretiert und darstellt.

Für den Augenblick schlage ich Ihnen für Ihre Zeitung eine Serie von Reportagen und literarischen Artikeln vor, in denen die Sorgen und die Kritik der Arbeiter und der Bevölkerung zum Ausdruck kommen – wenn möglich,

Stefan Heym

schon unter Hinzusetzung von Maßnahmen, die getroffen wurden, um Abhilfe zu schaffen, wenn nicht möglich, auch ohne das.

Ich schlage vor, daß diese Reportagen und Artikel von den fähigsten und ehrlichsten und am klarsten sehenden Schriftstellern geschrieben werden, Schriftstellern, die imstande sind, den richtigen Ton zu finden, und deren Schreibweise frei ist von den großen Phrasen und Klischees, die so viel Schuld tragen an den Ereignissen des 17. Juni.

Viele Arbeiter haben während des Streiks und der Demonstrationen gesagt: WIR WOLLEN GEHÖRT WERDEN. Man hatte sie nicht oder nicht rechtzeitig gehört. Jetzt kommt es darauf an, daß sie den Eindruck gewinnen: Jawohl, man hört uns! Jetzt kommt es darauf an, ein Ventil zu öffnen, um den aufgestauten Haß, die aufgestaute Mißstimmung, abblasen zu lassen.

Jetzt kommt es darauf an, wieder Vertrauen zu schaffen – Vertrauen der Arbeitermassen und der Bevölkerung zu Regierung und Partei. Wenn Ihre Zeitung vorangeht, bin ich überzeugt, daß die andern folgen werden.   1953

Der Koreakrieg und die Niederschlagung des Aufstandes vom 17. Juni durch die Sowjetunion rechtfertigten in den Augen zahlreicher Bundesbürger die Außenpolitik von Bundeskanzler Konrad Adenauer, der konsequent die Westbindung Deutschlands betrieb und dieser Politik die kurzfristigen Hoffnungen auf die deutsche Einheit opferte – worüber sich Kurt Schumacher empörte, der an der Priorität der deutschen Einheit festhielt. Unter dem Stichwort »Einheit in Freiheit« wurde darüber im Bundestag heftig debattiert. Im Jahr 1954 wurde mit den Pariser Verträgen die Wiederbewaffnung Deutschlands vorbereitet – damit schien die Teilung Deutschlands für alle Zukunft besiegelt zu sein. Im Bundestag verteidigte der Bundesminister für besondere Aufgaben, Franz Josef Strauß von der Christlich-Sozialen Union, der in den sechziger Jahren über die »Spiegel«-Affäre stolperte, die Ratifizierung der Pariser Verträge. In diesen Verträgen war vorgesehen, die Bundesrepublik Deutschland aus dem Besatzungsstatut zu entlassen und in das Nordatlantische Verteidigungsbündnis aufzunehmen. Die Bundesrepublik sollte dafür die Pflicht übernehmen, im Angriffsfall einen militärischen Beistand zu leisten. Der Sozialdemokrat Erich Ollenhauer hatte in einer berühmten Rede der Bundesregierung blinde Gefolgstreue gegenüber dem Westen vorgehalten und betont, daß es doch um mehr als Divisionen, daß es um die gesamtdeutsche Zukunft gehe.

Im Juli 1955 besuchte das sowjetische Staatsoberhaupt Nikita Chruschtschow die Deutsche Demokratische Republik und erklärte seine Doktrin der zwei Staaten. Diese Doktrin sah vor, daß die Wiedervereinigung zwar den Deutschen über-

lassen bleiben sollte, doch dabei die politischen Errungenschaften Ostdeutschlands respektiert werden müßten. Franz Josef Strauß, 1915 in München geboren,
wurde 1939 zum Wehrdienst eingezogen, 1955 wurde er Atomminister, ein Jahr
später Bundesverteidigungsminister und 1966 Finanzminister in der Großen
Koalition. Strauß meldete sich im Bundestag am 24. Februar 1955 in der Debatte
über die Pariser Verträge zu Wort. Die Verträge wurden Ende Oktober desselben
Jahres unterzeichnet.

 **Franz Josef Strauß.** Wir stehen in einer für die Zukunft
unseres Volkes und aller freien Völker der Welt bedeu-
tungsvollen, vielleicht der bedeutungsvollsten außenpolitischen Debatte unseres Parlaments seit seinem Bestehen überhaupt. Wir haben einen konkreten Anlaß
dazu, weil wir in diesen Tagen über Annahme oder Ablehnung der Pariser Verträge entscheiden müssen.
(Zuruf von der SPD: Wieso »müssen«?)
– Weil wir entscheiden müssen.
(Zuruf von der SPD: »Wollen«!)
Gerade über diese Entscheidung ist soviel Unruhe in der deutschen Öffentlichkeit entstanden oder, richtiger gesagt, großenteils künstlich erzeugt worden.
(Beifall bei der CDU/CSU.)
Für uns muß jede außenpolitische Entscheidung nach zwei großen Gesichts-
punkten beurteilt werden: 1. Nützt diese Entscheidung der Wiedervereini-
gung unseres Volkes in Frieden und Freiheit? 2. Ist diese Entscheidung ein
Beitrag zum Zusammenschluß Europas und zur Sicherheit der freien Völker
der Welt? ...
    Wir müssen uns darüber im klaren sein, das Ziel der sowjetischen Politik –
auch wenn Sie darüber lachen mögen; eines Tages wird Ihnen das Lachen ver-
gehen – ist und bleibt die Weltrevolution.
(Beifall bei den Regierungsparteien. – Zurufe von der SPD.)
Die nächste Etappe auf diesem Wege sollte nicht die Wiedervereinigung
Deutschlands in Freiheit oder Frieden sein, sondern die Bolschewisierung
Gesamtdeutschlands, die praktisch der Herrschaft über Europa gleichkäme.
(Sehr richtig! in der Mitte.)
Da man aber das letzte Risiko, um dieses Ziel zu erreichen, nämlich einen
Waffengang mit den Vereinigten Staaten von Amerika, weder auf sich neh-
men kann noch will, haben die Sowjets die trügerische Fata Morgana der

handgreiflich nahen Wiedervereinigung heraufbeschworen und als Preis dafür den Verzicht auf die europäische Einigung und die Preisgabe des Sicherheitssystems der freien Völker mit Einschluß der Bundesrepublik Deutschland gefordert, um auf diesem Wege den Abzug der Amerikaner aus Europa zu erreichen. Genau an diesem Tage, am Tage des Abzugs würde die Politik der Koexistenz aufhören und an ihre Stelle die Politik der bedingungslosen Unterwerfung treten, für Deutschland die Wiedervereinigung in Form der Gesamtbolschewisierung.

(Beifall bei den Regierungsparteien. – Zurufe von der SPD.)

Man braucht nur die Presse der letzten Wochen aufmerksam zu lesen, um festzustellen, wieweit die Sozialdemokratische Partei und maßgebende Vertreter des Deutschen Gewerkschaftsbundes auf dem Wege der Selbsttäuschung bereits vorangegangen sind.

(Sehr wahr! in der Mitte.) ...

Kein Volk sollte sich über die sowjetische Gefahr klarer sein als das deutsche Volk. Wir in der Bundesrepublik sollten die Dinge mit derselben Klarheit sehen, wie es die heute so oft zitierten und leider manchmal sehr strapazierten Arbeiter des 17. Juni getan haben. Jedermann weiß, daß es uns mit der Friedensliebe ernst ist. Jedermann weiß aber auch, daß die letzte Chance, unsere Freiheit zu erhalten und die Freiheit für Gesamtdeutschland zu erwerben, darauf beruht, die Hilfe der Westmächte zu gewinnen und ihre politische Kraft für dieses Ziel zu sichern. Die Freiheit erkämpft man nicht durch Kompromisse, die Freiheit erkämpft man durch Illusionslosigkeit, Entschlossenheit und Zuverlässigkeit. Wir brauchen die Hilfe des Westens. Hilfe von Starken erhält nur, wer selbst bereit ist, zur gemeinsamen Stärke seinen kleinen Beitrag hinzuzufügen.

(Beifall bei den Regierungsparteien.) ...

Die große Schwierigkeit und zugleich die große Versuchung liegen darin, daß der Begriff »Wiedervereinigung in Frieden und Freiheit« in den letzten Tagen auch im sowjetzonalen Sprachgebrauch üblich geworden ist, so z.B. in der Erklärung des kommunistischen Friedensrates der Sowjetzone. Wo liegt der Unterschied? Es gehört zur Dämonologie unserer Zeit, daß die gleichen – –

(Zurufe von der SPD: Oh! Oh!)

– Wenn Ihnen das Fremdwort zu schwierig ist, kann ich es wiederholen.

(Heiterkeit. – Zurufe von der SPD.)

– Ein schönes Wort!

(Zuruf von der SPD: Sprachschöpfer!)

Es gehört zur Dä-mo-no-lo-gie unserer Zeit, daß die gleichen Worte und Begriffe gebraucht, aber je nach geistigem Notenschlüssel ganz verschiedene Dinge darunter verstanden werden. Eine große Gefahr liegt für uns darin, daß wir mit unseren westlich-abendländischen Vorstellungen – – wenn Sie mich ansehen, Herr Kollege Schmid: Sie sind für mich geradezu eine Repräsentation dieser westlich-abendländischen Kulturvorstellungen.

(Große Heiterkeit. – Abg. Dr. Schmid [Frankfurt]:
Ich dachte nur darüber nach, Herr Minister,
wie Sie das mit der Dämonologie gemeint haben könnten.
Am Inn gehn noch die Perchten um!)

– Wenn ich mit Ihren Fähigkeiten ausgerüstet wäre, hätte ich es sogar lateinisch gesagt.

(Heiterkeit.)

Es besteht die Gefahr, daß wir mit unseren westlich-abendländischen Vorstellungen an den sowjetischen Sprachgebrauch herangehen und deshalb zu völlig falschen Schlüssen kommen. Wenn die Sowjets von Frieden reden, dann meinen sie damit nicht das Bekenntnis zum Frieden als einem moralischen Gut, damit meinen sie das Bekenntnis zu ihrer Friedenszweckpolitik. Ihr liegt ohne Zweifel die Vorstellung zugrunde von einer pax sowjetica, einer pax sowjetica, die über den Grabmälern der europäischen Nationen und ihrer Bürger errichtet werden soll.

(Sehr richtig! in der Mitte. – Abg. Dr. Schmid
[Frankfurt]: Auf Latein: pax sarmatica!)

– Ja, pax sowjetica, nicht britannica!

(Abg. Dr. Schmid [Frankfurt]: »Pax sarmatica«
würde ich lateinisch sagen!)

– Jetzt heißt es nicht »pax sarmatica«, sondern »pax sowjetica«; es haben nicht alle Ihre historische Bildung, Herr Kollege Schmid.

(Abg. Dr. Schmid [Frankfurt]: Das ist kein Küchenlatein!) ...

Die Sowjets wissen, daß ihnen von uns keine Gefahr irgendwelcher Art jemals droht. Wenn es ihnen um den Frieden geht, sind wir auf Gegenseitigkeit zu allen Garantien bereit. Die Sowjets sollen aber auch wissen, daß noch größer als unsere aus dem Gewissen kommende Friedensliebe unsere Entschlossenheit ist, unsere Freiheit zu erhalten und notfalls zu verteidigen.

(Beifall bei den Regierungsparteien.)

Die Sowjets sollen sich damit abfinden, daß die europäische Einigung an der Bundesrepublik Deutschland nicht zum Scheitern gebracht werden kann. Sie sollen wissen, daß Europa immer im Lager des Friedens stehen wird, daß Europa im Falle der Bedrohung aber immer auf der Seite der Freiheit stehen wird. Wir sagen ja zu den Pariser Verträgen, weil sie das Risiko für den An-

greifer erhöhen, weil sie gleichzeitig die Ansätze für eine allgemeine Abrü-
stungspolitik enthalten. Wir sagen ja zu den Pariser Verträgen, weil sie uns
als notwendiges Übergangsstadium zu einem europäischen Staatenbund
und – so bald wie möglich – einem europäischen Bundesstaat erscheinen. Wir
sagen ja zu den Pariser Verträgen, weil wir wissen, daß ihr Scheitern jubeln-
des Triumphgeschrei der kommunistischen Machthaber, tiefe Niedergeschla-
genheit bei den versklavten Deutschen und Ratlosigkeit unter den freien Völkern hervorrufen würde.

(Sehr richtig! in der Mitte.) 1955

Franz Josef Strauß war für kritische Beobachter der bundesrepublikanischen Entwicklungen ein Synonym für den Verdacht, daß Politik und Wirtschaft unheilvolle
Allianzen hinter dem Rücken der Öffentlichkeit eingingen. Affären und Skandale
bestätigten den Verdacht. Theodor Eschenburg, geboren 1904 in Kiel, unter der
Hitler-Diktatur als Geschäftsführer von Industrieverbänden tätig und nach dem
Krieg Professor für Politikwissenschaften in Tübingen, prägte in der Mitte der
fünfziger Jahre das Wort von der Herrschaft der Verbände. Der Verfasser des Buches »Staat und Gesellschaft in Deutschland« war ein eloquenter Beobachter der
Bonner politischen Szene. Die Politiker sah er unter den Einfluß von Lobbyisten geraten, durch deren Treiben die Ausübung des demokratischen Regierungsauftra-
ges getrübt werde. Diesen Hinweis, der auf eine Fehlentwicklung der Politik aufmerksam machen wollte, nahmen später in einer verschärften Form Kritiker des
bundesrepublikanischen Staates auf, die sich darin einig waren, die Demokratie
vor der kaum kontrollierbaren Eigenmächtigkeit der Politiker schützen zu müssen.
Die Skandale um die Parteienfinanzierung, für die sich die Regierung Helmut
Kohls seit den achtziger Jahren verantworten mußte, sind die Folgen einer Entwicklung, durch welche das Zutrauen der Öffentlichkeit in die Redlichkeit der
Politiker immer mehr schwand.

Nachdem die drohende Herrschaft der Verbände in der Politik einmal konsta-
tiert worden war, begannen sich Staat und Gesellschaft den Auftrag streitig zu
machen, wer für die Sorge um die Demokratie zuständig sei. Die wahre Demokratie der Gesellschaft stand mit einem Mal der staatlich geschützten unwahren Demokratie der Parteien gegenüber. Den Vortrag über die Herrschaft der Verbände,
aus dem der folgende Text stammt, hielt Theodor Eschenburg im Dezember 1954
in der Düsseldorfer Industrie- und Handelskammer unter dem Titel »Staatsauto-
rität und Gruppenegoismus«.

Theodor Eschenburg. Auch die mittelbare oder unmittelbare staatliche Finanzierung der Parteien ist ein Symptom für die Instrumentalisierung des Staates durch die Gruppen. Gerhard Leibholz erwähnt in einem Aufsatz, daß in finanzielle Schwierigkeiten geratene Parteien von den Finanzministern der Länder bei den Wahlen zum ersten Bundestag sogenannte Wählerkredite erhalten hätten. Das erscheint als bedenkliches Verfahren, zumal wenn nicht alle Parteien gerecht bedacht werden. Aber meine Phantasie würde nicht ausreichen, um ein gerechtes System zu ersinnen. Die Mitgliederzahl ist kein Maßstab, denn sie kann leicht zum Zweck der Quotenerhöhung künstlich gesteigert werden. Aber ebensowenig ist es die Stimmenzahl der Wähler oder die Fraktionsstärke. Eine Verteilung der Gelder nach vor den Wahlen liegenden Maßstäben würde konservierend wirken, also die Wahlwirkung beeinträchtigen. Der Bundesminister Schäffer hat in einer Wahlrede in Bayern kürzlich davon gesprochen, daß der Staat die Parteienfinanzierung für die Wahlen übernehmen sollte, um jegliche Privatfinanzierung auszuschließen. Schäffer ist ein vorzüglicher Rechner. Aber die praktische Durchführung seines Vorschlages vermag ich mir, bei allem Respekt vor dieser Eigenschaft, nicht vorzustellen. Es fehlt an jeglichem einigermaßen gerechtem Maßstab für die Aufschlüsselung der Zuwendungen auf die einzelnen Parteien. Ganz abgesehen davon, daß man kaum in der Lage sein dürfte, Sach- und Dienstleistungen von privater Seite gesetzlich zu unterbinden.

Der Bundeskanzler verfügt nach dem Haushalt 1954 über einen Fonds von *10 Millionen DM* zur Förderung des Informationswesens, der im Haushaltsplan 1955 auf *11,2 Millionen DM* erhöht ist und im Jahre 1953 4,5 Millionen DM betrug. Die Weimarer Republik kannte einen solchen Fonds zur Verfügung des Reichskanzlers oder der Regierung nicht, wohl aber einen Geheimfonds des Auswärtigen Amtes, der auch heute noch außerdem besteht.

Als Stresemann Ende der zwanziger Jahre aus dem Geheimfonds des Auswärtigen Amtes heimlich die Deutsche Allgemeine Zeitung aufkaufte, um für seine Außenpolitik und nur für diese über ein Sprachrohr zu verfügen, setzte in der Öffentlichkeit ein solcher Sturm der Entrüstung ein, daß die DAZ schnellstens wieder verkauft wurde. Der Fonds des Bundeskanzlers steht nicht nur auf dem Papier. Er wurde im Jahre 1953, wie aus dem Haushaltsplan hervorgeht, fast vollständig ausgegeben. Was macht der Bundeskanzler damit? Wir wissen es nicht, sollen es auch nicht erfahren, denn die Jahresabrechnung unterliegt nach dem Vermerk des Haushaltsplanes nur der

Prüfung des Präsidenten des Rechnungshofes. Wir können also nur Vermutungen anstellen. Bekanntlich gibt das Presse- und Informationsamt der Bundesregierung ein Bulletin heraus, das meist offiziös die Politik der Bundesregierung erläutert und amtliche Informationen bringt. Hiergegen ist nichts einzuwenden. Ab Juli 1953 erschien bis zum Tag der Bundestagswahlen eine Beilage auf gelbem Papier unter dem Titel »Informationsdienst des Bundespresseamtes«. Diese Beilage enthielt in ausgesprochen polemischer Form Rechtfertigungen der Regierungsparteien und Angriffe gegen die Opposition. Kurz, dieser Informationsdienst war ein vom Staat herausgegebenes und bezahltes *Wahlkampforgan der Regierungskoalition.* Dabei ist es gleichgültig, ob die Kosten aus dem Titel für Veröffentlichungen der Bundesregierung oder aus dem Informationsfonds des Bundeskanzlers gedeckt wurden. Mag sein, daß aus diesem Fonds des Bundeskanzlers Mittel zur Bekämpfung des Kommunismus aufgebracht werden. Das hätte aber auch das Bundesministerium für Gesamtdeutsche Fragen, das ohnehin schon über sehr beträchtliche Mittel verfügt, oder die dem Bundesministerium des Innern unterstehende Bundeszentrale für Heimatdienst übernehmen können. Letztere wird sogar von einem aus allen Parteien gebildeten parlamentarischen Beirat kontrolliert. Ein anderer Zweck könnte die Popularisierung der Außenpolitik des Bundeskanzlers und damit der Bundesregierung sein. Aber hätte dann nicht die Sozialdemokratie zur Popularisierung ihrer außenpolitischen Ziele den gleichen Anspruch im parlamentarischen Staat? Der Bundeskanzler wird auf seinen Auslandsreisen von einem Troß von Journalisten begleitet. Es gibt aus der öffentlichen Berichterstattung eine ganze Reihe von Anhaltspunkten, daß Aufwendungen von Journalisten aus diesem Anlaß z.T. vom Bund erstattet werden. Eine besondere Etatsposition hierfür gibt es jedoch nicht, die diesbezüglichen Ausgaben kontrolliert das Parlament nicht. Weder Stresemann noch Brüning haben bei ihren zahlreichen Staatsbesuchen und Beteiligungen an internationalen Konferenzen solche Methoden angewandt. Wenn die Regierung diese Vergeudung öffentlicher Mittel und diesen institutionswidrigen Versuch zur Beeinträchtigung der Meinungs- und Berichtsfreiheit nicht scheut, das Parlament sie daran nicht zu hindern vermag, dann sollte sich der Verband der Zeitungsverleger überlegen, ob die Entgegennahme von Staatsdotationen mit der Würde einer unabhängigen Presse vereinbar ist. Innerpolitische Geheimfonds der Regierung bieten einen starken Anreiz zur Finanzierung der Regierungsparteien. Aus ihnen können leicht *Staatsfonds der Koalitionen* werden, und selbst, wenn sie es nicht werden, erwecken sie durch die Geheimhaltung den Anschein, als ob sie für diese Zwecke verwandt würden. Sie stören die gerechte

Startgleichheit der Parteien. Sie gefährden das Prinzip der gleichen Chance und sind dadurch geeignet, eine der Säulen der Demokratie, nämlich die Mehrheitsentscheidung, anzuschlagen. Sie sind also institutionswidrig. Parteienstaat heißt, daß Parteien in einem durch Wahlen festgelegten Stärkeverhältnis den politischen Willen im grundsätzlichen bilden, nicht aber, daß sie den Staat unter sich verteilen. *Der Staat ist keine Parteien-GmbH.*

In der parlamentarischen Demokratie verstößt die direkte oder indirekte Verwendung von Steuermitteln für Zwecke einzelner Parteien gegen den Sinn der Verfassung. Mag sein, daß im Kabinett oder in einer der Regierungsfraktionen Einspruch gegen dieses institutionswidrige Unternehmen erhoben worden ist. In der entscheidenden Sitzung des Bundestages stimmten die Regierungsparteien dem Etat des Bundeskanzlers zu. Der Zweck heiligt die Mittel. *Parteizweck geht vor Institutionstreue.* Wir regen uns über die Juridifizierung der Politik auf, treiben aber durch unser einseitiges Zweckhandeln immer mehr in sie hinein. …

Demokratie ist auf die Dauer nur möglich, wenn sie getragen wird von der demokratischen Vorstellung und Gesinnung breiter Volkskreise. Diese Pflege der demokratischen Vorstellungswelt bedingt aber, daß die Institutionen und Verfahren nicht verletzt, nicht eingedrückt oder umgebogen werden, eben nicht pervertiert werden. Nur durch die Kontinuität ihrer Existenz prägen sie sich im Volksbewußtsein ein. Die Institutionen und Verfahren sind das *statische* Element in einer so dynamischen Herrschaftsform, wie es die demokratische ist. Nicht der Zweck heiligt die Mittel, sondern die Mittel heiligen den Zweck. »*An ihren Mitteln sollt ihr sie* (nämlich die Politiker) *erkennen*«, hat einmal ein Kollege treffend gesagt. …

Der Unterstaat ist eine natürliche Folgewirkung des Hitlerschen Überstaates. Hitler hat das Staatsgefühl so überfordert, daß es heute unterentwickelt ist. Der übertriebene Gruppenrespekt, um nicht zu sagen, die übertriebene Gruppenangst, ist eine begreifliche Massenstaatserscheinung, weil der auf sich allein Gestellte im Massenstaat macht- und einflußlos ist. Unter dem zeitlichen Zusammentreffen beider Erscheinungen leiden wir in der Bundesrepublik besonders, obgleich sich Tendenzen der Staatsunlust auch in anderen Ländern zeigen. Es gibt Maßnahmen und Verhaltensweisen in anderen demokratischen Ländern, die wesentlich krasser sind als die deutschen Beispiele. Aber in diesen Ländern wirkt mehr oder minder eine starke Tradition, die uns fehlt. Wir haben einen traditionslosen Staat. Er muß sich erst wieder Respekt erwerben, nämlich durch Parlament, Regierung und Verwaltung.

1954

Theodor Eschenburg

Theodor Eschenburg warnte vor der Herrschaft der Verbände. Der Journalist Friedrich Sieburg litt unter der Herrschaft des Provinziellen, dessen politisches Sinnbild in seinen Augen Bonn war, das als Sitz der Regierung an die Stelle von Berlin getreten war. Bei Eschenburg drängte das partikulare ökonomische Interesse in die Politik, bei Sieburg der provinzielle und national geduckt einhergehende Geist in die Kultur. Politik und Kultur gingen in diesen frühen Jahren offiziell getrennte Wege – die Erfahrungen mit dem Nationalsozialismus und das Beispiel der Deutschen Demokratischen Republik, wo alles Politik war, weil alles dem Staate dienen mußte, hatten geholfen, einen Zaun zwischen diesen beiden Bereichen zu ziehen. Dieser Zaun wurde erst in den sechziger Jahren eingerissen, wobei die junge, politisch ausgerichtete Schriftstellervereinigung »Gruppe 47« tatkräftig mitgeholfen hat. In den sechziger Jahren pochte die kritische Jugend darauf, daß in der Gesellschaft mehr durch die Politik bestimmt sei, als es auf den ersten Blick den Anschein habe. Die Politik wurde zur Zentralperspektive der Lebenswahrnehmung.

In der Deutschen Demokratischen Republik veröffentlichte der marxistische Philosoph Ernst Bloch im Jahr 1954 den ersten Band seines dreibändigen Hauptwerkes »Das Prinzip Hoffnung«. Die Hoffnung auf den realen Sozialismus trog. Bloch griff die Gängelung der Kunst durch die Politik an, geriet ins Visier der Partei und wurde aus der Universität Leipzig zwangsemeritiert. Geistige Leere spürte Hannah Arendt in Westdeutschland. Aus Frankfurt am Main schrieb sie im November 1955 an ihren Mann Heinrich Blücher nach Amerika, daß in Deutschland nicht viel los sei. Das Wirtschaftswunder sei überall präsent, was darunter vorgehe, das wisse kein Mensch: »Aber das Gefühl, daß alles nur Fassade ist, hat man wieder einmal nirgends so stark wie hier. Ziemlich unheimlich! Alles überdeckt von einer verstunkenen Restauration.« Die Fassade sei »verspießert«, es gebe eine Renaissance des Klassischen. Nur der Philosoph Martin Heidegger, den Hannah Arendt nicht aus den Augen verlor, weil sie bei ihm studiert und ihn bewundert hatte, wirke im geheimen: »Zweifellos ist dies das einzige, was in Deutschland wirklich lebendig da ist, aber in der Wirkung wohl auch eben zweifellos verhängnisvoll. Aber selbst dies ist aus dem öffentlichen Leben verschwunden. In den Bücherstuben liegt weder Jünger noch Heidegger, sondern eher Goethe und nochmals Goethe.« Martin Heidegger, der mit seinem 1927 erschienenen Werk »Sein und Zeit« zu einem der maßgeblichen Philosophen des zwanzigsten Jahrhunderts wurde, hatte 1933 bei einer Rede in der Freiburger Universität einen Kniefall vor dem nationalsozialistischen Staat gemacht. Heidegger wurde 1947 für drei Jahre die Lehrbefugnis entzogen.

Friedrich Sieburg, geboren 1893 in Westfalen, war Fliegeroffizier im Ersten Weltkrieg und während des Zweiten Weltkrieges Korrespondent der »Frankfurter

Zeitung« in Paris. Während seiner Tätigkeit im Auswärtigen Amt pries er laut die Kollaboration. Er hatte 1929 mit »Gott in Frankreich« das erfolgreichste Buch eines Deutschen über Frankreich geschrieben. Nach dem Krieg durfte er drei Jahre lang nichts veröffentlichen. Sieburgs polemischer Stil und seine Attacken gegen die grassierende deutsche Mittelmäßigkeit, die weder ein geschichtsgesättigtes Nationalgefühl noch das Wort Lebensstil kenne, wurden später vor allem von dem Kulturkritiker Karl Heinz Bohrer wiederbelebt. Bohrer empörte sich mit Verve über die deutsche Provinzialisierung von Geist und Politik unter Bundeskanzler Helmut Kohl. Vom Provinzialismus begann sich Deutschland zu lösen, als das Land wiedervereinigt und Berlin im Bundestag zum Regierungssitz ernannt worden war. Friedrich Sieburgs Leiden an den Deutschen und an der Bundesrepublik erschien 1954 als Buch mit dem Titel »Die Lust am Untergang. Selbstgespräche auf Bundesebene«.

 **Friedrich Sieburg.** Gereiztheit, Groll und zwiespältige Gewissensregungen nehmen bei uns Deutschen der Bundesrepublik den Platz dessen ein, was man einst das Nationalgefühl nannte. Nicht, daß es uns an Liebe zu unserem Lande fehlte! Aber welches Land ist eigentlich gemeint, wo verläuft sein Umriß, welche Menschen gehören zu ihm? Die Bundesrepublik ist und bleibt ein Provisorium, das würde auch der stürmischste Verfechter des Generalvertrages und der Einfügung unseres Staatsgebildes in die westliche Sphäre nicht zu bestreiten wagen. Unser Land ist wirtschaftlich lebensfähig, das hat es in den letzten Jahren mit bestechender, wenn auch bisweilen etwas beunruhigender Deutlichkeit bewiesen. Aber es hat – um einen ganz einfachen Ausdruck zu gebrauchen – keine Seele, ihm fehlen Bewußtsein und geistige Vorstellung seiner selbst. Man kann ein Land als Nation lebendig erhalten, dem ein Glied abgehackt ist, aber nicht, wenn es mitten durchgeschnitten ist.

Was aus diesem widernatürlichen Restgebilde herausgeholt worden ist, hat kaum seinesgleichen. Aber wir vermögen nicht stolz darauf zu sein, ja wir fühlen uns nicht einmal imstande, Dankbarkeit dafür aufzubringen. Denn uns dürstet nach Nationalgefühl. Das Bewußtsein, auf Vertrauen warten zu müssen, das Gefühl, dringend gebraucht, aber nicht im geringsten geliebt zu werden, die Gewißheit schließlich, bei jeder internationalen Meinungsverschiedenheit – mag sie bei einem Autorennen oder bei Verteidigungsplänen entstehen – an Sünden und Düsternisse unserer jüngsten Geschichte erinnert zu werden, alles das hat einen weitläufigen Komplex nationaler Übel-

nehmerei erzeugt und uns damit eigentlich nur die negative Seite des Nationalgefühls beschert. Wir fühlen wohl, daß wir zusammengehören, aber wir
wissen nicht, um welchen Kern wir zusammengeschlossen sind. Keine Propaganda, keine Erweckung alter Ressentiments, kein landschaftlicher Bezug
vermag uns darüber hinwegzutäuschen, daß dies Provisorium, in dem wir leben, keine Seele hat und keine haben kann. Alle Versuche, uns ein Gefühl von
der nationalen Wirklichkeit der Bundesrepublik einzureden, sind Selbsttäuschung.

Aber versuchen wir überhaupt, Vorstellungen und Regungen dieser Art in
uns zu entdecken? Ist es nicht vielmehr so, daß die meisten von uns sich mit
dem seellosen Zustand abzufinden beginnen? Die Gekränktheit ersetzt den
Patriotismus, der Provinzialismus schöpft aus dem föderalistischen Aufbau
unseres Staatswesens eine falsche Legitimierung. Der Ruf: »Wir haben es ja
nicht so gewollt!« betäubt die Gewissen, die ahnen, daß wir im Begriff sind,
der Idee »Deutschland« gegenüber in Gleichgültigkeit und Egoismus zu ver-
sinken. Die Bundesrepublik ist ein Zweckverband, es ist ihr nicht gelungen,
das deutsche Nationalgefühl in seine Hut zu nehmen und zu kräftigen. Niemand weiß, wann die Wiedervereinigung Deutschlands kommen wird, ja so
wie die Dinge im Augenblick stehen, darf kein Realpolitiker mit Sicherheit
verkünden, daß sie überhaupt kommen wird. Aber während wir auf sie hoffen, zerrinnt die nationale Substanz. Was werden wir Deutsche sein, wenn
wir uns einst wiederfinden?

Diese Gewissenserforschung – oft ist es nur ein Grübeln – erfüllt uns mit
Unruhe und Trauer. Aber sie ist notwendig und kann gar nicht ausführlich
genug sein, wenn man von Berlin sprechen will. Im Grunde war schon die
ganze Zeit von Berlin die Rede, denn in der ehemaligen Reichshauptstadt
wird das deutsche Nationalgefühl am Leben erhalten. Diese Erfahrung kann
vielleicht nur an Ort und Stelle gemacht werden, aber auf dem Berliner Boden ist sie mit Händen zu greifen. Sie ist zugleich sinnlicher Eindruck und
Denkergebnis. Es ist ein herzzerreißendes Paradox, daß man als Westdeutscher nach Berlin kommen muß, um zu spüren, daß Deutschland noch eine
nationale Realität ist. Es wäre zu pathetisch, wenn man sagen wollte, daß die
Seele des Volksganzen, zu dem wir gehören, in Berlin und nur in Berlin fühl-
bar wird, ja es wäre nicht einmal ganz richtig. Denn die geschichtlichen Ereignisse haben Berlin keine andere Wahl gelassen, es liegt weit drinnen in dem
von uns abgerissenen Teil Deutschlands, es ist selbst mitten durchgerissen
und lebt gewissermaßen ausgespannt, ausgereckt über dem Abgrund, der
zwei unversöhnlich verschiedene Welten voneinander trennt. Der Besucher
hört bis zum Überdruß, daß die Stadt der äußerste Vorposten der freien Welt

sei, aber seine Erfahrung geht darüber hinaus, sie geht ihm heftiger ans Leben. O gewiß, Berlin gehört zum Westen, wer wollte noch daran deuteln, nachdem für diese Zugehörigkeit soviel geleistet und gelitten worden ist. Aber vor allem: Berlin gehört zu Deutschland, zu einem Deutschland, wie wir es selbst kaum noch kennen und pflegen, zu einem großen Land, das sich eins weiß und sich seines Wesens bewußt ist. Hamburg, Frankfurt, München, das sind wackere und mächtige Städte, voll berechtigten Selbstgefühls, an dem wir teilnehmen, solange wir uns in ihren Straßen bewegen. Aber als Nation fühlen wir uns nur noch in Berlin. …

Ist es normal, daß wir den Provinzialismus nicht fühlen, in den unser nationales Leben unerbittlich hinein gerät? Geschichtliche Räume sind Realitäten, deren Verleugnung böse Früchte tragen muß. Die Zufälligkeit, ja Willkür der Bundeshauptstadt bedrückt uns um so mehr, als wir an ihre Vorläufigkeit nicht mehr zu glauben wagen. Hier hat einmal der Rest eines sehr alten Kulturvolkes der tollkühnen Verlagerung seines geschichtlichen Schwerpunktes zugestimmt, ohne sich klar zu machen, daß sich daraus eine Verschiebung des nationalen Lebens ergeben muß. Was seßhaft werdenden Nomadenscharen oder Siedlerzügen anstehen mag, kann für die Deutschen, die sich im Laufe ihrer Geschichte schon zu oft gefragt haben, wo eigentlich ihr Mittelpunkt sei, zu einer Katastrophe werden. Nicht etwa zu einem zusammenbruchartigen Unglück mit Flammen und Donner, sondern zu einem schleichenden Verderben, dessen Lautlosigkeit uns und die Welt lange täuschen wird. Unsere besondere Art hätte es geboten, jeden neuen Zweig unseres Wachstums, sei er auch noch so zart und schwankend, sorgsam an eine feste Stütze zu binden. Statt dessen haben wir uns an unserem geschichtlichen Nullpunkt von den letzten Bindungen gelöst, haben jenes Preußen preisgegeben, das dem Reich die eigentliche Form verliehen hatte, und haben auf einen echten Mittelpunkt verzichtet. Was Frankfurt zur Not hätte sein können, kann Bonn niemals werden, nämlich ein Zentrum, das nicht nur die Verwaltungsstellen beherbergt, sondern auch den übrigen Teilen unseres gemeinsamen Lebens Lust machen könnte, Fuß zu fassen und dadurch zur Gewinnung eines gemeinsamen Maßstabes beizutragen. Es mag zur Not angehen, Ministerien und Ämter für eine Weile in beliebige Baracken zu legen, aber schon ein Parlament bedarf eines gewissen Hinterlandes, das wenigstens die Fiktion einer nationalen Existenzform zuläßt. Das Leben in Bonn gleicht dem auf einem großen Schiff – weder der Beamte noch der Volksvertreter können sich je von dem Zweck, zu dem sie sich in der Hauptstadt aufhalten, lösen und in den privaten Bereich eines normalen großstädtischen Lebens zurücktreten. Sie befinden sich nicht am Ort einer natürlichen Konzentration aller Kräfte, sondern in einer Art von Quarantäne, die ihren Abstand von der Bevölkerung drastisch sichtbar macht.

Die allgemeine Gleichgültigkeit, mit der man in unserem Lande diesem Paradox begegnet, eröffnet schlechte Aussichten für die Belebung unserer Staatsform. Das merkwürdig Künstliche, das die parlamentarische Demokratie für die meisten Deutschen nun einmal hat, findet seine Entsprechung in dem Phänomen Bonn, dessen Sinnwidrigkeit das gleiche Achselzucken hervorruft wie fast alles, was Exekutive, Volksvertretung und Justiz in unserem Lande unternehmen. Die Überzeugungskraft einer Politik hängt nicht nur von den Personen ab, die sie machen, sondern auch von dem Standort. Es ist von jeher schwierig gewesen, den Mittelpunkt des deutschen Zusammenlebens auszumachen. Der provinzielle Zug, der so stark in unserer Öffentlichkeit spürbar ist, teilt dies Rumpfdeutschland in lauter Parzellen auf, die nicht allzuviel voneinander wissen und eine gewisse Genugtuung dabei empfinden, sich selbst zu genügen. Die geringe Liebe für den Geist, der den deutschen Stämmen übergeordnet sein und sie dadurch verbinden sollte, prägt unser Leben mehr als wir wahrhaben wollen. Das freiwillige Verharren in den provinziellen Vorstellungen entfärbt das Deutsch, das wir sprechen und schreiben, entzieht unseren Manieren die Unbefangenheit, verengt den Horizont unserer außenpolitischen Einbildungskraft, verwischt unseren physischen Typ und ist schließlich an dem verlogenen Durcheinander schuld, das sich die moderne deutsche Literatur nennt. 1954

Die Erregungen über die deutsche Provinz lagen ganz im Schatten einer Katastrophenstimmung, von der vor allem der Sozialphilosoph Günther Anders berichtete. Anders, 1902 in Breslau unter dem bürgerlichen Nachnamen Stern geboren, veröffentlichte 1956 den ersten Band seines epochalen Buches über »Die Antiquiertheit des Menschen«. Der intellektuelle Außenseiter, der sich 1930 seinen Künstlernamen zugelegt und Hannah Arendt geheiratet hatte – die Ehe hielt nur drei Jahre –, floh 1933 vor den Nationalsozialisten nach Paris. Dort erschien 1936 ein Vortrag, den Günther Anders sieben Jahre zuvor vor der Kant-Gesellschaft gehalten hatte und in dem er den Ausdruck prägte, daß der Mensch »zur Freiheit verurteilt« sei. Dieser Aufsatz hat den Philosophen Jean-Paul Sartre entscheidend beeinflußt, wie er Anders in einem Gespräch bekannte. Günther Anders emigrierte schließlich in die Vereinigten Staaten. Im Jahr 1950 ging er nach Wien. Dort lebte er in armen Verhältnissen. Er reiste 1958 nach Hiroshima und Nagasaki, drei Jahre später erschien sein Briefwechsel mit dem amerikanischen Piloten, der die Atombombe auf Hiroshima abgeworfen hatte. Anders engagierte sich in der Anti-

Atomkraft-Bewegung und nahm am Russell-Tribunal gegen den Krieg in Vietnam teil. Er gehörte damals zu den einsamen Rufern in jener Wüste, die sich mit dem technischen Fortschritt ausbreitete – mit dem Abwurf der Atombombe auf Hiroshima hatte diese Entwicklung ihren Höhepunkt erreicht. Anders sah den Menschen von Apparaten umstellt, die der Mensch mit Programmen füttere, von denen er selbst gesteuert werde. In der Atomgefahr sah er das »apokalyptische Monstrum« der Gegenwart.

In seinen Analysen des gegenwärtigen Lebens blickte Anders in eine schwarze Zukunft. Die Menschen seien »Analphabeten der Angst«, weil sie weiter produzierten, was sie umbringen werde. Anders gelangte mit diesen dunklen Aussichten in den politischen Diskussionen um eine bessere Welt in den sechziger und siebziger Jahren nicht in die Reihe der tonangebenden kapitalismuskritischen Intellektuellen. Seine Beschreibung der Überforderung und Beschädigung der Seelen durch die Technik allerorten und daheim vor den Fernsehapparaten nahm in den Grundzügen nicht nur die Medienkritik vorweg, die sich in den neunziger Jahren darin erschöpfte, den fatalen Einfluß zu beklagen, den die Darstellungen von Gewalt in Fernsehen und Kino vor allem auf die Kinder und Jugendlichen habe. Vor der Gewalt in den Medien scheiterte die gesamte Friedenspädagogik aus den siebziger Jahren. Günther Anders beschrieb in den fünfziger Jahren die Mediengesellschaft, die in den neunziger Jahren in aller Munde war, als über Virtualität und Simulation der Wirklichkeit geredet wurde. Sein Essay »Die Welt als Phantom und Matrize« erschien in den frühen fünfziger Jahren zuerst in der Zeitschrift »Merkur«.

 **Günther Anders.** Ehe man die Kulturwasserhähne der Radios in jeder ihrer Wohnungen installiert hatte, waren die Schmids und Müllers, die Smiths und Millers in die Kinos zusammengeströmt, um die für sie in Masse und stereotyp hergestellte Ware kollektiv, also auch *als* Masse, zu konsumieren. Es läge nahe, in dieser Situation eine gewisse Stileinheit: eben die Kongruenz von Massenproduktion und Massenkonsum, zu sehen; aber das wäre schief. Nichts widerspricht den Absichten der Massenproduktion schroffer als eine Konsumsituation, in der ein und dasselbe Exemplar (oder eine und dieselbe Reproduktion) einer Ware von mehreren oder gar zahlreichen Konsumenten zugleich genossen wird. Für das Interesse der Massenproduzenten bleibt es dabei gleichgültig, ob dieser gemeinsame Konsum ein »echtes Gemeinschaftserlebnis« darstellt oder nur die Summe vieler Individualerlebnisse. Worum es ihnen geht, ist nicht die massierte Masse als

Günther Anders

solche, sondern die in eine möglichst große Anzahl von Käufern aufgebrochene Masse; nicht die Chance, daß alle dasselbe konsumieren, sondern daß jedermann auf Grund gleichen Bedarfs (für dessen Produktion man gleichfalls zu sorgen hat) das Gleiche kaufe. In zahllosen Industrien ist dieses Ideal vollständig, oder doch nahezu, erreicht. Daß es von der Filmindustrie optimal erreicht werden kann, scheint mir fraglich. Und zwar deshalb, weil diese, die Theatertradition fortsetzend, ihre Ware noch als *eine Schau für viele zugleich* serviert. Das stellt einen altertümlichen Restbestand dar. Kein Wunder, daß die Rundfunk- und Fernsehindustrie mit dem Film, trotz dessen gigantischer Entwicklung, in Wettbewerb treten konnten: beide Industrien hatten eben die zusätzliche Chance, außer der zu konsumierenden Ware auch noch die für den Konsum erforderlichen Geräte als Waren abzusetzen; und zwar, im Unterschiede zum Film, an beinahe jedermann. Und ebensowenig erstaunlich, daß beinahe jedermann zugriff, da die Ware, im Unterschied zum Film, durch die Geräte ins Haus geliefert werden konnte. Bald saßen also die Schmids und die Smiths, die Müllers und die Millers an vielen jener Abende, die sie früher zusammen in Kinos verbracht hätten, zu Hause, um Hörspiele oder die Welt zu »empfangen«. Die im Kino selbstverständliche Situation: der Konsum der Massenware durch eine Masse, war hier also abgeschafft, was natürlich keine Minderung der Massenproduktion bedeutete; vielmehr lief die Massenproduktion für den Massenmenschen, ja die des Massenmenschen selbst, auf täglich höheren Touren. Millionen von Hörern wurde das gleiche Ohrenfutter serviert; jeder wurde durch dieses *en masse* Hergestellte als Massenmensch, als »unbestimmter Artikel«, behandelt; jeder in dieser seiner Eigenschaft, bzw. Eigenschaftslosigkeit, befestigt. Nur daß eben, und zwar durch die Massenproduktion der Empfangsgeräte, der kollektive Konsum überflüssig geworden war. Die Schmids und die Smiths konsumierten die Massenprodukte nun also *en famille* oder gar allein; je einsamer sie waren, um so ausgiebiger: der Typ des *Massen-Eremiten* war entstanden; und in Millionen von Exemplaren sitzen sie nun, jeder vom anderen abgeschnitten, dennoch jeder dem anderen gleich, einsiedlerisch im Gehäus – nur eben nicht, um der Welt zu entsagen, sondern um um Gottes willen keinen Brocken Welt *in effigie* zu versäumen. ...

Die Welt wird uns ins Haus geliefert. Die Ereignisse werden für uns aufgefahren.

Aber *als* was werden sie aufgefahren? *Als* Ereignisse? Oder nur als deren Abbildungen? Oder nur als Nachrichten über die Ereignisse? Um diese Frage, die die folgenden Paragraphen leitet, beantworten zu können, übersetzen wir sie erst einmal in eine etwas andere Sprache; und fragen: wie sind die gesendeten Ereignisse *bei* dem Empfänger? Wie ist der Empfänger *bei* ihnen? Wirklich gegenwärtig? Nur scheinbar gegenwärtig? Abwesend? In welcher Weise gegenwärtig oder abwesend?

Einerseits scheinen sie wirklich »gegenwärtig« zu sein: wenn wir die Radiosendung einer Kriegsszene oder einer Parlamentsverhandlung mit anhören, dann hören wir ja nicht nur Meldungen *über* die Explosionen oder *über* die Redner, sondern diese selbst. – Bedeutet das nicht, daß die Ereignisse, die wir früher weder mitmachen konnten noch durften (noch mußten), nun wirklich bei uns sind? Und wir bei ihnen?

Und doch auch wieder nicht. Denn ist *das* lebendige Gegenwart, wenn zwar den Stimmen der Welt der Zugang zu uns freisteht, wenn sie zwar das Recht darauf haben, bei uns zu sein; wir dagegen rechtlos bleiben und bei keinem der gelieferten Ereignisse eine Stimme haben? Wenn wir niemandem, wer auch immer spricht, antworten können, selbst dem nicht, der uns anzusprechen scheint; und in kein Ereignis, dessen Lärm uns umtost, eingreifen dürfen? Gehört es nicht zur wahren Gegenwart, daß die Beziehung Mensch–Welt *gegenseitig sei*? Ist diese Beziehung hier nicht amputiert? Ist sie nicht *unilateral* geworden: nämlich so, daß dem Hörer zwar die Welt, er ihr dagegen nicht vernehmbar ist? Bleibt er nicht grundsätzlich zum *»don't talk back«* verurteilt? Bedeutet diese Stummheit nicht Ohnmacht? Ist nicht die Omnipräsenz, mit der man uns beschenkt, die Gegenwart des Unfreien? Und ist nicht der Unfreie, da er eben als nicht-seiend, als Luft, behandelt wird und selbst nichts zu melden haben kann, abwesend?

Offenbar auch abwesend. Und dennoch wäre es auch wieder möglich, die Unilateralität entgegengesetzt zu deuten, nämlich als Sicherung der Freiheit und als Anwesenheit: bedeutet es denn nicht Freiheit, wenn wir auf Grund der Unilateralität an jedem Ereignis in *Distanz*, also ungefährdet *und* unverwundbar, teilnehmen können? Mit dem Privileg, es als Genuß und Unterhaltungsgut zu verwenden? Und ist nicht *der* wahrhaft gegenwärtig, der von keinem der Geschehnisse, deren Zeuge er ist, in die Flucht, also in die Abwesenheit, gejagt werden kann?

Auch das klingt wieder plausibel. Und es wäre durchaus begreiflich, wenn ein Zwischenrufer diese Fragen unterbräche und das Hin und Her, ob das Gesendete gegenwärtig sei oder abwesend, für gegenstandslos erklärte. »Was uns Rundfunk oder T.V. liefern«, höre ich ihn, »sind *Bilder*. Repräsentationen, nicht Präsenz! Und daß Bilder keinen Eingriff erlauben und uns als Luft behandeln, das ist selbstverständlich und eine unter dem Titel ›Ästhetischer Schein‹ längst bekannte Tatsache.«

Aber so einleuchtend es klingt, sein Argument ist falsch. Einmal – und das ist eine grundsätzliche phänomenologische Feststellung –, weil es keine akustischen Bilder gibt: auch das Grammophon präsentiert uns ja kein Bild der Symphonie, sondern diese selbst; kommt eine Massenversammlung zu uns übers Radio, so ist, was wir zu hören meinen, kein »Bild« der lärmenden Menge, sondern deren Lärm, auch wenn die Menge selbst uns nicht physisch erreicht. – Außerdem aber befinden wir uns, es sei denn, es werde ein Kunstwerk (etwa ein Drama) einschließlich seines Scheincharakters übertragen, als Zuhörer in einer nichts weniger als ästhetischen Haltung: Wer den Fußballmatch abhört, tut es als erregter Parteigänger, meint ihn als wirklich stattfindenden und weiß nichts vom »Als-ob« der Kunst.

Nein, der Zwischenrufer hat unrecht. Bloße Bilder sind es nicht, was wir empfangen. Wirklich gegenwärtig beim Wirklichen sind wir aber gleichfalls nicht. Die Frage: »Sind wir anwesend oder abwesend?« ist tatsächlich gegenstandslos. Aber nicht deshalb, weil die Antwort »Bild« (und damit »abwesend«) sich von selbst verstünde; sondern weil das Eigentümliche der durch die Übertragung geschaffenen Situation in deren *ontologischer Zweideutigkeit* besteht; weil die gesendeten Ereignisse zugleich gegenwärtig und abwesend, zugleich wirklich und scheinbar, zugleich da und nicht da, kurz: weil sie *Phantome* sind. Und auch wir sind in dieser Situation nun in Phantome verwandelt, da wir, dem Kafkaschen Käfer gleich, an den Ereignissen teilnehmen, ohne von diesen als Teil, Teilnehmer oder als Zeugen angenommen oder ernstgenommen zu sein. 1955

In der von Friedrich Sieburg konstatierten deutschen Provinz erregte die Rede von Bundespräsident Theodor Heuss zum zehnten Jahrestag des Attentats auf Hitler am 20. Juli 1944 großes Aufsehen. Heuss, der während des »Dritten Reiches« als Publizist und Schriftsteller in Deutschland geblieben war, rechtfertigte öffentlich im Land der Täter und Mitläufer, mit denen die Bundesrepublik aufgebaut worden war, die Tat der Verschwörer. Heuss sagte, daß die Verschwörer durch keine Treuepflicht an einen Staat gebunden gewesen seien, der sich ungeheurer Verbrechen schuldig gemacht habe. Das war ein Affront gegen all jene, die ihre Mitarbeit am Reich Hitlers damit rechtfertigten, nur getreu den damaligen Gesetzen und Pflichten gehandelt zu haben.

Die Diskussion darüber, wie die Tat der Verschwörer zu beurteilen sei, war mit der Rede von Heuss nicht erledigt. Neben die Ressentiments der Unverbesserlichen stellten sich die Vorbehalte jener, die in dem Attentat vom 20. Juli 1944 vor allem die Tat von Adeligen sahen, denen unlautere Interessen unterstellt wurden: Sie hätten 1944 am voraussehbaren Ende ihrer Karriere im Reich Hitlers gestan-

den und mit dem Attentat, sollte es scheitern, wenigstens ein Fanal für ein unge-
wisses besseres Deutschland gesetzt – sollte das Attentat gelingen, ihren Kopf
aus der Schlinge der jahrelangen Mittäterschaft gezogen. Vor allem der Journalist
und Schriftsteller Joachim Fest und die Journalistin Marion Gräfin Dönhoff haben
diese Vorstellungen in der Öffentlichkeit immer wieder korrigiert. Sie insistierten
auf dem Ethos der Attentäter. Theodor Heuss hielt die Rede »Vom Recht zum Widerstand – Dank und Bekenntnis« am 19. Juli 1954 in der Freien Universität Berlin.

Theodor Heuss. Als ich kürzlich mit einem früheren
Berufsoffizier zusammen war, ich kannte ihn vorher
nicht, meinte er, ich möge aber doch in der Gedenk-
rede nicht die anklagen, die nach dem 20. Juli, die bis
zur Schlußkatastrophe weiterkämpften. Ich konnte ihn
nur bitten, mich nicht für so töricht und ungerecht zu
halten. Ich müßte dann ja Freunde und geliebte Verwandte anklagen, die Hitler, die den Nationalsozialis-
mus haßten, aber, als sie starben, glauben mochten, glauben durften, daß ihr
Kämpfen Deutschland vor dem Äußersten vielleicht doch rette. Und der
gute Truppenoffizier dachte an seine Leute!

Die Begriffe treten an:

Widerstandsrecht – kann es zur Widerstandspflicht werden?

Militärischer bedingungsloser *Gehorsam* – aber das Militärstrafrecht sti-
puliert selber ein strafloses Außerkrafttreten seines Anspruches. Manchem
mag dies bekannt sein, daß ein befehlswidriges Verhalten im Feld, das eine
geglückte Entscheidung auf die sachliche und seelische Verantwortung eines
Unterführers nimmt, in Österreich-Ungarn sogar rechtens ausgezeichnet
werden konnte.

Kriegsverrat – in den, nachdem der erste Schuß gefallen, Hochverrat und
Landesverrat ineinanderschmelzen – *Treu-Eid, Offiziersehre.*

Ich bin nie Soldat gewesen, aber man muß es nicht gewesen sein, um die
Grenzsituation der sittlichen Entscheidungen – denn darum handelt es sich,
handelt es sich immer – erspüren zu können. Ein Staat ist keine Kundma-
chung der Sentimentalität, keine Vereinigung wohlwollender Illusionäre, die
nichts von der Erbsünde wissen, er ist eine Veranstaltung, die auf Befehlsgewalt und Gehorsamsanspruch beruht. Und dabei ist es, scheint mir, im Sach-
lich-Historischen zweitrangig, woher er seine innere Legitimation bezieht,
von Gott, von der Volksidee, er ist, mit seinen geschichtlich wechselnden
Apparaturen, mit seinen oft banalen, aber unentbehrlichen Zweckhaftigkei-

ten ein Ordnungssystem des menschlichen Zusammenlebenkönnens, eine *Rechtsordnung.* Befehlsgewalt und Gehorsamsanspruch haben in ein paar Jahrtausenden der übersehbaren Geschichte, auch bei den verschiedenen Völkern, eine wechselnde Intensität.

Wir sprechen von der Lage in *Hitlers* Wirkungsraum und messen sie an dem, was deutsche Rechtsauffassung und deutscher Soldatensinn war. Und nun kommen ein paar harte Sätze: Unrecht und Brutalität hatten schon bald nach der sogenannten Machtübernahme geherrscht, in das Gewand der Exekutive gekleidet. Aber die geschichtlich und staatsmoralisch entscheidende Peripetie des deutschen Schicksals erfolgte jetzt vor zwanzig Jahren im Juli 1934, als ein deutscher Justizminister seinem Auftraggeber gefügig war, durch ein Gesetz der nachträglichen globalen Rechtfertigung von Morden, die einen parteiinternen Machtkampf begleiteten, das Rechtsbewußtsein im Innersten zu erschüttern, und ein Reichswehrminister es hinnahm, daß die Ermordung der Generale von Schleicher und von Bredow überhaupt nicht in den Bereich der Sühnemöglichkeit geführt wurde.

Und die Wehrmacht, die damals *noch die Macht war, schwieg.* Ich will jetzt nicht davon reden, daß dieser Wehrminister die Ehrfurchtslosigkeit besaß, noch *vor* dem Tode Hindenburgs die Vereidigung der Soldaten auf Hitler zu fixieren – es war das Gespenstische, daß in diesen Treueid auf Hitler die religiöse Formel »bei Gott« aufgenommen war, die in dem früheren Eid auf die *Verfassung* dem Schwörenden anheimgestellt blieb.

In dieses »bei Gott«, das bei einem Mann von Hitlers Art rein taktischen Sinn hatte und schier blasphemisch wirkte, hatte er zugleich eine zerbrechende Kraft einmontiert: das Wort – *Du sollst Gott mehr gehorchen als den Menschen!*

Dieser Fahneneid wurde einem Manne geleistet, der formal-»rechtlich« und moralisch-geschichtlich einen mehrfachen Eidbruch schon hinter sich hatte.

Was ist der Eid? Ich denke jetzt natürlich nicht an jenen, der vor dem Gericht gefordert werden kann und wo die falsche Wahrheitsbeteuerung schwere Strafe nach sich zieht, sondern an den *Eid der Treue,* der im germanischen Rechtssinn immer als ein Verhältnis der Gegenseitigkeit begriffen wird; auch der, dem Treue geschworen wird, ist an die Treue gegen die Schwörenden gebunden. Das mag man in den alten nordischen Geschichten mit ihrem ständischen Freiheitssinn nachlesen. Herr Himmler hat sie gewiß nicht gekannt, so viel er vom Nordischen sprach, um mit dem Wort von der Treue die Botmäßigkeit Entrechteter zu drapieren.

Aber ich darf an die in Teilen schier ungeheuerliche Auseinandersetzung erinnern, die Bismarck in dem Schluß seiner »Erinnerungen« mit Wilhelm II. unternimmt, als er, vom germanischen Lehnsrecht ausgehend, die *Gegenseitigkeit* der Treue anspricht und deren Verletzung, auf den Monarchen zielend, mit dem alten Wort »Felonie« bezeichnet.

Dieser Hitler, durch seine brutal-subalterne Ichbezogenheit eingeschränkt, hat das Wesen einer »Gegenseitigkeit«, von der Bismarck spricht, gar nicht gekannt und gar nicht erfahren können.

Aber gilt es nun nicht, von diesem Sonderfall Hitler abgesehen, die *objektive Norm* der eidlichen Kraft, den »unbedingten Gehorsam«, zumal im Kriege, darzutun? Ich bin überzeugt, daß in dem letzten Weltkrieg dieser »unbedingte Gehorsam« gegenüber dem Befehlsberechtigten, der gestuften Fortsetzung des Obersten Befehlshabers, hunderte, tausende Male *nicht* gewährt wurde. Ich kenne selber aus Berichten eine Reihe von solchen Fällen. Man mag dabei unterscheiden zwischen Gehorsamsverweigerung und »einen Befehl nicht ausführen«. Der Regimentskommandeur, auch der Kompanieführer, tat in schwierigen Fällen bisweilen einfach nicht das, was vom höheren, rückwärtigen Stab kam, weil er, ob es sich um Angriff oder um das »Halten« einer Stellung handelte, die Entscheidung auf *seine* Kenntnis der taktischen Lage, auf *sein* Gewissen nahm, was eigentlich verboten war. Das mochte ihn vor das Kriegsgericht, das mochte ihn zum Tod, das konnte ihn aber auch zum Ritterkreuz führen.

Das sind in den mittleren und unteren Stufen des Soldatentums Situationen, die nicht in eine rationale Norm passen. Aber es gibt Gehorsamsverweigerungen, die einen *historischen* Rang besitzen. Ich darf eine erzählen, der Hinweis eines Freundes hat sie mir vor geraumer Zeit in die Erinnerung zurückgerufen, sie war mir in den Niederschriften des Ludwig von der Marwitz schon einmal begegnet. Man wird mir, hoffe ich, nicht zu sehr verübeln: der Begriff des *Preußischen* wird seit einiger Zeit zu sehr strapaziert, aber davon will ich nicht reden. Aber wenn irgendwo, dann steht Preußens Denkmal, das Wort als moralischer Begriff, der dann zugleich eine menschliche Haltung zeigt, in einer Dorfkirche der Mark Brandenburg, zu Friedersdorf.

Die Geschichte ist diese: als die Sachsen in dem hin und her wogenden Siebenjährigen Krieg königliche Sammlungen in Charlottenburg geplündert hatten, gab Friedrich, nach dem Wechsel der Kriegslage, dem Kommandeur des Regiments Gens d'armes den Befehl, ein Schloß des sächsischen Staatsministers Graf Brühl zu plündern. Marwitz wies den Befehl zurück, der eines Kommandeurs dieses Regiments nicht würdig sei – und schied aus. Der König wollte ihn wiederhaben, aber er weigerte sich. Auf dem Stein in Friedersdorf aber steht, der Neffe setzte ihn:

Sah Friedrichs Heldenzeit
und kämpfte mit ihm
in allen seinen Kriegen,
wählte Ungnade,
wo Gehorsam nicht Ehre brachte

So mag das Preußische, Preußens »Gloria«, als moralische Substanz begriffen werden.

»Nicht *Ehre* brachte«? Ist »die Ehre« ein *Ziel*, zu dem man strebt? Nein, sie ist eine Gegebenheit, die man achten soll, um sie nicht zu verlieren.

In den Betrachtungen und Polemiken dieser Jahre kommt öfters der Begriff vor: »*Offiziersehre*«. Man erlaube mir zu sagen: es gibt, vom Ethischen her, keinen Tarif der »Ehre«, der etwa die Verantwortung für sittliches Handeln und deren Beurteilung von den Sternen auf den Achselstücken abhängig sein läßt. Daß ständische Konventionen bestimmte Formeln eines Ehrenkodex geschaffen haben, und zwar nicht etwa bloß für den Soldaten, ist für die zentrale Frage schier unerheblich. Aber das ist ganz natürlich: die Verantwortung vor der *Geschichte* wird bei *den* Soldaten, die einen Führerrang bekleiden, größer und tiefer sein, aber auch die innere Selbstprüfung stärker oder doch geschichtsträchtiger als bei einem Leutnant, bei einem Schützen oder Kanonier, der sich einfach in den paragraphierten Pflichtenkodex des Instruktionsbuches eingebunden, vielleicht auch in ihm gesichert fühlt.

Die seelische Situation von Hunderttausenden, von Millionen Soldaten war furchtbar, denn es zogen doch nicht bloß fanatisierte Nationalsozialisten ins Feld, sondern deutsche Menschen, darunter zahllose, die durch diesen Krieg hindurch, in dem sie sich durch ihre Tapferkeit auszeichneten, von einem dauernden inneren Konflikt begleitet waren. Das Beispiel prägt sich ein: ich vergesse nie den Besuch eines jungen Freundes, sein Bruder stand als Frontarzt in der Ukraine, die Schlacht um Charkow begann, er spürte, daß der Tod auf ihn zuschritt, schrieb der Mutter einen Abschiedsbrief, in dem stand auch der Satz: »Sagt bitte nicht in der Todesanzeige, daß ich für den Führer gefallen sei, den ich hasse und verachte.« Doch die Depesche des Regimentskommandeurs, die der Familie den Tod meldete, war rascher als jener Brief – die Anzeige hatte die zum Slogan gewordene Formel enthalten, und die Mutter fühlte sich, neben dem Leid, zutiefst getroffen, daß der letzte Wunsch des Sohnes nicht erfüllt war.

Halten Sie das bitte nicht für eine weichmütige Anekdote: sie trägt in sich, einem geschichtlich namenlos Gebliebenen zugeordnet, die Tragik Ungezählter.

Und das schier Gespenstische daneben: ein Brief meines Freundes Eberhard *Wildermuth*, des späteren Bundesministers, aus einer verdammten Ecke des nördlichen Rußland. Es war das, was man eine soldatische Natur nennt, draufgängerisch und doch besonnen, durch beide Weltkriege mit tapferen Taten bis zum harten Ende schreitend – die Maginotlinie wurde von ihm durchstoßen! In diesem Brief aber schrieb er mit dem grimmigsten Zynismus: es sei ihm geglückt, eine Flasche Rotwein aufzutreiben, um gemeinsam mit seinem Stabsoffizier Heydrichs Ermordung würdig zu feiern. Wir sind geneigt, eine solche Situation shakespearehaft zu nennen; das Geschichtlich-Düstere und Paradoxe springt uns an.

Hitler selber war es, der den Widerstand provoziert hat. Der schmähende und höhnende Lärm seines Wortes, die pathetische Selbststeigerung des Machtrausches war von einer Apparatur der bedrohten Ängstlichkeit umgittert. Die Technik der Umschirmung umkleidete jene Furcht vor dem, was er auf sich warten, auf sich zukommen spürte. Die Tat, sollte sie geschehen, konnte nur von einem Soldaten geschehen, den Rang und dienstliche Notwendigkeit zu ihm führten. Erinnern Sie sich noch, als frühe genug *Schillers Tell* aus dem Leseplan der Schulen gezogen wurde, von der Bühne verschwand: *dies* Schießen sollte nicht als Vorbild gelehrt werden, und Stauffachers Worte mußten stumm bleiben:

> *Nein, eine Grenze hat Tyrannenmacht;*
> *Wenn der Gedrückte nirgends Recht kann finden,*
> *Wenn unerträglich wird die Last – greift er*
> *Hinauf getrosten Mutes in den Himmel*
> *Und holt herunter seine ew'gen Rechte,*
> *Die droben hangen unveräußerlich*
> *Und unzerbrechlich, wie die Sterne selbst.*

Und wenn es nicht etwas Peinliches hätte, Worte aus einem unedlen Munde an die Motive und das Handeln edler Männer heranzubringen – hier stehen sie: »Wenn durch die Hilfsmittel der Regierungsgewalt ein Volkstum dem Untergang entgegengeführt wird, dann ist die Rebellion eines jeden Angehörigen eines solchen Volkes nicht nur Recht, sondern Pflicht. Menschenrecht bricht Staatsrecht!« Das sind Sätze aus Hitlers eignem Bekenntnisbuch – ich habe sie vorgetragen, um jenen Gefolgsleuten des Mannes, die in der Verfemung des 20. Juli ein Stück der inneren Selbsterhaltung gefunden zu haben glauben, mit den Argumenten ihres Heros entgegenzutreten.

War ich in dem, was ich sagte, etwas zu weit von diesem 20. Juli, seinen Tätern, seinen Opfern weggerückt? Es schien mir angemessen, ja notwendig, den Vorgang in die breitere Situation, wie ich sie begreife, einzubetten, auch den Grundsatzfragen nicht auszuweichen, die sich aus dieser einmaligen Sonderlage erheben, ohne von ihr die gewisse Norm erwarten zu dürfen. Ich will auch nicht von der Art, von dem gestuften Anteil der einzelnen Männer sprechen, von den Planungen, von den Aktionen in ihrem wechselnden Gewicht – das würde mir in *dieser* Stunde wenig angebracht erscheinen. Das Gemartert-Werden brachte allen die gleiche *Qual*, und das Sterben durch den Strang, der sie schänden, durch die Kugel, die sie bloß vernichten sollte, der selbstgewählte Tod aus Verzweiflung gab ihnen allen das *gleiche Anrecht*, daß der Dank ihr Opfer als ein *Geschenk an die deutsche Zukunft* würdigt.

1954

Die Aufarbeitung der nationalsozialistischen Vergangenheit drohte vom wirtschaftlichen Erfolg der Bundesrepublik restlos geschluckt zu werden. Während die Mehrzahl der Deutschen nicht an die alten Wunden rührte, dachten einige Intellektuelle öffentlich darüber nach, welche Konsequenzen aus der Vergangenheit zu ziehen seien. Zu ihnen gehörte Hellmut Becker, der im Zweiten Weltkrieg Soldat gewesen und vor amerikanischen und französischen Militärgerichten sowie bei den Nürnberger Kriegsverbrecherprozessen als Verteidiger aufgetreten war. Dort hatte er sich an die Seite des Angeklagten Ernst von Weizsäcker gestellt, der im »Dritten Reich« als Staatssekretär im Auswärtigen Amt tätig gewesen war und in Landsberg in Haft saß. Ernst von Weizsäcker wurde in Nürnberg auch von seinem Sohn verteidigt, dem späteren Bundespräsidenten Richard von Weizsäcker. Er wurde zu sieben Jahren Haft verurteilt, die später auf fünf Jahre reduziert wurden. Im Herbst 1950 wurde er auf Drängen von Politikern, Publizisten und Kirchenleuten vorzeitig entlassen.

Hellmut Becker gehörte dem Deutschen Bildungsrat an. In einem Land, das nach dem Krieg den Weg zur Demokratie finden sollte, mußten Fragen nach der Bildung und nach der Organisation der Schule bei Intellektuellen und Politikern auf großes Interesse stoßen. Auch Franz Josef Strauß hatte sich schon in den frühen fünfziger Jahren öffentlich Gedanken über die ideelle Heimatlosigkeit der Jugend gemacht, die er in die Arme des Sowjetmarxismus laufen sah. Theodor W. Adorno schaltete sich in die Diskussionen ein und führte mit Hellmut Becker zahlreiche Gespräche über eine Erziehung zur Mündigkeit. Ob Schule oder Universität – die Debatten über eine nicht nur den deutschen, sondern auch den internationalen Ansprüchen genügende Ausbildung der Jugend zogen sich bis in das neue Jahrtausend. Beckers Aufsatz »Die verwaltete Schule«, aus dem im folgenden zitiert wird, erschien 1956 in dem Buch »Kulturpolitik und Schule. Probleme der verwalteten Welt«. Ein besonderer Reiz von Beckers Überlegungen liegt darin, daß er vehement darauf insistierte, bei der Planung von Schule und Unterricht die deutsche Wiedervereinigung nicht aus den Augen zu verlieren.

**Hellmut Becker.** Die moderne Welt ist eine »verwaltete Welt« geworden (Adorno). Unsere Schule ist eine »verwaltete Schule«; während die moderne Schule, die ihre geistige Grundlegung in der Aufklärung erfuhr, zunächst noch ein Lebenszusammenhang selbständiger Menschen war, die vom Staat nur überwacht wurde, hat sie sich immer mehr zur untersten Verwaltungshierarchie entwickelt; sie steht heute auf einer ähnlichen Stufe des Verwaltungsaufbaus wie das Finanzamt, das Arbeitsamt, die Ortspolizei und in einem deutlichen Gegensatz zur Selbstverwaltung der Ortsgemeinde. Die Lehrer entwickeln sich zu Funktionären, und die Schule ist in Gefahr, nur noch Funktionäre zu bilden. Das Bildungsergebnis der modernen Schule wird langsam der konformistische, einfallslose, mühelos gleichschaltbare Mensch, dessen Kenntnisse zwar zum Teil vielseitig, aber qualitativ nicht hochwertig, dafür leicht nachprüfbar sind.

Hinweise auf diese Situation pflegen gewöhnlich mit einer grundsätzlichen Analyse der geistigen Situation unserer Zeit beantwortet zu werden. Das soll hier unterbleiben. Freiheit und Besinnung sind notwendig, wenn die Zerstörung des Lebens und des Geistes durch Verwaltung überwunden werden soll. Beide geben noch nicht die Gewißheit einer Überwindung der totalen geistigen Krise, aber sie eröffnen in anscheinend auswegloser Lage eine Chance. Diese Besinnung ist notwendig, um den zahlreichen Menschen zu helfen, die in Elternschaft, Lehrerschaft und in der Verwaltung um Erziehung und Unterricht bemüht sind und durch die Organisation der verwalteten Schule in der Durchführung ihres Bemühens gehemmt werden. Diese Besinnung ist auch notwendig, um die vielen Hindernisse zu beseitigen, die rein äußerlich vom Schichtunterricht bis zu den überfüllten Klassen die Freiheit der Entwicklung in der Schule unterbinden.

Es ist heute nicht möglich, unmittelbar die unserer geistigen Lage und unserem gesellschaftlichen Zustande angemessene Schule zu schaffen. Aber wir können gewisse Bedingungen schaffen und die Freiheit ermöglichen, die notwendig ist, damit diese Schule mit der Zeit entstehen und gedeihen kann. Das wäre die erste Aufgabe moderner Schulpolitik. Die Aufgabe des Neuauf-

Hellmut Becker

baus unseres Bildungssystems liegt für die nächsten Jahrzehnte vor uns. Was wir aber sofort und als Nächstliegendes tun können, ist die Beseitigung von Barrieren, die im Augenblick jede Entwicklung hemmen. Wenn die Schule nicht mehr als unterste Verwaltungsinstanz begriffen und behandelt wird und wenn es gelungen ist, den Lehrer aus seiner Funktionärexistenz zu befreien, dann ist für den Aufbau einer freien Welt bereits ein entscheidender Schritt getan.

Man hat gesagt, die höhere Schule von heute vermittele nur Kenntnisse, aber sie entwickele keine Fähigkeiten. Richtig ist, daß das Unterrichtssystem der höheren Schule es dem Kinde erschwert, sich mit dem Stoff wirklich einzulassen und an der Beschäftigung mit dem Stoff eigene Eigenschaften zu entwickeln. Die hoffnungslose Distanz zum Gegenstand, die ein Problem des modernen Menschen ist, wird durch die höhere Schule nicht überwunden, sondern nur unterstrichen. Der Rhythmus der höheren Schule richtet sich nach der Systematik der Wissenschaft und berücksichtigt nicht den Rhythmus des Kindes, vor allem nicht in der Unterstufe, in der das dringend notwendig wäre, wenn schwere Verbildungen verhindert werden sollen.

Dabei ist die höhere Schule heute im Gegensatz zu ihrer ursprünglichen Aufgabe zur entscheidenden Instanz für die soziale Auslese geworden. Diese Rolle als *Auslesefaktor* wird noch sehr verstärkt dadurch, daß immer zahlreichere Berufe die Absolvierung der höheren Schule voraussetzen, andererseits die höhere Schule durch Schulgeld- und Lernmittelfreiheit immer umfassenderen Kreisen praktisch offensteht. Die Gesichtspunkte für die Auslese entsprechen im übrigen nicht einmal dem heutigen Stande der Wissenschaft, sondern die höhere Schule wendet ein für die Schule der »gebildeten Stände« entwickeltes, nach dem Stande der Wissenschaft vor hundert Jahren orientiertes System auf eine Massenauslese an. Zutreffend hat eine führende Tageszeitung in einem Leitartikel auf der ersten Seite die Folgen dieser Situation unter dem Titel »Schüler im Existenzkampf« dargelegt. Hier ist das Politikum, das in dieser Situation liegt, bereits gewürdigt, die Gefahr für die Freiheit im Zusammenhang Ost und West allerdings noch nicht erkannt. ...

Die deutsche Wiedervereinigung soll hier nicht als politisches Problem behandelt, sondern als politisches Ziel vorausgesetzt werden; mit ihrer Möglichkeit ist zu rechnen. Falls der jetzige Zustand langfristig weiterdauern sollte, würde der kulturelle Austausch zwischen den beiden Teilen Deutschlands ebenfalls Probleme neuer Art schaffen. Über die schulpolitischen Verhältnisse in der Ostzone hat das Gesamtdeutsche Ministerium vielseitiges Material gesammelt. Darüber hinaus ist es zweifellos notwendig, daß die westdeutschen Schulbehörden sich unmittelbar mit der schulpolitischen Entwicklung im Osten auseinandersetzen. Es genügt nicht, den langsamen Ausschluß der sogenannten Bürgerlichen von der höheren Bildung zu bedauern, sondern es ist notwendig, sich mit den Formen vertraut zu machen, in denen dort die Kinder von Arbeitern und Bauern einer höheren Bildung zugeführt werden. Es ist weiter notwendig, sich darüber klarzuwerden, daß alle Chancen des Austausches eröffnet werden müssen, auch auf die Gefahr hin, daß die Prüfungen von drüben mit demselben Namen einen anderen Bildungsstand bescheinigen. Es ist endlich die Einsicht notwendig, daß die Wiedervereinigung nicht nur organisatorische Probleme aufwirft, sondern auf die innere Schulreform nicht ohne Einfluß bleiben wird. Es werden plötzlich Menschen an maßgebende Stellungen streben, deren Qualität auf ganz andere Weise erwiesen ist als durch die Berechtigungsnachweise der Bundesrepublik.

Die Abneigung der Kultusministerkonferenz und der einzelnen Länder, sich sorgfältig mit diesen Fragen zu beschäftigen, ist fast unverständlich. Man muß sich ernsthaft fragen, ob die kulturpolitischen Probleme der Wiedervereinigung nicht von einer zentralen Stelle aus vorbereitet werden müßten. Ein Sachverständigenausschuß, so wichtig er wäre, wird nicht genügen, wenn sich an ihm nicht der Sachverstand beteiligt, der sich in den Länderministerien notwendig bei der Beschäftigung mit den Schulen angesammelt hat. Wir haben in der Bundesrepublik eine ganz detaillierte Vorstellung über das Funktionieren von Währung und Wirtschaft nach der Wiedervereinigung. Über die Auswirkungen auf dem Gebiet der Schulpolitik bestehen einige persönliche Ansichten und sonst nichts. Auch hier zeigt sich eine bedenkliche Folge des provinziellen Horizontes unserer Kulturpolitik; die Ministerien widmen sich fast ausschließlich der Kulturverwaltung und überlassen die Beschäftigung mit diesen für die Entwicklung des deutschen Schulwesens zentralen Fragen dem Bundesministerium für gesamtdeutsche Fragen, statt die Vorbereitung und Durchführung der Wiedervereinigung als eine gemeinsame schulpolitische Aufgabe zu begreifen. Es ist nur natürlich, daß in diesen brennenden Fragen der Ruf nach einer Gesamtkonzeption laut wird, die freilich nicht ein Verwaltungsschema für Mitteldeutschland darstellen dürfte, sondern versuchen müßte, die dortige Entwicklung auch zur Erweiterung des eigenen Bildes von der Schule zu verwenden.

Ganz ähnliche Probleme stellen sich im Zusammenhang mit der »zweiten industriellen Revolution«. Es soll einmal dahingestellt bleiben, wie sich diese soziale Umwälzung im einzelnen abspielen wird, sicher ist, daß entscheidende Veränderungen in dieser Richtung im Gange sind oder bevorstehen. Die deutsche Volksschule ebenso wie der Grundtyp der höheren Schulen in Deutschland, das humanistische Gymnasium Humboldtscher Prägung, sind aus ganz spezifischen gesellschaftlichen und geistigen Situationen erwachsen. Beide Schultypen haben den Deutschen geformt, der im Guten wie im Bösen das Deutschland der letzten 120 Jahre bestimmt hat. Wir glauben uns heute leisten zu können, mit diesen Schulreformen unter gelegentlicher Vornahme kleiner Retouchen weiterzuarbeiten; dabei wird weder geprüft, was diese Schule eigentlich mit den heutigen Menschen anfängt, noch was für einen Menschen sie in dieser Zeit hervorbringt und für welche zukünftige Situation sie ihn bilden soll. Die Volksschule hat ebenso wie das preußisch-deutsche Heer das Bild des gesamten Volkes geformt, die höhere Schule nur das der gebildeten Kreise, aber sie hat von dort rückgewirkt auch auf die Bildungsvorstellung der Menschen, die sie nicht besucht haben. Beide Schultypen entstanden in ihrer geistigen Grundlage und in ihrer heutigen Ausformung vor der ersten industriellen Revolution und vor der heutigen Massengesellschaft.

Es wird mit Recht festgestellt, daß niemand an einem Menschen mehr bilden kann, als in ihm steckt. Aber können wir ernsthaft behaupten, daß unsere heutige Schule die Fähigkeiten entwickelt, die die heutige und vor allem die zukünftige Situation benötigt? Die Klagen, daß die Jugend den Sensationen des Sports und dem Fernsehen erliege, sind überflüssig; man sollte daran denken, ihr eine Schule zu geben, die ihre schöpferischen Fähigkeiten entfaltet. Wir wissen, in welchem Umfang die Stoffzusammenstellung der höheren Schule ein Produkt der Bildungssituation am Beginn des 19. Jahrhunderts ist; wir können heute nur über die kritiklose Weiterführung dieses Systems staunen. Die Reaktion der meisten deutschen Behörden auf diese Fragestellungen erschöpft sich heute in der Antwort: »Um Gottes willen, keine Änderungen, Änderungen sind das Schlimmste!« Daran ist richtig, daß nichts gefährlicher ist als das mechanisch durchgeführte Massenexperiment. Was statt dessen not tut, ist die Besinnung über den Bildungswert der Unterrichtsfächer und die Erkenntnis der gesellschaftlichen Situation, für die gebildet werden muß, darüber hinaus Freiheit für jede auf solchen Überlegungen aufbauende Modellschule; denn nur am Modell kann der Plan für den Neubau unseres Bildungswesens erprobt werden.

Die Abneigung gegen jede kultursoziologische Analyse ist bei uns weit verbreitet. Genauere Forschungen z. B. über den Bedarf an Abiturienten in fünf Jahren, Untersuchungen über die Auswirkungen verschiedener Unterrichtssysteme auf die Schüler, ja jede Erkenntnis der Aufgaben der Schule auf Grund gesellschaftlicher Analyse fehlen. Die Kultusministerien regen sie interessanterweise nicht nur nicht an, sie scheinen sich sogar vor ihr zu fürchten. Auch hier liegt eine Aufgabe, die der Bund eines Tages wahrscheinlich mit freien Sachverständigengremien in Angriff nehmen muß, wenn die

Länder weiterhin so versagen wie bisher. Unsere Zeitungen sind voll von außenpolitischen Detailfragen. Für Deutschlands Zukunft wird aber die Frage, ob Deutschlands Schulen den Anschluß an die gesellschaftliche Situation unserer Zeit finden, von wesentlich größerer Bedeutung sein als die Frage der Saar und selbst die der Oder-Neiße-Linie.   1956

In der Deutschen Demokratischen Republik wurde Mitte der fünfziger Jahre ein »Zentraler Ausschuß für die Jugendweihe« gegründet. Dieser Ausschuß rief die Eltern und die Kinder auf, an der Jugendweihe teilzunehmen, die ein weltlicher Ersatz für Konfirmation oder Firmung sein sollte. Das Geschenkbuch zur Jugendweihe trug den Titel »Weltall – Erde – Mensch« und war antikirchlich und atheistisch ausgerichtet, wobei von offizieller Seite hervorgehoben wurde, daß die »Weltanschauung«, in welcher die Kinder erzogen seien, kein Hindernis für die Teilnahme an der Jugendweihe sein dürfe.

Im Januar 1956 absolvierten die ersten Einheiten der Bundeswehr ihren Dienst, im Sommer desselben Jahres wurde vom Bundestag die allgemeine Wehrpflicht beschlossen. Die Deutsche Demokratische Republik trat dem Warschauer Pakt bei. Nachdem 1956 die Führung der Sowjetunion sich von Stalin distanziert hatte, kam es in Ungarn in der Hoffnung auf Veränderungen am 23. Oktober 1956 zu Demonstrationen für Freiheit und Demokratie, die sich rasch zu einem Aufstand ausweiteten. Der Aufstand wurde von sowjetischen Truppen niedergeworfen. In der Deutschen Demokratischen Republik wurde der marxistische Philosoph Wolfgang Harich von der kurzen Aufbruchsstimmung erfaßt und schrieb ein Thesenpapier über einen deutschen Weg zum Sozialismus. Die Freiheit des Geistes und der Religion sollte herrschen, die Privilegien sollten abgeschafft und Arbeiterräte eingerichtet werden. Wolfgang Harich wurde verhaftet.

Im Frühjahr 1957 erklärte Konrad Adenauer, daß die Bundeswehr mit Atomwaffen ausgerüstet werden sollte. Darauf schrieben Atomwissenschaftler das »Göttinger Manifest« und forderten die Bundesregierung auf, der Bundeswehr keine Atomwaffen in die Hand zu geben. Zu den Gegnern der Atomaufrüstung gehörte auch Karl Jaspers. Der Philosoph war 1883 in Oldenburg geboren worden. Er studierte Medizin und arbeitete in einer psychiatrischen Klinik in Heidelberg. Er habilitierte sich in Philosophie und lehrte darauf Philosophie in Heidelberg. Im Jahr 1937 wurde er zwangsweise in den Ruhestand versetzt. Jaspers war mit einer Jüdin verheiratet. Wegen seiner kritischen Bemerkungen über die Deutschen unter dem Hitler-Regime wurde er nach dem Krieg von zahlreichen Seiten angegriffen. Jaspers nahm 1948 einen Ruf an die Universität in Basel an. Er verlor aber die Bundesrepublik nicht aus den Augen.

In der Mitte der sechziger Jahre platzte ihm endlich der Kragen, und er veröffentlichte ein Buch, das zu einem Bestseller wurde, nachdem der »Spiegel« das Buch als Titelgeschichte präsentiert hatte. Das Buch hieß »Wohin treibt die Bundesrepublik?«. Jaspers sah damals in der Bundesrepublik nur noch Parteien am Werk, die sich beim Regierungsgeschäft im großen und ganzen nicht störten, sondern sich gegenseitig nur darin unterstützten, an der Macht zu bleiben. Wenn sich diese desolate politische Lage verschärfe, dann sei, meinte Karl Jaspers, offensichtlich ein Bürgerkrieg das letzte Mittel, dem Willen des Volkes Geltung zu verschaffen. Soweit kam es nicht, aber der Frieden im Land der Waffen war nachhaltig gestört. Karl Jaspers hielt seinen Radiovortrag »Die Atombombe und die Zukunft des Menschen« im Jahr 1956.

Karl Jaspers. Seit jeher hat man neue Zerstörungswaffen zunächst für verbrecherisch erklärt, einst die Kanonen, zuletzt die U-Boote im Ersten Weltkrieg. Doch bald gewöhnte man sich an ihr Dasein. Heute aber ist die Atombombe (Wasserstoffbombe, Kobaltbombe) ein grundsätzlich neues Ereignis. Denn sie führt die Menschheit an die Möglichkeit ihrer eigenen totalen Vernichtung.

Die Technik verstehen nur die Fachleute, jeder von uns aber kann die Tatsache verstehen, daß Amerika und Rußland (und im Abstand England) unter Aufwendung ungeheurer Mittel ständig ihren Vorrat an solchen Bomben vermehren und deren Zerstörungskraft steigern. Die Bombe auf Hiroshima, 6.8.1945, war die erste (160 000 Tote, drei Tage später auf Nagasaki die zweite). Vor solcher Zerstörungsgewalt kapitulierte Japan. Aber diese ersten schon so erschreckenden Bomben waren geringfügig gegen die inzwischen in die menschenleeren Gebiete versuchsweise abgeworfenen, deren Energieentfaltung die der Bombe auf Hiroshima um das 600fache übertrifft. Trotz des Entsetzens konnte die Welt sich auch jetzt noch beruhigen, bis es klar wurde, daß das Ausmaß und die Art der nachfolgenden Lebenszerstörungen der sicheren Berechnung entglitten war. Wir hören, daß zunächst Überlebende, aber von der radioaktiven Luft Getroffene durch Jahre hindurch dahinsiechen und sterben. Wir hören von den Sachkundigen mit völliger Bestimmtheit, daß es heute möglich ist, durch die Tat von Menschen die totale Zerstörung des Lebens auf der Erde herbeizuführen. Ob die vorhandenen Bomben, wenn sie in kurzer Zeitspanne abgeworfen würden, schon ausreichen, um die Erdatmosphäre in solchem

Ausmaß radioaktiv zu verseuchen, daß alles Leben aufhört, ist öffentlich nicht bekannt.

Die großen Physiker, die mit ihren Köpfen den neuen Tatbestand selber in die Welt gesetzt hatten, haben uns gesagt, was ist. Einstein unterschrieb 1955 kurz vor seinem Tode mit anderen eine beschwörende Erklärung, in der es heißt: »Für den Fall einer massenhaften Verwendung von Hydrogenwaffen ist mit dem plötzlichen Tod eines kleineren Teils der Menschheit und mit qualvollen Krankheiten und schließlichem Absterben aller Lebewesen zu rechnen.«

Dies ist heute der erregendste Tatbestand für die Zukunft der Menschheit, drohender als alles sonst. Bisher gab es wohl irreale Vorstellungen des Weltendes. Die Naherwartung dieses Endes noch für die damals lebende Generation war der sittlich-religiös wirksame Irrtum Johannes' des Täufers, Jesu und der ersten Christen. Jetzt aber stehen wir vor der realen Möglichkeit eines solchen Endes, zwar nicht der Welt, nicht einmal des Planeten Erde, sondern des menschlichen Lebens. ...

Das Verhalten der Forscher bezeugt Ratlosigkeit. Einstein, der Roosevelt zur Herstellung der Atombombe veranlaßt hat in der berechtigten Sorge vor Hitler und den deutschen Physikern, die möglicherweise im Begriffe standen, sie zu machen, warnte nach dem Kriege die Welt, daß sie dem Untergang verfallen sei, wenn sie auf diesem Wege weiterschreite. Wenn aber die Intelligenz der Forscher und Techniker, mit Hilfe noch nie in solchem Maße für wissenschaftliche Zwecke aufgebrachter Staatsmittel, einmal in Gang gebracht ist, so kann eine gutwillige Warnung kaum etwas ändern. Die Wissenschaftler werden als gelernte Arbeiter das Werkzeug des Staatswillens, der maximale Zerstörungswerkzeuge haben will, um ständig dem Gegner überlegen zu sein. Einigen Forschern schlägt das Gewissen, sie zögern; die meisten bleiben befangen in den ihnen gestellten technischen Aufgaben. Gedankenlos in bezug auf das Ganze tun sie, was von ihnen verlangt wird. Zwischen der Ingeniosität ihrer technischen Erzeugung einerseits und der Ahnungslosigkeit ihres politischen Denkens andererseits klafft ein Abgrund. Erschrocken vor dem, was sie angerichtet haben, fordern sie mit Friedensgedanken eine Lösung, indessen sie die Sache weitertreiben. So intelligente Männer wollen und wollen nicht, sie verhalten sich wie Kinder und sprechen von Tragödie.

Überall gibt es Leute, die protestieren. Man will die Bombe als solche für verbrecherisch erklären. Aber wie pazifistische Gesellschaften nicht das geringste zur Verhinderung der Kriege beigetragen haben, so sind alle Bestrebungen, die nur die Atombombe als solche verwerfen, ohne sie im Gesamtzusammenhang der realen Handlungen der Staaten und der offenbaren Antriebe der meisten Menschen zu sehen, vergeblich und gefährlich. Denn sie kommen nicht an die Wurzel des menschlichen Unheils, sondern haften am Symptom. Weil sie vom Wesentlichen ablenken, tragen sie bei zur Verneblung, als ob mit Empörung und Aufrufen etwas getan sei. Denn hinter dieser Fassade von Meinungen und Affekten setzen sie, ob Pazifisten oder nicht, im alltäglichen Tun und Urteil die Lebens- und Denkweise fort, die als der Boden der menschlichen Wirklichkeit jene Schrecken zur Folge hat. Das empörte angstvolle Beschwören ist als solches so unwahr wie sonst die Verschleierung des eigenen faktischen Lebens. Aber die Wirklichkeit geht über solche nichtigen Meinungen hinweg. Denn gegen das selbstzufriedene Bewußtsein »steht die Wahrheit im Bunde mit der Wirklichkeit« (Hegel). Das heißt: Die Wahrheit, die wirksam ist, verlangt, nicht in Symptomen sich herumzutreiben, sondern den Grundvorgang im Ursprung des Unheils zu sehen.

Schließlich möchte man von der Atomgefahr am liebsten nichts wissen. Man wehrt ab: Unter der Drohung der totalen Katastrophe läßt sich keine Politik und keine Planung machen. Wir wollen leben, nicht sterben. Tritt aber jenes Unheil ein, so ist alles aus. Es hat keinen Sinn, daran zu denken.

Aber welche gewollt blinde Lebensverfassung und Politik! Das Wegschieben des Möglichen geht gegen die Würde der Vernunft. Wer er selbst ist, will wissen, was wißbar ist. Heute stehen wir unausweichlich im Schatten der großen Katastrophe. Eine keineswegs durchdachte reale Möglichkeit zu behandeln, als ob sie verschwinde, wenn man sie ausschlösse, ist wie das Verhalten des Vogels Strauß. Daß jene Katastrophe als Möglichkeit, ja Wahrscheinlichkeit vor Augen steht, ist heute die einzige Chance für die Selbstbesinnung und für die politische Erneuerung und für die Abwehr der Katastrophe.

1956

II

Politik und Verbrechen

1957 – 1966

In der Mitte der fünfziger Jahre stand die Bundesrepublik Deutschland wieder auf beiden Beinen, weil sie sich mit beiden Händen am Westen festhielt. Aus dem Osten kamen Tausende von deutschen Flüchtlingen und wurden meistens mit verschränkten Armen empfangen. Jedes Jahr siedelten zwischen einhundertfünfzigttausend und zweihundertfünfzigtausend Menschen aus der Deutschen Demokratischen Republik in den Westen über. Aus Italien wurden die ersten Arbeiter gerufen – man nannte sie Gastarbeiter, und sie sollten nach einem Jahr wieder nach Hause gehen.

In Flensburg hatte der Soziologe Helmut Schelsky, der 1912 in Chemnitz geboren worden war und als Soldat in der Wehrmacht gedient hatte, den Suchdienst des Roten Kreuzes aufgebaut, an den sich wenden konnte, wer seine Verwandten und Angehörigen in den Wirren des Krieges verloren hatte. Schelsky war im preußischen Königsberg, in dem Hannah Arendt aufgewachsen war, Assistent des berühmten Soziologen und Philosophen Arnold Gehlen gewesen, in den vierziger Jahren wurde er in Budapest Assistent bei dem Soziologen Hans Freyer. Als sein Buch »Die skeptische Generation« 1957 erschien, lehrte er an der Universität in Hamburg. Eine Studie über die Notwendigkeit von Institutionen hatte Schelsky Anfang der fünfziger Jahre vorgelegt – der Aufbau der an neuen Institutionen nicht armen Bundesrepublik war damals in vollem Gange. Stabile Institutionen waren für Schelsky ein anthropologisch notwendiger Garant der sozialen Sicherheit in einer wackeligen Welt, deren Bewohner wenige Jahre zuvor bewiesen hatten, wie leicht aus ihnen die Barbarei hervorbrechen konnte. In einem Korsett aus gesellschaftlichen Formen sollte der von Natur aus instabile Mensch zu einem verträglichen Mitmenschen reifen.

Die Jugend, die Schelsky die skeptische Generation nannte, war Ende der fünfziger Jahre zwischen fünfzehn und fünfundzwanzig Jahre alt. Kennzeichnend für sie war, daß sie allen Ideologien gegenüber mißtrauisch war, was ihrem Drang nach persönlicher Freiheit entsprach. Sie stand, behauptete Schelsky, in einem »konkretistischen« Verhältnis zur Realität und war bereit, eindeutig und eingeschränkt definierte gesellschaftliche Verantwortung zu übernehmen. Die Jugendlichen der skeptischen Generation waren, um es mit den Worten von Ludwig Marcuse in seiner damaligen Rezension des Buches in der »Zeit« zu sagen, allesamt »Kids«, denen – im Unterschied zu ihren Vätern und Großvätern, die in den Chor der politischen, religiösen und philosophischen Verkündigungsgesänge eingestimmt hatten – kein »Nonsens« einfiel. Sie seien deshalb auch mehr als nur fleißig und zuverlässig: Sie seien, schrieb Ludwig Marcuse, »die Hoffnung auf eine Zukunft, in welcher die Repräsentanten nicht solch unverantwortlichen Unsinn reden werden«.

Dramatisch empfand der Journalist Karl Korn in seiner Rezension, die in der »Frankfurter Allgemeinen Zeitung« erschien, das Verhältnis der skeptischen Jugend zur Politik. Schelsky hatte behauptet, daß diese Jugend »demokratisch unpolitisch« sei. Sie stand offensichtlich mit den hängenden Schultern des Desinteresses vor den demokratischen Einrichtungen und den demokratischen Verfahren. Sie neigte offensichtlich politisch zur Apathie, was durch die Verzerrungen der politischen Vorgänge in manchen Zeitungen, wie Korn meinte, verstärkt wurde, und wandte sich lieber ihren Freizeitbeschäftigungen zu. Skepsis breitete sich deshalb in Karl Korn darüber aus, ob die Skepsis der jungen Generation nicht vielmehr nur eine heikle Bereitschaft sei, sich an die Vorgaben der Industriegesellschaft anzupassen.

Am Horizont dieser Bedenken erschien ein sozialer Typus, auf den in den fünfziger Jahren Kulturpublizisten gerne mit dem mahnenden Finger zeigten: der Konformist. Günther Anders hatte ein Jahr nach Schelskys Untersuchung dem Konformisten sogar abgesprochen, sich aus freien Stücken zur Charakterlosigkeit entscheiden zu können. In seinen Augen war es um die Gegenwart schlimmer bestellt als in den Augen Helmut Schelskys. Anders sah in einen Abgrund, er meinte, daß die Verfassung der Gegenwart mit ihrem terroristischen Konsumangebot die Persönlichkeit auflöse und aus den Menschen nur noch Konformisten mache – ob die Menschen das nun selbst wollten oder nicht. Unter der Fahne der Freiheit, die über der Konsumwelt wehe, werde der Mensch seiner Freiheit beraubt.

Ulrike Meinhof, die zur skeptischen Generation gehörte, wenn man nur ihr Alter zugrunde legte, gehörte zu jenen, die diesen soziologischen Bilderrahmen sprengten. Meinhof und andere rannten Korns Befürchtungen über den Haufen und verkündeten mehr, als Ludwig Marcuse lieb gewesen sein konnte. Schelsky fand später in ihr und anderen rebellierenden Intellektuellen vor allem Angehörige jener Kaste wieder, der er seinem Buch »Die Arbeit tun die anderen« aus den siebziger Jahren bescheinigte, den Klassenkampf zu predigen und wie Priester über die arbeitende Bevölkerung herrschen zu wollen.

In den neunziger Jahren, als Deutschland wiedervereinigt war und der Kalte Krieg endgültig in den Akten der Geschichte verschwand, kam der Begriff der Generation erneut in Schwung. Die Kinder der Achtundsechziger wandten sich gegen die gesellschaftlichen Entwürfe ihrer Eltern. Diese Generation war, wie die skeptische Generation Schelskys, mißtrauisch gegenüber allen ideellen politischen Luftschlössern und hielt sich an die materiellen Tatsachen des Lebens. Doch sie war nicht privatistisch wie die Schelsky-Generation, sie zog sich nicht in ihr Heim

Zwänge der Industriegesellschaft

und in ihre Familie zurück. Diesen Rückzug erlaubte der Arbeitsmarkt nicht. Die Achtundsechziger waren in Zeiten rebellisch gewesen, als die Arbeitslosenrate so niedrig war, daß sie als individuelle Bedrohung kaum ins Gewicht fiel. Die skeptische Generation der neunziger Jahre fand sich auf einem engeren Arbeitsmarkt wieder. Die Individualisierung wurde zu einer Strategie, sich in der Konkurrenz durchzusetzen. Der junge Autor und Regisseur René Pollesch hat seit dem Ende der neunziger Jahre in seinen Theaterstücken diese Situation der Jugend in einer von den Zwängen der Ökonomie völlig beherrschten Welt immer wieder beschrieben.

Helmut Schelsky. Man hört heute zuweilen in der Erwachsenenwelt die Forderung: »Wir brauchen neue Ideen für die Jugend«, und die Enttäuschung der Älteren über den Mangel an »Idealismus« in der gegenwärtigen jungen Generation ist ziemlich weit verbreitet; diese Einstellung verkennt, daß »Ideen« genügend kursieren, die Jugend aber gar nicht danach sucht, weil ihr die Bereitschaft, sie zu glauben, fehlt, die in den 20er und  30er Jahren gerade aus den Krisen des politischen Geschehens aufstieg. Ihr Streben nach Verhaltenssicherheit geht andere Wege. In dieser Hinsicht haben die Notstände der Gesellschaft in ihrer Auswirkung auf das Verhalten des einzelnen einen Schwellenwert überschritten: sie führen nicht mehr zur politisch-ideologischen Lösung und Aktivität, weil jedermann, vor allem auch die Jugend, zutiefst von der planerischen Ohnmacht des Menschen gegenüber den großen politischen und sozialen Kräftekonstellationen überzeugt worden ist.

Die entscheidende Überschreitung dieses Schwellenwertes in der Auswirkung sozialer Notstände und Unsicherheiten, die es dem jugendlichen Verhalten nicht mehr erlaubt, in ideologisch-aktivistischer Hingabe an Ordnungsvorstellungen der Gesellschaft Verhaltenssicherheit zu suchen, liegt wohl aber darin, daß die erfahrenen sozialen Notstände sein persönliches und privates alltägliches Dasein in einem bisher von der Jugend nicht erlebten Ausmaße erschüttert haben. Die in Kriegs- und Nachkriegszeit erfahrene Not und Gefährdung der eigenen Familie durch Flucht, Ausbombung, Deklassierung, Besitzverlust, Wohnungsschwierigkeiten, Schul- und Ausbildungsschwierigkeiten oder gar durch den Verlust der Eltern oder eines Elternteiles haben einen sehr großen Teil der gegenwärtigen Jugendgeneration frühzeitig in die Lage versetzt, für den Aufbau und die Stabilisierung ihres privaten Daseins Verantwortung oder Mitverantwortung übernehmen zu müssen. Die Gefährdung der vitalen und einfachsten materiellen Daseinsgrundlagen und die damit verbundene Erschütterung der unmittelbarsten Personbeziehungen innerhalb der Familie und anderer kleingruppenhafter Sozialbeziehungen, im Lebensbereich der Schule und der beruflichen Ausbildung und Entwicklung haben eine den anderen Jugendgenerationen in diesem Ausmaß und dieser Eindringlichkeit nicht zugängliche neue Bedürfnisgrundlage der Jugend in ihrem Streben nach sozialer Verhaltenssicherheit geschaffen: sie sah und sieht sich heute vor die Notwendigkeit und Aufgabe gestellt, diese *persönliche und private Welt des Alltags, vom Materiellen her angefangen, selbst stabilisieren und sichern* zu müssen, was keiner der beiden vorangehenden Jugendgenerationen in diesem Umfange und in dieser Intensität angesonnen worden ist. Indem für diese Jugend nicht nur die Welt der sozialen Großstrukturen, der »sekundäre« Horizont, in den sie als Jugend hineinwachsen wollte, sondern der Bereich der »primären« Sozial- und Gruppenbindungen, der Ausgangsbereich ihrer kindlichen Verhaltensheimat, zutiefst verunsichert und gefährdet wurde, ging ihr Streben nach Verhaltenssicherheit und Bewahrung des Vertrauten auch auf die Festigung dieser persönlichen und privaten Lebensverhältnisse aus. Damit hat sich das typisch jugendliche Suchen nach Verhaltenssicherheit in dieser Generation genau auf die sozialen Bereiche zurückgewendet, deren Anliegen einst von der Generation der Jugendbewegung im gleichen Streben nach Verhaltenssicherheit als unjugendlich abgelehnt und verlassen worden waren: die eigene Familie, die Berufsausbildung und das berufliche Fortkommen, die Meisterung des Alltags.

Man mag meinen, daß diese Ursprungssituation des Verhaltens der Nachkriegsjugend nun inzwischen in Westdeutschland überwunden ist, und in der Tat kann man sagen, daß die zweite Hälfte des Jahrzehnts, das wir betrachten, in der westdeutschen Gesellschaft mehr und mehr durch Wiederaufbauprozesse, Restaurationen und Konsolidierungen, Steigerungen des Lebensstandards und der Lebens-Chancen bestimmt wird als durch Notstandsprozesse. Doch scheinen mir diese Tatsachen noch nicht die das Generationsverhalten der Jugend verändernde Kraft zu besitzen, die man ihnen gern beimessen möchte: Zunächst hat die in dem Jahrzehnt zwischen 1945 und 1955 in die Jugendphase tretende Generation jene sozialen Notstände zumindest noch als Kind mitempfunden und, wenn auch unbewußter als die ältere Halbgeneration, in ihre Verhaltensgrundlage mit aufgenommen; zum anderen laufen die grundsätzlichen Erfahrungen, die diese Jugend mit den Vorgängen des sozialen Wiederaufbaus der westdeutschen Gesellschaft machen konnte und mußte, ja auch fast alle darauf hinaus, daß der helfende

Helmut Schelsky

Zusammenhang der Familie, der berufliche Fleiß und Durchsetzungswille, das Streben nach Verbesserung der eigenen materiellen Situation und damit nach verhältnismäßig egoistischen privaten Zielen und Interessen bei allen den Vorrang hatte und sich sozial bewährte. Gerade die Art des westdeutschen sozialen Wiederaufbaus weist also das Streben der Jugend nach Verhaltenssicherheit durchaus in die gleiche Richtung wie vorher die sozialen Notstandsprozesse. Ob eine Jugend, die bereits wieder als Kind in gesicherten Verhältnissen des kleingruppenhaften Sozialhorizontes, ja in einer Gesellschaft mit fast selbstverständlich hohem Stand des materiellen Konsums, Komforts und der sozialen Sicherheit aufgewachsen ist, andere Grundlagen und Bedürfnisse des Jugendverhaltens entwickelt, was zu vermuten ist, und was sie von den Zügen des Verhaltens der gegenwärtigen Jugendgeneration beibehalten wird, darüber wollen wir hier keine Voraussagen treffen.

Wir stehen nun vor der Aufgabe, diese Verhaltensgestalt der deutschen Jugend im Jahrzehnt nach dem letzten Kriege auch begrifflich zu kennzeichnen. Obwohl man einige der allgemeinen Zustimmung sichere kennzeichnende Eigenschaften dieser Generation leicht aufzählen könnte, erweist sich eine den Kern dieser jugendlichen Verhaltensformen treffende Benennung als recht schwierig, nicht nur, weil die Deutung und Kennzeichnung von Gegenwartsstrukturen immer strittig und unsicher ist, sondern vor allem deshalb, weil sich bei näherem Zusehen über die Verhaltensform dieser Jugend eigentlich nichts anderes sagen läßt, als was für die Erwachsenen dieser Zeitphase auch zutrifft. Es fehlt an einem in die Tiefe gehenden soziologischen Unterscheidungsmerkmal dieses Jugendverhaltens gegenüber dem sozialen Verhalten der Erwachsenen; aber gerade diese Schwierigkeit läßt sich als eins der entscheidenden Kennzeichen der gegenwärtigen Jugend erweisen. Man könnte daher auf den Gedanken kommen, diese Jugendgeneration als die »erwachsene Jugend« – in der ganzen Vieldeutigkeit dieses Begriffes – zu bezeichnen, und ohne Zweifel ist die erwachsenenähnliche Selbständigkeit und Fertigkeit den Fragen des praktischen Lebens gegenüber ein viel beobachteter Zug dieser Generation. Sie ist den Strukturen und Anforderungen der modernen Gesellschaft gegenüber in einem Maße angepaßt und ihnen gewachsen, wie keine Jugendgeneration vorher, weshalb man vielleicht auch von einer »angepaßten Jugend« sprechen sollte. Wir haben uns dafür entschieden, den ebenfalls von allen Beurteilern dieser Jugend zugeschriebenen skeptischen und nüchternen Wirklichkeitssinn, der sie von der romantischen Geisteshaltung der Jugendbewegung und dem ideologischen Denken der »politischen Jugend« unterscheidet, zu ihrer vorläufigen Kennzeichnung zu wählen, und sprechen daher von der »*skeptischen Generation*«, eine Benennung, die eine größere zeitliche Distanz oder ein anderes Verständnis dieser Jugend bestätigen mag oder nicht. ...

Die Jugend folgt nur den Erfahrungen, die ihr genauso wie den Erwachsenen beschert worden sind, und sie tut es auf den Wegen, die sie bei den Erwachsenen als erfolgreich sieht. Sie hatte es bitter notwendig, sich aus der Welt der Illusionen, der Ideologien und den von allen möglichen Organisationen vorgedachten Erkenntnisangeboten die paar konkreten Sicherheiten ihres persönlichen Daseins herauszulesen, die noch Fundament ihrer Lebensführung sein konnten. Sie hat aus dieser Erfahrung eine generelle Geisteshaltung gemacht, einen kritischen Positivismus der Lebenssicherheit, der lieber im Kleinen, aber Handfesten verharren, als sich auf unüberprüfbare Verallgemeinerungen der Lebensziele einlassen, der sich nicht bluffen, nicht verführen lassen will. Daß dabei das Materielle der Verhältnisse oft weitgehend in den Vordergrund rückt, ist begreiflich, wenn man an die materielle Lebensunsicherheit denkt, die diese Jugend bereits erfahren mußte. Diese Erfahrung ist aber erweitert in die Einsicht, daß geistige und moralische Haltungen nicht in Vernachlässigung und unter Beiseiteschieben der konkreten Daseins- und Sicherheitsinteressen, der Mißachtung der Grenzen des Möglichen, von der Jugend erstrebt werden können, sondern sich durch sie hindurch zu verwirklichen und zu bewähren haben. Der von Intellektuellen und Erziehern, den Fachleuten der gedanklichen Synthesen, oft von dieser Jugend geforderte größere Blick auf das Ganze wird von ihr gerade als jugendlicher Vorgriff, der sich generationshaft der Komplexität der modernen Gesellschaft gegenüber doch nur romantisch oder ideologisch, also in sozialen Gläubigkeiten, vollziehen könnte, gemieden; diese Scheu vor Verallgemeinerungen macht diese Jugend unspekulativ, aber zugleich auch gedanklich unaggressiv. Die teilhafte, reduzierte, auf bloße Aspekthaftigkeit ihrer Vorstellungswelt angewiesene Position des Individuums in der modernen Gesellschaft hat sich in der Geisteshaltung dieser Generation realisiert. ...

Die starke Berufszugewandtheit (die ja nicht nur ein Kennzeichen der auf Prüfungen hin studierenden Jugend ist), die durchaus solidarische Einstellung zur eigenen elterlichen Familie, die Neigung zu einer frühen festen partnerschaftlichen Bindung, ja zur Frühehe, die Häufigkeit jugendlicher Cliquenbildung bei Ablehnung ihrer organisatorischen Verfestigung, ja ein verhältnismäßig zahlreich vorhandenes Einzelgängertum in dieser Generation zeigen schon in der Jugend eine Bejahung und Betonung der sozialen Bindungen des privaten Bereichs, die dann als Lebens- und Berufsgrundlage des Erwachsenen dienen. Man hat diese Tendenz als Hang zu einer individualistischen Lebenshaltung verstehen wollen; mir erscheint die zweifellos

Helmut Schelsky

vorhandene Betonung der Individualität dieser Generation aber allzu vordergründig, zu wenig eigensinnig in der Vertiefung der eigenen Person und allzu leicht abgesättigt in den Oberflächendifferenzierungen, die die moderne Gesellschaft als Standard selbst anbietet, um diese Benennung zu rechtfertigen. Ich möchte das Grundverhältnis dieser Jugendgeneration zur Gesellschaft und zur sozialen Wirklichkeit eher als *privatistisch* bezeichnen (wobei man mir diese Wortbildung verzeihen möge): der Rückgriff auf das Private als Lebenshalt ist eine andere soziale und menschliche Reaktion als die Versenkung und Verfestigung in sich selbst als Person und Individualität.

1957

Schelsky fand in den Intellektuellen die bundesrepublikanische Erscheinungsform eines Typus, dem sein Lehrer Arnold Gehlen einen epochalen Rang zugesprochen hatte. Gehlen, 1904 in Leipzig geboren, hatte die Urform dieses Typus in der »Reflexionssubjektivität« gefunden, die mit dem technischen Zeitalter in die Welt getreten war. Mit der modernen Industrie und den Massenmedien verschlechterte sich die Lage des Menschen – ihm drohe, behauptete Gehlen, der Verlust der Wirklichkeit. Dieser Verlust führe zu einer dramatischen »Entsinnlichung« und zu »Erfahrungen zweiter Hand«. Gehlen hatte bei der Machtübernahme der Nationalsozialisten, so wie viele andere deutsche Gelehrte, das »Bekenntnis der deutschen Geisteswelt zu Adolf Hitler« unterschrieben und war sofort in die Nationalsozialistische Arbeiterpartei Deutschlands eingetreten. Unmittelbar nach dem Ende des Krieges mußte er sich einem Entnazifizierungsverfahren unterziehen, das drei Jahre dauerte und in dem Gehlen schließlich für unbedenklich eingestuft wurde.

Arnold Gehlen hatte während seiner kurzen Zeit als Professor in Königsberg sein Buch »Der Mensch. Seine Natur und Stellung in der Welt« geschrieben, das 1940 veröffentlicht wurde und in den Jahrzehnten nach dem Krieg nicht nur im Kreis seiner Schüler als der bedeutendste anthropologische Entwurf des zwanzigsten Jahrhunderts angesehen wurde. Der in der Nachkriegsgesellschaft von Organisationen und Verbänden stark umworbene Redner Gehlen hatte unter der nationalsozialistischen Diktatur den Menschen zum Mängelwesen erklärt. Der Mensch sei seiner Umwelt nicht von Geburt an angepaßt und benötige deshalb zu seiner inneren und äußeren Stabilisierung »oberste Führungssysteme« – diese Formulierung aus der Ausgabe seiner Studien über den Menschen, dessen Natur und dessen Stellung in der Welt aus dem Jahr 1940 fehlte in den späteren Ausgaben. »Oberste Führungssysteme« waren nach Gehlen vor allem die Religionen und die Weltanschauungen.

Der Mensch als Mängelwesen

In den fünfziger Jahren hat Gehlen die »obersten Führungssysteme« aus den vierziger Jahren zu einer Lehre der Institutionen ausgebaut, welche der Gesellschaft und dem Staat der Bundesrepublik allein schon terminologisch besser entsprach. Als Zeitdiagnostiker hat er Stichwörter wie Reizüberflutung, Dauerreflexion, Entinstitutionalisierung in die Debatten über die moderne Gesellschaft und die moderne Seele geworfen und den rebellierenden Intellektuellen – bevor sie selbst, wie alle anderen Mängelwesen auch, den Gang durch die Institutionen favorisierten und Karriere machten – vorgehalten, sie würden ihr Denken von ihren Handlungen lösen und für einen »Humanitarismus« schwärmen, der aus ihrer »Fernethik«, aus ihrer »Hypermoral« resultiere. Anfang der siebziger Jahre warf der Politologe Ernst Topitsch den kritischen Intellektuellen der Bundesrepublik vor, es ginge ihnen nicht um Humanität, sondern nur darum, ihre Macht auszubauen.

Hannah Arendt hätte über diese Kritik Gehlens an der »Hypermoral« nur den Kopf geschüttelt. Der Professor, der an der Universität in Wien bis Kriegsende gelehrt hatte, forderte nach Kriegsende in seiner Studie »Die Seele im technischen Zeitalter« dazu auf, sich nicht mehr hinter Parolen und große Wörter, wie »das Abendland« und »die Kultur«, zu stellen und sich auch für solche Chimären nicht mehr verantwortlich zu fühlen, sondern statt dessen Verantwortung im kleinen zu übernehmen, für die eigene Stadt und das eigene Dorf. Mit einer solchen Bescheidenheit nach der »Endlösung« mochte sich die ins Exil getriebene Jüdin Hannah Arendt nicht zufriedengeben. Sie hielt an der Idee der Menschheit und an der Verantwortung für die Welt fest.

Auffallend ist eine Nähe der beiden Zeitdiagnostiker bei den anthropologischen Verlustmeldungen. In ihrer Studie »Elemente und Ursprünge totalitärer Herrschaft« aus den fünfziger Jahren hatte Hannah Arendt erklärt, daß der Massenmensch von der Gefahr, der totalitären Herrschaft zu erliegen, deswegen bedroht sei, weil er in einer unwirklichen Wirklichkeit lebe – in einer Wirklichkeit, der ein Verlust des gesunden Menschenverstandes entsprach. Das erste große Kapitel ihrer Studie lautete: »Antisemitismus und gesunder Menschenverstand«.

Arnold Gehlens Studie »Die Seele im technischen Zeitalter«, aus der das folgende Zitat stammt, erschien 1957 – sie war in einer ersten Fassung schon Ende der vierziger Jahre veröffentlicht worden. Der von Gehlen konstatierte Psychologismus und das von ihm beklagte Gefühlsleben aus zweiter Hand sind in den späteren Diskussionen über die Beschädigungen der Seelen durch das allgegenwärtige Fernsehen immer wieder aufgetaucht.

Arnold Gehlen. Die unmittelbaren Beziehungen zwi-
schen den Menschen vereinfachen sich, sie verlieren die
Geformtheit und das Bedeutungsvolle, die Vielheit der
in ihnen einstmals verbunden gewesenen Normen und
Berufungsinstanzen. An den Formen des öffentlichen
Lebens hatten seit Jahrhunderten die Klugheit und der
Geschmack sich mit der Zweckmäßigkeit verschmol-
zen und sie hatten, bis ins Private vorgeschoben, den
Menschen vor sich selber geschützt. Wie die Sprache trugen sie auch den, der
sie nicht ausfüllen konnte und waren weiser als er, aber auch effektiver.

Die Auflösung dieser Formen ist in großen Etappen geschehen, sie wider-
standen nicht der Tyrannei der Wirtschaft und der Rentabilität, die denjenigen Kreisen den ökonomischen Boden entzog, in denen einmal die Chance,
über Jahrhunderte hinweg Erfahrungen großen Stils festzuhalten, sowie die
Macht, ihrem inneren Gehalt Verbindlichkeit zu geben, auf einer Seite gelegen hatten. Als nun die Wirtschaft, selbst krank geworden, auf den Staat
zurückfiel, verwandelte sich alles öffentliche Leben mehr oder weniger in
staatliches und der Staat selbst zunehmend in den Verwaltungs- und Fürsor-
gestaat, der »planen« muß. Ein Mensch, aus den kraftvollen und sinnenhaften
Kulturen der Antike oder des Mittelalters, ja noch der Barockzeit in unsere
versetzt, würde sich vor allem über eines verwundern: über die massenhaft
gedrängte physische, jedoch durchaus formlose, ungestaltete Nähe, in der die
Menschen durcheinander vegetieren, und über die Ungreifbarkeit, Abstrakt-
heit unserer Institutionen, die ganz überwiegend »unsinnliche Tatbestände«
sind. Es gibt von beiden Seiten her gesehen kaum Verhaltensfiguren, in denen die Menschen *miteinander* leben, und selbst der Sport verwandelt sich in
eine Aufführung, bei der die Massen passiv Reize aufnehmen. Die Familie
andererseits bleibt als einzige »symbiotische« Sozialform zurück, sie verdankt dieser Monopolstellung ihre außerordentliche Stabilität selbst in einer
so mobilen Kultur und sie erscheint als der eigentliche Gegenspieler aller Öffentlichkeit, als Asyl der Privatheit. Indem nun das öffentliche Leben von
tieferen, symbolischen Gehalten entleert wird, indem die Institutionen zu Gesetzen abblassen und diese wieder zu Verkehrsregeln, trennt sich die private
Sphäre hiervon ganz, aber sie fällt in die Unmittelbarkeit zurück, die Personen
begegnen sich in der ganzen Breite ihrer natürlichen Stärken und Schwächen,
sie haben die Konflikte, die sich aus der Distanzlosigkeit verzehnfachen, aus
den geringen Reserven ihrer zufälligen Eigenschaften zu lösen.

Aus dieser Situation erklärt sich zuletzt das erstaunliche psychologische
Allgemeinwissen unserer Zeit, ja tiefer gesehen sogar die noch nicht dagewe-

sene Ausfaltung, Ausgesprochenheit, sozusagen die Hautnähe und Ungeniertheit des psychologisch Eigenschaftlichen selbst, gleichgültig, ob es verhüllt oder offen auftritt. Welch ein Unterschied zur Zeit Molières, da vor einem Publikum mit überwachten Instinkten und strengen Ausdrucksgesetzen der nackte Charakter als komisch bühnenreif war.

Die nahe Welt der in der Kompliziertheit des modernen Lebens, in der Vielheit der Sonderklimata sich entwickelnden zufälligen Naturen, die sich gegenseitig reflektieren und darin ihre Seele ebensowohl entdecken wie produzieren – sie gibt die Gehalte für die eigentlich repräsentative Kunstform der westlichen Welt: für den psychologischen Roman. Er entspricht der eben beschriebenen soziologischen Konstellation und zeigt sehr deutlich, wie dem Verfall festgefügter sozialer Ordnungen die Entwicklung nicht bloß der Psychologie, sondern *des Seelischen selbst* parallel geht.

In der Spätantike hatte sich ein analoges Ereignis vollzogen. Dort bedeutet die »Neue Komödie« dasselbe, wie bei uns der Roman: in dem Augenblick, da die Polis »nicht mehr alles mit Beschlag belegt, können sich seelische Regungen entwickeln, die vorher undenkbar waren«. »Alle Instinkte, welche sich nicht nach außen entladen, wenden sich nach innen – damit wächst erst das in dem Menschen heran, was man später seine ›Seele‹ nennt«, sagte Nietzsche – das ist gewiß eine übertriebene Formel, doch kommt man psychologisch ohne einige Schritte in dieser Richtung nicht aus.

Es läßt sich doch ernstlich nicht bestreiten, sagten wir schon an anderer Stelle, daß der moderne Subjektivismus ein Produkt der Kulturverhältnisse ist: die Überschwemmung mit fremdgesetzten Reizen und die Affektüberlastung werden durch eine Innenverarbeitung und »Psychisierung« bewältigt, die außenprovoziert ist, ohne es zu wissen. Die Affekte können ja auch gar nicht mehr an der Außenwelt festgemacht werden, weil diese viel zu versachlicht und symbolentleert ist – dazugerechnet den fehlenden Widerstand der rohen Natur, die Stillegung der körperlichen Anstrengung: was sollte anderes folgen, als der »Erlebnisstrom«, der in chronischer Wachheit und Reflexion bewältigt wird? Jetzt beginnt notwendig die Subjektivierung und Aufweichung der Kunst, des Rechts – aber auch der Religion. Überall schießen die »Ideen« hervor, mit denen sich nichts anderes anfangen läßt, als sie zu diskutieren, die Diskussion ist die zugeordnete, angemessene Form der Außenverarbeitung. Diese Intellektualisierung und Subjektivierung einer vom Handeln abgefilterten Kultur ist das welthistorisch Neue, das ist die Luft, in der wir atmen, wer das nicht sieht, muß es nicht sehen wollen. …

Die Logik der Zusammenhänge von Innen und Außen kann man versuchen, sich vorzustellen. Der Mangel an stabilen Institutionen, die ja im

Arnold Gehlen

Grunde vorgeformte und sozial eingewöhnte Entscheidungen sind, überbeansprucht die Entschlußfähigkeit, aber auch die Entschlußwilligkeit des Menschen und macht ihn, die Bastionen der Gewohnheiten schleifend, schutzlos vor den zufälligen nächsten Reizen. Weil nun an diese Reize ebenfalls Interessen, Vorteile und Bedürfnisse anwachsen, sich auch endlich irgendein inneres Gleichgewicht einpendelt, kommen Charaktere zustande, die ihre Eigenschaften nur deshalb zu haben scheinen, weil sich kein Anlaß fand, sie aufzugeben. Nur aus solchen und ähnlichen sozialpsychologischen Voraussetzungen kann man gewisse auffallende Erscheinungen erklären, wie z.B. die triebhafte Mitteilungsbedürftigkeit, die der in sich ruhenden Persönlichkeit fehlt, die aber eine wesentliche Wurzel des programmatischen Individualismus ist, oder die erstaunlich verbreiteten höheren Grade von Menschenkenntnis, die aus einer feinen Empfindlichkeit des Gefahrensinnes kommt und überflüssig wird, wenn aus eingewöhnten, langhin tradierten Formen der Kooperation ein stummes Schon-Verständigtsein folgt; auch gehört der nicht selten künstliche, höchst wachsame Gleichmut hierher, eine Selbstanpassung an den breiten, vordergründigen Saum des probierenden, vorbedenklichen, aufschiebenden und abwägenden Verhaltens. Die oben erwähnte Indiskretheit des Eigenschaftlichen, die eine Begleiterscheinung des Abbaus tradierter Zuchtformen und ihrerseits die Voraussetzung aller neuzeitlichen Verfeinerung der Psychologie ist, läßt sich mit bestimmten Merkmalen in Korrelation bringen:

Da gibt es ein Plus an Reflektiertheit und eingeschliffener, funktionalisierter Bewußtheit des Innenlebens – eben Emersons »Gewohnheit des Denkens«, ein mehr an Indirektheit und Gebrochenheit im Außenverhalten, das gerade deswegen symptomhaltig und ausdeutbar wird; auf der anderen Seite aber ein Weniger an direkter, naiver, genereller Affektivität. Es läßt sich kein exakter Beweis führen, aber bei der Lektüre von Selbstbiographien aus vergangenen Jahrhunderten hat man doch den zwingenden Eindruck einer Veränderung der Affektlage, die eingetreten ist: enthemmte, insofern primitive, naiv-explosive Handlungen unverstellter, oft krimineller Leidenschaftlichkeit scheinen viel häufiger als jetzt gewesen zu sein. Wir möchten annehmen, daß der abstrakten und an Erfahrungen »zweiter Hand« eingeübten Bewußtseinslage des gegenwärtigen, mehr oder weniger verstädterten Menschen auch eine entsprechende emotionale Veränderung zugeordnet ist. Man hat in großer Breite mit emotionalen Schemata zu rechnen, mit Leerformen, welche beliebig vom Inhalt her angereichert werden können, mit »Emotionshülsen«. Mit anderen Worten: das Gefühlsleben selbst wird ein solches »zweiter Hand«. Ein Beispiel dafür ist das millionenfach verbreitete *pin-up-Girl*, ein schematischer Auslöser für ebenso schematische erotische Gefühlsreaktionen. Bilder dieser Art erzeugen genauso Emotionen zweiter Hand wie die politische Agitation. Diese sekundären Emotionen sind übrigens in hohem Grade wortfähig und bewußtseinsnah, sie können daher, entlang den Linien der aktuellen Publizität, einen erstaunlichen Aktionsradius erhalten, und in auffallender Weise erstrecken sie sich dann auch in den Bereich moralischer Gefühle. Die verbreitete Anmaßung, das Weltbeste zu wollen oder die Ansprüche subjektiver Empfindlichkeit ohne weiteres zum Range der »Menschenwürde« zu erheben, lassen sich nicht anders erklären. Es gibt eine häufige und schwer einsichtig zu machende, da schon selbstverständlich gewordene Verwirrung, welche darin besteht, daß man sich als verantwortlich fühlt für »das Abendland«, anstatt für die eigene Stadt- oder Dorfgemeinde, für »die Kultur«, anstatt für seinen Bücherschrank, oder gar für »die Religion«.   1957

Arnold Gehlen meldete sich häufig im Rundfunk zu Wort, und auch der Soziologe und Philosoph Theodor W. Adorno, 1903 in Frankfurt am Main geboren und 1934 ins Exil geflohen, ging in der Bundesrepublik häufig auf Sendung. Die beiden trafen sich immer wieder zu gemeinsamen Gesprächen im Aufnahmestudio. Sie teilten zeitdiagnostische Befunde, wenn sie auch von konträren Winkeln auf die Gesellschaft schauten: Adorno mit einem verzweifelten, Gehlen mit einem kalten Blick. Gehlen sprach von Kristallisation, Adorno von Verdinglichung der Welt. Gehlen sprach vom »Posthistoire« und meinte das Ende der geschichtlichen Freiheit, Adorno sprach von der Dialektik der Aufklärung und meinte das Scheitern der Vernunft in der Geschichte. Gehlen fand das Glück des Menschen darin, sich dem Lauf der Welt zu fügen, Adorno drängte die Menschen dazu, mündig zu werden. Während Gehlen und Adorno, nach einem Bild des Soziologen Wolf Lepenies, gebannt auf die Gegenwart schauten, erklärten die beiden untereinander ihre persönliche Vergangenheit zu einem Tabu.

Adorno sah im Nationalsozialismus einen zivilisatorischen Bruch, über den kein Erfolg beim bundesrepublikanischen Aufbau hinwegtrügen konnte. Seine Nähe zu einer rebellischen Jugend, die sich den bundesrepublikanischen Kristallisationen nicht fügen wollte, wurde ihm von Zeitgenossen wie Dolf Sternberger verübelt, die für wilde Experimente im frisch gemachten Bett der Demokratie kein Verständnis aufbrachten. Dabei teilte der hochkultivierte Philosoph und Soziologe, der schon in den frühen fünfziger Jahren den modischen Jazz und die entsprechenden Körperbewegungen als ein Übel empfand, mit seinen kultivierten Gegnern die Liebe und die Verehrung für den in Kunst und Denken geformten Geist.

Adornos Forderung nach einer Erziehung der Erzieher – eine Bedingung dafür, um aus dem Tunnel der Verdrängungen der nationalsozialistischen Vergangenheit herauszukommen – führte dazu, daß die Pädagogik und der Lehrerberuf in den sechziger und siebziger Jahren an politischer Attraktivität gewannen. Adorno gehörte auch zu jenen Intellektuellen der Bundesrepublik, durch deren Einfluß die Sozialpsychologie an Bedeutung gewann. Die Sozialpsychologie lieferte Modelle, mit denen sich die verdrängte nationalsozialistische Vergangenheit mit der kapitalistischen Gegenwart psychisch verbinden ließ. Sie machte aus dem Menschen ein Wesen mit Trieben und psychischen Dispositionen, die bei bestimmten gesellschaftlichen Entwicklungen zu fatalen Folgen führen würden. Der Weg vom unmündigen Bürger der kapitalistischen Gesellschaft zum unmündigen Bürger von Hitlers Staat war offen.

Zu den zahlreichen entscheidenden Stichwörtern, die Adorno der Zeitdiagnostik und den rebellierenden Intellektuellen vorgab, gehörte nicht nur sein emphatischer Begriff von Demokratie und der berühmte »Verblendungszusammenhang«, sondern vor allem die »Kulturindustrie«, die der findige und umtriebige Schriftsteller Hans Magnus Enzensberger am Anfang der sechziger Jahre zu einem »Baukasten« einer Theorie der Medien ausbaute, in dem auch die Kritiker der Bewußtseinsindustrie ihren Platz fanden.

Im Mai 1959, als Adorno seinen Aufsatz »Was bedeutet: Aufarbeitung der Vergangenheit« veröffentlichte, aus dem unten zitiert wird, beklagte Friedrich Sieburg in einem Leitartikel für die »Frankfurter Allgemeine Zeitung«, der den Titel »Aufforderung zur Geschichte« trug, weniger das Verdrängen der jüngsten deutschen Vergangenheit als den Verlust des historischen Sinns. Er knüpfte seine Gedanken über die Geschichte an den Appell, den der Zentralrat der Juden in Deutschland an die Kultusminister gerichtet hatte. Der Zentralrat hatte die Minister daran gemahnt, »daß sie das Problem des historischen Analphabetentums endlich als lebenswichtig ansehen« sollten. Sieburg verstand sofort, warum die Frage nach der Geschichte die in der Bundesrepublik lebenden Juden beschäftigte: »Sie sehen mit Bedauern, daß unser Gedächtnis schlechter wird und daß ihre jüngste Leidensgeschichte die scharfen Konturen zu verlieren beginnt, die allein schon im Interesse der moralischen Ordnung frisch erhalten werden müßten.« Die historische Vergeßlichkeit, schrieb Sieburg, gehe weit darüber hinaus, was in den letzten dreißig Jahren geschehen sei, sie umfasse »die Geschichte schlechthin«. Ähnlich weit in die Geschichte wollten viele geistige Begleiter der Bundesrepublik sehen, unter ihnen im folgenden Jahr auch der Journalist Rüdiger Altmann, als er sich mit dem schwierigen Erbe Adenauers und dem desolaten Selbstbewußtsein Deutschlands auseinandersetzte.

 **Theodor W. Adorno.** Daß der Faschismus nachlebt; daß die vielzitierte Aufarbeitung der Vergangenheit bis heute nicht gelang und zu ihrem Zerrbild, dem leeren und kalten Vergessen, ausartete, rührt daher, daß die objektiven gesellschaftlichen Voraussetzungen fortbestehen, die den Faschismus zeitigten. Er kann nicht wesentlich aus subjektiven Dispositionen abgeleitet werden. Die ökonomische Ordnung und, nach ihrem Modell, weithin auch die ökonomische Organisation verhält nach wie vor die Majorität zur Abhängigkeit von Gegebenheiten, über die sie nichts vermag, und zur Unmündigkeit. Wenn sie leben wollen, bleibt ihnen nichts übrig, als dem Gegebenen sich anzupassen, sich zu fügen; sie müssen eben jene autonome Subjektivität durchstreichen, an welche die Idee von Demokratie appelliert, können sich selbst erhalten nur, wenn sie auf ihr Selbst verzichten. Den Verblendungszusammenhang zu durchschauen, mutet ihnen eben die schmerzliche Anstrengung der Erkenntnis zu, an welcher die Einrichtung des Lebens, nicht zuletzt die zur Totalität aufgeblähte Kulturindustrie, sie hindert. Die Notwendigkeit solcher Anpassung, die zur Identifikation mit Bestehendem, Gegebenem, mit Macht als solcher, schafft das totalitäre Potential. Es wird verstärkt von der Unzufriedenheit und der Wut, die der Zwang zur Anpassung selber produziert und reproduziert. Weil die Realität jene Autonomie, schließlich jenes mögliche Glück nicht einlöst, das der Begriff von Demokratie eigentlich verspricht, sind sie indifferent gegen diese, wofern sie sie nicht insgeheim hassen. Die politische Organisationsform wird als der gesellschaftlichen und ökonomischen Realität unangemessen erfahren; wie man selber sich anpassen muß, so möchte man, daß auch die Formen des kollektiven Lebens sich anpassen, um so mehr, als man von solcher Anpassung das streamlining des Staatswesens als eines Riesenunternehmens im keineswegs so friedlichen Wettbewerb aller sich erwartet. Die, deren reale Ohnmacht andauert, ertragen das Bessere nicht einmal als Schein; lieber möchten sie die Verpflichtung zu einer Autonomie loswerden, von der sie argwöhnen, daß sie ihr doch nicht nachleben können, und sich in den Schmelztiegel des Kollektiv-Ichs werfen.

Ich habe das Düstere übertrieben, der Maxime folgend, daß heute überhaupt nur Übertreibung das Medium von Wahrheit sei. Mißverstehen Sie meine fragmentarischen und vielfach rhapsodischen Anmerkungen nicht als Spenglerei: die macht selber mit dem Unheil gemeinsame Sache. Meine Absicht war, eine von der glatten Fassade des Alltags verdeckte Tendenz zu bezeichnen, ehe sie die institutionellen Dämme überspült, die ihr einstweilen gesetzt sind. Die Gefahr ist objektiv; nicht primär in den Menschen gelegen. Wie gesagt, vieles spricht dafür, daß Demokratie samt allem, was mit ihr gesetzt ist, die Menschen tiefer ergreift als in der Weimarer Zeit. Indem ich das nicht so Offenbare hervorhob, habe ich vernachlässigt, was doch Besonnenheit mitdenken muß: daß innerhalb der deutschen Demokratie nach 1945 bis heute das materielle Leben der Gesellschaft reicher sich reproduzierte als seit Menschengedenken, und das ist denn auch sozialpsychologisch relevant. Die Behauptung, es stünde nicht schlecht um die deutsche Demokratie und damit um die wirkliche Aufarbeitung der Vergangenheit, wenn ihr nur Zeit genug und viel anderes bleibt, wäre sicherlich nicht allzu optimistisch. Nur steckt im Begriff des Zeithabens etwas Naives und zugleich schlecht Kontemplatives. Weder sind wir bloße Zuschauer der Weltgeschichte, die sich innerhalb ihrer Großräume mehr oder minder unangefochten tummeln können, noch scheint die Weltgeschichte selbst, deren Rhythmus zunehmend dem der Katastrophe sich anähnelt, ihren Subjekten jene Zeit zuzubilligen, in der alles von selber besser werde. Das verweist unmittelbar auf demokratische Pädagogik. Vor allem muß Aufklärung über das Geschehene einem Vergessen entgegenarbeiten, das nur allzu leicht mit der Rechtfertigung des Vergessenen sich zusammenfindet; etwa durch Eltern, die von ihren Kindern die peinliche Frage nach dem Hitler hören müssen, und die daraufhin, schon um sich selbst weißzuwaschen, von den guten Seiten reden und davon, daß es eigentlich gar nicht so schlimm gewesen sei. In Deutschland ist es Mode, auf den politischen Unterricht zu schimpfen, und sicherlich könnte er besser sein, aber der Bildungssoziologie liegen jetzt schon Daten vor, die darauf hinweisen, daß der politische Unterricht, wo er überhaupt mit Ernst und nicht als lästige Pflicht betrieben wird, mehr Gutes stiftet, als man ihm gemeinhin zutraut. Nimmt man jedoch das objektive Potential eines Nachlebens des Nationalsozialismus so schwer, wie ich es glaube nehmen zu müssen, dann setzt das auch der aufklärenden Pädagogik ihre Grenzen. Mag sie nun soziologisch oder psychologisch sein, praktisch erreicht sie ohnehin wohl meist nur die, welche dafür offen und eben darum für den Faschismus kaum anfällig sind. Andererseits jedoch ist es keineswegs überflüssig, auch diese Gruppe gegen die nicht-öffentliche Meinung durch Aufklärung zu stärken. Im Gegenteil, man könnte sich wohl vorstellen, daß sich aus ihr so etwas wie Kaders bilden, deren Wirken in den verschiedensten Bereichen dann doch das Ganze erreicht, und die Chancen dafür sind um so günstiger, je bewußter sie selbst werden. Selbstverständlich wird Aufklärung bei diesen Gruppen sich nicht bescheiden. Ich will dabei von der sehr schwierigen und mit größter Verantwortung belastenden Frage absehen, wie weit es geraten sei, bei Versuchen zu öffentlicher Aufklärung aufs Vergangene einzugehen, und ob nicht gerade die Insistenz darauf trotzigen Widerstand und das Gegenteil dessen bewirke, was sie bewirken soll. Mir selbst will es eher scheinen, das Bewußte könne niemals so viel Verhängnis mit sich führen wie das Unbewußte, das Halb- und Vorbewußte. Es kommt wohl wesentlich darauf an, in welcher Weise das Vergangene vergegenwärtigt wird; ob man beim bloßen Vorwurf stehenbleibt oder dem Entsetzen standhält durch die Kraft, selbst das Unbegreifliche noch zu begreifen. Dazu bedürfte es freilich einer Erziehung der Erzieher.

1959

Ein halbes Jahr nach Sieburgs Leitartikel über die Geschichte, im Dezember 1959, kam es zu einer antisemitischen Schmierwelle im Land, unter anderem wurde die Synagoge in Köln geschändet. Bundeskanzler Adenauer erklärte im Fernsehen, daß der Nationalsozialismus im deutschen Volk »keine Wurzel« habe und die wenigen »Unverbesserlichen, die noch vorhanden sind« nichts ausrichten würden. Er forderte mehr Zivilcourage: »Meinen deutschen Mitbürgern insgesamt sage ich: Wenn Ihr irgendwo einen Lümmel erwischt, vollzieht die Strafe auf der Stelle und gebt ihm eine Tracht Prügel.« Den Schriftsteller Peter Schneider bewegten vierzig Jahre später ähnliche Vorstellungen von praktischer Tatkraft, nachdem es im vereinten Deutschland immer häufiger zu Übergriffen von Rechtsradikalen gegen Ausländer gekommen war. Anfang der sechziger Jahre, als zum ersten Mal Gastarbeiter aus Griechenland, Spanien und der Türkei von der Bundesrepublik angeworben wurden, veröffentlichte Rüdiger Altmann seine Studie »Das Erbe Adenauers«.

Im Mai 1960, als über Adenauers Regierungsstil laut nachgedacht wurde, trat der Bundesminister für Vertriebene, Flüchtlinge und Kriegsbeschädigte zurück. Theodor Oberländer wurde vorgeworfen, daß er sich im Zweiten Weltkrieg an völkerrechtswidrigen Erschießungen beteiligt habe. Drei Jahre später dankte Konrad Adenauer als Bundeskanzler ab. Davor hatte er noch einen Brief Walter Ulbrichts, des Staatsoberhauptes der Deutschen Demokratischen Republik, in dem Vorschläge zur gemeinsamen Abrüstung und zu einem Friedensvertrag gemacht worden waren, einfach unbeantwortet zurückgeschickt – und er hatte Herbert Wehners Angebot einer Koalition der Sozialdemokratischen Partei mit der Christlichen Union in den Wind geschlagen.

Rüdiger Altmann, geboren 1922 in Frankfurt am Main, war als Soldat im Zweiten Weltkrieg. Er studierte an der Universität Marburg und wurde dort Assistent von Wolfgang Abendroth. Abendroth war Ende der dreißiger Jahre von den Nationalsozialisten wegen Hochverrats verurteilt worden. Er hat schließlich in Griechenland im Widerstand gekämpft. Anfang der sechziger Jahre wurde er, weil er sich nicht vom Sozialistischen Deutschen Studentenbund distanzierte, aus der Sozial-demokratischen Partei Deutschlands ausgeschlossen, die auf dem Godesberger Parteitag auf die Linie einer demokratischen Volkspartei eingeschwenkt war.

Adenauers unglücklichem Nachfolger im Amt des Bundeskanzlers, Ludwig Erhard, gab Rüdiger Altmann das Stichwort von der »formierten Gesellschaft« ein, das Adornos Befürchtungen vom Siegeszug der Verdinglichung zu bestätigen schien und rebellierende Gemüter in ihrer Ansicht bestärkte, daß angesichts einer solchen Ansammlung satter und braver Bürger nur noch die Provokation helfen könnte. Politische Beobachter der Bonner Szene wie Rüdiger Altmann sahen, daß Adenauers anstehender Rückzug aus der Politik eine Lücke reißen würde.

Theodor W. Adornos Assistent in jenen Jahren war Jürgen Habermas. Er wurde von Adornos Kollegen Max Horkheimer mit scheelen Blicken wegen seiner poli-tischen Artikel beobachtet. Ende der fünfziger Jahre hatte Habermas mehr Bür-gerbeteiligung im Staat Adenauers gefordert und in der Frankfurter Studenten-zeitung »discus« den Artikel »Unruhe ist erste Bürgerpflicht« veröffentlicht. Die Unruhe der Kritiker im Staate Adenauers wurde Mitte der sechziger Jahre durch die Große Koalition nicht aufgefangen – das gelang im großen Stil erst Willy Brandt, der 1969 mit dem Slogan »Mehr Demokratie wagen« Bundeskanzler wurde. Willy Brandt gelang, was Altmann forderte: eine bessere ideologische Ausstattung der Politik. Die Debatten um die sogenannte Politikverdrossenheit in den letzten Jahren und um das fehlende ideologische Profil der Enkel Willy Brandts standen noch unter Altmanns Vorgabe, daß die neue Sprache der Politik sich aus der »politischen Grammatik der Praxis« entwickeln müsse. Herausge-kommen sind dabei pragmatische Einsichten in nationale und globale Notwen-digkeiten. Der folgende Text stammt aus Rüdiger Altmanns Buch »Das Erbe Adenauers«.

Rüdiger Altmann. Ohne Zweifel, das Erbe Adenauers betrifft das Schicksal der Bundesrepublik. Wir alle, seine Freunde und Gegner, fühlen den ungewissen Bo-den dieser Zukunft bereits unter unseren Füßen. In einer solchen Lage ist es wenig ratsam, zu warten, bis der Erbfall eintritt. Er ist auch nicht die Angelegenheit einer Partei. Beruhigende Versicherungen, es werde schon irgendwie weitergehen, nützen uns ebensowenig

wie die Hoffnungen derer, die endlich Morgenluft wittern. Wir werden nicht bloß mitten im Rennen den Reiter und Trainer wechseln müssen. Er wird vielleicht auch das Sattelzeug mitnehmen. Aus dem Vertrauen auf Adenauer muß dann ein hartes und illusionsloses Selbstvertrauen werden – und das unter den Augen der Russen.

Aber noch immer ist die Bundesrepublik ein Staat ohne geistigen Schatten. Dieser beklagenswerte Zustand scheint so unbestritten, daß er zu einer Fundgrube von Mißverständnissen geworden ist. Die Sozialdemokratie macht die Regierung dafür verantwortlich, obwohl ihr selbst nach 1945 wirklich nicht viel Neues eingefallen ist. Überhaupt tut die deutsche Linke gern so, als ob nach der Niederlage trotz eines fruchtbaren geistigen Klimas politisch ein »echter Neuanfang« versäumt worden wäre. Dabei waren die Schubladen doch wesentlich leerer, als die aus dem Kriege heimkehrende Jugend erwartet hatte. Die wirklich wertvollen Reprisen aus der Weimarer Zeit und die wieder zugänglich gewordene Weltliteratur haben gewiß den leeren Raum ausfüllen helfen. Das war aber auch das Wesentliche. Eine Anklage wegen restaurativer Tendenzen läßt sich auf diese Situation nicht stützen.

Viel bedenklicher war es, daß wir in diesen dunklen Tagen den Kontakt zu unserer Geschichte verloren haben. Das deutsche Volk mußte sich eingestehen, daß es sich seine tiefste Erniedrigung selbst zugefügt hatte. Das Reich war zerstört. Seine Reste trieben hilflos in der Weltpolitik. Politische Flagellanten verzerrten die nationale Geschichte seit Friedrich dem Großen zu einer Genealogie des Nationalsozialismus. Dazu die Spaltung des Staates, der Verlust der Ostprovinzen. All das hat dazu geführt, daß wir heute in Gefahr geraten sind, ein Volk zwar mit Vergangenheit, aber ohne Geschichte zu werden. Die Vergangenheit – das heißt die Herrschaft Hitlers und ihre Ursachen – kann man, wie Theodor Heuss sagt, bewältigen. Doch ersetzt die Bewältigung der Vergangenheit noch kein Geschichtsbewußtsein. Ebensowenig wird sich die Bruchstelle mit einer nationalen Ideologie leimen lassen. Dazu ist der Nationalstaat schon zu sehr eingeebnet, läßt sich auch die moderne Gesellschaft immer mehr von ihrem technisch-ökonomischen Dynamismus konsumieren. Die Geschichte selbst hat sich von dem tragischen Bild kämpfender, siegreicher und sterbender Völker auf soziale und wirtschaftliche Entwicklungsvorgänge zurückgezogen, und die Soziologen belehren uns über die überraschend kurzen Zusammenhänge zwischen »Urmensch und Spätkultur«.

Ist unsere geschichtliche Erinnerung keine rechte Stütze unseres Selbstbewußtseins, so lähmen Gefühle der Ungewißheit und Angst seine Entfaltung in die Gegenwart, wenn sie auch teilweise durch die unreflektierte Sicherheit, mit der Adenauer herrscht, suspendiert sein mögen. Da ist einmal die schon konventionell gewordene Kulturkrisenliteratur, die uns Deutschen vielleicht mehr ins Bewußtsein sticht als anderen. Wenn ein Buch mit dem Satz anfinge:

Rüdiger Altmann

»Wir stehen nunmehr seit über fünfzig Jahren in der Krise unserer Zeit«, so würde das von vielen Lesern ganz ohne Ironie und als Selbstverständlichkeit aufgenommen werden. Dem entspricht auch gegenwärtig ein Gutteil unserer fortschrittlichen, sprich nonkonformistischen Literatur, deren antipolitischer Realismus und nebelnde Skepsis eher eine affektgeladene Sentimentalität verraten als tiefere Einsicht der Wirklichkeit. Der Wert solcher Literatur, die vom Übel fasziniert ist, mag geringer sein, als die Kritik annimmt.

Aber sie hat ihren Einfluß. Das Unbehagen an der Politik ist weit verbreitet, selbst unter denen, die sie machen. Und es besteht auch zu Recht. Was die Parteien uns als Programme und Leitsätze anbieten, ist ziemlich langweilig und ideenlos. Langweilig ist auch die große Presse. Sie hat sich so wenig profiliert, daß es fast gleichgültig ist, welche Zeitung man abonniert. Statt öffentliche Meinung zu machen, möchte sie ihr Hüter sein. ...

Chesterton sagte einmal in einem schönen Essay »Von den Idealen«, daß unserer verwirrten Zeit keineswegs der große Praktiker not tut, nach dem alle Welt verlange, sondern der große Ideologe, »ein Mann, der so etwas wie eine Doktrin hat, warum die Dinge überhaupt funktionieren. Es ist unrecht, zu geigen, während Rom brennt, aber es ist ganz in der Ordnung, die Theorie der Hydraulik zu studieren, während Rom brennt.«

Auch wir brauchen dringend eine bessere ideologische Ausstattung unserer Politik. Damit sind nicht Parteiprogramme alten Stils gemeint. Deshalb wollen wir hier Ideologie nur im ganz allgemeinen Sinn des Wortes verstehen und nicht in der Verschmelzung mit traditionellen Parteianschauungen. Wir haben uns in der Bundesrepublik angewöhnt, die Entideologisierung unseres Denkens als Fortschritt zu preisen. Selbst die Sozialdemokratie bemüht sich, entsprechende Vollzugsmeldungen zu erstatten. Daran mag allerlei Richtiges sein. Falsch wäre es indessen, wollten wir nun auf jede grundsätzliche Fundierung unserer Politik verzichten und uns darauf beschränken, »aus der Praxis für die Praxis zu leben«. Gerade ein Politiker braucht die Überzeugung, daß Ideen das Leben beherrschen – den Willen, Ideen zu verwirklichen und nicht nur Geschäfte zu machen.

Adenauer ist der Typ des großen, freilich auch des bloßen Praktikers, ein Mann, der der Routine ein hohes taktisches Niveau zu geben versteht. Aber er hat zu den Grundfragen unserer Politik keine differenzierte Darstellung gegeben, keine Interpretation dieser von ihm doch in einem neuen Stil angewandten Verfassung, nicht einmal eine vertiefte Formel von den Zielen seiner Partei. Seine Reden sind nicht nur wegen ihrer intellektuellen Enthaltsamkeit so gut verständlich, sondern auch wegen ihrer manchmal grotesken Banalität. Solange die Gewißheit besteht, daß sich hinter diesem geringen Wortschatz eine jahrzehntelange Erfahrung des politischen Handelns verbirgt, kann man das hinnehmen. Aber in Zukunft wird das nicht mehr der Fall sein. Dann wird man solche Einfachheit des politischen Ausdrucks als Einfältigkeit bezeichnen müssen.

Es ist also Zeit, daß wir »die Theorie der Hydraulik studieren«, bevor es brennt. Wir meinen damit nicht, ein Politiker solle zugleich politischer Theoretiker sein. Es handelt sich auch nicht um den alten Streit über das Verhältnis von Theorie und Praxis. Aber ist es nicht endlich notwendig, die Praxis der pluralistischen Demokratie, die oft noch unausgesprochenen Regeln, die neuen Ideen, die sich aus der Erfahrung kristallisieren, zusammenzufassen und zu interpretieren? Wir denken an das Zusammenwirken von Pluralismus und parlamentarischem System, wie es Adenauer bereits in der Kanzlerdemokratie inszeniert hat, an die Weiterentwicklung des Status quo, überhaupt an eine synchrone Politik, die das Selbstverständnis unserer Gesellschaft nicht bloß der Soziologie überläßt. Das gleiche gilt für das Verhältnis von innerer und auswärtiger Politik, das im Zeichen des Abbaues der nationalen Souveränität neu formuliert werden muß – nicht nur in Richtung auf die europäische Integration, sondern vom Sozialsystem des überentwickelten Industriestaates her, das sich der kommunistischen Konkurrenz gewachsen zeigen muß.

Wir brauchen eine der zweiten Hälfte des 20. Jahrhunderts angemessene politische Grammatik der Praxis, nicht als »graue Theorie«, sondern als Kodex unserer Erfahrung. Nur von da aus läßt sich die Sprache der Politik prägen – es wäre gefährlich, das den Kommunisten zu überlassen. Denn wer die Sprache der Politik beherrscht, hat auch ihre Tatsachen in der Hand.   1960

Ulrike Meinhof, 1934 in Oldenburg geboren, war in den sechziger Jahren Redakteurin der Zeitschrift »konkret«, für die unter anderem auch der Hamburger Schriftsteller Peter Rühmkorf arbeitete. Die Zeitschrift wurde, wie die Öffentlichkeit später erfuhr, von der Deutschen Demokratischen Republik finanziert. Über die Stimmung jener Jahre des kritischen Aufbruchs hat Peter Rühmkorf in seinem anekdotenreichen Erinnerungsband »Die Jahre die ihr kennt« Auskunft gegeben. Ulrike Meinhof hörte in den siebziger Jahren mit dem Journalismus auf und schloß sich dem bewaffneten Kampf der Roten Armee Fraktion an. Sie erhängte sich im Mai 1976 in ihrer Zelle in Stammheim.

Ulrike Meinhof gehörte zu jener Generation, die sich mit der nationalsozialistischen Vergangenheit der Eltern auf eine radikale Weise auseinandersetzte. In den achtziger Jahren hielt der Philosoph Hermann Lübbe einen aufsehenerregenden

Vortrag über die moralische Anmaßung dieser jungen Generation gegenüber den Älteren, die den Nationalsozialismus als Erwachsene erlebt hatten. Die Lehre, die Ulrike Meinhof aus dem Nationalsozialismus zog, bestand in ihren Grundzügen darin, politische Verantwortung für den ungerechten Zustand der Welt und der Gesellschaft, in der sie lebte, zu übernehmen und für politische und soziale Verbesserungen zu kämpfen. Hier schien Hannah Arendts Idee der Menschlichkeit nachzuwirken. Doch anders als die nüchterne Hannah Arendt akzeptierte Ulrike Meinhof den Unterschied zwischen Politik und Moral nicht mehr, auf dem Hannah Arendt auch in ihrem kurzen Briefwechsel mit Hans Magnus Enzensberger bestand.

Der Kulturphilosoph Walter Benjamin, der sich auf der Flucht vor den Nationalsozialisten unmittelbar vor der spanischen Grenze das Leben nahm, hatte Ende der dreißiger Jahre in einem berühmten Aufsatz über die technische Reproduzierbarkeit des Kunstwerks die griffige Formulierung von der Ästhetisierung der Politik durch die Nationalsozialisten gefunden. Nachdem unter der Regierung Adenauers Politik und Moral insofern getrennt marschiert waren, als die erfolgreiche Gegenwart sich nicht von der nationalsozialistischen Vergangenheit ein Bein hatte stellen lassen wollen, forcierte die junge kritische Generation seit den sechziger Jahren eine Moralisierung der Politik, aus deren totalitärem Zugriff sich schließlich bei Ulrike Meinhof eine radikale Absage an den demokratischen Staat der Bundesrepublik entwickelte. Den Studenten fiel als sozialer Gruppe bei diesem Aufbruch in die Vergangenheit und in die Zukunft eine entscheidende Rolle zu.

In ihrem Artikel »Hitler in euch«, der 1961 in »konkret« erschien, bewies Ulrike Meinhof auch, daß die junge kritische Generation vor einer »Instrumentalisierung« der nationalsozialistischen Vergangenheit für gegenwärtige politische Zwecke nicht zurückschreckte. Im Zuge dieser politisch interessierten Dramatisierung der bundesrepublikanischen Verhältnisse wurden Hitler und Franz Josef Strauß in eine Linie gestellt. Die Geschichte der Instrumentalisierung der nationalsozialistischen Vergangenheit verläuft nicht geradlinig, sie ist wechselvoll. Nach der deutschen Wiedervereinigung hat der Schriftsteller Martin Walser in seiner Dankesrede zur Verleihung des Friedenspreises des Deutschen Buchhandels in der Frankfurter Paulskirche die Instrumentalisierung von Auschwitz in Berichten über fremdenfeindliche Ausschreitungen in Deutschland beklagt und von der Moralkeule Auschwitz gesprochen. Außenminister Joschka Fischer rechtfertigte in den neunziger Jahren den Kriegseinsatz der Bundeswehr im zerfallenden Jugoslawien mit dem Hinweis, Deutschland könne gerade im Hinblick auf Auschwitz den ethnischen Säuberungen in Jugoslawien nicht tatenlos zusehen.

Ulrike Meinhof. Der Versuch, zwölf Jahre deutscher Geschichte zum Tabu zu machen, ist mißlungen. Von Heusinger bis Foertsch, von Oberländer bis Globke, von Heyde / Sawade bis Eichmann hat es sich erwiesen, daß im Deutschland von 1961 nicht ungeachtet von Stalingrad und Oradour, von Auschwitz und Buchenwald gelebt werden kann.

Mitten in diesen Fronten zwischen Geschichte und Politik, Klägern, Angeklagten und Beklagten steht die junge Generation. Unbeteiligt an den Verbrechen des Dritten Reiches, ebenso wie an den Weichenstellungen der Nachkriegszeit, ist sie hineingewachsen in die Auseinandersetzungen der Gegenwart, ist sie in die Verantwortung dessen geraten, was sie nicht verschuldet hat. Die Erkenntnis ihrer Unschuld aber darf für die einen kein Vorwand sein, der jungen Generation das Mitspracherecht in Sachen Vergangenheit streitig zu machen, ist für sie selbst kein Freispruch von den Aufgaben der Gegenwart.

Der Studentenschaft kommt in diesem Bezug ein Primat zu. Wie keiner anderen Bevölkerungsgruppe sind ihr Quellen und Tatsachen zugänglich, darüber hinaus wird sie selbst in wenigen Jahren in Universität, Schule und Staat maßgeblich an der Durchführung dessen beteiligt sein, was sie heute fordert.

Anläßlich des Eichmann-Prozesses hat Dieter Bielenstein, der Pressereferent des Verbandes Deutscher Studentenschaften, im »Deutschen Studentenpressedienst« eine spezifische Antwort der Jüngeren versucht, die wir für unzureichend, jedoch so bemerkenswert halten, daß wir sie hier ungekürzt zitieren wollen, um dann noch einiges hinzuzufügen:

»Mit dem Prozeß gegen Adolf Eichmann steht das Unrecht in unserer Geschichte wieder riesengroß in der Gegenwart vor uns. Wenn wir das richtig begreifen, werden wir nicht sagen können, diese und jene wären die Mörder, wir hätten es nur geduldet. Die Älteren werden sich erinnern müssen, daß an den Hausecken die Nazi-Plakate ›Juda verrecke!‹ hingen und daß sie trotzdem oder oft deswegen Hitler wählten. Dann verschwanden nachts und im Morgengrauen die jüdischen Nachbarn und Freunde – wir schwiegen, waren zu feige, zu fragen ›wohin?‹, oder es war uns auch recht so. Der Eichmann-Prozeß spielt mitten unter uns, auch wenn er in Jerusalem geführt wird. Betroffen sind wir alle, doch mancher – auch von Rang und Namen – wird vielleicht genannt werden als Schuldiger oder Mitwisser der Verbrechen an verantwortlicher Stelle. Wir werden dann den Stab über ihn brechen müssen, auch wenn er die Verbrechen steuern oder das Leid lindern wollte. ...

Die Studenten von damals sind unsere heutigen Hochschullehrer, unsere Rechtsanwälte, Lehrer, Journalisten, Verwaltungsbeamten, unsere Alten Herren in den Verbindungen und unsere Eltern. Eine solche Feststellung soll keine haltlose Verdächtigung oder ein Aufruf zur Bespitzelung der Vergangenheit des einzelnen sein. Sie ist aber ein Hinweis darauf, daß wir zu diesem Problemkreis nicht schweigen können, daß wir als Studenten eine Position beziehen und die Vergangenheit nicht ruhen lassen wollen und daß wir von den Älteren eine Antwort erwarten.

Wenn das Schweigen an den Hochschulen ein Festhalten am Ungeist und wenn Äußerungen eine Dokumentation des Unbelehrbaren sind, werden wir nicht anstehen zu sagen, daß unsere Hochschulen keinen Platz haben für akademische Lehrer oder studentische Gemeinschaften, die die Konsequenzen aus der deutschen Katastrophe nicht zu ziehen vermögen.

Im November 1957 und im Oktober 1959 versuchte der Verband Deutscher Studentenschaften in zwei deutsch-israelischen Gesprächen die Wissensvermittlung und Kenntnis jüdischer Geschichte in den verschiedenen Bereichen der Bildung und Publizistik darzustellen. Im Juni 1960 veranstaltete er eine pädagogische Fachkonferenz mit dem Thema ›Erziehungswesen und Judentum‹, ein Buch mit dem gleichen Titel gab er kurz danach heraus. Seit drei Jahren reisen in jedem Sommer Dutzende deutscher Studenten nach Israel zu Arbeitslagern in Kibbuzim. An 10 unserer Hochschulen bestehen deutsch-israelische Studiengruppen, denen viele der rund 130 bei uns studierenden Israelis angehören. Der Vorsitzende des israelischen Studentenverbandes in Jerusalem folgte noch im vorigen Herbst einer Einladung nach Bonn. Mit all dem können auch wir Jüngeren keinen ›neuen Anfang‹ setzen, denn wir wollen und dürfen die letzten Jahrzehnte unserer Geschichte nicht aus unserem Gedächtnis löschen. Aber wir suchen damit einen neuen und besseren Weg in die Zukunft unseres Volkes ...«

So weit, so gut.

Aber Bielenstein beschränkt sich auf die Kritik an den sogenannten »Alten Nazis« und auf die Bemühungen der deutschen Studentenschaft um ein gutes Verhältnis zum Staat Israel. Wer aber von den »Alten Nazis« spricht, sollte auch den zweiten Schritt wagen: Die Erkenntnis und Kritik ebenso alter politischer Konzeptionen an maßgeblicher Stelle, und wer den Antisemitismus geißelt, muß der Freiheit, wo sie heute bedroht ist, das Wort reden. Eine Revision des Antisemitismus kann sich nicht in Studienfahrten nach Israel erschöpfen, ist als Prosemitismus nur eine halbe Antwort, erfordert vielmehr die Absage an *jeden* politischen Terror vermittelst administrativer Maßnahmen gegen Andersdenkende, Andersglaubende und Andersfühlende. Die

Antwort auf die Konzentrationslager liegt nicht in ihrer Abschaffung, sondern liegt in der totalen Gewährleistung politischer Freiheit für politische Gegner; die Antwort auf den Polenfeldzug liegt nicht in der Ablehnung diplomatischer Beziehungen zur Regierung in Warschau, der Überfall auf die Sowjetunion findet keine Revision in der Berufung eines Herrn Foertsch, der Einmarsch in Frankreich nicht in Bundeswehrmanövern in Mourmelon, das Verbot des Deutschen Gewerkschaftsbundes nicht in einem Notstandsgesetz, der Ausschluß jüdischer Studenten von den Universitäten im Jahre 1933 nicht in Polizeiaktionen gegen farbige Studenten im Jahre 1961.

Der Widerstand gegen den Nationalsozialismus kann nicht durch antifaschistische Sandkastenspiele nachgeholt werden, weder für die nachgewachsene Generation noch für die Älteren. Die Antwort auf den Nationalsozialismus in seiner Totalität muß innen- und außenpolitisch gefunden werden, für heute und morgen; sie heißt: Freiheit für den politischen Gegner, Gewaltenteilung und Volkssouveränität, sie heißt: Versöhnung mit dem Gegner von damals, Koexistenz statt Krieg, verhandeln statt rüsten.

Wie wir unsere Eltern nach Hitler fragen, so werden wir eines Tages nach Herrn Strauß gefragt werden.   1961

In Jerusalem wurde im Sommer 1960 der Prozeß gegen Adolf Eichmann eröffnet, der zu den maßgeblichen Organisatoren des nationalsozialistischen Völkermordes an den Juden gehörte. Eichmann wurde am Ende des Jahres 1961 zum Tode verurteilt. Er war in Südamerika vom israelischen Geheimdienst gefangengenommen worden. Die Flucht ins Ausland war ihm nach dem Krieg auf einem Weg gelungen, der über Rom und den Vatikan führte und als »Rattenlinie« bekannt wurde.

Über die Verstrickung des Katholizismus mit dem Nationalsozialismus wurde unter dem katholischen Bundeskanzler Adenauer gerne geschwiegen. Adenauer bemühte sich, den Katholizismus als einen Hort des Widerspruchs und Widerstands gegen das Hitler-Regime aufzubauen. Anfang der sechziger Jahre veröffentlichte der spätere Bundesverfassungsrichter Ernst-Wolfgang Böckenförde einen Aufsatz über den deutschen Katholizismus im Jahr der nationalsozialistischen Machtergreifung. Böckenförde prüfte die Verwicklungen der katholischen Kirche in den Hitler-Staat. Der Aufsatz erschien in der katholischen Zeitschrift »Hochland«. Die Aufregung darüber war groß. Böckenförde sah nicht nur die Vergangenheit der katholischen Kirche in einem düsteren Licht. Er sah auch schwarz für die Kirche in der Gegenwart, solange sie sich widerspruchslos den Ansprüchen einer Wirtschafts- und Erwerbsgesellschaft »assimilierte«, die dazu neige, sich als eine »Totalität« zu setzen und alles ihrer »Funktionalität« unterzuordnen. Heinrich Böll klagte 1966 in seinem »Brief an einen jungen Nichtkatholiken« die katholische Kirche und die katholischen Intellektuellen an, sich nicht vehement gegen die Aufrüstung und den Dienst in der Bundeswehr ausgesprochen zu haben.

Die Deutsche Demokratische Republik errichtete am 13. August 1961 eine Mauer zwischen den beiden unterschiedlichen deutschen Gesellschaften. Rudolf Augstein hatte wenige Wochen vor dem Mauerbau seinen vorausschauenden Artikel »Geht Berlin verloren?« unter dem Pseudonym Jens Daniel in seiner Zeitschrift »Der Spiegel« veröffentlicht. Die Zeitschrift hatte sich nach ihrer Gründung Ende der vierziger Jahre rasch zu einem regierungskritischen Blatt des investigativen Journalismus nach britischem Vorbild entwickelt und pflegte eine Mischung aus nüchterner politischer Analyse und moralischer Entrüstung. Ein Jahr nach Augsteins Artikel über Berlin warf die Regierung Adenauer dem Nachrichtenmagazin vor, Landesverrat verübt zu haben. In einem »Spiegel«-Artikel war über geheime Strategien der Bundeswehr berichtet worden. Rudolf Augstein und der Autor des Artikels, Conrad Ahlers, wurden verhaftet. Im Verlauf der »Spiegel«-Affäre traten fünf Minister der Freien Demokratischen Partei und Verteidigungsminister Franz Josef Strauß von ihren Ämtern zurück.

In der durch den Kalten Krieg aufgeheizten Stimmung bedeutete der Mauerbau auch, Abschied zu nehmen von der Vorstellung, daß die deutsche Einheit in Freiheit und Frieden erreichbar sei. Die Deutsche Demokratische Republik führte die allgemeine Wehrpflicht ein – sechs Jahre nachdem in der Bundesrepublik Deutschland die allgemeine Wehrpflicht durchgesetzt worden war. In dieser verfahrenen deutschen Lage entwickelte sich nach dem Regierungswechsel im Jahr 1969 eine neue, von der Opposition heftig kritisierte Ostpolitik, deren Antreiber Willy Brandt und Egon Bahr waren und deren Ziel die Annäherung und die gegenseitige Anerkennung der beiden deutschen Staaten war. Damit rückte Deutschlands Einheit in den Augen vieler Zeitgenossen in eine ferne Zukunft. Der Journalist Sebastian Haffner sah das anders. Er erklärte in einem Artikel, der 1970 erschien, die Anerkennung der Deutschen Demokratischen Republik für eine Voraussetzung der Annäherung der beiden deutschen Staaten. Kaum ein Zeitgenosse verschwendete in den sechziger Jahren öffentlich Gedanken daran, daß die Sowjetunion einmal untergehen und die Deutsche Demokratische Republik sich aus deren Umklammerung würde befreien können – wie das rund fünfunddreißig Jahre später geschah. Hans Magnus Enzensberger aber veröffentlichte damals im »Kursbuch« einen Katechismus der deutschen Einheit.

Bis zum 13. August kamen im Jahr 1961 noch rund einhundertfünfzigtausend Menschen aus der Deutschen Demokratischen Republik in die Bundesrepublik und nach West-Berlin. Am Tag des Mauerbaus konnten noch rund achteinhalbtausend Menschen in die Bundesrepublik und nach West-Berlin flüchten. Nachdem die Mauer gebaut worden war, entstanden Fluchthelferorganisationen. Die Justiz der Deutschen Demokratischen Republik bestrafte die Republikflucht und schickte viele Menschen, die bei dem Versuch, das Land zu verlassen, gescheitert waren, auf Jahre ins Gefängnis. Mehr als zweihundert Menschen auf dem Weg in den Westen wurden von den Grenzposten des realen Sozialismus erschossen. Der Schriftsteller Stephan Hermlin, der in der Deutschen Demokratischen Republik lebte, verteidigte den Mauerbau als den, wie er sagte, logischen Schritt einer Entwicklung, die nicht von seinem Land eingeleitet worden sei. Auch die Schriftstellerin Christa Wolf, die ebenfalls im Osten Deutschlands wohnte, empörte sich nicht über den Mauerbau in ihrer 1963 erschienenen Erzählung »Der geteilte Himmel«.

Rudolf Augstein. Die westlichen Alliierten, und an ihrem Rockschoß Kanzler Adenauer, begannen 1950, den Gedanken der Wiedervereinigung als Sprengladung gegen die gesamte im Krieg errungene und nach dem Krieg ausgebaute Machtstellung der Sowjets in Europa zu manipulieren. Die Zone sollte »befreit«, mit einem »befreiten« Polen sollte über die »Rückgabe« der verlorenen Ostgebiete verhandelt werden. Den Königsbergern wurde die Rückkehr in ein »befreites« Ostpreußen versprochen. Dies waren die von Kanzler Adenauer ausgesprochenen Ziele; die Gedanken der noch weniger Ängstlichen schweiften weiter und machten selbst am Ural nicht halt. Berlin war in diesem Konzept, das die Existenz der Bundesrepublik begründet und vergiftet hat, ein belagerter Vorposten, der bald von den vorrückenden Kräften der Befreiung entsetzt werden würde.

Wie gering man immer die Chance einer Wiedervereinigung einschätzen mochte, klar war, daß die Sowjets dieser »roll-back« genannten Politik nicht mit Wiedervereinigungsvorschlägen, sondern nur mit massivstem politischem und militärischem Druck begegnen konnte. Ein so blind ergebener und nervenstarker Satrap wie Walter Ulbricht muß ihnen damals mehr wert erschienen sein als bares Gold.

Die allgemeine Kräfteverschiebung in der Welt zugunsten des Ostblocks und die waffentechnischen Errungenschaften der Sowjets brachten die Politik des »roll-back« zwischen 1955 und 1957 zum Erliegen. Jetzt wäre es erstmals Zeit gewesen, die verlorene Partie abzublasen und auf der Grundlage des Auseinanderrückens der Blöcke eine Friedensregelung für Mitteleuropa, allerdings jetzt schon ohne fixierbare Wiedervereinigung, zu versuchen.

Statt dessen geschah etwas höchst Sonderbares, das aber höchst natürlich ist für den, der die deutsche Geschichte in den letzten hundert Jahren kennt. Unsere Staatsmänner in Bonn zogen aus dem Scheitern ihrer Politik nicht den Schluß, daß sie eine falsche Politik unterstützt hatten, sondern lediglich, daß sie nicht stark genug gewesen seien, und zwar ganz persönlich als Deutsche nicht stark genug.

Die Ära Adenauer, der den Westmächten im ganzen doch ein recht folgsamer Satrap gewesen war, ging zu Ende, und es begann die Ära Strauß. Es begann der psychologische Krieg des Verteidigungsministers, um Atomwaffen zu bekommen. Ohne taktische Atomwaffen in vorderster Linie, so hieß das staunenswerte Argument, könne die amerikanische Widerstandskraft von den Sowjets unterlaufen werden.

Man darf sicher sein, daß die Sowjets sofort begriffen, was die Amerikaner erst vor kurzem und die Westdeutschen bis heute nicht verstanden haben: Spätestens 1965 würde die Bundeswehr potent genug sein, um bei fortdauernd umstrittenen Grenzen die westliche Koalition in spontane oder provozierte Konflikte zu verwickeln. Der Aufenthalt der Sowjets auf deutschem und polnischem Boden hinge dann auch von dem Willen Bonns ab, und die Deutschen selbst würden solcherart imstande sein, den Sowjets ihre Kriegsbeute wieder abzujagen.

Die Sowjets glauben nicht daran, daß den Deutschen die Verfügungsgewalt über Atomwaffen auf Dauer vorenthalten wird. Sie glauben nicht an Beteuerungen, solange das Potential sich auf deutschem Boden häuft. Sie haben, um ehrlich zu sein, auch wenig Grund, deutschen Beteuerungen zu glauben. Es drohte also eine Situation, in der die Sowjets von den Deutschen um die Früchte ihres Sieges über Hitler gebracht und in ihrem Herrschaftssystem gefährlich erschüttert werden könnten. Es drohte eine gewaltsame Revision des Sieges von 1945, und zwar von seiten des Besiegten.

Spätestens hier wird mancher Leser, der mir insoweit gefolgt ist, einwerfen: na und? Es wäre doch nur schön, gut und begrüßenswert, wenn wir die Sowjets in fünf Jahren aus Europa wieder vertreiben könnten! Sicherlich, das wäre schön, gut und begrüßenswert. Die Frage ist nur, ob die Sowjets es so weit kommen lassen müssen, daß die von ihnen besiegten Deutschen sich instand setzen, den Weltmachtanspruch des Kreml in Frage zu stellen.

Wollen einmal untersuchen, was sie dagegen tun könnten. Wäre nicht West-Berlin, könnten sie wenig oder nichts dagegen tun. Das System der NATO ist stark genug, einem direkten Angriff auf die Bundesrepublik zu begegnen. Rüsten tun auch und erst recht die Sowjets. Ihrem Walter Ulbricht ist jedes Mittel recht, sich zu behaupten. Irgendwelche Drohungen oder Beschwörungen haben es bisher nicht vermocht, die Amerikaner davon abzubringen, die Bundeswehr zur stärksten nicht-russischen Streitmacht des Kontinents hochzurüsten. Die DDR selbst, die Karikatur eines kommunistischen Staates, ist kein rechtes Gegengewicht gegen die aus den Nähten platzende Bundesrepublik. Was könnten die Sowjets tun?

Nichts, wenn nicht West-Berlin wäre.

Nun gibt es aber West-Berlin, eine Stadt, in die viel amerikanisches Weltmachtprestige investiert worden ist, so daß sie keinesfalls spektakulär aufgegeben werden kann. Eine Stadt, die weder mit Atombomben noch konventionell verteidigt werden könnte, eine Stadt, deren Zuwege alle durch kommunistisches Territorium führen. Die Stadt Berlin war der geeignete Hebel, um die Deutschen zu stoppen, wer immer, ehrgeizig oder nicht, Kanzler sein würde.

Auf die Rechtslage lohnt es nicht weiter einzugehen. Sowjets und Amerikaner sind mit dem gleichen Recht in Deutschland wie in Berlin: mit dem des Siegers. Nachdem die Amerikaner den Sowjets das Recht, in der DDR zu sein, abgesprochen hatten, solange sie sich stark fühlten, dürfen sie sich nicht wundern, wenn die Sowjets ihnen jetzt das Recht absprechen, in West-Berlin zu sein.

Aber welche Ziele könnten die Sowjets mit ihrem Griff nach Berlin verfolgen? Drei verschiedene Ziele, die im Kern doch eines gemeinsam haben: Sicherung des kommunistischen (nicht ganz: des sowjet-russischen) Besitzstandes gegen jeden Anspruch West-Deutschlands (denn die Amerikaner haben nur noch platonische Ansprüche gegen die Sowjets in Europa, seit sie mit ihrem »roll-back« gescheitert sind).

Mit drei Zielrichtungen marschiert die Sowjet-Politik getrennt, um vereint zu schlagen:

West-Berlin soll staatsrechtlich von der Bundesrepublik völlig getrennt werden, Bundestag und Bundespräsident sollen in Berlin weder tagen noch amtieren dürfen.

Die DDR soll völkerrechtlich als Staat anerkannt werden, vorerst de facto, durch Regierungsverhandlungen über die Verbindungen nach Berlin, später de jure.

Die Bundeswehr soll ihrer potentiellen Interventionsmöglichkeiten entkleidet werden, indem man ihr die atomaren Waffen vorenthält beziehungsweise wieder abnimmt.

Jeder Erfolg in Richtung auf eines dieser drei Angriffsziele würde den beiden anderen Stoßkeilen zugute kommen. Die Staatsrechtliche Abtrennung West-Berlins wäre ebenso wie die Anerkennung der DDR das Ende des deutschen Anspruchs auf Wiedervereinigung, auch wenn die Bundeswehr bis zu Ende atomar bewaffnet würde. Umgekehrt wäre eine Teilneutralisierung der Bundeswehr der vorletzte Schritt zur Anerkennung der DDR; aus der Anerkennung der DDR hinwiederum müßte ein staatsrechtlicher und völkerrechtlicher Sonderstatus für Berlin naturnotwendig hervorgehen.

Kommen die Sowjets mit einem ihrer drei Stoßkeile durch, so erreichen sie ihr Ziel insgesamt: Sicherung des kommunistischen Besitzstandes in Europa (was eine langsame Evolution zu einem menschenwürdigeren Leben nicht völlig ausschließt).

Alle drei Ziele auf einmal durchzusetzen, etwa in einem Friedensvertrag, den Bonn und Pankow beide unterzeichnen, kann auch die Sowjet-Union nicht hoffen. Mit einer Ent-Atomisierung der Bundeswehr allein, so gewichtig dies Zugeständnis sich ausnähme, würde sie sich heute schwerlich zufriedengeben. Ich für meinen Teil glaube, daß man West-Berlin mittels dieses Zugeständnisses noch vor drei Jahren hätte sichern können. Heute ist bereits zuviel Chruschtschow- und Sowjet-Prestige in die Frage einer Berlin-Regelung investiert worden. Außerdem hat sich der Flüchtlingsstrom, der die DDR strukturell bis zur Anämie schwächt, in den letzten drei Jahren kaum verdünnt.

Das Problem ist weniger, den Sowjets klarzumachen, daß die Amerikaner wegen Berlin äußerstenfalls einen Atomkrieg anfangen würden. Die Sowjets glauben das nicht, und mit Grund nicht. Daß die Amerikaner ohne Rücksicht auf die Folgen zurückschlagen würden, wenn man sie direkt angriffe, steht (obschon der Bundesverteidigungsminister das immer wieder bezweifelt) außer Frage: nicht nur in Berlin, sondern auf jedem anderen Punkt der Erde, die Bundesrepublik eingeschlossen. Aber die Sowjets werden die Amerikaner weder in Berlin noch in der Bundesrepublik, noch sonstwo militärisch angreifen. Nein, das Problem ist vielmehr, den westlichen Völkern bewußt zu machen, daß die Sowjets ihr Programm abwickeln werden, weil Berlin für sie der einzige Hebel ist, den in ihren Augen zu gefährlichen Lauf der deutschen Dinge abzustoppen.

Wenn die Grenzen Polens und der DDR anerkannt sind, wenn West-Berlin nicht mehr als Agitations-Tribüne gegen die Kommunisten dient, wenn demzufolge die Teilung des Deutschen Reiches getreu den Kriegszielen der Alliierten besiegelt ist, dann macht es wenig aus, ob die Bundeswehr Atomwaffen hat, ob sie darüber verfügen darf oder nicht. Solange aber die gesamte Machtabgrenzung von 1945 immer wieder in Frage gestellt werden kann, ist es der Sowjetregierung schlechterdings unmöglich, einer atomaren Bewaffnung der Bundeswehr weiterhin untätig zuzusehen. Chruschtschow kann vorsichtig und von langer Hand taktieren, aber er kann ohne essentielle westliche Zugeständnisse nicht zurück. Kein halbwegs im Sattel sitzender Nachfolger Chruschtschows könnte zurück.

Ich weiß, daß man mich einen Handlanger der Sowjets, bestenfalls einen wurzellosen Intellektuellen nennen wird, wenn ich hinzufüge: Chruschtschow kann auch nicht mehr lange warten. Für Verhandlungen hat er genug Zeit gelassen. Ohne eine unmittelbar sich ankündigende Krise können Verhandlungen offensichtlich zu nichts führen. So muß er die vor zwei Jahren angekündige Krise schaffen, er kann nicht mehr zurück.   1961

Neben den heftigen Protesten gegen den Aufbau der Bundeswehr und gegen deren Ausrüstung mit Atomwaffen gehörte der Protest gegen die Notstandsgesetze zu den wichtigen Etappen der Herausbildung einer politisch aktiven Öffentlichkeit. Die Kritiker empörten sich über die Selbstherrlichkeit des Staates, der im Falle eines drohenden Krieges das Recht haben sollte, einen allgemeinen Notstand auszurufen und dabei Grundrechte wie das Versammlungs- und das Streikrecht zu kappen. Die Proteste konnten die Verabschiedung der im Laufe der Debatten modifizierten Notstandsgesetze durch den Bundestag nicht aufhalten. In den Diskussionen zogen die Anhänger einer Demokratie, wie sie einmal in der Verfassung formuliert worden war, gegen die Verfechter einer Demokratie als Form der Staatsherrschaft zu Felde. Das Grundgesetz »in seiner ursprünglichen Fassung«, die »total freiheitlich und total antimilitaristisch« gewesen sei, wie Ulrike Meinhof in ihrem berühmten Artikel »Die Würde des Menschen ist antastbar« aus dem Jahr 1962 schrieb, wurde als Ideal und Auftrag gegen die bundesrepublikanische Verfassungswirklichkeit gehalten. Der Gegensatz von guter Verfassung und schlechter Verfassungswirklichkeit wurde bis in die siebziger Jahre immer wieder geltend gemacht und löste bei Wilhelm Hennis, der Politikwissenschaft in Freiburg lehrte, nur Kopfschütteln aus. In den kommenden Jahrzehnten wurde immer seltener auf diesen Gegensatz gepocht – die Erfahrungen mit den Entscheidungen des Bundesverfassungsgerichts in Karlsruhe, das immer häufiger in schwierigen Fällen angerufen wurde, mögen dazu beigetragen haben, diesen Gegensatz aufzulösen.

Der kritische Bürger war in den sechziger Jahren ein Hüter der bedrohten Grundrechte. Er sollte jenen Anfängen wehren, die in den dreißiger Jahren den Aufstieg des Nationalsozialismus erleichtert hatten. Die Würde des Menschen sei wieder antastbar, wenn die Notstandsgesetze beschlossen würden, schrieb Ulrike Meinhof. Wenn der Notstand ausgerufen würde, dann bräuchte der Staat keine Rücksichten mehr zu nehmen – »oppositionelle Massen«, schrieb Meinhof, könnten »zusammengeschossen« werden, und der Krieg müßte auch »nicht mit den Mitteln kluger Politik« verhindert werden. Der Begriff der Menschenwürde spielte nicht nur in den siebziger Jahren in den Diskussionen über den Abtreibungsparagraphen eine wichtige Rolle, sondern er rückte vor allem mit der Jahrtausendwende zu einem zentralen Begriff auf, mit dem sich in den biopolitischen und bioethischen Debatten sofort Positionen voneinander abgrenzen ließen.

Wolfgang Abendroth, 1906 in Wuppertal geboren, war 1948 aus der Sowjetischen Besatzungszone in den Westen gegangen und lehrte in Marburg an der Lahn bis 1972 Staats- und Rechtswissenschaften. Sein Artikel »Zusätzliche Notstandsermächtigungen? Das Problem der Grundgesetz-Änderung« erschien 1962 in den »Frankfurter Heften«.

Wolfgang Abendroth. Es ist richtig, daß zu der Zeit, als das Grundgesetz entstand, noch nicht daran gedacht war, daß die Bundesrepublik möglicherweise Kriegspartei werden und das Recht der Kriegführung (»ius belli ac pacis«) in Anspruch nehmen könnte. Die Verfassungsergänzung vom 26. März 1954 hat dann die Konsequenzen aus der geänderten Lage eingeleitet; die Verfassungsergänzung vom 19. März 1956 hat den bis dahin geltenden verfassungsrechtlich zweifelhaften Zustand beendet. Der durch die »Wiederbewaffnung« geschaffene Status der Bundesrepublik ist heute rechtens; er muß also beachtet werden, gleichgültig, ob man die Entscheidung, die zu ihm geführt hat, als notwendig oder als ein Unglück für unsere gesamtdeutsche, innenpolitische und außenpolitische Entwicklung betrachtet. Man muß ihn anerkennen, auch wenn man Gefährdungen unserer demokratischen Verfassungsstruktur befürchtet, die unter den gegebenen Umständen durch die Bildung einer bewaffneten Macht unvermeidlich sind: mußte diese doch aus Kadern von Offizieren und Berufssoldaten gebildet werden, deren beruflicher Aufstieg sich nicht, wie bei der Reichswehr nach der Novemberrevolution 1918, auf die Erfahrungen lediglich in einem Obrigkeitsstaat gründete, sondern auf die in einem faschistischen Staate, dessen »totaler« Krieg ein systematisiertes Verbrechen war.

Aber zwingt der veränderte Status der Bundesrepublik tatsächlich zu einer Verfassungsergänzung für den Fall des Krieges oder des »drohenden Verteidigungszustandes«? Sicherlich treten bereits bei der wehrwirtschaftlichen und wehrgesellschaftlichen Vorbereitung auf diesen Zustand, erst recht bei seiner Proklamation, die weitgehend an die Stelle der früheren »Mobilmachung« getreten ist, zahlreiche schwierige Fragen auf. Man kann die gesamte Wirtschaft »wehr-wirtschaftlich erfassen« und alle Arbeitnehmer der Dienstverpflichtung unterwerfen wollen, also an die Entwicklung anknüpfen, die das Dritte Reich durch Hitlers Erklärung vor den Kommandeuren der Reichswehr Anfang Februar 1933 eingeleitet, im Vierjahresplan Görings vorangetrieben und im Krieg durch die totalitäre Erfassung der Gesamtgesellschaft vollendet hat. Dann allerdings bedarf es einer Verfassungsergänzung, und zwar einer, die das gesamte System und den Sinn eines demokratischen Verfassungsrechtes, wie es im Grundgesetz vorliegt, für den Fall der Proklamation des Verteidigungsfalles außerkraftsetzt oder gar – wie es in zweifellos grundgesetzwidriger Weise in der jüngsten Novelle zum Bundesleistungsgesetz geschehen ist – bereits für eine Situation des »bevorstehenden« Verteidigungsfalles, die auch dem abgeänderten Grundgesetz unbekannt ist. Macht man derartigen Tendenzen nur geringe Konzessionen, so hat man – zunächst lediglich für den Fall, daß die Möglichkeit tatsächlich eintritt – die demokratische Rechtsstaatlichkeit verlassen und vor dem System des faschistisch-totalitären Staates und der voll militarisierten Gesellschaft erneut grundsätzlich kapituliert, indem man das Grundgesetz zur Disposition dessen stellt, der über jene Möglichkeit entscheidet. Es ist sehr fraglich, ob es dann – nach Beendung des Verteidigungsfalles – noch möglich wäre, das Gleichgewicht der Rechtsstaatlichkeit wiederzugewinnen und zur Demokratie zurückzufinden. ...

Nach den Erklärungen der Oppositionsführung im Bundestag wird es kaum vermieden werden können, daß die Exekutive oder andere Gremien, die nicht unmittelbar durch Wahlen demokratisch legitimiert sind, mindestens für den Fall des sogenannten »äußeren Notstandes« – hoffentlich nicht zusätzlich auch für andere Tatbestände – zu legislativen Maßnahmen und Eingriffen in Grundrechte ermächtigt werden. Zwar hatten breite Schichten während des Dritten Reiches und infolge seines Zusammenbruchs zunächst gelernt, zwischen Rechtsordnung und Staatsapparat zu unterscheiden; doch haben sie sich während der Periode des konjunkturellen Aufschwungs und im Kalten Krieg, der auf der andern Seite der Elbe einen Staat produzierte, der weder Wohlstand noch auch nur relative Rechtssicherheit gewährt, erneut daran gewöhnt, auf den Schutz des abstrakten Staates zu vertrauen, mit dem man sich unkritisch identifiziert und den man um dieses Schutzbedürfnisses willen stärken möchte. Die gesellschaftliche Wirklichkeit jedes demokratischen Staates beruht aber auf der Spannung zwischen dem demokratischen Normensystem seiner Verfassung und den Entfremdungstendenzen, die sich unweigerlich aus den sozialen Gegensätzen, aus den Herrschaftstendenzen seiner Staatsapparate, aus der Tendenz zur Bevormundung in seinen

Wolfgang Abendroth

notwendigerweise bürokratisierten gesellschaftlichen Organisationen und schließlich aus den unüberwundenen Traditionen seiner vordemokratischen Geschichte ergeben. Es ist stets gefährlich, die für eine Demokratie lebensnotwendige Identifizierung der Bürger mit der Verfassung in eine unkritische und undifferenzierte Identifizierung mit dem abstrakten Staat (als Apparat und Machtsystem) umzudeuten. Die Demokratie und ihr Rechtsnormen-System können sich nur durch lebendiges kritisches Bewußtsein der Bürger erhalten, die frei um ihre Meinungsverschiedenheiten ringen und dadurch die Machtapparate jeder Art kontrollieren und ihre Tendenz, sich zu befestigen, zurückdrängen.

Diese Überlegung sollte in Deutschland erheblich stärkeres Gewicht haben als in anderen Ländern Europas. Denn die deutsche Demokratie ist schon einmal daran gescheitert, daß die Majorität der demokratisch denkenden Teile des Volkes, vor allem die Mitglieder und Führer der gewerkschaftlichen und politischen Arbeitnehmerbewegung, sich unkritisch mit dem Staat als solchem, mit dem Staatsapparat abfand und identisch glaubte, weil dieser Staat formell eine demokratische Verfassung hatte. Eben dadurch wurde die Verfassung verspielt. Große Teile des Staatsapparates, durch dieses falsche Bewußtsein der demokratischen Kräfte von der erforderlichen Kontrolle befreit, konnten sich dank ihrer obrigkeitsstaatlichen Tradition mit antidemokratischen Oberklassen und in der Krise mit der faschistischen Massenbewegung verbinden. So konnte der Machtstaat, der nun von jeder Rechtsordnung, nicht nur von der demokratischen, frei war, sich in voller Brutalität und Barbarei durchsetzen. Dieses Spiel darf sich nicht wiederholen, auch nicht in neuen Modifikationen.

Erhebliche Teile der heute führenden Kräfte in Bürokratie, Justiz, Armee und Wirtschaft haben vor 1945 keine besseren demokratischen Traditionen entwickelt als ihre Vorgänger vor 1918. Darf also die Loyalität ernstlich demokratischer Bürger und derjenigen Schichten, deren Lebensinteressen nur durch demokratische Rechtsstaatlichkeit gesichert werden können, der Massen der Arbeitnehmer, unkritisch dem abstrakten »Staat« und seiner Macht gelten? Sollte es gelingen, größeren Teilen des Volkes im Ringen um die gegenwärtig drohende erneute Änderung des Grundgesetzes wieder bewußt zu machen, daß ihre Loyalität nicht diesem abstrakten Staat, sondern der demokratischen Rechtsordnung gelten muß, die sie, wenn Demokratie, Freiheit und Wohlstand für alle erhalten oder neu gewonnen werden sollen, gegen jede Bedrohung verteidigen und notfalls im Kampf wiederherstellen müssen, dann würde selbst eine vorübergehende Schlappe für die Demokratie kein allzu großes Unglück bedeuten. 1962

In Frankfurt am Main begann am 20. Dezember 1963 der Prozeß gegen zwanzig mutmaßliche Mordgehilfen des Vernichtungslagers Auschwitz. Vier Jahre war der Prozeß von Generalbundesanwalt Fritz Bauer vorbereitet worden. Über dreihundertfünfzig Zeugen aus neunzehn Nationen sagten in den Verhandlungen aus. Opfer standen ihren Peinigern gegenüber. Im Gerichtssaal und in der Berichterstattung tauchte noch einmal die deutsche Vergangenheit mit ihrem ganzen ungeheuerlichen Schrecken auf. Zwanzig Monate wurde verhandelt. Am 19. August 1965 wurden sechs Angeklagte zu lebenslanger Zuchthausstrafe, elf zu Zuchthausstrafen zwischen drei und vierzehn Jahren verurteilt, drei Angeklagte wurden freigesprochen.

Der Schriftsteller Martin Walser berichtete 1965 für die von Hans Magnus Ezensberger herausgegebene Zeitschrift »Kursbuch« über diesen Prozeß. Sein Artikel hieß »Unser Auschwitz« und handelte von der Wirkung des Prozesses und des dabei zur Sprache gebrachten Grauens auf das Bewußtsein der Zeitgenossen. Das Grauen schien zwischen die Gegenwart und Auschwitz einen unüberbrückbaren Abgrund zu legen: »Mit diesen Geschehnissen, das wissen wir gewiß, mit diesen Scheußlichkeiten haben wir nichts zu tun.« Doch wer so denke, schrieb Walser, der betrüge sich um die Erkenntnis des Asozialen. Einmal im tiefen Schatten des Grauens versunken, habe Auschwitz keine Ursachen und keine Folgen mehr. Der nächste »Triumph des Asozialen« werde in diesem Fall unausweichlich kommen.

Der Journalist Joachim Fest veröffentlichte 1963 sein Buch über das »Gesicht des Dritten Reiches« – eine Studie über den persönlichen Weg der maßgeblichen Nationalsozialisten. Eine Erkenntnis der Studie lag darin, daß die porträtierten Täter allesamt Getriebene ihrer Affekte und einer inneren Leere gewesen seien. Fest fand in ihrem psychischen Haushalt die Elemente einer seelischen Disposition für den Totalitarismus. Der sozialgeschichtliche Rückblick in die zwanziger Jahre, wo der Nährboden für den Nationalsozialismus bereitet worden war, zeigte diese Repräsentanten der Diktatur als gescheiterte Existenzen. Fest sah im Totalitarismus eine Gefahr, die nicht vergangen war. Sein Resümee erinnerte auch in der völlig unterschiedlichen Intention der Dramatisierung, die er damit verband, an Ulrike Meinhofs Formulierung vom »Hitler in uns«: Hitler sei, schrieb Fest, ein Symptom und ein Ergebnis von Fehlentwicklungen der deutschen Geschichte, er sei »zu sehr in uns selbst«, als daß »das Vergessen eine angemessene Reaktion wäre«. Aus dem »Hitler in uns« sprach bei Fest eine Vorstellung von deutschem Wesen und deutscher Geschichte – bei Meinhof eine Vorstellung von deutscher Schuld und deutscher Gegenwart.

Gleichzeitig mit Fests Buch über das »Gesicht des Dritten Reiches«, dem bald seine Biographie über Hitler folgen sollte, die zu einem Bestseller wurde, war auf

Der Auschwitz-Prozeß

englisch Hannah Arendts berühmter Bericht über Eichmann und die Banalität des Bösen erschienen. Diesem Buch lagen Arendts Artikel zugrunde, die sie für die Zeitschrift »The New Yorker« über den Prozeß gegen Adolf Eichmann geschrieben hatte. Das Buch erregte gewaltiges Aufsehen und wurde vor allem von jüdischer Seite heftig kritisiert. Hannah Arendt habe, das wandten ihre Kritiker ein, jüdischen Funktionären den Vorwurf gemacht, mit den Nationalsozialisten zusammengearbeitet zu haben. In dem eindringlichen Interview, das Thilo Koch 1964 mit Hannah Arendt führte und das im Fernsehen ausgestrahlt wurde, wies die Philosophin auch auf Rolf Hochhuths Drama »Der Stellvertreter« hin. Das Drama hatte eine Welle der Empörung ausgelöst. Es kreist um die Frage, warum Papst Pius XII. den Juden nicht geholfen und kein einziges Mal bei den Nationalsozialisten interveniert und ein Ende der Judenverfolgungen gefordert hat.

Der Kritiker Hans Egon Holthusen hat dem Dramatiker aus New York, wohin Holthusen Anfang der sechziger Jahre gegangen war, einen Brief mit seinen Lektüreeindrücken geschickt. Holthusen, 1913 in Rendsburg geboren, war Soldat im Zweiten Weltkrieg gewesen und trug vier Jahre lang die Uniform der Waffen-SS. Er gehörte zum engen Kreis um die Zeitschrift »Merkur«. Von 1961 bis 1964 leitete er das Programm des Goethe-Hauses in New York, seit 1968 war er Professor für deutsche Literatur in den Vereinigten Staaten. Holthusen hat in den fünfziger und sechziger Jahren, nach einem Wort des Literatur- und Musikkritikers Joachim Kaiser, die deutsche Literatur als Kritiker beherrscht. Sein Brief an den Schriftsteller Rolf Hochhuth wurde in einem Taschenbuch abgedruckt, das im Rowohlt Verlag erschien und in dem die zahlreichen Reaktionen auf das Drama von Hochhuth versammelt worden sind.

Hans Egon Holthusen. Lieber Herr Hochhuth, inzwischen hab ich nun Ihren »Stellvertreter« gelesen und fühle, daß ich Ihnen einen Brief schuldig bin. Leider kann ein Brief das alles, was zu Ihrem Stück zu sagen wäre, bei weitem nicht aufnehmen (man müßte eine ganze Nacht darüber reden), zumal ein Brief in meiner Lage nicht: – seit Monaten nichts geschrieben und infolgedessen, gräßlich deprimiert, tausend blöde Ge-
schichten um die Ohren, in vorwiegend unerwünschter Korrespondenz, die ständig nachwächst, halb erstickt ...

318 Seiten lang bearbeiten Sie den Leser mit Keulenschlägen, durch jeden Akt, jede Szene, jeden Dialog wird man von neuem in ausweglose Depressionen gestürzt, der letzte Akt ist ein einziges Höllenbad der Verzweiflung. Da-

bei würden Sie nur allzu recht haben, wenn Sie mir erwidern würden, daß die Wirklichkeit noch viel verzweifelter war. Dies Thema so direkt anzugreifen, setzt einen Mut der Verzweiflung voraus. Den haben Sie aufgebracht, und dafür gebührt Ihnen der tiefste Respekt, stellenweise auch Bewunderung. Sie haben, um mit einem gängigen Schlagwort zu sprechen, den denkbar radikalsten Beitrag zur Bewältigung der sogenannten unbewältigten Vergangenheit geleistet. Nun aber kommt das große Fragezeichen: das Thema (Auschwitz) ist weder »künstlerisch« noch »menschlich«, weder emotional noch intellektuell wirklich zu bewältigen. Es ist ein Thema außerhalb der menschlichen Fassungskraft, es ist die Geschichte gewordene Geisteskrankheit, die niemand mehr verstehen *kann*, es ist das Geschichte gewordene absolute Böse, das intellektuell und künstlerisch nicht mehr artikuliert werden kann: vielleicht das einzige Ereignis der Weltgeschichte, von dem wir das sagen müssen. An der Unzugänglichkeit des Wahnsinns für menschliches Verstehen scheitert unsere seit 17 Jahren fortgesetzte Bemühung, mit Auschwitz »fertig zu werden«, und daran scheitert auch Ihr Stück. In der antiken Tragödie, auch wenn es »vernichtend« zugeht, auch wenn ihre Schrecken sich in Gestalt von barbarischen Greueln präsentieren (Medea etc.), wird *Sinn* entfaltet, unter Tränen und Schaudern offenbart sich ein begreiflicher Zusammenhang des Bedeutens, weshalb denn die Wirkung nicht schlechthin zermalmend, sondern – laut Aristoteles – »kathartisch«, reinigend war. In einem »christlichen Trauerspiel« – und ein solches behaupten Sie geschrieben zu haben – brauchen Sie mindestens den glaubwürdigen Märtyrer. Ihr Riccardo hat aber, verzeihen Sie, gar kein rechtes Gewicht, er bleibt zweidimensional, ein Schemen mit einem einzigen richtigen, aber eher politischen Gedanken im Kopf. Zuletzt spielt ihn der »schöne Teufel« weitgehend an die Wand, kraft größerer Wesensdichte, und sterben tut er – das haben Sie vollkommen richtig, zeitgemäß-konsequent gezeigt – einen anonymen Massentod, den niemand bemerkt. Was da zuletzt an die Wand oder in den Rauch geschrieben erscheint, das ist nicht entfalteter Sinn, sondern der reine höllische Widersinn.

Sie erwähnen Celan und seine »Todesfuge« auf Seite 269. Sie sagen: »Denn so groß auch die Suggestion ist, die von Wort und Klang ausgeht, Metaphern verstecken nun einmal den höllischen Zynismus dieser Realität, die in sich ja schon maßlos übersteigerte Wirklichkeit ist – so sehr, daß der Eindruck des Unwirklichen usw.« Ich würde darauf antworten, daß es *nur* so geht, wie Celan es versucht hat, *nur* durch metaphorische Übersetzung und »Verfremdung«. An einem als Realität, als faktische Szene gedachten Auschwitz rennt sich der Dichter den Schädel ein. (Siehe dazu – *cum grano salis* – Lessings Ausführungen zum Laokoon, besonders seine Theorie des fruchtbaren Moments.)

Hans Egon Holthusen

Es widerstrebt mir (wem würde es nicht widerstreben?), angesichts eines Themas, das einzig und allein *moralisch* relevant ist, auf technische und ästhetische Fragen einzugehen, aber da Sie Ihre Arbeit in Form eines Dramas vorgelegt haben, muß man es wohl tun. Vor allem: Ihr Stück ist viel zu lang, mindestens doppelt so lang, wie es sein sollte. Die viele, viele Seiten bedeckenden Auseinandersetzungen über die Protestpflicht des Papstes wirken von einem bestimmten Zeitpunkt an ermüdend. Dadurch bringen Sie die gar nicht wenigen, oft sehr geschickt erfundenen Handlungselemente, den »Plott«, wie Brecht sagen würde, um ihre Wirkung. Vor allem viel zu viele (und zu umfangreiche) Duo-Dialoge, ein notorischer Fehler des dramatischen Anfängers. Dabei ist vieles, was im Dialog gesagt wird, dort wo er »essayisierend« wird (zum Beispiel gegen Schluß: der »Doktor« über Nietzsche, Hegel etc.), hochinteressant und sehr gescheit.

Die »guten« Charaktere (Riccardo!) sind fast alle zu dünn, überhaupt fehlt es an Dimension im Gestalten von Charakteren. Gut sind die Chargen (Witzel), überhaupt die Dialektsprecher. Gerstein wirkt gar nicht sehr »zwielichtig«, eher ein bißchen fad. Das hat er nicht verdient, von seiner Funktion her. Es fehlt auch da an Wesensdichte. Auch ist es wohl ein Kunstfehler, ihn irgendwann einfach aus der Handlung fallen zu lassen, als sei er ein verlorengegangenes Postpaket. Gut getroffen der Ton am Hof des Papstes, der Papst und die Seinen wirken jedoch zu sehr als Chargen. Ob der Ton in deutschen Industriellen- und SS-Ärzte-Kreisen ebensogut getroffen ist, wage ich zu bezweifeln. Ihr Zynismus wirkt ein bißchen plump, zu massiv schurkisch. »Gemischte« Charaktere würden das Verhängnis des allgemeinen Bösen plastischer, lebendiger heraustreten lassen. Über den »schönen Teufel« wage ich kaum noch etwas hinzuzufügen. Er ist Ihnen unheimlich gut gelungen, falls eine solche Figur nicht den Bereich menschlicher Anteilnahme schon überschreitet.

Was Ihre »sprachliche« Begabung betrifft, so habe ich viele gute, ja erstaunliche Stellen gefunden, zu denen jeder man gratulieren möchte. Leider reicht meine Zeit nicht aus, um sie alle herzuzählen. Daß ein Dichter in Ihnen steckt, kann man kaum bezweifeln…

Wie ist es Ihnen inzwischen ergangen? Haben Sie was gegen den Verlag unternommen? Haben Sie am Ende einen anderen Verleger gefunden? Oder haben Sie blutenden Herzens verzichtet? (In der Ostzone würden Sie das Buch vielleicht unterbringen, aber glauben Sie nicht auch, daß Sie sich damit in ein falsches Licht setzen würden? Verzwickte Situation, typisch für unsere Lage …) Ich sehe im Augenblick keinen beschreitbaren Weg, was mir herzlich leid tut.   1963

Die Frage nach der deutschen Nation war für die kritische Generation angesichts der nationalsozialistischen Vergangenheit und dem, was der Zeithistoriker Norbert Frei in den neunziger Jahren die deutsche Vergangenheitspolitik genannt hat, ohne größere Bedeutung. Die deutsche Teilung war ein Ergebnis des Zweiten Weltkrieges, den Deutschland verschuldet hatte. Während die Bundesrepublik sich auf die Seite des Kapitalismus geschlagen hatte, war die Deutsche Demokratische Republik in den Verband jener Staaten aufgenommen worden, die sich im sozialistischen Experiment übten. Die Diskussionen über gesellschaftliche Alternativen, die in den sechziger und siebziger Jahren in der Bundesrepublik geführt wurden, fanden immer vor der Haustür jenes Teils von Deutschland statt, der nicht im Einzugsbereich des amerikanischen Imperialismus lag, wie das in jenen Jahren genannt wurde, sondern in der Tradition der russischen Revolution von 1917 stand. Vom Archipel Gulag wollten die Kritiker des Kapitalismus wenig wissen. Sie redeten von der Verantwortung der Generation ihrer Eltern für die nationalsozialistischen Konzentrationslager. Diese bundesrepublikanischen Faschismusgegner lehnten die Theorie des Totalitarismus ab, die damals kursierte, weil diese Theorie in ihren Augen die Unterschiede zwischen Nationalsozialismus und Stalinismus verwischte. Joachim Fest hat in seinen Erinnerungen berichtet, daß die Autorin des Buches »Elemente und Ursprünge totalitärer Herrschaft«, Hannah Arendt, in den siebziger Jahren an der Berliner Universität von Studenten aus diesem Grunde unfreundlich empfangen worden sei.

Bei der Suche nach Alternativen zum westdeutschen Modell des Kapitalismus, das seit Ludwig Erhard den Namen »soziale Marktwirtschaft« trug, lag es nahe, auf jene Klassiker der marxistischen Theorie zurückzugreifen, die schon in der Weimarer Republik die Plattform für den Kampf gegen den Faschismus bereitgestellt hatten. Sozialistische oder kommunistische Gegner Hitlers wie Ernst Bloch, der nach dem Mauerbau nicht mehr in die Deutsche Demokratische Republik zurückkehrte, sondern einen Lehrstuhl in Tübingen übernahm, gewannen im Kreis einer sogenannten undogmatischen Linken an Einfluß. Sie standen persönlich für einen freigeistigen utopischen Marxismus gerade, der in der antikommunistischen Stimmung in der Bundesrepublik gerade für die jugendlichen Kritiker der in die Vergangenheit verstrickten Eltern an Attraktivität gewann.

In Leipzig hielt im September 1962 der Naturwissenschaftler Robert Havemann, der kurze Zeit später aus der Partei ausgeschlossen und schließlich unter Hausarrest gestellt wurde, eine Rede. Er sprach auf einer wissenschaftlichen Tagung, die sich mit den »fortschrittlichen Traditionen in der deutschen Naturwissenschaft des neunzehnten und zwanzigsten Jahrhunderts« beschäftigte. Robert Havemann war Marxist. Er fragte, ob die Philosophie den modernen Naturwissenschaften bei der Lösung ihrer Probleme geholfen habe. Er meinte nicht irgendeine Philosophie, sondern die »marxistische Dialektik«. Die marxistische Dialektik war eine Weltanschauung. Havemann hätte daher auch die Frage stellen können, ob die marxistische Weltanschauung der modernen Gesellschaft bei der Lösung ihrer Probleme geholfen hatte. Die Rede erregte großes Aufsehen, weil Havemann gegen einen dogmatischen mechanischen Materialismus polemisierte – gegen starre grundlegende Vorstellungen, die den Zugang zur Wirklichkeit versperrten. Von Oktober 1963 bis Januar 1964 hielt der provozierende Professor an der Humboldt-Universität in Berlin Vorlesungen, zu denen zahlreiche Hörer kamen. Diese Vorlesungen wurden 1964 im Westen unter dem Titel »Dialektik ohne Dogma? Naturwissenschaft und Weltanschauung« veröffentlicht, aus dem der folgende Text stammt.

Havemann, 1910 in München geboren, war 1932 in die Kommunistische Partei Deutschlands eingetreten. Er gehörte zu der Widerstandsgruppe »Europäische Union« und wurde im Dezember 1943 vom Volksgerichtshof zum Tode verurteilt. Das Urteil wurde dank einiger Fürsprecher nicht vollstreckt, und der Chemiker Havemann, der für den Krieg noch wichtig zu sein schien, wurde ins Zuchthaus Brandenburg-Görden gesteckt, wo er zusammen mit Erich Honecker bis zum Ende des Krieges saß. Im Jahr 1946 wurde er Professor für Chemie an der Humboldt-Universität in Berlin.

Robert Havemann. Etwas Furchtbares ist geschehen: Der dialektische Materialismus ist jahrzehntelang durch seine offiziellen Vertreter bei allen Naturwissenschaftlern der Welt einschließlich der führenden Naturwissenschaftler der Sowjetunion in zunehmendem Maß diskreditiert worden. Max Born bezeichnet ihn als reine Scholastik; Einstein hat sich ähnlich geäußert. Als Ergebnis finden wir heute eine entschiedene Ablehnung und Verurteilung jeglicher Philosophie bei Naturwissenschaftlern,  außer bei denen, die philosophischen Lehren der bürgerlichen Klasse anhängen. Diese Art Naturwissenschaftler fühlt sich unter Umständen sogar sehr wohl in den weichen Betten, in denen man sich nach Herzenslust nach allen Richtungen ausdehnen kann; unsere Philosophie hat den Herren leider die Bequemlichkeit nicht geboten und bietet sie auch nicht. Ich hatte in Moskau eine Unterhaltung mit Landau und Lifschitz darüber. Landau sagte mir sarkastisch, er sei von Natur »unphilosophisch«, so wie andere Leute unmusikalisch sind. Lifschitz meinte, er sähe am Himmel der sowjetischen Philosophie nur einen Stern, nämlich Kolman, die anderen seien wohl dunkle Sonnen, die man gar nicht sehen kann. Kolman lehrt jetzt in Prag! Die Geschichte der Schwierigkeiten seines Lebens ist ein endloser Beweis für das, was ich gesagt habe.

Eine interessante Erklärung für den Rückfall unserer Philosophen in das metaphysische und undialektische Denken gab mir Werner Heisenberg in einem Gespräch. Er sagte etwa: »Die Natur offenbart uns immer mehr ihren dialektischen Charakter, gerade im Bereich der Elementarteilchen. Aber die meisten Menschen können die Dialektik nicht vertragen – auch die Regierenden können das nicht. Dialektik schafft Unruhe und Unordnung. Die Menschen wollen eindeutige und konfektionierte Ansichten zur Verfügung haben. In New York setzen alle Leute an einem bestimmten Tage einen Strohhut auf. Bei uns wollen sie klare Anweisungen erhalten, was sie zu denken haben.« Wenn man sich vorstellt, wie dialektisch Heisenberg denkt und wie nahe im Grunde viele der großen Wissenschaftler heute unserer Weltanschauung sind, sieht man, wie unermeßlich der von solcher Art Philosophen angerichtete Schaden ist. Es wird schwer sein, ihn zu beheben.

Die Situation, in der wir uns befinden, kann und darf nicht beschönigt werden, wenn nicht weiterer Schaden gestiftet werden soll. Wer nicht kapitulieren will, muß die Frage beantworten: Wie kann die Philosophie des dialektischen Materialismus der Naturwissenschaft wirklich helfen?

Rufen wir uns doch einmal ins Gedächtnis, was die Klassiker dazu gesagt haben! Sie haben immer wieder betont, daß das Hauptproblem für die Naturwissenschaften wie für alle Wissenschaften darin besteht, von dem mechanischen, metaphysischen Denken hinweg zu einem mehr und mehr bewußten dialektischen Denken zu gelangen. Dafür ist es sehr nützlich, sich mit der Philosophie zu beschäftigen, mit der Geschichte der Philosophie, mit aller Philosophie der Vergangenheit, mit idealistischer Philosophie und materialistischer Philosophie, mit den Vorsokratikern, mit Laotse und mit Hegel, mit Spinoza und Kant und mit Marx und besonders mit Engels! Profunde philosophische Kenntnisse sollten zur Allgemeinbildung unserer führenden Naturwissenschaftler gehören. Ist das erreicht, dann wird sich das dialektische Denken nicht mehr spontan und sporadisch, ständig schwankend und zögernd in den Köpfen entfalten, sondern es wird immer mehr zu der bewußten Methode werden, mit deren Hilfe die großen Probleme der Wissenschaft unserer Zeit zu lösen sind. Keinesfalls aber kann die Lösung sein, daß jemand ein Lehrbuch mit dem Titel »Der dialektische Materialismus« schreibt, in dem sich dann alles befindet, was »der« dialektische Materialismus sagt. Man lese dieses Buch nur gründlich durch, lerne eifrig, was da über alle Kategorien der Dialektik steht – eine Art materialistisch umgear

Robert Havemann

beiteter Hegelscher Logik –, und alle naturwissenschaftlichen Probleme lösen sich von selbst! Nein, so geht es nicht! Naturwissenschaftliche Probleme kann man nicht lösen, indem man irgendwelche allgemeinen philosophischen Lehrsätze herbeizerrt und etwa sagt: »Nun, ich will einmal versuchen, wie der Satz vom Sprung der Quantität in die Qualität oder sonst eine dialektische Kategorie sich bei meinen Problemen anwenden läßt.« Das ist eine naive und unsinnige Vorstellung von der Hilfe der Philosophie bei der Lösung wissenschaftlicher Probleme.

Man muß von der Sache selbst ausgehen, man muß die Natur selbst studieren, man muß *konkret* ihre Dialektik in ihrer Besonderheit entdecken, noch nicht in ihrer Allgemeinheit. Ihre Allgemeinheit kann man erst verstehen, nachdem man ihre Besonderheit erfaßt hat. Man muß in das Problem der wissenschaftlichen Fragestellung ganz direkt eingedrungen sein, nicht aber von der Philosophie her. Nur von der empirischen Wissenschaft her kann man zu der Dialektik kommen, die in den Dingen selbst steckt und die in der Theorie widergespiegelt werden kann. Aber mit einem dialektischen Hilfskompendium kann man nicht an die Lösung wissenschaftlicher Fragen herangehen. Wäre das möglich, wäre diese Methode eine richtige, wirksame und gute, so hätten sich die Wissenschaftler längst dieser bequemen Hilfsmittel bedient. Da ist z. B. das Problem der Theorie der Elementarteilchen, das Physiker in aller Welt aufs ernsteste beschäftigt. Kein Philosoph kann sagen, wie die Theorie der Elementarteilchen auf der Grundlage der Dialektik aufzustellen ist. Aber man wird die Theorie der Elementarteilchen nicht ohne dialektisches Denken entwickeln können, und man wird die errungene Erkenntnis in ihrer ganzen Tiefe erst verstehen können, wenn man sich das dialektische Denken zueigen gemacht hat. ...

Der dialektische Materialismus ist keine Philosophie im Sinne irgendwelcher früherer philosophischer Systeme und Lehren. Er ist eine Weltanschauung, eine geistige Grundhaltung und Denkmethode, die die Welt in ihrer unauflöslichen Widersprüchlichkeit doch als Einheit begreift. Aber er ist kein philosophischer Katechismus, zusammengefügt aus allgemeinen Sätzen und Behauptungen über den Weltzusammenhang, die unabänderlich, ewig und bindend sind. Wenn es heißt: die Materie und ihre Bewegung sind ewig und unzerstörbar, so heißt das nicht, daß physikalische Theorien, in denen die Zeit einen Anfang $t = O$ hatte, vom Standpunkt unserer Philosophie aus falsch sein müssen. Diese Theorien können entwickelt, belegt, bewiesen, widerlegt oder bestätigt werden; aber die dialektische materialistische Philosophie ist keine Instanz, die über solche Fragen eine Entscheidung fällt, bevor sie wissenschaftlich entschieden sind. Die Welt kann ein endliches Volumen haben!

Unsere dialektisch-materialistische Weltanschauung wird dadurch nicht aus den Angeln gehoben, im Gegenteil: jede neue, tiefere Erkenntnis offenbart uns nur mehr von der Dialektik allen Seins. Diejenigen, die sagen, daß Theorien, in denen die Welt ein endliches Volumen und eine endliche Lebensdauer hat, unvereinbar mit der materialistischen Dialektik seien, verfälschen den dialektischen Materialismus und diskreditieren uns in der Welt.

Überhaupt soll man die Bedeutung sehr allgemeiner Lehrsätze nicht überschätzen: man kann immer feststellen, daß ihr Inhalt oder das, was die Menschen jeweils darunter verstehen, bestimmt wird durch das, was sie wissen, und nicht durch das, was sie noch nicht wissen. Der Wahrheitsgehalt sehr weitgetriebener Verallgemeinerungen ist immer nur relativ. Als Endergebnis eines langen Abstraktionsprozesses sind solche Verallgemeinerungen stets retrospektiv; ein neuer Fortschritt der Erkenntnis annulliert sie zwar nicht, deckt aber ihre Beschränktheit und Einseitigkeit auf und sichert ihren wirklichen Wahrheitsgehalt gerade dadurch, daß er ihre Allgemeingültigkeit aufhebt. Unsere Philosophie darf aber nicht durch das festgelegt werden, was wir bereits wissen, sondern sie soll der Schlüssel sein zu neuer Erkenntnis.

Mit der materialistischen Dialektik wird das Knechtschaftsverhältnis zwischen Wissenschaft und Philosophie aufgehoben. Weder hat die Wissenschaft die Aufgabe, die Sätze der Philosophie zu bestätigen, noch ist die Philosophie der geistige und ideologische Wächter über die Irrungen und Wirrungen der Wissenschaft.

Wir werden die Engherzigkeit und Unfruchtbarkeit im Bereich der Philosophie überwinden, sobald auch unsere Philosophen es als das größte Glück empfinden werden, wenn in der Wirklichkeit etwas entdeckt wird, das unvereinbar ist mit ihren bisherigen Ansichten.   1964

Mit völligem Unverständnis mußte die rebellierende Generation auf nationale Forderungen reagieren, die auch Marion Gräfin Dönhoff in der »Zeit« verfocht. Gräfin Dönhoff, 1909 bei Königsberg geboren und während des Krieges aus Ostpreußen geflohen, leitete in den sechziger Jahren in der Wochenzeitung »Die Zeit« das Ressort Politik. Sie wandte sich gegen die offizielle Anerkennung der Oder-Neiße-Linie und gegen den Verzicht auf die ehemals deutschen Gebiete in Ostpreußen. Damit wäre das Land, schrieb Gräfin Dönhoff, für immer an Polen verloren, und Millionen von Heimatvertriebenen würden den Boden verlieren, in dem ihre Wurzeln lagen. All jene, die mit dem Sozialismus liebäugelten, hielten sich für Internationalisten und sahen in jeder nationalen Regung und Rührung einen Reflex, der aus einer unheilvollen Vergangenheit kam. Carlo Schmids Vorstellung von der vaterländischen Verantwortung wäre im engen Kreis der neuen bundesrepublikanischen Internationalisten auf taube Ohren gestoßen.

Zu Beginn der siebziger Jahre wurde die Oder-Neiße-Grenze im Warschauer Vertrag zwischen Deutschland und Polen offiziell anerkannt. Willy Brandt, erst seit wenigen Monaten regierender Bundeskanzler, kniete am Denkmal für die Opfer des Aufstands im Warschauer Ghetto nieder. Sein Außenminister Egon Bahr hatte sieben Jahre vorher, damals war er noch der Pressesprecher Willy Brandts, auf einer Tagung in Tutzingen die neue Ostpolitik in ihren Grundzügen mit den Worten beschrieben: Wandel durch Annäherung. Der Artikel von Gräfin Dönhoff lautete »Versöhnung: ja, Verzicht: nein. Die Oder-Neiße-Gebiete, ein innen- und außenpolitisches Problem« und erschien in der »Zeit« im September 1964.

Marion Gräfin Dönhoff. Wieso werden eigentlich die Vertriebenenverbände von Bundeskanzler, Ministern und Parteiführern so behandelt, als handele es sich um fremde Großmächte, die bei Laune gehalten werden müssen? Wäre es nicht viel besser, die Flüchtlingsvereinigungen würden als das behandelt, was sie im Grunde – jedenfalls von dem Gros der Flüchtlinge her gesehen – doch sind, nämlich als Heimatvereine, die persönliche  Kontakte und alte Traditionen pflegen möchten, die Nachrichten aus dem Verwandten- und Bekanntenkreise austauschen, gemeinsam Advent feiern und heimatliche Lieder singen wollen?

Zweifellos wäre das viel besser, aber die Parteien, und zwar ausnahmslos alle Parteien, schielen seit Jahren begehrlich auf dieses, wie sie meinen, ergiebige Wahlstimmen-Reservoir, vor dem sie ihre rituellen Verbeugungen üben.

Begonnen damit hat Konrad Adenauer, als er 1953 nach der Wahl zum zweiten Bundestag den Führer des Gesamtdeutschen Blocks, *Waldemar Kraft*, ins Kabinett nahm und auf diese Weise die Partei, die eher zur SPD tendierte, auf seine Seite brachte. Erinnern wir uns: Im Januar 1950 hatte Kraft in Rendsburg den BHE, den *Bund der Heimatvertriebenen und Entrechteten*, gegründet. Sechs Monate später, im Juli, war dieser Bund mit 23 Prozent aller Stimmen bereits die zweitstärkste Partei in Schleswig-Holstein und sein Gründer zum Finanzminister und stellvertretenden Ministerpräsidenten in Kiel geworden. Es folgte noch im gleichen Jahr der Durchbruch in Hessen und Bayern. Innerhalb von drei Jahren hatte der BHE, der sich in *Gesamtdeutscher Block* umgetauft hatte, 78 Abgeordnete in sechs Länderparlamenten und acht Minister in vier Länderregierungen. Und zwar koalierte er je nach Gegebenheiten in Kiel mit der CDU, in Hannover mit der SPD, in Hessen mit der FDP.

Es mag also verständlich gewesen sein, daß damals die drei klassischen Parteien sich allerlei Erfolg von ihrem Werben um die Flüchtlinge versprachen. Aber allmählich stellte sich dann heraus, daß nur die Funktionäre politische Ambitionen hatten und es den Flüchtlingen selbst vor allem um Heimatzusammenkünfte ging – heute spielt der Gesamtdeutsche Block als Partei überhaupt keine Rolle mehr. Haben nun damit die Landsmannschaften endlich ihren politischen Nimbus verloren? Könnten die Politiker sie jetzt sich selbst überlassen?

Es scheint, daß der Moment dafür verpaßt ist. Man könnte sogar im Gegenteil meinen, daß es heute, da allenthalben ehrgeizige Leute wieder kleine Trommeln aus verstaubten Kisten hervorziehen, besonders wichtig ist, sich um die Flüchtlingsverbände zu kümmern. Heute, da sich wieder mancherwärts kleine Zentren nationalistischer Gernegroße bilden, die die »Erniedrigten und Beleidigten« zusammentrommeln möchten (die »Deutsche National- und Soldatenzeitung« hat im vorigen Jahr die »Schlesische Rundschau« und den »Sudetendeutschen« aufgekauft), muß man helfen, die maßvollen, geduldigen, vernünftigen Kräfte und Funktionäre innerhalb des Bundes der Vertriebenen zu schützen und zu stärken und Radikale zu beschwichtigen. Eine Voraussetzung dafür scheint mir zu sein, daß man das Thema der Grenze ruhen läßt. Alle die wohlmeinenden Befürworter, die die Notwendigkeit eines offiziell ausgesprochenen Verzichts auf die Gebiete östlich der Oder-Neiße vertreten, schaden nur der Sache, der sie nutzen wollen. Sie tragen nicht zur Verständigung bei, sondern liefern den Radikalen nur Stoff zum Agitieren.

Die Flüchtlingsverbände haben in der *Charta der Vertriebenen* im Jahre 1950 in Stuttgart erklärt, daß sie erstens auf Rache verzichten und daß sie zweitens an der Schaffung eines geeinten Europas, in dem die Völker ohne Furcht und Zwang leben können, mitarbeiten wollen. Der Bundestag und die Bundesregierung haben sich feierlich zu diesem Gewaltverzicht verpflichtet, und was vielleicht noch wichtiger ist als alle Erklärungen: Es gibt keinen Vertriebenen – auch unter den radikalsten Vertretern nicht –, der zur Rückgewinnung jener Gebiete Gewalt anzuwenden bereit ist. Sie alle sind gewillt – da man ja den heutigen Zustand nur mit Gewalt ändern kann –, sich mit dem bestehenden Zustand abzufinden, aber sie sind nicht bereit zu verzichten.

Dies ist eine Einstellung, die jedem östlichen Menschen von der Elbe bis zum Schwarzen Meer im Grunde selbstverständlich ist. Polen, Ungarn, Rumänen und Ostdeutsche haben seit Jahrhunderten so gedacht. Die Russen sprechen heute noch von dem heiligen russischen Boden, obgleich sie sonst mit Heiligkeit nicht viel im Sinn haben.

Man kann sich mit Verlusten *abfinden*, auf Vermögenswerte kann man auch *verzichten*, aber niemand, der aus dem Osten stammt, wird auf Land verzichten. Man kann sich mit dessen Verlust abfinden, man kann den Menschen zumuten, ein Leben lang darum zu trauern, ohne je auch nur einen Stein aufzuheben gegen den, der die Heimat raubte, aber man kann ihnen nicht auch noch zumuten, diesen Verzicht auszusprechen. Das wäre so, als verlangte man von ihnen, ihre Toten zu verraten.

Wer für die Anerkennung der Oder-Neiße-Linie eintritt, begründet dies im allgemeinen entweder mit politischen oder moralischen Argumenten. Das politische Argument heißt, wir könnten doch vielleicht die Wiedervereinigung damit erkaufen, daß wir auf die Gebiete jenseits der Oder-Neiße verzichten. Aber wer so denkt, verwechselt die Kontrahenten: Die Wiedervereinigung können wir nur von Moskau bekommen, jene Gebiete aber würden wir Warschau schenken. Eine solche Schenkung wäre übrigens gar nicht so sehr im Sinne der Sowjets, die ja die Polen gerade deshalb an sich gebunden wissen, weil diese eine Rückendeckung für die den Deutschen abgenommenen Gebiete brauchen. Darum lautet ein anderer Vorschlag, man solle doch versuchen, die Polen von den Sowjets zu lösen, indem man den gewünschten Territorialverzicht abgibt. Wer darauf spekuliert, vergißt aber, daß es für die polnische Regierung Selbstmord bedeuten würde, sich ganz von Moskau zu lösen, denn wenn das geschähe, würde in dem Ringen zwischen Staat und Kirche die Regierung auf lange Sicht doch wohl den kürzeren ziehen. Das moralische Argument lautet entweder, wir haben den von Hitler begonnenen Krieg verloren und müssen nun eben dafür zahlen. Dazu wäre zu bemerken, daß vor allem die Flüchtlinge bereits bezahlt haben. Oder es lautet, die Polen haben durch den von uns entfachten Krieg ihre Gebiete ostwärts der Curzon-Linie an die Sowjetunion verloren und mußten darum im Westen entsprechend entschädigt werden. Dies ist richtig, es ist nur zu bedenken, daß die Polen jene Gebiete 1921 mit Waffengewalt von Rußland losgerissen hatten, obwohl dort nur ein Viertel der Bevölkerung polnischer Nationalität war. Die 1945 an die Sowjetunion abgetretenen Gebiete haben denn auch nur 1,7 Millionen Polen verlassen, um sich im heutigen Polen anzusiedeln, während eine halbe Million Ukrainer und Weißruthenen in umgekehrter Richtung nach Osten in die Sowjetunion einwanderten.

Wir haben einen Gewaltverzicht ausgesprochen. Kein Pole, der heute in Ostpreußen, Pommern oder Schlesien lebt – und fast die Hälfte von ihnen ist ja dort schon geboren, empfindet daher das Land als seine Heimat –, braucht

Sorge zu haben, die Deutschen würden eines Tages versuchen, ihn mit Gewalt von Haus und Hof zu vertreiben. Wir haben unser Wort verpfändet, keine Gewalt anzuwenden. Die Polen trauten dem Gewaltverzicht nicht und verlangten deshalb einen Territorialverzicht von uns? Ja, aber wenn sie uns den Gewaltverzicht nicht glauben, warum sollten sie uns dann den Territorialverzicht glauben? Wie kann ein Pole überhaupt glauben, daß man auf 700 Jahre Geschichte einfach verzichtet?

In diesem Dilemma kann vielleicht nur eines helfen: eine alliierte Garantie des Gewaltverzichts. 1964

Der Schriftsteller Hans Magnus Enzensberger, 1929 in Kaufbeuren geboren, veröffentlichte Mitte der sechziger Jahre ein Buch, das »Politik und Verbrechen« hieß und in dem er eine Linie von der »Endlösung der Juden« zur Endlösung durch den Atomtod zog – was auch eine Variante der Instrumentalisierung der nationalsozialistischen Vergangenheit für die Gegenwart war. Die Redaktion des »Merkur« war hellhörig und sandte das Buch an Hannah Arendt mit der Bitte, es für die Zeitschrift zu besprechen. Hannah Arendt lebte in den Vereinigten Staaten. Sie war 1906 in Hannover geboren worden und 1933 aus Deutschland vor den Nationalsozialisten geflohen. Sie lehnte das Angebot zur Rezension in einem Brief ab, worauf die »Merkur«-Redaktion einen Briefaustausch zwischen Hannah Arendt und Enzensberger einfädelte. Die drei Briefe wurden im »Merkur« veröffentlicht. Sie dokumentieren einen für die junge westdeutsche Intelligenz typischen Verlust an intellektueller Gründlichkeit und Differenzierung. Dieser Verlust läßt sich vielleicht dadurch erklären, daß die kritische Intelligenz an allzu vielen Fronten der politischen Auseinandersetzung auftauchte und Stellung bezog und dabei in Gefahr geriet, den Boden des Individuellen und Konkreten unter den Füßen zu verlieren.

Auch die trainierte Sprache wird bei diesem Versagen eine Rolle gespielt haben. Die Wortkaskaden der Rebellionsikone Rudi Dutschke zeigten, wie weit es mit dem Verlust der konkreten Wirklichkeit im Denken gekommen war. Der Mitherausgeber des »Kursbuchs«, Karl Markus Michel, legte 1968 eine Betrachtung über das Ende der Intellektuellen vor, das sich in ihrer Sprachlosigkeit und in der Haltlosigkeit ihrer politischen Forderungen dokumentiere. Jean Améry hatte in einem Aufsatz für den »Merkur« den »Jargon der Dialektik« polemisch beschrieben, den er auch beim sprachempfindlichen Theodor W. Adorno zu hören meinte. Adorno selbst empörte sich in seinem Buch »Jargon der Eigentlichkeit – Zur deutschen Ideologie« aus dem Jahr 1964 über Heideggers Sprache – hier fand Jean Améry die Vorlage für den Titel seines Aufsatzes. Auch und gerade in der Sprache der westlichen kritischen Intellektuellen – und nicht nur in der Sprache der offiziellen Marxisten der Deutschen Demokratischen Republik – konnte eine Weltanschauung zu Buche schlagen, die den Zugang zur Wirklichkeit verstellte.

In den sechziger und siebziger Jahren setzte sich mit der kritischen Jugend und Intelligenz – die sich zeitweise unter dem Banner eines politischen Antiamerikanismus gesammelt hatte, der den amerikanischen Imperialismus meinte – nicht nur der amerikanische, von der Popkultur geprägte Lebensstil endgültig durch. Auch die Sprache wurde von der deutschen Tradition, in der noch ein Friedrich Sieburg stand, redete und schrieb, getrennt und schließlich, nach den rhetorischen politischen Schablonen der Achtundsechziger, auf einen internationalen, das heißt vor allem amerikanischen Standard gebracht. Als dieser Standard erreicht war, wurde der Untergang der Kunst des Essays beklagt.

Bei dieser Sprachentwicklung der Intellektuellen hat die Soziologie, die in den sechziger und siebziger Jahren zur wortprägenden Wissenschaft geworden war, eine bedeutende Rolle gespielt. Jürgen Habermas hat früh diese analytische, poesielose und durchsichtige Sprache der Theorie beherrscht, die seiner virtuosen Fähigkeit entsprach, feine Unterscheidungen zu treffen. Eine Sprachbegabung, wie sie Ralf Dahrendorf in seinem Buch über »Gesellschaft und Demokratie in Deutschland« 1965 bewies, blieb ohne Folgen – wahrscheinlich, weil sich diese lebendige Sprache für die Theoriebildung nicht eignete. Ein Schriftsteller aus dem Kreis der damals sozialisierten, kritischen Intelligenz hat sich später einmal vehement gegen diese standardisierte Sprache und ihre Wirklichkeit gewehrt, deren Anfänge, wie Hans Magnus Enzensberger in einem Artikel gezeigt hatte, auch in der »Sprache des Spiegels« lagen: Botho Strauß in seinem heftig diskutierten Essay »Anschwellender Bocksgesang« aus der Mitte der neunziger Jahre.

Hannah Arendt und Hans Magnus Enzensberger.
New York, Ende 1964
Ich habe das Buch mit ausgesprochenem Vergnügen gelesen; ich kannte nur die im Merkur-Heft erschienene Reportage über den Mord des italienischen Mädchens, die mir auch schon sehr gut gefiel. Enzensberger hat einen ausgesprochenen Sinn für das Konkrete und das bedeutende Detail. Was er will, alte Geschichten neu erzählen, ist gut und wichtig. Es gelingt ihm oft, z. B. die Geschichte der russischen Terroristen. Das Schwächste in dem Buch sind die politischen

Analysen oder Folgerungen. Von diesen wieder ist der letzte Essay über Verrat ganz ausgezeichnet. Daß aber Auschwitz »die Wurzeln aller bisherigen Politik bloßgelegt« habe, kann er doch selbst nicht gut glauben. Hat Herr Hitler Pericles widerlegt? Hat Auschwitz die Wurzeln der athenischen Polis bloßgelegt? Dies klingt wie eine rhetorische Phrase, ist es aber vermutlich nicht bei diesem so außerordentlich begabten und ehrlichen Autor. Enzensberger hat in seiner Verwendung des Details vor allem, auch stilistisch, bei Benjamin gelernt – ich meine gelernt, nicht etwa nachgemacht! Das hat große Vorteile, kann aber auch zu gefährlichen Mißverständnissen führen. Ein anderes Beispiel ist die facile, schon von Brecht begonnene Interpretation oder Gleichsetzung von Verbrechen, Geschäft und Politik. Die Verbrechen des 3. Reiches sind keine Verbrechen im Sinne des Strafgesetzbuches, und die Gangster von Chikago, die sich inmitten der Gesellschaft ansiedeln, sind nicht die Vorgänger der Nazis. Sie verlassen sich, wenn auch nicht ausschließlich, immer noch auf den Schutz, den diese Gesellschaft auch dem Verbrecher zuspricht, und sie haben weder die Absicht noch wirklich ein Interesse daran, die Macht zu ergreifen. Die Nazis gerade waren keine Geschäftsleute, also geht die Gleichsetzung von Geschäft und Verbrechen vielleicht auf, ist aber unpolitisch: nämlich weder Al Capone noch der respektable Geschäftsmann sind politisch. Dies sind Irrtümer, die sehr verständlich sind, wenn man vom Marxismus kommt, vor allem in seiner Ausprägung und Umgestaltung durch Brecht und Benjamin. Aber zum Verständnis politischer Vorgänge trägt es nichts bei. Im Gegenteil, es ist nur eine hoch kultivierte Form des Escapismus: Auschwitz hat die Wurzeln aller Politik bloßgelegt, das ist wie: das ganze Menschengeschlecht ist schuldig. Und wo alle schuldig sind, hat keiner Schuld. Gerade das Spezifische und Partikulare ist wieder in der Sauce des Allgemeinen untergegangen. Wenn ein Deutscher das schreibt, ist es bedenklich. Es heißt: nicht unsere Väter, sondern alle Menschen haben das Unglück angerichtet. Was einfach nicht wahr ist. Außerdem, und gerade in Deutschland verbreitet und gefährlich: wenn Auschwitz die Konsequenz aller Politik ist, dann müssen wir ja noch dankbar sein, daß endlich einer die Konsequenzen gezogen hat. Oh, Felix Culpa!

All dies, um zu erklären, daß ich das Buch nach einigem Hin und Her doch nicht besprechen werde. Es würde mir zu viel Mühe machen, das ganz Ausgezeichnete von dem Verfehlten zu scheiden. Unterhalten würde ich mich gern mit E. Er sollte überhaupt einmal hierher kommen. Das Unverständnis der Deutschen, aber nicht nur der Deutschen, für angelsächsische Traditionen und amerikanische Wirklichkeit ist eine alte Geschichte. Kuriert kann sie nur werden durch Augenschein, nicht durch Lesen.

Hannah Arendt und Hans Magnus Enzensberger

Tjöme, Norwegen, den 24. 1. 1965

Sehr verehrte Frau Arendt, seit vielen Jahren beschäftigen mich, seit vielen Jahren helfen mir Ihre Gedanken; ich bin Ihnen also viel Dank schuldig; umso mehr, wenn einige dieser Gedanken nun an die meinen oder gegen sie gewendet werden. Bitte erlauben Sie mir deshalb ein paar Zeilen der Antwort.

Die Irrtümer, derer Sie mich zeihen, sind von verschiedenem Gewicht. Soweit sie, in Ihren Augen, auf dem Marxismus beruhen, möchte ich sie auf sich beruhen lassen. Wir gehen da von verschiedenen Prämissen aus und kommen zu verschiedenen Resultaten. Sie halten, zum Beispiel, dafür, daß die »soziale Frage« mit politischen Mitteln nicht lösbar ist; dem Elend, der Armut und der Ausbeutung wäre – so steht es in Ihrem Aufsatz über *Krieg und Revolution* – Herr zu werden durch Technologie und allein durch sie. Und mit einer »manchmal fast beängstigenden Geschwindigkeit« sei »wahr geworden«, was in der amerikanischen Unabhängigkeitserklärung vor zweihundert Jahren proklamiert wurde, die Forderung nämlich, daß alle Völker »unter den Mächten der Erde unabhängigen und gleichen Rang erlangen werden«.

Ich sehe aber die Völker Afrikas, Südasiens und des lateinischen Amerikas ihre Geschicke nicht selber lenken: Unabhängigkeit und gleichen Rang genießen sie nur beim Protokoll der Staatsbesuche; ich sehe Milliarden von Menschen, die gleichzeitig mit uns leben, aus politischen Gründen dem Elend, der Armut und der Ausbeutung überantwortet; und ich schließe aus alledem, daß es mir nicht leicht werden wird, meine Irrtümer, soweit der Marxismus an ihnen schuld ist, zu berichtigen. Sie trennen mich von Ihnen, aber diese Trennung ist erträglich; denn es liegt ihr kein Mißverständnis zugrunde, und sie führt nicht dazu, daß der eine vom andern moralisch verurteilt wird.

Schwerer fällt jedes Wort ins Gewicht, das Sie mir über Auschwitz sagen und über alle Gedanken, die daran sich knüpfen. Die Vorstellung, daß Sie bei Ihrem Urteil blieben, kann ich nicht ertragen. Dieses Urteil stützt sich auf den Satz, Auschwitz habe die Wurzeln aller bisherigen Politik bloßgelegt. Sie deuten diesen Satz als eine Ausflucht, als eine »Form des Escapismus«. Dagegen will und muß ich mich wehren.

Ich beginne mit der Schlußfolgerung, die Sie mir nahelegen: »Wenn Auschwitz die Konsequenz aller Politik ist, dann müssen wir ja noch dankbar sein, daß endlich einer die Konsequenzen gezogen hat.« Dieser Satz nimmt es weder mit der Gerechtigkeit, noch mit der Logik genau. Er ist moralisch unvereinbar mit allem, was ich geschrieben habe, und er hat keinen logischen Sinn. Die äußerste Konsequenz aus der Entwicklung der nuklearen Geräte wäre die Ausrottung des Lebens auf der Erde. Wer dies feststellt, dem sollte niemand mit der Antwort begegnen, wir müßten dankbar dafür sein, wenn endlich einer diese Konsequenz zöge.

Ich wähle diesen Vergleich nicht von ungefähr. Denn wenn ich, und seis mit den unzulänglichen Mitteln eines Menschen, der weder Anthropolog noch Historiker ist, über die Vorgeschichte von Auschwitz nachdenke, so tue ichs im Hinblick auf seine Zukunft. Escapismus wäre es, in meinen Augen, so zu tun, als wäre es damit vorbei, als wäre es das schlechthin Vergangene und Verjährte, zu dem es gerade in Deutschland gemacht werden soll. Daß die Deutschen und sie allein die Verantwortung für die »Endlösung« tragen, daran können nur Schwachsinnige zweifeln; für den Fall aber, daß mein Buch von Schwachsinnigen gelesen werden sollte, habe ich, was sonnenklar ist, dreimal ausdrücklich und unmißverständlich wiederholt. Wir haben aber nicht nur an unsere Väter zu denken, sondern auch an unsere Brüder und Söhne; nicht nur an die Schuld derer, die älter sind als wir, sondern auch, ja vor allem, an die Schuld, mit der wir selber uns beladen. Deshalb sage ich: »Die Planung der Endlösung von morgen geschieht öffentlich«, und: »1964 gibt es nur noch Mitwisser.« Wenn das die Sauce des Allgemeinen ist, so ist sie nicht meine Erfindung, und das Spezifische, das darin unterzugehen droht, sind wir selber. Von jedem Fernsehschirm tönt heute die Vokabel vom »Megatod«. Sie ist um kein Haar besser als die von der »Sonderbehandlung«. »Die Nachwelt, mit der Vorbereitung ihrer eigenen beschäftigt, sucht heute die Verantwortlichen für Hitlers ›Endlösung‹ und ihre Handlanger zu richten. Darin liegt eine Inkonsequenz. Diese Inkonsequenz ist unsere einzige Hoffnung, eine winzige.« Dabei möchte ich bleiben. »Die ›Endlösung‹ von gestern ist nicht verhindert worden. Die Endlösung von morgen kann verhindert werden.« Wenn das Escapismus ist, dann mache ich Anspruch auf diesen Titel.

Erlauben Sie mir, bitte, zum Schluß noch eine Bemerkung zu Ihrem Satz: »Wenn ein Deutscher das schreibt, ist es bedenklich.« Diesen Satz verstehe ich, und ich verstehe, warum Sie ihn aufschreiben. Ich nehme ihn, aus Ihrem Munde, an. Abgelöst von der Person jedoch ist er selber bedenklich; denn er besagt, daß die Richtigkeit eines Urteils von der Nationalität dessen abhängt, der es ausspricht.

Diesem *argumentum ad nationem* bin ich oft begegnet. Ich habe Bürger der Sowjetunion getroffen, die jede kritische Bemerkung über die Verhältnisse ihres Landes mit dem Hinweis auf den deutschen Überfall von 1941 vergalten. Auch diese Reaktion ist verständlich. Sie betrifft freilich nicht das Gespräch selber, sondern seine Voraussetzungen. Ohne ein Minimum von

Vertrauen ist kein Dialog möglich. Vertrauen aber ist etwas, was nur geschenkt werden kann. Das *argumentum ad nationem* nimmt dieses Geschenk zurück und macht das Zwiegespräch zum Monolog; denn wie soll einer mitreden, dessen Worte jederzeit untergehen in seiner Herkunft? Alles, was er sagt, wird dann zum bloßen Appendix seiner Nationalität; er könnte nur noch als »Vertreter« eines Kollektivs und nicht mehr als Person reden; er wäre bloß noch Sprachrohr von etwas, und wie jedes Sprachrohr, selber stumm und mundtot. Deshalb denke ich: ein Satz kann nicht bedenklicher werden als er ohnedies ist, dadurch daß ihn ein Deutscher, ein Kommunist, ein Neger usw. geschrieben hat. Er ist bedenklich, oder er ist es nicht. Und ebenso – verzeihen Sie mir, ich kann nicht anders – ist mir an den Untaten der Deutschen das schlimmste nicht, daß Deutsche sie begangen haben, sondern daß solche Untaten überhaupt begangen worden sind, und daß sie wieder begangen werden können.

Ich hoffe inständig, daß Sie mich verstehen. Die Deutschen und nur die Deutschen sind an Auschwitz schuld. Der Mensch ist zu allem fähig. Beide Sätze sind unentbehrlich, und keiner kann den andern ersetzen. Ausflüchte, Entschuldigungen, Ausreden sollen Sie bei mir nicht suchen. Um ein Buch geht es mir nicht, und daß es kein Wort gibt, das Recht behalten kann vor dem Wort Auschwitz, ich weiß es wohl. Darauf bin ich gefaßt, daß Sie mir Unrecht geben; nur hoffe ich, Sie werden mir nicht Unrecht tun.

Ihr Ihnen sehr ergebener

Hans Magnus Enzensberger

New York, den 30. Januar 1965

Lieber Herr Enzensberger, ich freue mich, daß Sie meine ein wenig leichtfertig hingeworfenen Zeilen beantwortet haben und daß wir so ins Gespräch gekommen sind. Lassen Sie mich vorweggreifend sagen, daß ich nicht angreifen, sondern Bedenken anmelden wollte. Mir ist eine Gegnerschaft gar nicht in den Sinn gekommen, und das »Minimum von Vertrauen«, von dem Sie mit Recht sprechen, habe ich als selbstverständlich vorausgesetzt. Nichts liegt mir ferner als Ihnen Unrecht tun bzw. Sie mit anderen in einen Topf werfen; denn um etwas anderes konnte es sich ja kaum handeln.

Gut, daß Sie mir das *argumentum ad nationem* vorgehalten haben. So verkürzt, wie ich es hinsetzte, läßt es sich natürlich keinen Augenblick halten. Ganz so einfach, wie Sie die Sache hinstellen, ist sie aber auch nicht. Ich würde Ihren an die »Schwachsinnigen« gerichteten Satz: »Die ›Endlösung‹ von gestern war das Werk einer einzigen Nation, der deutschen« unterschreiben, aber nicht ohne ihn zu erläutern. Es war, wie Sie selbst schreiben, »Hitlers ›Endlösung‹«, an der sich ein leider sehr großer Teil des deutschen Volkes mitschuldig gemacht hat, und keiner der Schuldigen hat je im Traum daran gedacht, diesen »grandiosen« Plan für sich in Anspruch zu nehmen oder später die Verantwortung dafür zu tragen. Damit will ich sagen, es hätte nicht zu passieren brauchen, und es hätte auch anderswo, obwohl nicht überall, passieren können; und schließlich, es ist nicht aus deutscher Geschichte zu erklären im Sinne eines wie immer gearteten Kausalzusammenhangs. Nun ist es aber faktisch in Deutschland passiert und damit vorerst zu einem Ereignis deutscher Geschichte geworden, für das politisch, aber nicht moralisch, alle Deutschen heute die Haftung übernehmen müssen. Mein mißverstandener Satz sagt: eine Meinung, die bei Angehörigen anderer Nationen nicht mehr als eine Meinung ist, hat in Deutschland, wenn es sich um die »Endlösung« handelt, unmittelbar politische, tagespolitische Implikationen und Konsequenzen. Bei Deutschen kommen unvermeidlich bei der Diskussion dieser Angelegenheiten Interessen ins Spiel, die anderswo wegfallen. Nur in Deutschland ist Auschwitz sogar eine innenpolitische Frage, von den außenpolitischen Aspekten, die man verständlicherweise oft zu ignorieren beliebt, ganz zu schweigen. Mit dieser Einschränkung bin ich bereit, Ihnen zuzustimmen, daß à la longue nicht entscheidend ist, daß Deutsche solche Untaten begangen haben, sondern daß sie begangen worden sind.

Nun zu dem von mir beanstandeten Satz, der ja im Grunde das Thema Ihres Buches bildet, die Gleichsetzung von Politik und Verbrechen. Lassen Sie mich mit Ihrem logischen Einwand beginnen. Dem Satz: Auschwitz ist die Konsequenz aller Politik, würde logisch entsprechen: Die nuklearen Geräte sind die Konsequenz der modernen Technik – und nicht, wie Sie meinen: »Die äußerste Konsequenz aus der Entwicklung der nuklearen Geräte wäre die Ausrottung des Lebens auf der Erde.« Es gibt heute viele, die die Technik überhaupt für die Atomwaffen verantwortlich machen, wie Sie die Politik überhaupt für Auschwitz, und ich würde das eine wie das andere bestreiten. Was aber zwischen uns zur Debatte steht, ist Ihre Gleichsetzung vom »Megatod« mit der »Endlösung«, und ich fürchte, Sie haben sich zu dieser Gleichsetzung einfach durch das ominöse Wort »Endlösung« verführen lassen. Der Megatod wäre in der Tat eine Art endgültigster Lösung aller Fragen, aber die Endlösung war »nur« die »Endlösung der Judenfrage«; sie könnte Vorbild für die »Lösung« ähnlicher Fragen werden, es ist auch denkbar, daß dabei Atomwaffen eine Rolle spielen, aber mit dem Megatod hat sie nichts zu tun. Das Fatale an Auschwitz ist doch gerade, daß eine Wiederholung möglich ist ohne katastrophale Folgen für alle Beteiligten. Die der Entwicklung nuklearer Geräte in der Kriegsführung inhärente *politische* Konse-

Hannah Arendt und Hans Magnus Enzensberger

quenz ist ganz einfach die Abschaffung des Krieges als Mittel der Politik – es sei denn, man dichtet den Geräten selbst eine Konsequenz an, die sie doch nur haben können, wenn Menschen die Konsequenzen ziehen. Daß die politische Konsequenz aus der technischen Entwicklung der Kriegsführung, die sich ihrem eigenen Sinne nach aufhebt, gezogen werden wird, ist nicht sicher; ich halte es für sehr wahrscheinlich, aber dies ist eine bloße Meinung, über die man sich streiten kann. Worüber man sich, wie ich fürchte, nicht streiten kann, ist, daß Auschwitz möglich bleibt, auch wenn kein Mensch mehr vom Atomtod spricht.

Unser Begriff von Politik ist durch das griechische und das römische Altertum, durch das siebzehnte Jahrhundert und durch die Revolutionen des achtzehnten vorgeprägt. Sie können ja nicht gut meinen, daß Auschwitz die Wurzeln dieser ganzen Vergangenheit bloßgelegt habe. Ich nehme also an, Sie wollten sagen: die Wurzeln aller *heutigen* Politik seien da zum Vorschein gekommen. Aber auch in dieser Einschränkung können Sie Ihren Satz nur aufrechterhalten durch die Parallele mit, kurz gesagt, Hiroshima. Ich bin der Meinung, das ist ein Kurzschluß, der allerdings nahe liegt, weil beide Ereignisse nahezu gleichzeitig im Verlauf des Krieges eingetreten sind. Dabei wird übersehen, daß nur Hiroshima und das Städtebombardement (Dresden) mit der Kriegsführung zusammenhingen und in der Tat anzeigten, daß in einem mit modernen Mitteln geführten Krieg der Unterschied zwischen Krieg und Verbrechen nicht mehr aufrechtzuerhalten ist. Aber Auschwitz hatte mit Kriegsführung nichts zu tun; es war der Beginn einer Entvölkerungspolitik, die nur durch die Niederlage Deutschlands aufgehalten wurde; Hitler hätte, wie wir wissen, auch im Frieden weiter »ausgemerzt«. Die Politik des Dritten Reiches war verbrecherisch. Kann man darum sagen, es gäbe seither den Unterschied zwischen Verbrechen und Politik nicht mehr – wie man vielleicht sagen kann, es gibt in einem mit modernsten Waffen geführten Krieg den Unterschied zwischen Krieg und Verbrechen nicht mehr? Dies scheint mir ein Kurzschluß zu sein.

Ein letztes Wort über das Ausweichen. Es gibt einen scheinbaren Radikalismus, der nicht so sehr das Kind mit dem Bade ausschüttet als vielmehr durch Parallelen, bei denen sich irgendein Generalnenner darbietet, vieles Partikulare unter ein Allgemeines subsumiert, wobei das konkret Sich-Ereignende als Fall unter Fällen verharmlost wird. Dies habe ich mit dem Wort »Escapismus« gemeint. Wir tun dies gelegentlich alle, fortgerissen, wie mir scheint, nicht vom »Strom der Geschichte« oder der berechtigten Sorge um die Zukunft, sondern von dem Zuge unserer Assoziationen. Die Gefahr liegt im Metier. Man kann ihr begegnen durch den immer erneuten Versuch, sich am Konkreten festzuhalten und Unterschiede nicht zugunsten von Konstruktionen zu verwischen.

Ich hoffe, Sie nehmen all dies, wie es gemeint ist, und das heißt nichts für ungut.

Mit freundlichen Grüßen

Ihre *Hannah Arendt*

1964/65

Während sich Hannah Arendt und Hans Magnus Enzensberger Briefe schrieben, rief Georg Picht, 1913 in Straßburg geboren, den deutschen Bildungsnotstand aus. Er hatte in der Zeitung »Christ und Welt« über den Zustand der Ausbildung in Deutschland eine Reihe von Artikeln veröffentlicht, die darauf Gegenstand einer Debatte im Bundestag wurden. Georg Picht war Leiter des Landeserziehungsheims Birklehof im Schwarzwald und der Forschungsstätte der Evangelischen Studiengemeinschaft in Heidelberg gewesen und schließlich Professor für Religionsphilosophie in Heidelberg geworden. Er war Mitglied des Deutschen Ausschusses für das Erziehungs- und Bildungswesen, der Ende der fünfziger Jahre einen »Rahmenplan« für die schulische Ausbildung vorgelegt hatte. Dort war eine gemeinsame Förderstufe im fünften und sechsten Schuljahr gefordert worden, auf der ein Gymnasium aufbauen sollte, das den Bildungsansprüchen der modernen Welt besser gewachsen sei als das traditionelle humanistische Gymnasium. Durch eine Förderstufe sollte die Schule davon entlastet werden, »Zuteilungsämter in einer Sozialchancen-Zwangswirtschaft« zu übernehmen, wie der Soziologe Helmut Schelsky damals schrieb. Die Länder übernahmen die Vorschläge des Rahmenplanes nicht. Fünf Jahre später schlug Georg Picht Alarm, weil der Bedarf der Industrie an ausgebildeten Menschen durch die Schulen nicht gedeckt wurde. Picht weckte die Politik und die Kultusminister aus ihrer Lethargie vor den Nöten der Bildung und der Kultur, indem er die Zukunft des Wirtschaftsstandortes Deutschland in den düstersten Farben malte. Der folgende Text stammt aus der Artikelserie über den Bildungsnotstand, die in der Zeitung »Christ und Welt« erschien.

Auch der Soziologe Ralf Dahrendorf gehörte zu denen, die eine Reform des Bildungswesens forderten. Bildung sei ein Bürgerrecht, gesellschaftliche Chancengleichheit könne nur hergestellt werden, wenn dieses Bürgerrecht verwirklicht werde. Im Juli 1972 wurde die Reform der gymnasialen Oberstufe eingeführt, das heißt, die Klassen 11 bis 13 wurden in Grund- und Leistungskurse aufgelöst und die bestehende Notengebung durch das Punktesystem ersetzt, mit dem die individuellen Fähigkeiten der Schüler besser erfaßt werden sollten. Zahlreiche Hochschulen wurden damals gegründet, der Zugang zu den Hochschulen schließlich aber durch den Numerus clausus beschränkt.

Georg Picht. Eines der tragenden Fundamente jedes modernen Staates ist sein Bildungswesen. Niemand müßte das besser wissen als die Deutschen. Der Aufstieg Deutschlands in den Kreis der großen Kulturnationen wurde im neunzehnten Jahrhundert durch den Ausbau der Universitäten und der Schulen begründet.  Bis zum Ersten Weltkrieg beruhten die politische Stellung Deutschlands, seine wirtschaftliche Blüte und die Entfaltung seiner Industrie auf seinem damals modernen Schulsystem und auf den Leistungen einer Wissenschaft, die Weltgeltung erlangt hatte. Wir zehren bis heute von diesem Kapital. Die wirtschaftliche und politische Führungsschicht, die das sogenannte Wirtschaftswunder ermöglicht hat, ist vor dem Ersten Weltkrieg in die Schule gegangen; die Kräfte, die heute Wirtschaft und Gesellschaft tragen, verdanken ihre geistige Formung den Schulen und Universitäten der Weimarer Zeit. Jetzt aber ist das Kapital verbraucht: Die Bundesrepublik steht in der vergleichenden Schulstatistik am untersten Ende der europäischen Länder neben Jugoslawien, Irland und Portugal. Die jungen Wissenschaftler wandern zu Tausenden aus, weil sie in ihrem Vaterland nicht mehr die Arbeitsmöglichkeiten finden, die sie brauchen. Noch Schlimmeres bereitet sich auf den Schulen vor: In wenigen Jahren wird man, wenn nichts geschieht, die schulpflichtigen Kinder wieder nach Hause schicken müssen, weil es für sie weder Lehrer noch Klassenräume gibt. Es steht uns ein Bildungsnotstand bevor, den sich nur wenige vorstellen können.

Bildungsnotstand heißt wirtschaftlicher Notstand. Der bisherige wirtschaftliche Aufschwung wird ein rasches Ende nehmen, wenn uns die qualifizierten Nachwuchskräfte fehlen, ohne die im technischen Zeitalter kein Produktionssystem etwas leisten kann. Wenn das Bildungswesen versagt, ist die ganze Gesellschaft in ihrem Bestand bedroht. Aber die politische Führung in Westdeutschland verschließt vor dieser Tatsache beharrlich die Augen und läßt es in dumpfer Lethargie oder in blinder Selbstgefälligkeit geschehen, daß Deutschland hinter der internationalen Entwicklung der wissenschaftlichen Zivilisation immer weiter zurückbleibt.

Während in den anderen hochentwickelten Ländern die Kulturpolitik in den Mittelpunkt des staatlichen und politischen Interesses gerückt ist und keine Investition als zu hoch gilt, wenn es um den Ausbau der wissenschaftlichen Institutionen und des Bildungswesens geht, ist in der Bundesrepublik der Anteil der Ausgaben für Schulen und Hochschulen am Sozialprodukt zwar bis 1958 allmählich gestiegen, seither aber nach Angaben der Kultusminister ständig gesunken – von 3,31 Prozent im Jahr 1958 über 3,26 Prozent im Jahr 1959 auf 2,99 Prozent nach den Haushaltssätzen des Jahres 1962. Wenn über Kulturpolitik debattiert wird, ist der Bundestag leer.

So kann und darf es nicht weitergehen. Die Öffentlichkeit muß nun endlich die Wahrheit zur Kenntnis nehmen, und die Politiker werden sich entschließen müssen, jene harten Entscheidungen zu treffen, wie sie ein nationaler Notstand erster Ordnung erfordert. ...

Eine Wahrheit, die heilsam sein soll, ist meistens schmerzhaft; dies gilt besonders auf dem Felde der Kulturpolitik, denn nirgends wuchern die Ideologien so dicht, nirgends sind die Tabus so schwer zu durchbrechen. Die Regierungen der Länder und des Bundes, die Parlamente, die Parteien und die großen gesellschaftlichen Mächte haben Grund zu befürchten, daß sie kompromittiert sein werden, wenn man die Öffentlichkeit mit den Realitäten konfrontiert. Aber es geht uns hier nicht um Kritik an irgendwelchen Personen, Institutionen oder Gruppen, sondern allein um die Hilfe, die jetzt not tut. Wenn alle Kräfte sich zusammenschließen, um die notwendigen politischen Entscheidungen möglich zu machen, so kann unser vom Ruin bedrohtes Bildungswesen vielleicht in letzter Stunde noch gerettet werden. Dann müssen wir handeln, und zwar sofort. ...

In der modernen »Leistungsgesellschaft« heißt soziale Gerechtigkeit nichts anderes als gerechte Verteilung der Bildungschancen; denn von den Bildungschancen hängen der soziale Aufstieg und die Verteilung des Einkommens ab. Das Einkommen spielt aber heute eine viel größere Rolle als jenes Lieblingsthema der Ideologen, das Eigentum. Der gesamte soziale Status, vor allem aber der Spielraum an persönlicher Freiheit, ist wesentlich durch die Bildungsqualifikationen definiert, die von dem Schulwesen vermittelt werden sollen.

Man spricht heute gern von der »mobilen« oder auch von der »nivellierten« Gesellschaft und vergißt, daß in der wissenschaftlich-technischen Zivilisation ein neues Prinzip der klassenähnlichen Schichtung die Struktur der Gesellschaft wesentlich mitbestimmt. Durch das Schulsystem werden schon die zehnjährigen Kinder – und zwar in der Regel definitiv – in Leistungsgruppen eingewiesen, die durch das Berechtigungswesen einer entsprechenden Gruppierung der sozialen Positionen zugeordnet sind. Die so geschaffene Klassifizierung durch Bildungsqualifikationen überlagert mehr und mehr die noch fortbestehende Klassenstruktur der bisherigen industriellen Gesellschaft. Die Interferenz zwischen diesen beiden Schichtungsprinzipien ergibt dann jene gesellschaftliche Wirkung, mit der es die Sozialpolitik heute zu tun hat. Die Schule ist deshalb ein sozialpolitischer Direktionsmechanismus, der die soziale Struktur stärker bestimmt als die gesamte Sozialgesetzgebung der letzten fünfzehn Jahre. ...

Der Notstand des westdeutschen Bildungswesens erklärt sich daraus, daß die beiden Kernprobleme einer modernen Kulturverwaltung: das Problem der Bildungsplanung und das Problem der Finanzierung, nicht gelöst worden sind. Beide Aufgaben sind eng miteinander verzahnt. Nur auf der Grundlage eines umfassenden Bildungsplanes läßt sich ein Finanzplan ausarbeiten, der die beschränkten Mittel rationell, das heißt, nach Schwerpunkten verteilt. Beide Probleme können technisch nur im nationalen Rahmen, also auf Bundesebene angepackt werden. Was aber auf Bundesebene geschieht, erfordert nach unserer Verfassung die Mitwirkung und Mitverantwortung des Bundes. Die Planungskompetenz und die Finanzierungskompetenz sind mit der Gesetzgebungs- und Verwaltungskompetenz der Länder nicht identisch. In diesem, vom Grundgesetz freigelassenen Raum ist ein Zusammenwirken von Bund und Ländern geboten. ...

Die Bundesregierung und der Bundestag haben in der Ära Adenauer das Grundgesetz als eine bequeme Ausrede benützt, um sich ihrer Verantwortung auf dem Gebiet der Kulturpolitik zu entziehen. Weder die Bundesregierung noch der Bundestag haben begriffen, daß es in der Kulturpolitik um das gesamte Schicksal unseres Volkes geht. Der Mangel an Sachkenntnis bei den verantwortlichen Spitzen unserer Regierung ist erschütternd. Es hat sich bitter gerächt, daß der kulturpolitische Sachverstand in der Bundesregierung bis vor kurzem überhaupt nicht vertreten war. Gewiß gibt es im Bundestag einen kulturpolitischen Ausschuß, aber wenn man seine Wirksamkeit im Spiegel der Presse betrachtet, gewinnt man den Eindruck, daß er sich nur fürs Kino interessiert.

In der Regierungserklärung des neuen Bundeskanzlers sind Töne angeklungen, die man bisher nicht gehört hat, und Erler hat im Namen der Opposition diese Gelegenheit ergriffen, um zum ersten Male in der Geschichte des Bundestages den vollen Ernst unserer kulturpolitischen Situation offen darzulegen. Aber die Formulierungen der Regierungserklärung waren so allgemein, daß man nicht weiß, ob der entschlossene Wille zum Eingreifen dahintersteckt. Die Abgeordneten jedenfalls scheinen überzeugt zu sein, daß sogar jetzt alles beim alten bleibt. Nur siebzig unserer Volksvertreter fanden, es sei der Mühe wert, an der Debatte über das Forschungsförderungsgesetz teilzunehmen; sie betrachten es als ein Gewohnheitsrecht, kulturpolitische Debatten zu schwänzen.   1964

Vier Jahre nachdem Georg Picht den Bildungsnotstand ausgerufen hatte, zog er sich enttäuscht aus der Kulturpolitik zurück. Im Rahmen des Grundgesetzes ließ sich nicht durchsetzen, was er vorschlug – der Bund hätte für die Länder einen gemeinsamen Plan für die Bildungsreform ausarbeiten müssen. Die Kultusministerkonferenz beschloß 1969, mit den Experimenten der Ganztags- und Gesamtschulen zu beginnen. Ein Bildungsgesamtplan wurde 1973 vorgelegt, und in einigen Ländern wurden Gesamtschulen eingeführt. Einige Kritiker Pichts meinten, der ausgerufene Bildungsnotstand sei daran schuld, daß die Universitäten zu Massenuniversitäten verkommen seien. Picht wollte das Abitur abschaffen und setzte auf Ausbildungsmodelle, die ein lebenslanges Lernen garantierten. Die Bildung sollte kein Berechtigungsschein dafür sein, sozial aufsteigen zu können, sondern stärker mit dem notwendigen beruflichen Wissen verbunden werden. Picht sah in der Zukunft Menschen aller Altersgruppen an den Universitäten studieren. Doch die Kulturhoheit der Länder wurde nicht angetastet, der Bund durfte nicht handeln. Vierzig Jahre nach Picht erschienen die Pisa-Studien, belehrten die Deutschen über ihre schlechten Schulen – und eine neue Bildungskatastrophe war da. Aus Deutschland ist seit den Zeiten Pichts ein Einwanderungsland geworden, in dem darüber diskutiert wird, ob weibliche Beamte im Schulunterricht ein muslimisches Kopftuch tragen dürfen und in dem Eltern über den hohen Anteil an ausländischen Kindern in Schulklassen klagen, weil diese Kinder kein oder kaum Deutsch sprechen.

Als zum ersten Mal über die Bildungskatastrophe diskutiert wurde, war gerade das Zweite Deutsche Fernsehen auf Sendung gegangen. Der Begriff der Mediengesellschaft war noch nicht erfunden. Die Intellektuellen sprachen darüber, daß die Zeitungen die Bevölkerung beeinflußten – manipulierten, wie damals gesagt wurde. Der Berichterstattung der Springer-Presse wurde vorgeworfen, daß sie einäugig für die Interessen der politisch und ökonomisch Mächtigen Partei ergreife. »Enteignet Springer«, hieß eine Kampagne der kritischen Intelligenz, die davon ausging, daß nur eine Gegenöffentlichkeit, die auf Flugblätter und Broschüren, Bücher und Zeitungen, Demonstrationen und Veranstaltungen zurückgriff, die Verdrehungen der Massenpresse korrigieren könne.

Der Journalist Erich Kuby, 1910 in Baden-Baden geboren, war nach dem Krieg ein Jahr lang Chefredakteur der Zeitschrift »Der Ruf« gewesen. Die Zeitschrift war 1945 von Hans Werner Richter und Alfred Andersch gegründet worden. Richter und Andersch liebäugelten wie viele andere Intellektuelle mit dem Sozialismus. Sie wurden deshalb von der amerikanischen Militärregierung als Chefredakteure entlassen. Kuby, der zu den auffallenden Journalisten der jungen Bundesrepublik gehörte, arbeitete später für die »Süddeutsche Zeitung«, den »Stern« und den »Spiegel«. Als Kubys Artikel »Das Volk ist seine Presse wert« 1964 erschien, wurde die Nationaldemokratische Partei Deutschlands gegründet – acht Jahre vorher war die Kommunistische Partei Deutschlands verboten worden. Das geschah in einem Land, das der kritische Beobachter der bundesrepublikanischen Verhältnisse Ulrich Sonnemann das »Land der unbegrenzten Zumutbarkeiten« nannte und durch das auch Ernst Kuby die unheimliche Figur eines Franz Josef Strauß jagen sah.

Der verlogene Humanismus der Deutschen, den Kuby angriff, trieb auch den Soziologen Ralf Dahrendorf in seinem Buch über »Gesellschaft und Demokratie in Deutschland« zum Angriff. Kubys Kritik der bundesrepublikanischen Justiz, die bei der Bestrafung von Nationalsozialisten geltend machte, die Angeklagten hätten unter damals gültigem Recht gehandelt, doch bei Polizisten aus der Deutschen Demokratischen Republik, die auf Flüchtlinge schossen, dieses Recht nicht berücksichtigen mochte, tauchte Jahrzehnte später erneut auf, als die Prozesse gegen die sogenannten Mauerschützen nach der deutschen Wiedervereinigung begannen. Der folgende Text stammt aus Kubys Artikel »Das Volk ist seine Presse wert«.

Erich Kuby. Der Mut, Wirklichkeit zu erkennen und zu bekennen, hat uns verlassen. Wir haben unter unserer Obrigkeit eine ganz erstaunliche Menge äußerst gerissener, gewitzter, schlauer Personen. Aber Schlauheit und Gerissenheit haben mit Denkfähigkeit nichts zu tun. So wenig Intelligenz ist, vom Dritten Reich abgesehen, von den Ausleseapparaturen der Macht selten nach oben transportiert worden wie heutzutage bei  uns. Nach meiner These, daß intelligentes und moralisches Verhalten einander bedingen, kann mich nicht wundern, daß bei uns so viel gelogen wird. Und so dumm. Lüge und Dummheit sind die andern Zwillingsgeschwister. Intelligenz ist uns sogar außerhalb unserer Grenzen verdächtig. Unsere Obrigkeit redet von Fall zu Fall, unsere Öffentliche Meinung kommentiert von Fall zu Fall beinahe mit Goebbelsschen Worten: dann nämlich, wenn sie glauben, den »Eierköpfen« der Vereinigten Staaten etwas am Zeug flicken zu müssen. Die Gerissenen halten die Intelligenten für schwachsinnig.

Was von der Obrigkeit gilt, findet sich überall sonst auch. Wohin wir schauen, wohin wir greifen, in welchen Sumpf, in welchen Schmutz, in welchen Kleister, es handelt sich immer um uns selbst. Wir sind alle miteinander nicht besser als jene, die wir schlecht finden. Denn wir haben die Gerissenen ermächtigt und wir dulden sie. Dulden ist in den Konsequenzen genauso schlimm wie ermächtigen oder selbst tun. Das lehrt das Dritte Reich. Das deutsche Volk hat Hitler gewiß nicht ermächtigt zu Auschwitz, aber es hat lange, bevor es dazu hätte gezwungen werden können, alles geduldet, was unfehlbar und erkennbar zu Auschwitz führen mußte. Sonnemann hat diesen Sachverhalt ins Heute übersetzt, am Heute abgehandelt, und ihn die »unbegrenzten Zumutbarkeiten« genannt. Das ist es: daß man uns alles zumuten kann und daß wir uns selbst alles zumuten können. Deshalb, weil es uns an Erkenntnisfähigkeit = Denkfähigkeit, ja, an Denklust fehlt, und damit an der moralischen Widerstandsfähigkeit gegen das dem Erkennenden Unzumutbare. Die Gerissenen, denen alles zumutbar ist, es kommt nur auf die Umstände an, was, nennen denjenigen, für den es eine Grenze der Zumutbarkeit gibt, einen Querulanten.

Warum ist das so? Wahrscheinlich geht unser intellektueller Verfall auf das Dritte Reich zurück. Davon zu sprechen, gilt bereits als eine Form politischer Hysterie. Hierzulande wird man für einen komplexhaft fixierten Narren gehalten, wenn man von dieser Vergangenheit noch Wesens macht. In der Tat, es ist nicht schlau, daran zu erinnern. Und warum auch? Formal existiert sie doch nicht mehr.

Um so mehr in uns. Keineswegs unsere politische Struktur, wohl aber unsere mitmenschliche Verhaltensweise ist nazistisch, und unsere moralischen Maßstäbe sind es. Jenes beweist der Straßenverkehr, in dem sich fortwährend potentielle Mörder decouvrieren, dieses die Öffentliche Meinung. Wie bei den Nazis gilt Denken nach wie vor für dumm. Die Gerissenen formen unsere Leitbilder, sie *sind* unsere Leitbilder, und ob sie eine braune Uniform oder einen westdeutschen Maßanzug tragen, macht im Prinzip keinen Unterschied. Von ihnen ist alles zu gewärtigen, selbstverständlich auch die Ausstoßung unbequemer Minderheiten aus dem von ihnen beherrschten Teil der menschlichen Gesellschaft. Schon setzen sie dazu an.

Die Öffentlichkeit nimmt keinen ernstlichen Anstoß daran. Sie bemerkt den Vorgang gar nicht, Wirklichkeit ist für sie ebenso knetbar wie für die Obrigkeit. Die Wahrheit gilt nichts, denn sie wird nicht erkannt. Sie liegt nicht auf der Straße, sie müßte gefunden werden. Das bedeutete schmerzhafte Gehirnarbeit. Deren sind wir entwöhnt. Wir haben unsere Idealität, unsere berühmte deutsche Idealität, die mit subjektiver Wahrheit sehr viel zu tun hatte, im Treiben der Gerissenen investiert. Dabei wurde deren billiger Erfolg zum »Wunder«. Wiederum kann man fragen: Warum nicht? Haben uns nicht unsere Nachkriegserfahrungen darüber belehrt, daß man auch ohne Wahrheit, ohne Moral, ohne Denken durchkommt? Sehr gut sogar?!

Kein Zweifel, daß ich daran zweifle. Wir werden nicht durchkommen, der Teufel wird uns zum andernmal holen, alle miteinander. Diese Welt ist gewiß keine gute Welt, aber sie hält für die Bösen, und das ist nur ein anderer Aus-

Erich Kuby

druck für die Dummen, letzten Endes immer eine Grube bereit, in die sie hineinfallen.

Ob die Herrschaft der Gerissenen das Volk in 15 Jahren korrumpiert hat, und vorher in weiterer zwölf Jahren, oder ob sich das nazistisch korrumpierte Volk eine Herrschaft der Gerissenen wählte, es soll mich nicht kümmern. So oder so, der Effekt bleibt sich gleich. Es gibt viele Effekte, auf allen Gebieten. Sie addieren sich zu einem Gesamteffekt: wir sind eines der uninteressantesten und langweiligsten Völker der Welt geworden. Das heißt nicht, wir seien auch eines der ungefährlichsten. Im Gegenteil – kollektive Verlogenheit macht gefährlich.

Einer dieser Effekte ist unsere Presse, unsere Öffentliche Meinung. Sei schlau, sei gerissen – danach orientiert auch sie sich. Beispiele? Beispiele!

Da gehen Dutzende von Nazi-Prozessen über die Bühne unserer Justiz, und den brutalsten Schindern und Massenmördern wird zugebilligt, sie seien »damals« von Schindern und Massenmördern regiert worden und hätten nicht erkennen können, wie sie unrecht taten. Dann aber fällt ein Volkspolizist in die Hände dieser selben Justiz, und siehe da, was mutet man ihm zu: er hätte erkennen müssen, daß die Befehle, denen er gehorchte, als er auf Flüchtlinge schoß, unmoralische, also ungültige Befehle waren.

Gewiß, er hätte es erkennen müssen, und ich bin sicher, er erkannte es auch. Nur haben diejenigen, die Hitler als Entschuldigung für Massenmord gelten lassen, nicht die Spur von Berechtigung, die Entschuldigung Ulbricht bei einem weit geringeren Sachverhalt nicht gelten zu lassen. Dabei muß ich freilich mit allem Nachdruck betonen, daß ich mit diesem Argument keinen Vergleich noch gar eine Gleichsetzung dieser zwei deutschen Machthaber auch nur angedeutet haben möchte.

Soweit die Justiz. Und nun kommt die Presse, die Öffentliche Meinung ... nein, sie kommt eben nicht. Sie ist gar nicht vorhanden. Die Gesinnungsmanipulationen mit der Wahrheit fechten sie nicht an, denn die Wahrheit gilt ihnen nichts. Diese schändliche Wahrheit, genannt Justiz. Deren doppelter Boden fällt ihr nicht auf. Hat die Presse geschrien – laut und nachhaltig, daß es über die Welt tönte? Sie hat mitgezwinkert, sozusagen, mit den Gerissenen. Sie hat nicht einmal pieps gesagt. Und das Volk? Soll es für Wahrheit empfindsamer sein als die bestellten Hüter der Öffentlichen Meinung? Aber auch: Warum soll eigentlich die Presse sich über das Fellachenvolk erheben, für das sie schreibt und von dem sie lebt? Jeder Journalist wird »Volk«, wenn er nach Hause geht. Vielleicht sind da ein paar Junge gewesen, die saßen zusammen, sprachen über den Fall und sagten: Unerhört! Und gingen nach Hause zu ihrer gleichfalls jungen Frau und sagten: Hör mal, so und so, ist es nicht unerhört? Und die junge deutsche Frau und Mutter sagte: Es ist unerhört, aber du, mein Lieber, halte fein den Mund, hast du es nötig, dich quer zu legen? Volk – gewiß, Scheißvolk, mit einem runden Wort, bei Luther entlehnt.

Da gibt es, ein ganz anderes Beispiel, in diesem Lande sogenannte Wochenschauen. Jeder sieht sie, der ins Kino geht. Also auch die Kritiker, die diesen Sektor der Öffentlichen Meinung umackern sollen. Des Denkens unfähig, fangen sie beim Hauptfilm zu kritisieren an, Kameraführung gut, Darsteller X war schon besser. Schreien sie, schreien sie laut angesichts dessen, was ihnen vor dem Hauptfilm als Wochenschau geboten wird, die doch Wirklichkeit, also Wahrheit spiegeln soll. Bemerken sie, daß hier offenbar für Kinder produziert wird, für Schwachsinnige, für Menschen, die einerseits vom politischen Ereignis mit Mätzchen abgelenkt, andererseits in einer ganz bestimmten Richtung politisch aufgehetzt werden sollen? Niemand schreit. Der einzige Enzensberger sagte einmal pieps.

Gerade in dieser Woche – wieder ein anderes Beispiel –, in der ich schreibe, wird in München ein sogenanntes Nationaltheater, für 70 Millionen erbaut, in Betrieb gesetzt, in dem die soziologischen Formen der Feudalgesellschaft ihren sorgsam restaurierten Ausdruck finden. Jede Aufführung eine Schule im Untertanengeist – dort in der Hofloge sitzen die Herren. Man möchte auch Herr sein. Früher saß dort der König. Man konnte nicht König sein wollen. Aber man kann Bankier X, Käseschachtelfabrikant Y sein wollen. Man sei nur gerissen genug. Ist die Öffentliche Meinung, ist die Presse auf den Gedanken gekommen, dieses Phänomen soziologisch zu analysieren, politisch zu deuten? Münchner Kunststudenten und der Verfasser haben, ganz unabhängig voneinander, versucht, pieps zu sagen. Aber das ist auch alles.

Da gibt es eine *Spiegel*-Affäre. Sie ist älter als ein Jahr. Es hat den Anschein, sie sei hundert Jahre alt, vergreist, ausgetrocknet, eigentlich schon eine Leiche. Dabei stinkt der Kadaver zum Himmel. Wen stört der Gestank? Schreit die Öffentliche Meinung, die vor einem Jahr immerhin einmal ein dreifaches Pieps hören ließ, dem abgetretenen Bundeskanzler nach, was denn nun sei mit seinem Abgrund von Landesverrat?

Da geistert ein Strauß durch die Lande – wen stört es wirklich? Wer denkt den Mann durch, sozusagen? …

Wo hört man bei uns unter den öffentlichen Meinungsbildnern noch den Ton der Unbefangenheit? Wer schielt nicht nach rechts und links, bevor er den Mund aufmacht? Wer schreibt sozusagen nicht für den Inseratenteil? Wer nicht für den Bischof, für die Versicherungsgesellschaft oder für andere

Erich Kuby

Autorität unserer Gesellschaft? Man zeige mir die Beispiele, und ich werde sagen, wo sie gefunden wurden: in Verstecken. In Blättchen mit kleinen Auflagen. Oder im Nachtstudio, gesendet um 23.30 Uhr, wenn das Volk schläft und nur die aus Kummer Schlaflosen noch wach sind. Aus Kummer und Ekel. Über ein geistig kastriertes Volk. ...

Wo sind diese Inspiratoren der Öffentlichen Meinung? Ein paar gibt es. Hundert, tausend? Unser Volk besteht aus 52 Millionen Menschen, soweit es in den Grenzen unseres Staates lebt. Diese Minderheit ist zu klein, um etwas zu bedeuten. Die andern? Schafsköpfe oder Heuchler. Produzenten von Geseires, von Gedankenschleim, von purer Lüge. Sie lassen den Tätern alles durchgehen. Recht haben sie. Denn auch das Volk läßt ihnen beiden, den Tätern wie den Merkern, alles durchgehen. Das Volk hat kein Bedürfnis, daß festgestellt werde, was ist. Das Volk hat kein Bedürfnis, wie ein Erwachsener behandelt zu werden. Es hat kein Bedürfnis nach Freiheit, außer nach der Freiheit, sein Geld nach Belieben ausgeben zu können, und kein Bedürfnis nach Gerechtigkeit. Es läßt Mörder frei ausgehen, wenn sie bloß zehntausend Juden umgebracht haben, und Volkspolizisten einsperren, die nur Befehlen gehorcht haben wie die andern Mörder. Es schaut zu, wie sich Politiker aufspielen, die es und das Parlament belogen haben. Es fühlt sich nicht selbst, es kennt seine Kraft nicht, und es haßt diejenigen, die es an seine Kraft erinnern zu friedlichem Zweck. Es wird diejenigen nicht hassen, die es eines Tages an seine Kraft erinnern zur Gewaltanwendung nach außen. Es haßt schon heute diejenigen nicht, die es auffordern, die Todesstrafe wieder einzuführen. Dafür, und allenfalls für ein Nationaltheater in München, geht das Volk und seine formulierte Öffentliche Meinung auf die Barrikaden.

Warum sollte dieses Volk eine andere Presse haben als die, die es hat?

1964

In der Deutschen Demokratischen Republik erklärten 1965 der Staatsrat, der Ministerrat und der Nationalrat der Nationalen Front, daß Deutschland nur vereint werden könnte, wenn beide Teile sozialistisch seien. Der kommunistische Liedermacher Wolf Biermann hielt am Sozialismus fest, mochte sich aber nicht mit allen Lösungen des realen Sozialismus abfinden. Er wurde mit seiner marxistischen Kritik am Sozialismus in Ost und West bekannt. Erich Honecker griff den kritischen Liedermacher deswegen auf dem 11. Plenum des Zentralkomitees an, ebenso den Schriftsteller Stefan Heym. Die Kunst sollte sich den Notwendigkeiten der sozialistischen Gemeinschaft unterordnen. Die Schriftstellerin Christa Wolf meldete sich darauf zu Wort, verteidigte die Kunst und schied darauf aus dem Gremium aus. Sie bekundete dennoch auch ihre Sehnsucht nach einem humanen Sozialismus, und ihrer Karriere im realen Sozialismus stand nichts mehr im Wege. Die Verbrüderung des Sozialismus mit der Technik wurde 1966 bestätigt, als in der Deutschen Demokratischen Republik das erste Atomkraftwerk eingeschaltet wurde.

Im Bundestag wurde im März 1965 über die Aufhebung beziehungsweise die Verlängerung der Verjährungsfrist für nationalsozialistische Gewaltverbrechen debattiert. Zwei Monate später faßte die Bundesregierung den Beschluß, diplomatische Beziehungen zu Israel aufzunehmen. Der spätere Bundesverfassungsrichter Ernst Benda gehörte zu einer Gruppe von Abgeordneten der Christlich-Demokratischen Union und der Sozialdemokratischen Partei, die eine Verlängerung beziehungsweise Aufhebung der Verjährungsfrist befürworteten. Die Fraktion der Freien Demokratischen Partei sowie große Teil aus der Fraktion der Christlich-Demokratischen Union und der Christlich-Sozialen Union traten dafür ein, die geltende Regelung beizubehalten. Nach dem deutschen Strafrecht hätten im Jahr der Bundestagsdebatte alle Gewaltverbrechen verjährt sein müssen, die vor dem 8. Mai 1945 begangen worden waren. Der Philosoph Karl Jaspers hat die in seinen Augen heuchlerische Debatte über die Verjährung in seinem Buch »Wohin treibt die Bundesrepublik?« heftig kritisiert und insbesondere auch Ernst Benda vorgeworfen, nur geschickt taktiert und die Grundsatzentscheidung, die Aufhebung der Verjährung, nur hinausgeschoben zu haben. Denn das Ergebnis der Debatte war, daß der Ablauf der Verjährungsfrist auf den Anfang der siebziger Jahre verschoben wurde. Erneut wurde deshalb 1969 über die Verjährung debattiert, der Bundestag lehnte eine Verjährung für Völkermord ab und legte für Mord eine Verjährungsfrist von dreißig Jahren fest, um nationalsozialistische Verbrechen weiter verfolgen zu können. Im Sommer 1979 hob der Bundestag endlich die Verjährungsfrist für nationalsozialistische Verbrechen auf. Die Volkskammer der Deutschen Demokratischen Republik hatte schon im Jahr 1964 das Gesetz über die Nichtverjährung von nationalsozialistischen und Kriegsverbrechen erlassen. Am Ende der sechziger Jahre wurden unter dem Bundesinnenminister Ernst Benda die Notstandsgesetze verabschiedet. Als Benda Richter am Bundesverfassungsgericht war, wurde die Fristenlösung, also die Abtreibung in den ersten zwölf Wochen der Schwangerschaft, verboten sowie, ebenfalls 1975, der Radikalenerlaß bestätigt. Die letzte große Entscheidung des Karlsruher Bundesverfassungsgerichts, an der Benda mitwirkte, war die Ablehnung der Volksbefragung.

Ernst Benda. Herr Präsident! Meine sehr geehrten Damen und Herren! Ich möchte den Versuch unternehmen, das, was ich in dieser Frage für die Antragsteller zu sagen habe, in sehr einfacher Form zu sagen. Ich werde weniger das Für und Wider in Reaktion auf die in der Öffentlichkeit von allen möglichen Seiten in dieser Frage auf uns zukommenden Stimmen hier zu diskutieren als vielmehr die Motive darzulegen haben, die die Anstragsteller bewegt haben. ...

Die Drucksache IV/2965 (neu) ist, wie ich annehme, heute morgen verteilt worden. Ich darf zunächst kurz einige Worte zur Erläuterung sagen. Die Antragsteller haben gestern mittag in einer Sitzung beschlossen, den ursprünglichen Antrag, der auf der Drucksache 2965 enthalten war, zu ändern. Der ursprüngliche Entwurf eines Achten Strafrechtsänderungsgesetzes hatte vorgesehen, in § 67 des Strafgesetzbuches die Verjährungsfrist für die Strafverfolgung mit lebenslangem Zuchthaus bedrohter Verbrechen von bisher 20 auf 30 Jahre zu verlängern. Nach unserem jetzigen Vorschlag soll der § 67 dahin geändert werden, daß für die Strafverfolgung der mit lebenslangem Zuchthaus bedrohten Verbrechen eine Verjährung überhaupt nicht mehr eintritt.

(Beifall bei Abgeordneten der CDU/CSU und bei der SPD.) ...
Ich habe in diesen Tagen in einer angesehenen Zeitung den Satz gelesen, daß das – so heißt es in dem Leitartikel –, was freiwillig und rechtzeitig als ein moralischer Akt hätte geschehen sollen, jetzt unter dem Druck der Weltmeinung als ein mit Opportunismus belasteter politischer Akt geschehe. Meine Damen und Herren, ich sage ganz offen: Ich halte diese Meinung für ganz falsch. Sie ist auch von anderer Stelle geäußert worden.

Die Antragsteller – soweit ich für meine 49 Kollegen und für mich selber sprechen darf – haben in dieser Frage unter einem Druck gestanden und stehen heute noch unter einem Druck: keinem Druck des Auslands, sondern dem Druck der eigenen Überzeugung, meine Damen und Herren!

(Beifall bei Abgeordneten der CDU/CSU und bei der SPD.)
Ich möchte das erweitern, und ich sage das auch für diejenigen, die vielleicht auf der anderen Seite dieser Diskussion stehen. Wer von uns in dieser Frage überhaupt jemals in den letzten Tagen rechtliche, Gerechtigkeits- und politische Erwägungen angestellt hat – und wer von uns hätte nicht? –, der steht bei dieser Frage unter einem solchen Druck seiner Überzeugung – ich sage: seines Gewissens –, daß das, was an Demonstrationen, Resolutionen, Eingaben oder was immer – achtbare Dinge, nebenbei gesagt – auf uns zukommen

kann, weit zurücktritt gegenüber dem Druck dessen, was in jedem einzelnen von uns vorgeht.

(Beifall bei Abgeordneten der CDU/CSU und bei der SPD.) ...

Der Deutsche Bundestag hat bei vielen Gelegenheiten – ich brauche die Daten nicht in die Erinnerung zurückrufen – in einer so eindeutigen Weise und im ganzen Haus übereinstimmend seinen Abscheu vor den Verbrechen des Nationalsozialismus und seinen Willen zur Wiedergutmachung und zur Ablehnung jedes Nationalismus oder jedes Neonazismus in unserem Volke bekundet, daß ich meine – und das ist meine tiefe Überzeugung –: Dieses Parlament vertritt ein deutsches Volk – und es vertritt das ganze deutsche Volk, auch jenseits der Zonengrenze –, ein Volk, in dem der Nationalsozialismus, die Irrlehre des Nationalsozialismus überwunden ist.

(Beifall bei der CDU/CSU.)

Es geht daher in dieser Frage – es wäre töricht, etwas anderes anzunehmen – nicht um einen Streit zwischen dem, der etwa Verbrechen bagatellisieren, geschweige denn billigen wollte, und dem, der sie ablehnt, genauso wenig, wie es gehen darf und geht um einen Streit etwa zwischen denen, Herr Bundesjustizminister, die für, und denen, die gegen den Rechtsstaat sind. Auch das sind selbstverständliche Grundlagen, von denen wir gemeinsam ausgehen, gleichgültig, welche Meinung wir in dieser Sachfrage hier vertreten.

Die sowjetisch besetzte Zone – der Herr Bundesjustizminister hat es soeben gesagt, und wir sind ihm dankbar dafür – hat nicht die geringste Legitimation, die Bundesrepublik als Nachfolger oder wiederaufgelebten Nazistaat zu verleumden. Meine Damen und Herren, dort herrscht ja doch die Fortsetzung des Unrechtsregimes.

(Lebhafter Beifall bei allen Fraktionen.)

Ich lese aus den Verhandlungen der sogenannten Volkskammer der sowjetisch besetzten Zone einen heuchlerischen Appell, dafür zu sorgen, daß alle heute noch in der Bundesrepublik lebenden, auf freiem Fuß befindlichen Nazi- und Kriegsverbrecher ihrer gerechten Strafe zugeführt werden. Ich möchte daran eine etwas konkretere Bemerkung anschließen und kann dazu noch ein paar Einzelheiten sagen. Zu denjenigen, die dieser Entschließung wohl zugestimmt haben werden, gehört vermutlich auch der »Volkskammer«-Abgeordnete des Kreises Kottbus, Herr Stephan Roick. Vor zwei Jahren, meine Damen und Herren, hat der Leiter der jüdischen Dokumentenzentrale in Wien, Herr Wiesenthal, den Machthabern in der sowjetisch besetzten Zone mitgeteilt, daß dieser Mann als SS-Unterscharführer in einer SS-Einheit an der Liquidierung des Gettos in Lublin persönlich beteiligt war. Vor zwei Jahren, meine Damen und Herren! Nichts ist geschehen.

Ernst Benda

(Hört! Hört! in der Mitte.)

Das – als ein Beispiel – entlarvt, wie ich meine, den heuchlerischen Appell an uns und die interessante örtliche Begrenzung: ihr, nicht wir, nur ihr.

Umgekehrt, meine Damen und Herren, gilt aber natürlich auch, daß das Unrecht des Nationalsozialismus nicht deswegen geringer wird, weil sich diejenigen darauf berufen, die zu dieser Berufung am wenigsten legitimiert sind. Auch in diesem Zusammenhang gilt, daß es eine Aufrechnung von Verbrechen gegen Verbrechen nicht gibt.

(Beifall bei der CDU/CSU und bei der SPD.)

Nach dem Bericht der Bundesregierung – der Herr Minister hat ihn soeben noch einmal zitiert – ist die Möglichkeit nicht auszuschließen, daß nach dem 8. Mai 1965 neue Straftaten bekanntwerden, die Anlaß zu weiteren Ermittlungen geben müßten. Der Bericht, den der Berliner Senat dem Berliner Abgeordnetenhaus vor kurzer Zeit gegeben hat, kommt für seinen begrenzten, aber für die Verfolgung von Verbrechen sehr wichtigen Bereich zu dem gleichen oder zu einem ähnlichen Ergebnis. Danach scheint mir die Folgerung, daß eine Verlängerung oder gar Aufhebung der Verjährung notwendig ist, für jeden zwingend zu sein, der sich nicht damit abfinden will, daß solche schwersten Verbrechen ungesühnt bleiben müssen.

Das ist ja auch die Meinung der Bundesregierung gewesen; denn sie hat mit unserer Zustimmung und in unserem Auftrag – wir haben ihr auch einen weiteren Auftrag gegeben, dessen Ergebnis dieser Bericht ist – den Aufruf an die Weltöffentlichkeit gerichtet, bisher nicht bekannte Verbrechen den zuständigen deutschen Behörden mitzuteilen. Wer – wie man es in der Diskussion vielfach hört – angesichts des zunehmenden Zeitablaufs Bedenken wegen der sich daraus ergebenden Beweisschwierigkeiten – die wir natürlich sehen – oder wegen der Problematik der gerechten Würdigung so lange zurückliegender Taten hat, müßte sich eigentlich auch gegen diesen Aufruf wenden; denn dieser versucht doch, ohne eine gesetzliche Änderung oder eventuell sogar grundgesetzliche Änderung, jedenfalls ohne eine Maßnahme dieses Hauses, zu demselben Ergebnis zu kommen und dann zu verfolgen. Er mußte sich auch gegen die im geltenden Strafrecht seit dem Jahre 1871 bestehenden Möglichkeiten wenden, durch eine richterliche Handlung die Verjährung zu unterbrechen, unter Umständen mehrfach zu unterbrechen, und dadurch eine Strafverfolgung von Mordtaten über 20, 40, 60 oder noch mehr Jahre zu ermöglichen.

(Zustimmung in der Mitte und links.)

Ich meine daher, daß der Vorschlag auf Verlängerung – wie immer er im einzelnen gedacht ist – nicht nur dem Votum der Großen Strafrechtskommis-

sion – soweit es sich um die einfache Verlängerung handelt – folgt, sondern
daß er dem System des geltenden Rechts folgt, das ja die Sühne nach 20 Jahren keineswegs ausschließt, sondern mit der – jedenfalls in Mordsachen –
normalerweise stets vorhandenen Unterbrechungsmöglichkeit die an den
Zeitablauf geknüpften Rechtsfolgen praktisch nie oder doch fast nie eintreten lassen will.

(Zuruf von der FDP: Schlechtes System!) ...

Ich respektierte die Meinung eines jeden von uns, der glaubt, aus verfassungsrechtlichen Erwägungen und auf Grund seiner fundierten verfassungsrechtlichen Überzeugung eine Gesetzes- oder Grundgesetzänderung nicht
mitmachen zu können. Wer dieser Meinung ist, der muß nicht, der darf sogar
nicht Vorschlägen zustimmen, wie wir sie hier unterbreiten. Niemand von
uns darf sich anmaßen, vorsätzlich oder auch nur fahrlässig gegen das geltende Verfassungsrecht verstoßen zu wollen; das ist eine bare Selbstverständlichkeit. Die Frage ist dann einfach, zu welcher Auffassung man kommt. Ich
komme zu dem Ergebnis – ich habe es im einzelnen vorgetragen –, daß verfassungsrechtliche Schwierigkeiten einer Verlängerung der Verjährungsfrist,
und zwar durch einfaches Gesetz, nicht entgegenstehen, und ich verwahre
mich gegen die Unterstellung, daß wir oder irgend jemand – wie es an einer
Stelle heißt – das geltende Recht zu politischen Zwecken zurechtbiegen wollten. Das ist einfach nicht wahr. Das sage ich hier für die Antragsteller.

(Beifall bei der CDU/CSU und der SPD.)

Wir wollen das nicht und wir machen das auch nicht. Im Kern des juristischen Streits – um nur ein Stichwort zu geben – steht die Frage nach dem Verständnis des Rechtsstaats heute. Ist das, was insbesondere Herr Minister Bucher, Herr Präsident Dehler, Herr Kollege Arndt und andere Herren sagen,
Verständnis des Rechtsstaats? Ist das der Rechtsstaat so, wie wir ihn heute
verstehen? Oder ist es ein anderer, ein gewandelter, wie ich meine – ich beziehe mich wieder auf meine Ausführungen an anderer Stelle –, ein materieller Rechtsstaatsbegriff, der etwas anderes beinhaltet? Der Rechtsstaat heute
muß auch die Gerechtigkeit anstreben, wobei er natürlich das wichtige
Rechtsgut der Rechtssicherheit weder vergessen noch auch nur vernachlässigen kann. Er muß, wie es das Bundesverfassungsgericht sagt, diese nicht einfache Abwägung im Einzelfall vornehmen; er muß sich dabei entscheiden,
die Gerechtigkeit zu verwirklichen.   1965

Im Jahr der Verjährungsdebatte fielen die ersten amerikanischen Bomben auf Nordvietnam. Im Januar 1966 erklärte die Bundesregierung, daß sie den Krieg der Vereinigten Staaten in Vietnam unterstütze. Die Ostermarschbewegung, mit der gegen Atomtod und Wiederbewaffnung demonstriert wurde, erreichte mit einhundertdreißigtausend Demonstranten einen ersten Höhepunkt ihrer noch jungen Geschichte. Der Sozialistische Deutsche Studentenbund nahm den Kampf gegen die »Überflußgesellschaft« und den »Konsumterror« auf. Zehn Millionen Bundesbürger zeigten sich davon ungerührt und schalteten ihren Fernseher an, aus dem die Meldung kam, daß die Arbeitslosenquote unter einem Prozent liege.

Während Jürgen Habermas sich vor allem mit dem Wandel der Hochschule und dem Wandel der Öffentlichkeit beschäftigte, legte Ralf Dahrendorf, 1929 in Hamburg geboren, im Jahr 1965 das Buch »Gesellschaft und Demokratie in Deutschland« vor. Der Titel zog freiweg eine Verbindung zu einem Klassiker der Soziologie, zu Alexis de Toquevilles »Gesellschaft und Demokratie in Amerika« – »nicht eben bescheiden«, meinte dazu Jürgen Habermas in seiner nicht eben euphorischen Rezension des Buches, die im »Spiegel« erschien. Dahrendorf war damals Professor in Tübingen. Ende der sechziger Jahre erarbeitete er mit Intellektuellen und Industriellen einen Hochschulgesamtplan für Baden-Württemberg. Als Mitglied der Freien Demokratischen Partei ging er in den Bundestag, danach nach Brüssel zur Europäischen Kommission, schließlich nach England, wo er seine wissenschaftlich Karriere fortführte.

Einer seiner originellen Gedanken, die Dahrendorf in dem Buch ausführte, lautete, daß die Nationalsozialisten in Deutschland einen Modernisierungsschub ausgelöst hätten, ohne diesen Modernisierungsschub geplant zu haben. Hatte Helmuth Plessner dreißig Jahre vorher von einer verspäteten Nation gesprochen, sprach Dahrendorf nun von einer verspäteten Moderne. Die Nationalsozialisten, schrieb Dahrendorf, hätten eine egalitäre Gesellschaft durchgesetzt, die ohne autonome Zentren auskam. Eine solche egalitäre Gesellschaft garantiere ebenfalls das Funktionieren einer liberalen Demokratie. Ähnlich wie Thomas Mann in seinem Vortrag über »Deutschland und die Deutschen«, den der Schriftsteller 1945 in den Vereinigten Staaten gehalten hatte, unterschied Dahrendorf zwischen Metaphysik und Romantik einerseits, Sentimentalität und Bestimmtheit andererseits und forderte die Deutschen auf, sich endlich zwischen den beiden Alternativen zu entscheiden. Damit nahm Dahrendorf eine Gegenposition zu Habermas ein. Dem Schüler der Frankfurter Schule erschien der Marxismus weder metaphysisch noch romantisch und deswegen auch nicht verwerflich. Er liebäugelte mit dem in Mode gekommenen Hegel, von dem Dahrendorf ebensowenig hielt wie sein Lehrer Karl Popper, dessen Buch »Die offene Gesellschaft und ihre Feinde« auch vom späteren Bundeskanzler Helmut Schmidt gerne zitiert wurde. Dahrendorf zog klare Worte über die Realitäten den großen Theorien über die Wirklichkeit vor.

Ernst Topitsch hat 1970 den Humanismus der kritischen Intellektuellen als Strategie ihres Machtkampfes kritisiert. Dahrendorf stieß in den sechziger Jahren in Deutschland auf einen sich in Geschwätz und Heuchelei verlierenden Humanismus, dessen Kehrseite eine grassierende Inhumanität sei, aus der Deutschlands nationalsozialistische Vergangenheit durchscheine. Der Unterschied zwischen Habermas und Dahrendorf, zwischen den Theoretikern der Kritik und den Kritikern der Realität, kann nicht deutlicher werden als an diesem Buch Dahrendorfs über Deutschland, vor allem an seinem Stil. Aus Dahrendorfs Befunden über die Inhumanität in Deutschland sprach eine Empörung, die jener Stimmung unter der kritischen, aufbegehrenden Generation entsprach, welche – fern der Klassenkampfparolen des Sozialistischen Deutschen Studentenbundes und fern der theoretischen Schleifen der Achtundsechziger – zu Veränderungen vor Ort führten: in der Schule, im Krankenhaus, im Gefängnis und in der Psychiatrie. Dahrendorfs Blick auf die Ordnungen von Überwachen und Strafen in der Bundesrepublik wies schon auf die Analysen des französischen Philosophen Michel Foucault aus den siebziger Jahren hin, der bei den Intellektuellen der Bundesrepublik den Einfluß der Frankfurter Schule schließlich unterlief. Der folgende Text stammt aus Dahrendorfs Buch »Gesellschaft und Demokratie in Deutschland«.

Ralf Dahrendorf. Im Namen des Lagers, das den SS-Staat in seiner schlimmen Perfektion enthüllt, symbolisiert sich heute für viele das schreckliche Gesicht des nationalsozialistischen Deutschland. Aber wir wollen genau bleiben und uns mit Symbolen nicht zufriedengeben. Es geht um Menschen, die, aneinander sich klammernd, in Gaskammern gestoßen, vergiftet, gefleddert und verbrannt wurden – und um jene, die dies taten. So wenig das Symbol »Auschwitz« uns weiterhilft, so wenig hilft uns auch die süße Metapher, die solche Wirklichkeiten in die Sprache der Psychoanalyse oder der Geistesgeschichte verflüchtigt. Es ist also nicht die Rede von nationalen Neurosen oder historischen Vorbelastungen, sondern davon, daß Hunderte von deutschen Juristen sich wissend an Justizmorden beteiligt haben, Hunderte von deutschen Ärzten wissend Menschen, zum Teil in grausamen Experimenten, ermordet haben, Hunderte von deutschen Offizieren Frauen und Kinder ums Leben gebracht oder ihren Mord befohlen und beaufsichtigt haben. Gerade hier ist Vorsicht gegenüber Zahlen am Platze. Auch sie kann aber an der Tatsache nicht rütteln, daß Tausende von Absolventen deutscher Gymnasien sich durch den gepflegten Humanismus ihrer geistigen Bildung nicht daran haben hindern lassen, Menschen zu zertreten wie Ameisen, die man vielleicht gar nicht sieht, weil man zwar zu den Sternen blickt, aber der Gassen nicht achtet. Das Gesellschaftsbild der inneren Werte? Zu erklären ist also nicht einfach »Auschwitz«, sondern, wie es möglich war, daß im nationalsozialistischen Deutschland Tausende aus einer ohnehin schmalen Elite zu Mördern wurden.

Diese Frage wird hier nicht zum erstenmal und sicher nicht zum letztenmal gestellt. Sie muß wohl noch lange auf eine Antwort warten. Denn die Antwort liefert, so scheint mir, weder der Fahneneid noch die Banalität des Bösen, weder eine Notdach-Theorie noch eine solche frühkindlicher Verdrängungen. Die Antwort werden auch wir nicht liefern. Das ist eine negative Bilanz; doch gibt es kleine Schritte, die man tun kann, um dem auf die Spur zu kommen, was in diesem Lande Menschen Menschen angetan haben. Es gibt Beobachtungen in der deutschen Gesellschaft von vorgestern, gestern und auch noch heute, bei denen sich der Verdacht aufdrängt, daß sie in einem Zusammenhang mit der Mentalität stehen könnten, die Ärzten und Richtern und Offizieren den Mord erlaubte. Es gibt Winkel dieser Gesellschaft, in denen die oft gedankenlose Unmenschlichkeit als System fortlebt. Es gibt den beißenden Kontrast des Geredes von der Humanität zu der Gleichgültigkeit gegenüber dem Leben. Einige solche dunklen Winkel der deutschen Gesellschaft möchte ich im folgenden auskehren. Immer geht es dabei um die Integrität menschlichen Lebens, um die gerade in Deutschland so gerne gelobte »Achtung vor dem Leben«. Immer steht über den Wirklichkeiten der Gegenwart, so düster sie sein mögen, die noch viel schwärzere Wolke der Erinnerung. Nicht immer wird es mir daher gelingen, jene Sachlichkeit der Analyse durchzuhalten, deren Verbindung mit klaren Entwürfen der Entscheidung ich für die Aufgabe der soziologischen Phantasie halte: Zu schmerzlich sind hier schon die Worte, von den Taten ganz zu schweigen, die diese nur unvollständig abbilden.

Die meisten der von Deutschen in den Kriegsjahren Ermordeten waren nicht deutsche Staatsbürger, »Normale«. Sie waren Polen und Russen oder aber aus dem vergleichsweise kleinen Zirkel alles Deutschen willkürlich Herausdefinierte: Juden, Geisteskranke. Wir haben ja schon gesehen, wie eng in Deutschland der Kreis derer gezogen wird, die Bürgerrechte genießen – und wie es denen ergeht, die dieser Kreis draußen vor der Tür läßt. Dabei ist ihre Schar nicht klein und ihr Geschick kein Ruhmesblatt für die anderen, die sich ihre Zugehörigkeit durch nichts verdient haben und deren gehässige Konformität daher Willkür ist.

Die Rolle des Nicht-Dazugehörigen hat viele Facetten vom Depressiven bis zum Taximörder, vom Taubstummen bis zum Gastarbeiter. Sie alle sind Fremde, mit denen man sich möglichst nicht belasten möchte und die daher den Preis für den deutschen Konformitätsdruck zahlen müssen. Dieser ist umso höher, je länger der Fremde bleibt und je unentbehrlicher er für die Zugehörigen wird. Seine Unentbehrlichkeit verbietet es, sich vom Fremdarbeiter ganz zu trennen. So wird die Trennung nur symbolisch vollzogen; er kommt ins Ghetto, in die »Anstalt«. Stärker als die Zäune ihrer Baracken – einst Stacheldraht, heute Maschendraht – schirmt das Ghetto eine Welt von Vorurteilen mit geballter Faust von seiner Umwelt ab, darunter vor allem das Vorurteil von der latenten Kriminalität des Fremden. Der böse Zirkel dieses Verhaltens, seine sich selbst erfüllende Prophezeiung, entgeht den Zugehörigen ebenso wie die Tatsache, daß trotz dieses Zirkels die Kriminalität der Fremden nicht größer ist als die der Einheimischen. Man vermutet im Fremden den Anschlag auf die eigene Sicherheit, symbolisiert in dem Anschlag auf die unbefleckten, »eigenen« Mädchen. Von der Kriminalität der Deutschen an Gastarbeitern und Gastarbeiterinnen spricht niemand, und die Zahl der Unfälle, bei denen Gastarbeiter verletzt, verstümmelt, nicht selten auch getötet werden, während sie durch ihre Arbeit die Entwicklung des deutschen Wohlstandes begründen, gibt kaum eine Meldung in der deutschen Presse ab. Es sind ja »nur« Italiener, Spanier, Türken davon betroffen.

Nun hat jede Gesellschaft ihren Konformismus, damit ihre Zugehörigen und ihre Fremden, mögen sie Neger, Jamaicaner oder Chinesen heißen. Mir scheint zwar, es ließe sich zeigen, daß sich Gesellschaften durch mehr als Nuancen in ihrer Behandlung dieser Fremden unterscheiden; aber das deutsche Leiden, der Virus der Unmenschlichkeit, ist so evident, daß sich subtile Erörterungen erübrigen. Gehen wir daher einen Schritt weiter, zu den Fremden im eigenen Haus, den Abnormen. Nach dem exzentrisch Gekleideten drehen sich die Menschen in Deutschland feixend um; gäbe es deutsche *Beatles*, dann würde deren Auftritt eher durch eine »Aktion saubere Bühne« verboten als durch ein Bundesverdienstkreuz belohnt werden. Den, der unorthodoxe Meinungen kundtut, bedrohen nicht nur offizielle Stellen mit Worten und Taten; schon milden Halblinks-Intellektuellen droht häufig mindestens ein Redeverbot. Von dem, der schuldlos krank ist, wenden die Menschen sich ab; dem Contergan-Kind bleibt der Kindergarten versperrt, und der geistig Kranke wird von einem Gerichtsassessor hinter Schloß und Riegel gesetzt, auch wenn er niemanden bedroht. Alle diese Reaktionen – das

Ralf Dahrendorf

Feixen, das Verbot, die Drohung, das Sich-Abwenden, die erzwungene *apartheid* – sind Formen der Preisgabe, die es zum Schluß erlaubt, den Mord noch als Wohltat für die Ermordeten zu verbrämen: »Euthanasie«. Nicht der Konformismus, sondern seine besondere Klammheit und Enge kennzeichnen das Verhalten vieler Deutscher zu anderen Menschen. Man möchte das andere, das Abnorme möglichst abschütteln, davon nicht belästigt werden. Der menschliche Defaitismus, der im Verzicht auf den Versuch liegt, schuldlos Benachteiligten zu helfen, wird alsbald zur Indifferenz. Niemand fragt danach, wie es in den »Anstalten« aussieht, in die man gerade in Deutschland so leicht geraten kann. Weil niemand fragt, weiß es auch niemand. Man erregt sich über die »Schlangengrube« der anderen, ohne die eigene zu kennen und ohne vor allem zu sehen, daß es die anderen selbst waren, die die ihre dem Licht der Öffentlichkeit erschlossen haben. Es ist sicher wahr, daß die meisten Deutschen »nichts gewußt« haben von den nationalsozialistischen Gewaltverbrechen: nichts Genaues nämlich, weil »man« nach dem nicht fragt, was den engen Rahmen des Normalen verläßt.

Was für die Konzentrationslager der nationalsozialistischen Zeit galt, gilt nämlich im Grunde auch für die Gefängnisse und Zuchthäuser der Gegenwart: Wer weiß schon, was in ihnen vorgeht? Und wer fragt danach? ...

Gastarbeiter, Geisteskranke und Gefangene – sind sie wirklich geeignete Zeugen für deutsche Humanität? Ja, sie sind es. Ich will gar nicht von ihrer Zahl sprechen; wo vom Verhalten der Menschen zueinander die Rede ist, zählen keine Zahlen. An den Außenstehenden dokumentiert sich aber das, was in einer Gesellschaft vor sich geht. Denn die beschriebenen Mängel sind nicht das Ergebnis des Versagens Einzelner. Die Preisgabe der anderen ist selbst soziales Gesetz und gerät mit den übrigen Werten, die gelten, in das Benehmen des Einzelnen. Er macht sich unbeliebt, wenn er humaner ist: der anklagende Kriminologe bei seinen juristischen Kollegen, der selbstkritische Richter in seinem Stand, der Freund des geistig Kranken bei seinen Freunden, der Wirt, der sein Restaurant für Fremde öffnet, bei seinen Kunden. Daß der Virus der Unmenschlichkeit so viele Menschen befallen hat, beruht also auf der Schwächung ihrer Resistenz durch soziale Strukturen. Daher bleibt seine Wirkung auch nicht auf die Fremden beschränkt. Die Infektion breitet sich aus, die Mißachtung des Lebens, der Integrität des einzelnen Menschen wird auf die Zugehörigen übertragen. Zunächst noch sind diese vor allem dann betroffen, wenn sie wehrlos und damit selbst an den Rand des sich immer mehr einengenden »Normalen« gedrängt sind: als Kinder, als Kranke, als Alte. Hier stoßen wir auf eine der bittersten, bösesten Seiten deutscher sozialer Wirklichkeit; ihr Kern liegt in Theorie und Praxis der Medizin.

Abtreibung wird in Deutschland mit Gefängnis bestraft. Gesetz, Gerichte, Kirchen, Organisationen und viele Menschen sind sich einig in der Beurteilung des »Verbrechens am werdenden Leben«. Aber bekämpft man das Böse nicht am besten, indem man das Gute tut? Es gibt einen Mythos von der »Natürlichkeit« der Geburt des Kindes, der jene selbstverständlichen zivilisatorischen Rücksichten, die in anderen Längern Schwangerschaft und Geburt begleiten, in Deutschland mit dem Beigeschmack der Zimperlichkeit umgibt. Man ist hierzulande eben nicht so zimperlich mit dem Leben; daher fehlt es nach wie vor an einem ausgebildeten System der *pre-natal care*, also der ärztlichen Fürsorge während der Schwangerschaft, die vielmehr auch von Universitätsprofessoren für psychologischen Luxus erklärt wird. Sie ist es nicht – aber was spräche gegen sie, wenn sie es wäre? Es fehlt an Krankenhausplätzen für Entbindungen; manche Kliniken melden in fast berechenbarem Rhythmus, sie hätten ihre Tore für werdende Mütter geschlossen. Die Entbindung selbst, da ein »natürlicher« Vorgang und »keine Krankheit«, muß von der Mutter, ob sie es will oder nicht, nach Möglichkeit in jeder Phase schmerzhaft miterlebt werden; Narkosen sind verpönt. Und das alles ist nicht nur ärgerliche Praxis, sondern geltende Theorie. …

Gastarbeiter zu werden, brauchen Deutsche nicht zu befürchten, jedenfalls nicht im eigenen Land. Die meisten brauchen vielleicht auch keine Sorge zu haben, selbst einmal das Schicksal der Abnormen teilen zu müssen. Die Zahl derer, die Kinder gebären, hat die Natur begrenzt; und was ihnen als Säuglingen und Kindern widerfahren ist, können die meisten Erwachsenen verdrängen. Ans Sterben denken viele nur selten, und davon, wie es vor sich geht, wissen sie nichts. Der Schmerz ist ein gelegentliches Übel, das jedenfalls das Leben nicht beherrscht. So schält sich eine »Normalrolle« heraus: der Nicht-Gastarbeiter, Nicht-Abnorme, der erwachsene Mann, der weder zu jung noch zu alt ist, kein Gebrechen hat und das Natürliche liebt, der gedankenlos-kräftige junge Mann also zwischen fünfundzwanzig und vierzig oder vielleicht zwanzig und fünfunddreißig Jahren. Die Enge der sozialen Perspektive, die aus diesem Institution gewordenen Bild des Menschen spricht, die Reduktion menschlicher Vielfalt gleichsam auf den Wehrdienstfähigen, ist das Brutale am Konformitätsdruck der deutschen Gesellschaft. Die »Normalrolle« schließt vier Fünftel der Bevölkerung von vornherein von den Segnungen einer erwartungskonformen Existenz aus. Sie schafft Schwache, als bedürfe es dieser Ergänzung der ärgerlichen Natur durch die Barbarei gewollter Unkultur. …

Genug der Beispiele. Eine letzte Beobachtung mag den Katalog deutscher Ärgernisse, die sich zu einem bösen Syndrom verdichten, abschließen. Wenn

Ralf Dahrendorf

dies irgendwo gilt, dann ist in Deutschland Unruhe die erste Bürgerpflicht. Wenn dies irgendwo gilt, dann herrscht unter deutschen Bürgern eine große Ruhe. Man erregt sich nicht, und schon gar nicht über die Unmenschlichkeit in der eigenen Welt. Man sieht sie erst gar nicht, man verschließt die Augen und nimmt sie nicht zur Kenntnis. Die erste Seite der großen Ruhe liegt in der Schwierigkeit, über die Dinge, von denen ich in diesem Kapitel häufig nach Eindrücken und einzelnen Beispielen gesprochen habe, auch nur genaue Informationen zu bekommen. Für England, die Vereinigten Staaten, selbst noch das in vielem Deutschland so ähnliche Frankreich wüßte ich zu fast jeder der zitierten Beobachtungen mindestens ein Buch zu nennen, das die Öffentlichkeit aufgerührt und Änderungen zur Folge gehabt hat. Daß es diese Bücher nicht gibt, daß es keine Parlamente gibt, die die Regierungen dazu zwingen, ihre scheinheiligen Allgemeinheiten durch genaue Auskünfte zu ersetzen, wo es um Polizei- und Justizverbrechen, Krankheit und Sterblichkeit geht, daß sogar die Statistik in Deutschland zuweilen benutzt wird, um Sachverhalte zu vertuschen statt sie zu erhellen, ist an sich schon ein schlimmes Zeugnis für die deutsche Humanität. Die zweite Seite der großen Ruhe liegt in der Fähigkeit der deutschen Öffentlichkeit, auch auf publizierte Mißstände nicht zu reagieren. Man kann in Deutschland zwar Wahlen gewinnen mit ein paar Wiedervereinigungs-Phrasen, nicht jedoch mit ernsthaften Versuchen, der menschlichen Malaise der deutschen Medizin oder Rechtspflege, Erziehung oder Verkehrsnot beizukommen. Menschlichkeit verkauft sich schlecht. Doch braucht man dies nur zu sagen, um sogleich zu erkennen, daß es ungenau ist. Denn dies ist die dritte Seite der großen Ruhe gegenüber der Unmenschlichkeit in Deutschland, daß sie gepaart erscheint mit einem maßlosen Geschwätz über Humanismus und Humanität, wie kein anderes Land der Welt es kennt. Vielleicht ist es zuletzt doch diese Mischung von theoretischer Humanität und praktischer Unmenschlichkeit, die Deutschland zuweilen so unerträglich macht: die heilige Familie und die tödliche Hausgeburt, der unantastbare Rechtsstaat und das Schicksal der Untersuchungshaft, die Idee der Bildung und das Analphabetentum der geistig Behinderten, der Oberscharführer, der nach einem schweren Arbeitstag an der Gaskammer sich beim Violinspiel erholt. 1965

Wie es um die Humanität in Deutschland stand, das ließ sich auch an den Städten ablesen. Der Zerstörung der Städte im Krieg schloß sich die Zerstörung der Städte während des Aufbaus an. Wohnungen wurden dringend benötigt, und die Stadtplaner hatten Pläne im Kopf, über deren soziale Folgen sie sich wenige Gedanken machten. Im Sigmund-Freud-Institut in Frankfurt am Main arbeitete der Mediziner und Psychoanalytiker Alexander Mitscherlich, der das Institut Anfang der sechziger Jahre gegründet hatte. Mitscherlich war 1908 in München geboren worden, hatte in Heidelberg studiert und dort als Neurologe gearbeitet. Er leitete das Sigmund-Freud-Institut bis 1976. Sein Buch über »Die Unwirtlichkeit unserer Städte. Anstiftung zum Unfrieden« aus dem Jahr 1965 bündelte die Empörung über die verbaute Gesellschaft, in der die Humanität unter den Beton geriet. Mitscherlich kritisierte die Interessen von Bauherrn, die Naturzerstörung durch vermögende Bürger, die sich ihre Eigenheime am grünen Stadtrand bauten, die Eigentumsverhältnisse an Grund und Boden in der Stadt, durch die eine angemessene Stadtplanung unterlaufen werde, sowie die Wirkung der Städte vor allem auf die Seelen der Heranwachsenden. Aus diesem Buch wird unten zitiert. In der Mitte der siebziger Jahre nahm der Regisseur Rainer Werner Fassbinder das Thema des desolaten Städtebaus erneut auf, als in Frankfurt am Main weitere Altbauviertel abgerissen werden sollten. Er schrieb das Stück »Der Müll, die Stadt und der Tod«, das großes Aufsehen erregte, weil Fassbinder dort einen jüdischen Bauspekulanten vorführte.

Mitscherlich hat zusammen mit seiner Frau Margarete in den sechziger Jahren zwei Bücher veröffentlicht, deren Titel Stichwörter der Zeit wurden: »Auf dem Weg zur vaterlosen Gesellschaft« im Jahr 1966 und »Die Unfähigkeit zu trauern« im Jahr 1967. Das erste Buch führte in die anhaltende Diskussion um die Jugend die Vorstellung von der »peer-group« ein, die an die Stelle des Vaters trat, der durch die Arbeit außer Haus getrieben wurde und damit seine Rolle als Vorbild verlor. Die »peer-group« half in den Augen der beiden Autoren dem Jugendlichen dabei, sich die Welt zu erklären und Werte aufzubauen. Im zweiten Buch stand die Frage im Zentrum, warum die Deutschen ihre nationalsozialistische Vergangenheit verdrängt hatten. Die Mitscherlichs erkannten in der Verdrängung einen Selbstschutz der Deutschen. Die Deutschen hätten ihr Selbstwertgefühl nur dadurch erhalten können, erklärten die beiden Psychoanalytiker, daß sie die Augen vor ihrer Schuld an Millionen Toten geschlossen hielten.

Die Unfähigkeit zu trauern

Alexander Mitscherlich. Wir haben noch nicht gelernt, daß Demokratie ein *Prozeß der Bewußtseinsentwicklung* angesichts bisher unbekannter Probleme ist. Das heißt, Demokratie dient uns vorerst nur dazu, ein Interessengleichgewicht zu arrangieren; wir benutzen aber den Wettstreit der Meinungen noch nicht dazu, die Grundprobleme der Fortexistenz dieser unserer Demokratie diskutieren zu lassen. Statt dessen überbieten  sich, was die Zukunfts-, mehr noch die Gegenwartsfragen unserer Städte betrifft, Regierung und Opposition – letztere wußte es einmal besser – in einer christlich dekorierten Unterwürfigkeit vor den Bodenbesitzern. Jedoch könnte nur auf dem Wege über die parlamentarische Diskussion das Bewußtsein der Allgemeinheit erreicht und ihr Vorschläge einer gerechteren Lösung der Eigentumsansprüche auf städtischen Grund und Boden zur Kenntnis gebracht werden. Ohne Zweifel würde dies die heftigsten Reaktionen auslösen, und erst nach einer längeren Phase des Meinungsstreites könnte sich dann eine neue Einstellung – eine weniger starre nämlich – entwickeln.

Alte Vorurteile, alte institutionalisierte Privilegien könnten sich mit neuen Verhältnissen unserer Gesellschaft auf verhängnisvolle Weise verknüpfen. Soweit wir städtische Kulturen verfolgen können, spielte sich in ihnen der erwähnte Wechsel zwischen Stadtumwelt und Naturumwelt ab. Gerade diese Abgrenzung eines knotenpunkthaft verdichteten Kulturraumes, des Stadtraumes, hat zum stadt-typischen Selbstbewußtsein geführt. Ein Bewußtsein, das gegen den Hintergrund einer weniger oder gar nicht menschengeformten Landschaft stand. In dem Maße, in dem die Manipulation der menschlichen Umwelt immer besser gelingt, gelingt es natürlich auch vom Standpunkt des Manipulierenden her immer perfekter, Menschen selbst zur Umwelt, das heißt zum Manipulationsobjekt, werden zu lassen. Die gleiche Einstellung ist auch im Verhältnis zur Natur deutlich zu erkennen. Sie wird auf ein Handelsobjekt für Statussucher reduziert oder zu einem idealisierten Zielobjekt, auf das sich natursuchende Ferienmenschen zubewegen.

Im übrigen wird man sich fragen können, ob die sprunghafte Bevölkerungsvermehrung und die aus vielen irrationalen Quellen gespeiste Neigung zur Siedlungsballung – von Stadt im alten Sinn sollte man schon nicht mehr reden – nicht gerade zur Vernichtung des stadtbürgerlichen Lebensbewußtseins beitragen müssen. Eben jenes Bewußtsein, das geschichtlich der Nährboden aller Freiheiten war, die uns das Leben unter Menschen erst lebenswert erscheinen lassen. Freiheit der Meinung, des Glaubens, Freizügigkeit, freier Zugang zum Wissen und wie alle diese spezifischen Freiheiten lauten, sie sind Erscheinungsformen der langsam entstandenen *Einsicht* der Städter, Ausdruck einer Lebensweise, in welcher die intellektuelle Auseinandersetzung – schon wegen des zur Verfügung stehenden beschränkten Aktionsraumes eines jeden – die Formen gewalttätiger Rivalität wenigstens ein Stück weit ersetzt hat. Was wir in den stadtähnlichen Agglomerationen, die vor unseren Augen entstehen, jedoch beobachten, ist die fortschreitende Vernichtung vieler städtischer Freiheiten, die Herstellung einer neuen Privilegiertheit und Unterprivilegiertheit, die an die Wurzeln geht. Unsere Kultur wird sich nur dann gegen andere konkurrierende Gesellschaftsordnungen behaupten können, wenn sie von der ihr immanenten Aufklärungsidee weiterhin Gebrauch zu machen versteht, das heißt, dort auf Gleichheit sinnt, wo nur diese Gleichheit erst realisierbare Freiheit garantiert. Das ängstliche Schweigen unseres Parlamentes, die Fahrlässigkeit, in der in den allermeisten unserer Städte der Wiederaufbau einer Anarchie der Privatinitiativen überlassen wurde, all das muß traurig und bedenklich stimmen. Die Ideenlosigkeit purer Restauration auf vorgegebenen Besitzzerstückelungen des Baugrundes ist nur deshalb so leicht hingenommen worden, weil die Wirksamkeit des althirnlichen Teils an unserer Verhaltenssteuerung so überaus kräftig ist; Gewohnheit hält das Denken besonders dort, wo durch Denken zunächst Unbehagen entstehen muß, in Schach. Die sekundäre Ausbeutung dieser Trägheit durch Entwicklung von Tabus besorgt den Rest.   1965

Über die von der Stadtplanung der Nachkriegszeit »gemordete Stadt« Berlin hatte der leidenschaftliche Berliner Wolf Jobst Siedler 1964 ein Buch veröffentlicht, das großes Aufsehen erregte. Im Jahr 1926 in Berlin geboren, war er im Krieg zusammen mit dem ältesten Sohn Ernst Jüngers wegen »Wehrkraftzersetzung« ins Zuchthaus gekommen und danach zur Strafe an die italienische Front geschickt worden. Siedler sah in Berlin Stadtplaner am Werk, die mit der Geschichte und der Tradition brachen, insbesondere mit der Geschichte und der Tradition der Hohenzollern. In der Deutschen Demokratischen Republik wurde in den fünfziger Jahren das Berliner Schloß in die Luft gesprengt. In den Augen des sozialistischen Staates war das Schloß ein Denkmal des preußischen Militarismus.

Als Deutschland wiedervereinigt war, wurde darüber diskutiert, das Schloß mit neuen Materialien wiederaufzubauen. Siedler setzte sich damals vehement für die Rekonstruktion des Schlosses ein. Seine Gegner wollten auf falschen Prunk in der verschuldeten Hauptstadt lieber verzichten. Hinter dem Streit um das Schloß stand der lange Streit um Preußens Erbe. Der Alliierte Kontrollrat hatte Preußen im Jahr 1947 aufgelöst. Der Weg vom preußischen Militarismus zum National-sozialismus schien den Alliierten kurz. Auf dieser Strecke wurden auch die ost-preußischen Adeligen als willige Helfer Hitlers zur Verantwortung gezogen – in beiden Teilen Deutschlands. In seinem Artikel »Preußens Auszug aus der Ge-schichte« aus dem Jahr 1965, aus dem der folgende Text stammt, stellte Wolf Jobst Siedler den Adel Preußens auf den Sockel der Geschichte zurück. Im Westen be-kundeten nicht nur Journalisten und Historiker später wieder öffentlich ihr Inter-esse an Preußen. Nach Ausstellungen über die Staufer und die Weimarer Republik wurde Anfang der achtziger Jahre in Berlin eine große Ausstellung über Preußen gezeigt. Der Bielefelder Historiker Hans-Ulrich Wehler gehörte zu jenen, die sich öffentlich gegen eine Glorifizierung Preußens wandten.

Wolf Jobst Siedler. Nicht nur in der Optik des Ostens gilt die Bundesrepublik als ein Staat der Restauration, also der Bewahrung, der Wiederherstellung, der Er-neuerung des Gewesenen. Dieser Staat selber akzep-tiert eine solche Kennzeichnung: Er sieht sich im Grunde nicht anders. Apologeten und Kritiker stim-men darin überein, daß sie die bewahrend-wiederher-stellenden, also die restaurativen Tendenzen in den Vor-
dergrund rücken; die Beschreibung ist dieselbe, die Bewertung weicht von-einander ab. Hört man genauer hin, haben sie alle dieselbe Meinung von ihrem Staat.

Es läßt sich bezweifeln, ob damit die Verteilung der politischen Macht zu-treffend verstanden wird. Die Tatsache, daß dieser Staat seit annähernd zwei Jahrzehnten von rechts regiert wird, hat den Blick für das Abtreten einer Ordnungsmacht getrübt, die Deutschland seit Freiherr vom Stein zumindest regiert hat. Mit 1933 ist nicht nur die bürgerliche Demokratie untergegangen, sondern die bürgerliche Welt als Herrschaftsschicht abgetreten. Beide sind so nicht wiedergekommen.

Der Blick auf rechts wählende Massen und rechts argumentierende Poli-tiker hat unbemerkt gelassen, daß zwar Worte und Formeln wiedergekehrt sind, aber keine traditionelle Führungsschicht. Mit Konrad Adenauer, Eugen Gerstenmaier, Heinrich Lübke, Franz Josef Strauß und all den anderen sind die Söhne von Regierungspräsidenten, Kammergerichtsräten und Professo-ren durch die Enkel von Angestellten, Unter-Offizieren und Handwerkern abgelöst worden: Jeder Blick in das Parlamentshandbuch zeigt, daß die ari-stokratisch-hochbürgerliche Welt aus der Führung des Staates und aus dem

Apparat gerade der »restaurativen« Partei ausgeschieden ist, womit eine neue und oft überraschende Art von Regiment und ein neuer und zuweilen ungewohnter Stil von Repräsentanz zusammenhängt. Eher kann dieser Staat reaktionär als konservativ genannt werden.

Dieser unkonservative und traditionslose Zug des Staates, dessen Außenpolitik sich daher nicht zufällig mehr an Machtfragen als an Nationalfragen orientiert hat, hängt jedoch nicht nur mit dem Auszug eines sozialen, sondern auch eines geographischen Elements aus der deutschen Politik zusammen.

In einer sehr auffälligen Weise ist Preußen als geistige Landschaft erst in der Stunde seines Untergangs in das Bewußtsein der Deutschen getreten; dies sogar für das eigene Bewußtsein. Preußisches Selbstbewußtsein im äußeren Sinne, Wissen also vom Eigenrecht, hat es spätestens seit dem Großen Kurfürsten gegeben. An Liedern und Schulfibeln der letzten drei Jahrhunderte läßt sich ablesen, wie das Landsknechtmäßig-Brandenburgische ins Preußische allmählich übergeht und wie über diesem Wandel der ursprüngliche Selbstbehauptungswille des historischen Nachzüglers sich in das hochfahrende Selbstgefühl des Vorwärtsdrängenden verwandelt.

Selbstbewußtsein im eigentlichen Sinne, Bewußtsein von der eigenen Problemlage also und Erkenntnis der eigenen geistigen Physiognomie tritt erst später hinzu; im Grunde als die Sache selber fraglich geworden ist. Das macht die Aggressivität jener Bücher aus, in denen das Preußische nach 1914 zum ersten Mal als Lebensform polemisch gesetzt wird: Es geht im Grunde nur um die Formulierung einer geistigen Position, die man an einem Exempel verdeutlicht. Moeller van den Brucks »Preußischer Stil« und Oswald Spenglers »Preußentum und Sozialismus« meinen nicht das damals gegenwärtige oder das gewesene Preußen, und Stimmlage und unvornehmes Auftrumpfen des Solingers und des Blankenburgers sind denn auch denkbar unpreußisch. Es ist Literatenwerk im großen Stil.

Tatsächlich fällt an der deutschen Entwicklung seit dem Französischen Krieg das Zurücktreten des Preußischen auf. In die Potsdamer Garderegimenter, deren Offizierskorps sich seit einem Jahrhundert aus dem märkisch-schlesischen Adel speist, drängen die Prinzen West- und Süddeutschlands, was sich nicht nur an den Ranglisten, sondern auch an der Literatur der Epoche ablesen läßt. Noch Fontane, der im »Stechlin« parodistisch die märkischen Familien aus der Gegend um Rheinsberg als das einzige Honette gegen den ostpreußischen und schlesischen Adel (»zuviel jeuen und zuviele französische Gouvernanten«) ausspielt, formuliert das Mißtrauen gegen die ganzen Hoheiten, die plötzlich den neuen, den vornehm gewordenen Stil der Armee bestimmen. Es ist nicht mehr viel die Rede von den Familien, die Preußen groß gemacht haben und die sich denn auch um 1910 noch trotzig königlich-preußisch statt kaiserlich-deutsch nennen.

Sie spielten im groß gewordenen Reich keine hervorgehobene Rolle mehr, im Frieden nicht und im Krieg auch nur teilweise. Das hängt natürlich damit zusammen, daß bis in das Ende hinein Artillerie-, Pionier- und Ingenieurkorps nicht standesgemäß sind, womit die Aristokratie wider Willen die neuen Schichten selber in die Schlüsselstellungen eines mechanisierten Staates und einer technisierten Armee drängt. Wichtig ist aber auch, daß die Person des letzten Herrschers in der Tiefe unpreußisch ist und aus dem Abstand eines halben Jahrhunderts geradezu als Verkörperung des neudeutschen Stils erscheint.

Dennoch ist schon während des ersten Weltkrieges der preußische Feind das Hauptziel der gegnerischen Propaganda, wobei aus Tagebüchern, Briefen und Dokumenten hervorzugehen scheint, daß man die Identifizierung von kaiserlichem Imperialismus und preußischer Tradition ebenso unbefangen vornahm wie ein Vierteljahrhundert später die zwischen dem preußischen Generalstab und der Hitlerschen Reichskanzlei.

In einer grotesken Verkennung der Situation ist Preußen seit 1941 der eigentliche Gegner nicht nur der Russen, sondern auch der westlichen Alliierten, und seit 1943 ist die Zerschlagung nicht allein der preußischen Macht, sondern der staatlichen Existenz Preußens das erklärte Kriegsziel der Verbündeten. Dabei ist diese Forderung der Militärs und Politiker überaus populär, und als 1945 Preußen staatsrechtlich ausgelöscht wird, zeigen sich konservative, liberale und sozialistische Leitartikler in den westlichen Hauptstädten gleichermaßen befriedigt.

Dieses sonderbare Mißverständnis, das trotz aller Spezialuntersuchungen – etwa über Hans von Seeckt und die Rolle der Reichswehr in der Republik oder über die Haltung der Generalität angesichts der Hitlerschen Kriegspolitik – von Wheeler Bennett bis zu William Shirer weiterlebt, hat nach 1945 jedoch nicht nur die Siegermächte bestimmt. Die Vorbehalte gegen das Norddeutsch-Protestantische haben Josef Stalin, Winston Churchill, Franklin D. Roosevelt oder Charles de Gaulle kaum weniger beeinflußt als die deutsche Nachkriegspolitik.

In einer kaum glaublichen, wenn auch selten gesehenen Weise ist das preußische Element aus der politischen Apparatur des wiedererstandenen Staates ausgeschieden und durchs Rheinische, Bayrische, Schwäbische ersetzt worden. Es wird nur immer vom Verlust der Landschaften und der Städte gesprochen; fast unbemerkt blieb, daß trotz Millionen von Flüchtlingen der Menschenschlag der ostelbischen Gebiete ins zweite Glied getreten ist.

In achtzehn Jahren Nachkriegszeit hat kein Berliner, kein Preuße, kein

Ostpreuße, kein Schlesier einen nennenswerten Einfluß auf die Geschichte der deutschen Politik gehabt, eigentlich überhaupt keine Norddeutschen, also aus den im weiteren Sinne zur preußischen Einflußsphäre gehörenden Gebieten. Das gilt für Konrad Adenauer wie für Franz Josef Strauß, für Heinrich von Brentano wie für Eugen Gerstenmaier, für Theodor Heuss wie für Ludwig Erhard: Man wird auch solche Gesichtspunkte bei einer Analyse deutscher Politik nicht ganz übersehen dürfen.

Es gehört zu den überraschenden Entdeckungen solcher Blickweise, daß eigentlich nur einmal in diesem Jahrhundert das preußische Element in entscheidender Lage nach vorn tritt. Während Adolf Hitler München zur »Hauptstadt der Bewegung«, Nürnberg zur »Stadt der Reichsparteitage« macht und Linz zu seiner Altersresidenz bestimmt und seine Antipathie gegen Berlin noch in den von Henry Picker aufgezeichneten Tischgesprächen formuliert, treten die Preußen – Berliner Arbeiterführer und märkisch-schlesischer Adel – am 20. Juli 1944 auf die Szene. Das ist den Handelnden damals nicht deutlich geworden und auch von den Historikern des Widerstandes bisher nicht beachtet worden. Der einzige, der in seiner Verhandlungsführung immer wieder darauf anspielt, ist der Präsident des Volksgerichtshofes, Roland Freisler.

Die Namen, die für zweihundert Jahre preußischer Geschichte stehen, fehlen in beiden Weltkriegen fast ganz: Ferdinand Schörner, Eduard Dietl, Walter Model, Kurt Zeitzler, Wilhelm Keitel, Alfred Jodl, Albert Kesselring sind die Heerführer, die mit dem Fortgang der Ereignisse die alte Generalität immer mehr in den Hintergrund drängen, bis dann in der letzten Phase des Krieges Figuren wie Heinrich Himmler, Sepp Dietrich und Karl Wolff höchste militärische Kommandostellen an der Front übernehmen.

Mit dem Register der Gehenkten und Erschossenen aber ziehen plötzlich noch einmal die Namen von Fehrbellin, Leuthen, Tauroggen und Königgrätz herauf und die Landschaften des Riesengebirges, der Masurischen Seen und der Pommerschen Ebenen. Denn auch dies ist ja an den Protokollen der Hitlerschen »Lagebesprechungen« und »Tischgespräche« aufschlußreich, daß sich die Runde in der Wolfsschanze in der tiefen Abneigung gegen die Eintönigkeit der norddeutsch-östlichen Landschaft mit ihren Dörfern und Städten einig ist, so daß dann Hitler noch nach der Einleitung des russischen Feldzugs davon spricht, daß alle seine Sympathie in die Richtung Süddeutschlands gehe und nur die Vernunft ihn zwinge, sich nach dem verhaßten Osten zu wenden.

Mit dem 20. Juli 1944 aber tritt noch einmal der Osten Deutschlands nach vorn, kurz vor seinem Untergang: das von August Bebel geschulte Arbeitertum, die norddeutsche Geistlichkeit mit manchen pietistischen Beimischungen, das mittlere und höhere Beamtentum, alle jene Landräte, Regierungsassessoren und Reservemajore, die Jahrzehnte hindurch Zielscheibe des Spotts waren, und dann die Witzlebens und Moltkes, die Schwerins und Kleists, die Schulenburgs, Yorck von Wartenburgs und all die anderen. Als Preußen untergeht, fehlt in der Liste der Gehenkten kaum ein Name von jenen, die Preußen groß gemacht haben.

Thomas Mann hat das schöne Wort gefunden, daß das Unglück nicht großtun und von Tragik sprechen solle, aber als das Stück, das Preußen hieß, von der weltgeschichtlichen Bühne abgesetzt wird, treten wie in einer Tragödie seine Akteure noch einmal aus den Kulissen, um sich vom Publikum, von der Mit- und Nachwelt, zu verabschieden. Es ist ein erstaunlicher Abgang, den Preußen von der Geschichte nimmt: der noble Abschied nun ganz als Opfer und nicht als Täter.

Es läßt sich voraussehen, daß dies Zusammenhänge sind, die in den nächsten Jahren und Jahrzehnten sich zur Geltung bringen werden, in der Geschichtsschreibung wie in der Politik. Vorläufig hat die Literatur von Preußen noch überwiegend apologetischen oder verklärenden Charakter, was den harten und herrischen Zügen dieses Landes nicht gerecht wird. Wo sich der Osten aber politisch zu Wort meldet, geschieht es im unpreußischen Stil Theodor Oberländers und Hans Krügers, die am 20. Juli 1944 nicht zufällig auf der anderen Seite der Barriere gestanden haben.

Preußen ist seit jenem 20. Juli 1944 stumm geblieben. Die deutsche Politik seit 1945 hat damit zu tun. 1965

Unmittelbar nach dem Krieg veröffentlichte der Schriftsteller Heinrich Böll, 1917 in Köln geboren, seine ersten Erzählungen. Romane kamen rasch hinzu. Böll war Soldat im Zweiten Weltkrieg gewesen. Er gehörte zu jenen Schriftstellern, die den Werdegang der Bundesrepublik mit zahlreichen politischen Artikeln begleitet haben – er griff zum Beispiel in einem Artikel für den »Spiegel« die Berichterstattung der Springer-Presse über die Baader-Meinhof-Gruppe an. Mitte der siebziger Jahre schrieb er über die fatale Macht der Boulevardzeitungen den Roman »Die verlorene Ehre der Katharina Blum«, der auch verfilmt wurde. Die Politik des Katholizismus in Deutschland ließ den katholischen Rheinländer ebenfalls nicht kalt – wie der Held seines erfolgreichen Romans »Ansichten eines Clowns« aus dem Jahr 1963 konnte er mit einem Milieu keinen Frieden schließen, dessen Christentum sich im besten Falle darin erfüllte, sonntags in die Kirche zu gehen. Wenige Jahre vor Bölls »Brief an einen jungen Nichtkatholiken«, der 1966 erschien und mit der

Haltung der Katholiken gegenüber dem Wehrdienst und der Aufrüstung abrechnete, hatte der Journalist und Katholik Carl Amery in seinem Buch »Die Kapitulation oder Deutscher Katholizismus heute« die Kirche angegriffen, weil sie mit der Christlich-Demokratischen Union, wie Böll in seinem Nachwort zu Amerys Buch schrieb, auf heillose Weise verstrickt sei und darüber die kirchliche Botschaft vergessen habe.

Der Einfluß von katholischen Vorstellungen auf die bundesrepublikanische Gesellschaft war ungebrochen. In den sechziger Jahren ernannte das Bundesjustizministerium eine Kommission, die das deutsche Strafrecht reformieren sollte. Generalbundesanwalt Fritz Bauer, der 1933 aus seinem Amt als Richter in Stuttgart entlassen worden und darauf nach Dänemark und Schweden gegangen war, erklärte, Homosexualität und Ehebruch sollten nicht mehr bestraft werden. In Hinblick »auf die explosive Zunahme der Erdbevölkerung« hielt er Mittel und Wege der Geburtenkontrolle und Familienplanung, wie die freiwillige Sterilisierung, nicht für verwerflich. »Wir müssen uns«, schrieb Bauer in dem Artikel »Sexualität, Sitte und ein neues Recht«, der 1966 in der »Zeit« erschien, »von Staats wegen von vornherein von den traditionellen Vorstellungen der ›Erbsünde‹ freimachen, die in unserem Kulturkreis das Sexuelle jedenfalls tabuisieren, daneben aber weitgehend kriminalisieren. In der Praxis haben wir eigentlich zwei Strafgesetzbücher, das staatliche und daneben den Kodex der ›Erbsünde‹.« Das folgende Zitat stammt aus Heinrich Bölls »Brief an einen jungen Nichtkatholiken«.

Heinrich Böll. Die Bewältigung der katholischen Vergangenheit, von Hochhuth in seiner Unschuld ausgelöst, geht um den ganzen Erdkreis, aber sie wird möglicherweise einmal harmlos erscheinen, verglichen mit der notwendigen Bewältigung des schnöden Verrats, der von Katholiken an Katholiken zwischen 1953 und 1965 in diesem Land verübt worden ist. Es gibt Anzeichen dafür, daß man diese Vergangenheit gern bewältigen möchte, solange sie noch Gegenwart ist. Es gibt Einsichten, schwache, zahme, matte Einsicht (verflucht, was sind die Deutschen für ein braves, gehorsames Volk!). Ein so instinkthafter Politiker wie Strauß beginnt gelegentlich schon, sich »antiklerikal« zu geben, und er verhält sich politisch richtig: wenn die katholische Kirche wirklich wieder religiös würde, müßte sie in der CDU, diese in ihr den Todfeind erkennen.

Ach, ihr braven, sauberen, katholischen Frauen: wohin habt ihr euch führen lassen! Was übrig bleibt, ist Herrn Saubermanns dummes, dreistes

Gesicht. Die Katholiken als die einzige große statistische Masse hätten eine Chance gehabt, dieses Volk friedfertig zu erhalten. Die Chance ist verspielt: was übrig bleibt, ist das strahlende, heitere, reine, nicht ganz uneitle Gesicht des katholischen Wehrbischofs, der in einem Sturmboot der Bundeswehr einen deutschen Fluß überquert. Guten Tag und fröhliche Urständ, Herr Saubermann! Wir wollen uns nichts vormachen, uns keiner Täuschung hingeben: auch der jeweilige »kritische« Intellektuelle vom Dienst, ob links oder rechts, hat eine verfluchte Ähnlichkeit mit dem Mann der netten kleinen Frau, die gern weiße Wäsche hat, aber die Literatur »schmutzig« mag. Ich wundere mich nicht über einen Bischof mit verheerender propagandistischer Wirkung, aber ich wundere mich, wundere mich gewaltig über den Herrn Walter Dirks, der das Gewissen ja fast erfunden hat und in der Broschüre »Wie hast Du's mit der Bundeswehr« eine lahme, zahme, hanebüchen banale, nichtssagende kleine moralische Aufrüstung für Wehrpflichtige bietet, auf einem Niveau, das seinen sonstigen publizistischen Fähigkeiten widerspricht. Die Wiederaufrüstung ist aus *politischen* Gründen, und sie ist mit ausdrücklicher Zustimmung der »Frankfurter Hefte« beschlossen worden. Wie kommt diese gewissenhafte Bande dazu, das *Gewissen* eines Zwanzigjährigen durchleuchten zu wollen? Waren etwa Gewissensgründe entscheidend, als die Herren Adenauer und Strauß *gegen* den Willen der damals friedfertigen Deutschen, *mit* ausdrücklicher, tatkräftiger Unterstützung aller katholischen Verbände und des katholischen Klerus die Wiederaufrüstung durchsetzten? Es waren politische Gründe. Politische Gründe können wegfallen oder sich ändern. Was würde eigentlich aus den zahlreichen gutkatholischen, gleichgeschalteten Gewissen, wenn plötzlich in Bonn – oder, was wahrscheinlicher ist, anderswo – beschlossen würde, die Bundeswehr zu reduzieren oder gar abzuschaffen? Da muß doch wieder etwas in ihnen »zusammenbrechen«. Oder wie wäre es, wenn man eine Gewissensprüfung für diejenigen einführte, die unbedingt zur Bundeswehr wollen? ...

Sollte die Vernunft – Abschaffung der Wehrpflicht! – siegen, dann werden die Katholiken daran den geringsten Anteil haben. Im Gegenteil: sie werden es sein, die sich am heftigsten dagegen wehren. Es war ja kein Katholik, weder ein »linker« noch ein »linksfortschrittlicher«, und es war noch weniger ein Sozialdemokrat, der den vernünftigen Vorschlag machte, die Bundeswehr zu reduzieren. Es war der konservative Admiral Heye, der seinerzeit durch den Katholiken Dr. Jaeger auf wahrhaft *christliche*, das heißt: politische, was bedeutet: schmutzige Weise »abgeschossen« worden ist. Vielleicht gibt es bei den alten Militärs noch Reste jenes Wirklichkeitssinns, der sie ahnen läßt, daß die Bundeswehr zwar real, aber unwirklich, also unheimlich ist: in ihrer gesellschaftlichen Bodenlosigkeit, in ihrer hysterischen Verletzlichkeit. Es war ja wirklich mitleiderregend, die Untertöne einer weinerlichen Gekränktheit in der Rede des Herrn von Hassel während der Starfighter-Debatte zu hören; hat er denn wirklich erwartet, daß eine halbwegs aufmerksame Öffentlichkeit das alles so hinnimmt? Weiß er denn nicht, daß Politik wirklich ein schmutziges Geschäft ist, so schmutzig wie die Literatur und das Fernsehen, der Kohlen- und der Nachrichtenhandel, und daß in allen Geschäften dieser schmutzigen Erde nur eins zählt: der Erfolg? Ich beneide Herrn von Hassel nicht: es steht ihm noch Schnödes bevor, und es kann ihn nicht sehr getröstet haben, von seiner gesamten Fraktion weißer als das weißeste Weiß gewaschen worden zu sein, auf eine besonders peinliche, fast untertänige Weise von dem Katholiken Rommerskirchen, der doch wahrscheinlich als Vertreter der deutschen katholischen Jugend im Bundestag sitzt und, in Anwesenheit der Witwen der abgestürzten jungen Flieger, indem er nicht dagegen protestierte, die »Verschleißquote« X beim Ausprobieren eines neuen Flugzeugtyps billigt. Oh, heiliger Herr Saubermann, wo darf ich Ihnen mein Gewissen zeigen! (Da fällt mir ein: ich habe ja auch Kinder, die jung, deutsch und – jedenfalls zu einem Teil – katholisch sind; ob Herr Rommerskirchen deren Interessen auch vertritt?) Es ist schändlich, schändlich, schändlich. Und keiner in diesem Parlament tanzt aus der »christlichen Reihe«. Die katholische Jugendbewegung hat den Katholiken ja auch nicht viel mehr Befreiung gebracht als die von der Krawatte, und auch die nur vorübergehend. Was von ihrer Freiheit übriggeblieben ist, hat sich inzwischen gezeigt: ein paar modische sexuelle Freiheiten à la Trotzkopf und Trotzköpfchen, ein bißchen »Scheiße«- und »Arschloch«-Sagen, also keine sehr erheblichen Freiheiten. Angesichts dieser Bewußtseinslage, dieser durch die absolute Gleichschaltung in der Wiederaufrüstungsfrage endgültig gemachten Gehorsamsdisposition, angesichts dieser mit Verrat gesättigten Scheinheiligkeit des politischen deutschen Katholizismus erscheint mir der ungeheure Ruf der Fortschrittlichkeit, den er in der übrigen Welt genießt, als ziemlich fragwürdig. Wenn das nur gutgeht! Schließlich hat auch Hochstapelei ihre Grenzen. Es geht hier nicht darum, so großartigen Theologen wie Rahner, Ratzinger und Küng ihre Glaubwürdigkeit abzusprechen, nur ist der Boden, auf dem diese Theologie Wurzel fassen könnte, nicht allein dünn, er ist in Deutschland mit dem schlechtesten Dünger, mit *politischem* Gehorsam gedüngt. Was nützen innerkirchliche Freiheiten, wenn die Katholiken weiterhin politisch so brav bleiben?

1966

Heinrich Böll

Vor den Nationalsozialisten war 1933 auch Herbert Frahm, der Vorsitzende des Lübecker Jugendverbandes der Sozialistischen Arbeiterpartei, nach Dänemark, Norwegen und schließlich nach Schweden geflohen. Im Exil nahm Herbert Frahm, der 1913 in Lübeck geboren worden war, den Namen Willy Brandt an. Für skandinavische Zeitungen berichtete Brandt über die Nürnberger Kriegsverbrecherprozesse. Er wurde Mitglied der Sozialdemokratischen Partei Deutschlands und des Bundestages, 1957 Regierender Bürgermeister von Berlin, danach Bundesminister des Auswärtigen und Vizekanzler in der Großen Koalition unter Bundeskanzler Kurt Georg Kiesinger, schließlich 1969 Bundeskanzler. Der Schriftsteller Günter Grass schrieb Kurt Georg Kiesinger im November 1966, unmittelbar vor der Wahl zum Bundeskanzler, einen offenen Brief, in dem er ihn aufforderte, er möchte doch wegen seiner Mitgliedschaft in der Nationalsozialistischen Deutschen Arbeiterpartei das Amt des Bundeskanzlers nicht annehmen.

Die Journalistin Beate Klarsfeld ohrfeigte schließlich vor laufenden Fernsehkameras am 8. November 1968 auf dem Parteitag der Christlich-Sozialen Union in der Berliner Kongreßhalle Bundeskanzler Kiesinger wegen seiner nationalsozialistischen Vergangenheit und wurde deswegen mit einem Jahr Gefängnis ohne Bewährung bestraft. Auf die Frage, warum sie gerade Kiesinger geohrfeigt habe und nicht zum Beispiel den damaligen Bundespräsidenten Heinrich Lübke, dem vorgeworfen wurde, Baupläne für Konzentrationslager entworfen zu haben, antwortete Beate Klarsfeld: »Wenn man die Nazis aus dem öffentlichen Leben entfernen will, muß man mit dem einflußreichsten Mann im Staat anfangen. Wenn Kiesinger zurücktritt, werden wir nie wieder einen Nazi als Kanzler haben.« Kurt Georg Kiesinger trat nicht zurück.

Willy Brandt sprach nicht von einem Verfassungspatriotismus wie Dolf Sternberger Ende der siebziger Jahre, sondern von einem Patriotismus der Demokratie. Damit antwortete er auf die Diskrepanz, die zwischen der Demokratie und dem Staat, zwischen der Verfassung und der Verfassungswirklichkeit gesehen wurde. Mit einer Politik, die dem Slogan »Mehr Demokratie wagen« folgte, sollte diese Kluft überbrückt werden. Es ging dabei letztlich auch um die Integration der kritischen Intelligenz in die Bundesrepublik. Willy Brandts Text »Wieder in Deutschland«, aus dem unten zitiert wird, erschien 1966.

In seiner Rede vor dem Bundestag am 28. Oktober 1969 erklärte Willy Brandt: »Wir wenden uns an die im Frieden nachgewachsenen Generationen, die nicht mit den Hypotheken der Älteren belastet sind und belastet werden dürfen; jene jungen Menschen, die uns beim Wort nehmen wollen – und sollen. Diese jungen Menschen müssen aber verstehen, daß auch sie gegenüber Staat und Gesellschaft Verpflichtungen haben. Wir werden dem Hohen Hause ein Gesetz unterbreiten, wodurch das aktive Wahlalter von 21 auf 18, das passive von 25 auf 21 Jahre herabgesetzt wird. Wir werden auch die Volljährigkeitsgrenze überprüfen. Mitbestimmung, Mitverantwortung in den verschiedenen Bereichen unserer Gesellschaft wird eine bewegende Kraft der kommenden Jahre sein.«

 **Willy Brandt.** »Wo war Brandt 1948? – In Sicherheit!« Dies war der Text auf Spruchbändern, die zwei Flugzeuge hinter sich herzogen, als ich im September 1965 den Bundestagswahlkampf führte. Das war nur eine von vielen Diffamierungen in einer widerwärtigen Kampagne, die einen nicht geringen Teil meiner Kraft während zweier großer Wahlkämpfe und in den Jahren dazwischen absorbiert hat.

1948 in Sicherheit – was soll das eigentlich heißen? Ich hatte den norwegischen Paß gegen den deutschen eingetauscht, hatte damit meine wirtschaftliche Lage keineswegs verbessert, wurde vom Angehörigen eines diplomatischen Dienstes zum Angestellten einer Partei. Das geschah nicht irgendwann, sondern *vor* der Währungsreform, *vor* der Blockade Berlins, *vor* Gründung der Bundesrepublik Deutschland.

Ich habe mich oft gefragt: Mußt du nicht Verständnis für diejenigen aufbringen, die es offensichtlich so schwer haben, dich zu begreifen, obwohl sie nicht gerade sanft mit dir umgehen? Vielleicht fällt mir das seit dem September 1965, den ich als eine gewisse Zäsur empfinde, leichter. Denn die Haltung, auf die ich damals stieß, zeigte mir, daß es meinen Gegnern, die einen Gewohnheitsanspruch auf politische Macht erheben, nicht allein darum ging, mich als Alternative auszuschalten. Es ging auch darum, daß mein Lebensweg von dem der meisten meiner Landsleute so sehr abweicht. Eine neue Generation wird viele Anlässe sehen, sich darüber zu wundern, welches Maß in diesen Jahren angelegt worden ist.

Ich war nicht gegen Deutschland, sondern gegen seine Verderber. Ich hatte nicht mit Deutschland gebrochen, sondern mich hat die Sorge um unser Volk bewegt. Ich habe nicht den bequemen Weg gewählt, sondern mehr als einmal meinen Kopf riskiert. Wer nach 1933 aus Deutschland flüchtete, hatte bestimmt nicht die Sonnenseite des Schicksals gewählt.

Und dennoch muß ich vielen als ein extremer Fall erscheinen: zeitweiliger Wechsel der Staatszugehörigkeit – nicht freiwillig, aber immerhin. Veränderung des Namens – zum Schutz vor Verfolgern und dann als Bekenntnis, aber immerhin. Die Entschlossenheit eines jungen, radikalen Linkssozialisten – aus dem der Vorsitzende der Sozialdemokraten geworden ist, aber immerhin.

Ich möchte die Gesinnung meiner jungen Jahre ebensowenig missen wie die Erfahrung, die ich seitdem gewonnen habe. Heute weiß ich, daß meine Hoffnung auf eine »dritte Kraft«, wie sie noch aus dem Brief an Schumacher am Tag vor Heiligabend 1947 spricht, angesichts des beginnenden Kalten Kriegs aussichtslos bleiben mußte. Heute weiß ich auch mehr über die deutsche Geschichte und über das Preußentum. Heute komme ich nicht mehr mit übereinfachen Klassenkategorien aus, auch nicht, wenn es darum geht, den Sieg des Nationalsozialismus im Jahre 1933 zu erklären. Heute würde ich ein Geschehen wie den Krieg in Spanien differenzierter und abgewogener beurteilen. Heute bin ich über meine antiklerikalen Vorurteile längst hinweg und habe mich dazu bekannt, »daß die Kirchen in einer freien Gesellschaft nicht nur einen Anspruch haben, toleriert zu werden, sondern daß sie ihren festen Platz in unserem Bilde von der Gesellschaft haben und mit unserer Hilfe rechnen können«. ...

Ich habe mich immer bemüht, aufgeschlossen und ehrlich angemessene Antworten auf die offenen Fragen unserer Zeit zu finden. So habe ich in meiner Dortmunder Rede vor dem Parteitag der SPD am 1. Juni 1966 formuliert:

Vor zwanzig Jahren haben wohl wenige die großen wirtschaftlichen Leistungen für möglich gehalten, die ein fleißiges und tüchtiges Volk seitdem erbracht hat. Die meisten haben es allerdings auch nicht für möglich gehalten, daß Deutschland zwanzig Jahre später noch immer geteilt leben würde, in der Teilung gegeneinander gerüstet und ohne konkrete Aussicht auf einen Friedensvertrag. Damals, vor zwanzig Jahren, wußte jedermann, daß Deutschland den Krieg verloren hatte. Heute wollen es manche nicht mehr wissen. Damals gab es eine starke Aufgeschlossenheit für einen Aufbruch zu neuen Ufern. Im Laufe der Jahre wurde die Neigung zur Restauration stärker. Damals gab es neben erheblichen Verdrängungen die Rückbesinnung auf Gemeinsinn, auf moralische Werte, auf geistige Reserven. Danach wurde der wirtschaftliche Erfolg zum Maßstab des Erfolges schlechthin gemacht.

Von dem ganz ursprünglichen Auftrag der Sozialdemokratie bleibt noch viel zu erfüllen. Breite Schichten fühlen sich noch vom staatlichen Geschehen ausgeschlossen. Die Integration der Arbeiterschaft ist bei weitem nicht abgeschlossen. Gleiche Chancen, nicht zuletzt gleiche Bildungschancen, und alles, was darüber hinaus zur Demokratisierung gehört, also auch die Überwindung des Feudalismus im wirtschaftlichen Bereich, dies ist das Generalthema. Für uns ist der demokratische und soziale Bundesstaat ein permanenter Auftrag. Wer systematisches Vorausdenken verketzern will, der verketzert den Fortschritt. Was für unser Land notwendig ist, schaffen wir nur mit einer Politik neuen Stils, einer Politik der Redlichkeit, der Sachlichkeit, der Zusammenarbeit, des Ausgleichs. Wir müssen alles tun, um das als richtig Erkannte auch durchzusetzen. Das ist unsere Lehre aus Weimar.

Vor dem Kommunismus als Ideologie brauchen wir keine Angst zu haben. Wir haben keine Politik der chinesischen Mauer nötig. Auch im kommunistisch regierten Teil der Welt steht die Entwicklung nicht still. Die entscheidenden politischen Fragen beantworten wir gegensätzlich. Ob es uns Spaß macht oder nicht: Die Kommunisten sind eine Größe der Politik auf deutschem Boden. Aber von den Kommunisten trennt uns grundsätzlich und praktisch-politisch eine Kluft, die uns zwanzig Jahre nach der Zwangsvereinigung im anderen Teil Deutschlands noch besonders bewußt geworden ist.

Das Verhältnis zwischen Politik und Geist ist in der Bundesrepublik Deutschland gestört. In deutschen Landen gibt es ein verbreitetes Pharisäertum. Man darf mündige Staatsbürger nicht abspeisen wollen, als wären sie geistig Geschädigte. Für den Ausbau des demokratischen Bundesstaates ist es schlechthin entscheidend, ob sich viele einzelne mitverantwortlich fühlen. Durch das Überwuchern des Materiellen wurden geistige Kräfte über Gebühr gebunden. Selbstzufriedenheit, Selbstsucht, mangelndes Verantwortungsgefühl haben um sich gegriffen. Aber die Nation ist im ganzen kraftvoll und im Kern gesund.

Das Volk muß *ja sagen können zum Vaterland*, sonst kann es auf die Dauer nicht leben, ohne sein inneres Gleichgewicht zu verlieren, ohne in Stunden der inneren und äußeren Anfechtung zu stolpern. Wir Deutsche dürfen nicht die Geschichte vergessen. Aber wir können auch nicht ständig mit Schuldbekenntnissen herumlaufen, die junge Generation noch weniger als die ältere. Der beste Untertan ist nicht der beste Patriot. Wir sind Patrioten, wenn wir in unserem Land die Freiheit des einzelnen sichern, wenn wir die Demokratie auch im Wirtschaftlichen und im Sozialen durchsetzen helfen. Wir wollen alles tun, soviel wie möglich von Deutschland für die Deutschen zu retten. Unser Patriotismus versteht sich zugleich als europäische und weltpolitische Verantwortung. Gemessen am Frieden ist die Nation nicht mehr das höchste aller Güter. Wenn unsere Bundesrepublik mehr sein will als korrigierte Vergangenheit, dann muß sich auch ihr Gesellschaftskleid Änderungen gefallen lassen. Unsere Nation kann sich nur mit einer modernen mobilen und humanen Gesellschaftsform behaupten. Die politische Führung muß den Mut haben, Wahrheiten zu sagen, auch wenn sie unbequem sind. Unser Volk braucht Klarheit über die Lage der Nation und Wachsamkeit gegenüber Phrasen und Illusionen. 1966

Willy Brandt

III

Kritik und Kampf

1967 – 1977

Schon Anfang der fünfziger Jahre hatte sich Thomas Mann darüber aufgeregt, daß es in den Vereinigten Staaten zum guten Ton gehöre, über die Kommunisten herzuziehen, während der Schah von Persien empfangen werde, ohne auch nur ein Wort über die Zustände in dessen Sklavenstaat zu verlieren.

Am 2. Juni 1967 saß der Schah von Persien neben Bundespräsident Heinrich Lübke in Berlin in der Oper. Draußen wurde gegen den Besuch des Schahs demonstriert. Bei den schweren Auseinandersetzungen standen die Demonstranten nicht nur der Polizei, sondern auch schahtreuen Persern gegenüber. Im Verlauf des Kampfes wurde der Student Benno Ohnesorg von einem Polizisten von hinten erschossen. Der Polizist wurde wegen fahrlässiger Tötung angeklagt und freigesprochen. Der Regierende Bürgermeister, Heinrich Albertz, der den Einsatz der Polizei zu verantworten hatte, trat von seinem Amt zurück.

Wenige Tage vor dieser Demonstration brannte in Brüssel nach einem Brandanschlag ein Kaufhaus. Durch den Brand kamen 251 Menschen ums Leben. Vier Tage vergingen, dann wurden in Berlin Flugblätter verteilt, in denen der Tod im Brüsseler Kaufhaus mit dem Napalm-Tod in Vietnam verglichen und die Frage aufgeworfen wurde, wann endlich in Berlin Kaufhäuser brennen würden. Die Verfasser dieser Flugblätter nannten sich »Kommune 1«. Auf den Flugblättern stand unter anderem: »Wenn es irgendwo brennt in der nächsten Zeit, wenn irgendwo eine Kaserne in die Luft geht, wenn irgendwo in einem Stadion die Tribüne einstürzt, seid bitte nicht überrascht. Genausowenig wie beim Überschreiten der Demarkationslinie durch die Amis, der Bombardierung des Stadtzentrums von Hanoi, dem Einmarsch der Marines nach China.«

Der Philologe Peter Szondi und der Philosoph Jacob Taubes, beide lehrten an der Freien Universität in Berlin, gehörten zu jenen Wissenschaftlern, die Gutachten über die Flugblätter schrieben. Die Gutachten wurden in dem Prozeß verwendet, der am Berliner Landgericht gegen die Kommunemitglieder Rainer Langhans und Fritz Teufel eröffnet wurde. In diesen Gutachten stellten sich Szondi und Taubes gegen den Vorwurf der Anklage – die von einem Berliner Studenten erhoben worden war –, daß die Flugblätter zur Gewalt aufriefen. Die beiden Gutachter betonten dagegen den surrealistischen beziehungsweise satirischen Charakter der Flugblätter. Am 22. März 1968 wurden Teufel und Langhans freigesprochen. Das Gericht war zu der Ansicht gelangt, daß der satirische Inhalt der Flugblätter erkennbar sei. Objektiv habe zwar eine Aufforderung zur Brandstiftung bestanden, subjektiv sei sie aber den Angeklagten nicht nachzuweisen.

Nur wenige Tage später, in der Nacht vom 2. April 1968, brannten in Frankfurt am Main zwei Kaufhäuser. Wegen Verdacht auf Brandstiftung wurden Andreas Baader, Thorwald Proll, Horst Söhnlein und Gudrun Ensslin festgenommen. Am 11. April 1968 wurde der deutsche Revolutionär Rudi Dutschke, der zum Beirat des Sozialistischen Deutschen Studentenbundes gehörte, aus der Mark Brandenburg in den Westen gegangen war und in Berlin Soziologie studiert hatte, auf der Straße von einem Arbeiter niedergeschossen und dabei lebensgefährlich am Kopf verletzt. Dutschke war damals achtundzwanzig Jahre alt. Darauf kam es in zahlreichen Städten zu Demonstrationen, wobei die Parole »Enteignet Springer« immer wieder laut wurde, weil das Attentat mit der Berichterstattung der »Bild-Zeitung« in einen Zusammenhang gebracht wurde. Ende Mai 1968 verabschiedete der Bundestag die Notstandsverfassung für den Fall eines Krieges, einer Katastrophe und einer Bedrohung der inneren Ordnung. Dutschke ging später nach Großbritannien und nach Dänemark und landete schließlich wieder in Berlin, bei einem Projekt der Deutschen Forschungsgemeinschaft. Er starb elf Jahre nach dem Attentat an den Folgen der Verletzung.

Dutschke war kein begnadeter, aber ein einflußreicher Redner. Joachim Fest erzählt in seinen Erinnerungen, daß er einmal zu einer Diskussion mit Dutschke nach Berlin eingeladen worden war. Er sei bald wieder heimgefahren, weil sich Dutschke zu einem Gespräch, in dem beide Seiten versuchen würden, auf die Argumente des anderen einzugehen, nicht habe bereit finden können. Ähnliche Erfahrungen mit Dutschke machte Jürgen Habermas, der sich schließlich sogar in einer Diskussion zu dem Vorwurf des »linken Faschismus« hinreißen ließ, den er später wieder zurücknahm. Die Theologin Dorothee Sölle sprach nach den Attentaten der Baader-Meinhof-Gruppe ebenfalls von »linken Faschisten«.

Ein wenig gleicht das Gespräch, das der Journalist Günter Gaus im Jahr 1967 mit Rudi Dutschke führte, dem Gespräch, das Rudolf Augstein Anfang der sechziger Jahre mit Walter Ulbricht über die Chancen der Wiedervereinigung geführt hat. Hier wie dort saßen zwei zusammen, bekundeten mit unterschiedlichem Temperament ihre Ansichten, kamen einander aber nicht näher.

Die Idee der Menschheit, auf die sich Hannah Arendt unmittelbar nach dem Kriegsende berufen hatte, verwandelte sich in den sechziger Jahren in einen Internationalismus, der für die Verhältnisse in der Bundesrepublik und in der übrigen Welt grundsätzlich die alte Sprache der Revolutionen verwendete. Die russische Revolution am Anfang des zwanzigsten Jahrhunderts sowie Jahrzehnte später die Revolutionen in Griechenland, Portugal, Bolivien und Kuba legten den Kritikern der Bundesrepublik den Gedanken nahe, daß die Revolution auch in ihrem Land eine Chance bekommen sollte.

Sogar Thomas Mann hatte die russische Revolution bewundert und zwischen der nationalsozialistischen und der russischen Diktatur unterschieden. Unmittelbar nach dem Krieg schrieb er in einem Redemanuskript: »Den russischen Kommunismus mit dem Nazi-Faschismus auf die gleiche moralische Stufe zu stellen, weil beide totalitär seien, ist besten Falles Oberflächlichkeit, im schlimmeren Falle ist es – Faschismus … Der Kommunismus, wie die russische Revolution ihn unter besonderen menschlichen Gegebenheiten zu verwirklichen sucht, ist, trotz aller blutigen Zeichen, die daran irre machen könnten, im Kern – und sehr im Gegensatz zum Faschismus – eine humanitäre und eine demokratische Bewegung. Tyrannei? Er ist es. Aber eine Tyrannei, die das Analphabetentum ausmerzt, kann, ob sie es weiß oder nicht, im Herzen nicht gewillt sein, Tyrannei zu bleiben.«

Das Analphabetentum hieß bei Rudi Dutschke »Unmündigkeit«, in der das Volk von den Herrschenden gehalten werde. Die Annahme, das Volk darbe in Unmündigkeit, war die Voraussetzung dafür, daß die Intellektuellen dem Volk mit Wissen zur Seite sprangen. Daraus erklärte sich nicht nur der Eifer der Gesellschaftskritiker, die Klassiker der Revolution zu studieren, sondern auch die Kritik an den Intellektuellen, die sich dieser vorrangigen Aufgabe nicht stellen wollten. Wie Karl Jaspers in seiner Streitschrift »Wohin treibt die Bundesrepublik?« sah auch Dutschke in den amtierenden Parteien keine Repräsentanten des Volkes mehr. Das parlamentarische System der Bundesrepublik war in seinen Augen keine Errungenschaft, sondern ein Machtmittel, mit dem die Herrschenden das Volk davon abhielten, seine »wahren« Bedürfnisse politisch durchzusetzen. Der existierende Parlamentarismus machte aus der Demokratie in der Bundesrepublik eine Form der Herrschaft über das Volk und unterlief damit die Vorstellung einer wahren, einer Volksdemokratie. Das Volk fand nicht zu sich selbst, weil es manipuliert wurde – manipuliert vor allem durch die Springer-Presse, die falsche Ansichten verbreitete und ein Teil der berühmten Kulturindustrie war, die nach Ansicht Adornos dafür sorgte, daß die kapitalistische Gesellschaft nicht an ihren Widersprüchen zerbrach. Daß Rudi Dutschke in seinem Gespräch mit Günter Gaus sich offen dazu bekannte, zu den Waffen zu greifen, wenn die Bundesrepublik in »den Prozeß der internationalen Auseinandersetzung« eingreifen würde, schienen jene offenbar vergessen zu haben, die sich Jahrzehnte später mit dem Gedanken trugen, in Berlin eine Straße nach seinem Namen zu benennen.

Rudi Dutschke im Gespräch mit Günter Gaus.

GAUS: Herr Dutschke, die bürgerliche deutsche Jugend im großen Frieden von 1914 – wie ich das gerne nenne – war der damals herrschenden Verhältnisse so überdrüssig, daß sie literarisch nach einem Stahlbad gerufen hat, was sie dann in Langemark auch erhielt. Heute gibt es unter Ihren Freunden den Ruf nach zwei, drei und weiteren Vietnams, aus denen dann der neue Mensch, der die Welt rettet, hervorgehen soll. Ist das eine Parallele?

DUTSCHKE: Nein, das ist keine Parallele, das ist ein Ruf der Revolutionäre in der Dritten Welt, in der unterentwickelten Welt. Wir rufen: Raus aus der NATO, um zu verhindern, daß wir in dieses »Stahlbad« hineinkommen. Das heißt, wenn wir 1969 weiter mitmachen, wird das unter anderem bedeuten, daß wir 1970/71 dabei sind, innerhalb der internationalen Konterrevolution, die niederschlagen muß Bewegungen in der Dritten Welt, auch in Lateinamerika, Afrika und Asien. Amerika allein ist nicht mehr in der Lage, die internationale Niederschlagung der sozialrevolutionären Bewegung zu leisten, Griechenland steht vor der Tür. Irgendwann – er ist nicht so weit, dieser Weg – wird die Bundesrepublik in diesem Schlamassel drin sein, wenn sie die NATO weiterhin als das entscheidende Konstituens ihrer politischen Herrschaft begreift. ...

GAUS: Herr Dutschke, Sie wollen die Gesellschaftsordnung der Bundesrepublik verändern. Alles soll von Grund auf anders werden. Warum?

DUTSCHKE: Ja, 1918, um damit zu beginnen, erkämpften die deutschen Arbeiter- und Soldatenräte den 8-Stunden-Tag. 1967 arbeiten unsere Arbeiterinnen und Arbeiter und Angestellten lumpige vier, fünf Stunden weniger pro Woche. Und das bei einer ungeheuren Entfaltung der Produktivkräfte, der technischen Errungenschaften, die eine wirklich sehr, sehr große Arbeitszeitreduzierung bringen könnten, aber im Interesse der Aufrechterhaltung der bestehenden Herrschaftsordnung wird die Arbeitszeitverkürzung, die historisch möglich geworden ist, hintangehalten, um Bewußtlosigkeit – das hat etwas mit der Länge der Arbeitszeit zu tun – aufrechtzuerhalten. Ein Beispiel: Nach dem Zweiten Weltkrieg begann ununterbrochen das Gerede der Regierungen über Wiedervereinigung. Nun haben wir schon 20 und mehr Jahre keine Wiedervereinigung, wir haben aber systematisch immer wieder Regierungen bekommen, die man gewissermaßen bezeichnen könnte als institutionalisierte Lügeninstrumente, Instrumente der Halbwahrheit, der Verzerrung, dem Volk wird nicht die Wahrheit gesagt. Es wird kein Dialog mit den Massen hergestellt, kein kritischer Dialog, der erklären könnte, was in dieser Gesellschaft los ist. Wie es plötzlich mit dem Ende des Wirtschaftswunders zustande kam, warum die Wiedervereinigungsfragen nicht vorankommen? Man spricht von menschlichen Erleichterungen im Verkehr und meint Aufrechterhaltung der politischen Herrschaft.

GAUS: Warum meinen Sie, Herr Dutschke, daß die Veränderungen, die Sie wünschen, durch Mitarbeit in den bestehenden Parteien nicht erreicht werden kann?

DUTSCHKE: Es gibt eine lange Tradition der Parteien, in der sozialdemokratischen, der konservativen, den liberalen Parteien; ohne die jetzt geschichtlich aufzurollen, haben wir nach 1945 eine sehr klare Entwicklung der Parteien, wo die Parteien nicht mehr Instrumente sind, um das Bewußtsein der Gesamtheit der Menschen in dieser Gesellschaft zu heben, sondern nur noch Instrumente, um die bestehende Ordnung zu stabilisieren, einer bestimmten Apparatschicht von Parteifunktionären es zu ermöglichen, sich aus dem eigenen Rahmen zu reproduzieren, und so also die Möglichkeiten, daß von unten Druck nach oben und Bewußtsein nach oben sich durchsetzen könnte, qua Institution der Parteien schon verunmöglicht wurde – ich meine, viele Menschen sind nicht mehr bereit, in den Parteien mitzuarbeiten, und auch diejenigen, die noch zur Wahl gehen, haben ein großes Unbehagen über die bestehenden Parteien. Und ... bauen sie noch ein Zwei-Parteien-System, und dann ist es endgültig vorbei.

GAUS: Wir kommen auf die Vorstellungen von einer politischen Gesellschaft, die Sie haben, sicherlich noch zu sprechen. Ich möchte vorerst noch dabei bleiben, was Sie also vom bestehenden politischen System abhebt. Studiert man, was Sie, Herr Dutschke, bisher geschrieben und gesagt haben, so gelangt man – jedenfalls ging es mir so – zu der Feststellung, daß die Opposition von Ihnen und Ihren Freunden im SDS nicht nur außerparlamentarisch, sondern antiparlamentarisch ist. Eine Frage: Stimmen Sie diesem Befund zu? Halten Sie das parlamentarische System für unbrauchbar?

DUTSCHKE: Ich halte das bestehende parlamentarische System für unbrauchbar. Das heißt, wir haben in unserem Parlament keine Repräsentanten, die die Interessen unserer Bevölkerung – die wirklichen Interessen unserer Bevölkerung – ausdrücken. Sie können jetzt fragen: Welche wirklichen Interessen? Aber da sind Ansprüche da. Sogar im Parlament. Wiedervereinigungsanspruch, Sicherung der Arbeitsplätze, Sicherung der Staatsfinanzen, in Ordnung zu bringende Ökonomie, all das sind Ansprüche, die muß aber das Parlament verwirklichen. Aber das kann es nur verwirklichen, wenn es einen kritischen Dialog herstellt mit der Bevölkerung. Nun gibt es aber eine totale Trennung zwischen den Repräsentanten im Parlament und dem in Unmündigkeit gehaltenen Volk. ...

GAUS: Sie schließen aus, Herr Dutschke, daß ein Teil Ihrer Anhängerschaft sich einfach langweilt im Wohlfahrtsstaat und deswegen Ihnen folgt?

DUTSCHKE: Bei uns kann Langeweile ein Ausgangspunkt politischen Bewußtseins werden. Aber Langeweile bewußt gemacht, warum Langeweile, was stört einen an diesem Staat und was kann verbessert werden, was muß abgeschafft werden – macht aus Langeweile Bewußtheit. Und entwickelt politische Produktivkraft gegen diese Gesellschaft.

GAUS: Herr Dutschke, Sie stammen aus der Mark Brandenburg, haben in der DDR gelebt und gehörten als Schüler zur Jungen Gemeinde der Evangelischen Kirche, die in der DDR gelegentlich hart bedrängt wurde. Sie haben sich selbst einmal als ziemlich vom christlichen Sozialismus beeinflußt gezeichnet, wie ich das nachlesen konnte – und Sie waren couragiert genug, den Wehrdienst in der DDR zu verweigern. Würden Sie für Ihre revolutionären Ziele notfalls auch mit der Waffe in der Hand eintreten?

DUTSCHKE: Klare Antwort: Wäre ich in Lateinamerika, würde ich mit der Waffe in der Hand kämpfen. Ich bin nicht in Lateinamerika, ich bin in der Bundesrepublik. Wir kämpfen dafür, daß es nie dazu kommt, daß Waffen in die Hand genommen werden müssen. Aber das liegt nicht bei uns. Wir sind nicht an der Macht. Die Menschen sind nicht bewußt sich ihres eigenen Schicksals, und so, wenn 1969 der NATO-Austritt nicht vollzogen wird, wenn wir reinkommen in den Prozeß der internationalen Auseinandersetzung – es ist sicher, daß wir dann Waffen benutzen werden, wenn bundesrepublikanische Truppen in Vietnam oder in Bolivien oder anderswo kämpfen – daß wir dann im eigenen Lande auch kämpfen werden.

GAUS: Dieses wollen Sie tun?

DUTSCHKE: Wer hat das Leid dann heraufbeschworen? Nicht wir, wir versuchen es zu vermeiden. Es liegt bei den bestehenden Mächten, dieses Leid der Zukunft zu vermeiden und politische Alternativen zu entwickeln.   1967

Jürgen Habermas, 1929 in Düsseldorf geboren, war in den sechziger Jahren schon Professor für Philosophie und Soziologie in Frankfurt am Main. Er hatte sich in den fünfziger Jahren mit der Reform der Hochschule auseinandergesetzt und früh im Seminar das Modell der argumentativen Auseinandersetzung gefunden, das für seine »Theorie des kommunikativen Handelns« Pate gestanden hat. »Diskutieren – was sonst« hieß einer seiner Artikel, der 1962 erschien. Dort erklärte der Wissenschaftler: »Den Studenten Mut machen zur Politik kann nicht heißen:

ihren Aktivismus herausfordern. Es kann nur heißen: sie ermutigen, zu diskutieren und wiederum zu diskutieren, was politisch geschieht, was nicht geschieht. Nur stete Reflexion kann die gelegentliche Demonstration im Ernstfall rechtfertigen.« Jürgen Habermas hat sich in den deutschen Debatten kontinuierlich zu Wort gemeldet. Seine Buchtitel, wie »Erkenntnis und Interesse« (1968), »Technik und Wissenschaft als Ideologie« (1968), »Legitimationsprobleme des Spätkapitalismus« (1973) und »Die Neue Unübersichtlichkeit« (1986), waren auch Stichworte für den Stand der Diskussionen und der Mentalitäten unter den kritischen jungen Gemütern. Auch er bemühte das sozialpsychologische Vokabular, um die Verbindung der deutschen Vergangenheit zum bundesrepublikanischen Bürger aufrechtzuerhalten. Die Studenten, schrieb er, würden mit ihrem Protest ins Bewußtsein heben, was politische Instanzen vom Bürger fernzuhalten versuchten. In seinem Modell war die Demokratie nicht verloren, sondern gefährdet. Der Intellektuelle hielt an ihrer Seite Wache und nannte die Gefahren beim Namen – Gefahren, die um so ernster zu nehmen seien, als die »Tage des Faschismus« noch deutlich im wachen Bewußtsein seien. Im Rückgriff auf die nationalsozialistische Vergangenheit sollte die politische Konjunktur der Gegenwart an Kontur und Brisanz gewinnen und damit die Wachsamkeit derer geschürt werden, die aus der Vergangenheit gelernt hätten, daß der »Polizeiterror« der erste Schritt zum »Polizeistaat« sei. In der gefährdeten Demokratie fiel der Hochschule eine entsprechende Aufgabe zu. Sie sollte auch den Rahmen bereitstellen, innerhalb dessen Studenten in die Lage kommen, Kritik an der Gesellschaft zu formulieren. Jahrzehnte später war bei den Debatten über den Zustand der Hochschulausbildung und über die Einführung von Master- und Bachelor-Abschlüssen von dieser demokratischen Funktion der Hochschule keine Rede mehr.

Jürgen Habermas. Die politische Aktivierung von Teilen der Studentenschaft, die wir seit einigen Jahren in der Bundesrepublik wie in anderen westlichen Ländern beobachten können, hat Reaktionen hervorgerufen. Innerhalb der Universitäten reichen diese von fast unmerklichen Diskriminierungen über Hörsaalverbote bis zur Androhung von Disziplinarmaßnahmen. Außerhalb der Universitäten breitet sich Mißtrauen und
Ablehnung gegen »studentische Störenfriede« aus; sie schlagen schnell in Sanktionen um. Die Reaktionen der breiten Bevölkerung kristallisieren sich um tiefsitzende Ressentiments gegen Minderheiten, insbesondere gegen intellektuelle Minderheiten. Diese stereotype Einstellung wird durch einen

großen Teil der Presse befestigt, von einer Presse, die sich an der Verdächtigung extremistischer Gruppen unter den Stichworten Randalierer, Gammler, Kommunisten nicht genugtun kann. Solche Verdächtigungen fallen gegen eine schon gefährdete Demokratie ins Gewicht, gleichviel, ob es sich um die blanken Aufhetzungen der Springer-Presse oder um die sublimierten Angriffe scheinbar seriöser Leitartikel handelt. Nicht minder problematisch sind die Reaktionen der großen politischen Parteien, die seit Jahren mit ihren Studentenverbänden in Fehde liegen, oft zu Distanzierungen und manchmal zum Ausschluß der mißliebigen Studenten neigen. Das ist ein alarmierendes Zeichen dafür, daß der innere Aufbau dieser Parteien autoritär ist und daß in ihnen der Toleranzspielraum für Fraktionsmeinungen auf ein Minimum zusammengeschrumpft ist.

Dies alles beobachten wir seit Jahren. Nun aber hat sich das antistudentische Syndrom so gefestigt, daß Organe des Staates darangehen, die politischen Teilnahmerechte der Studenten einzuschränken. Das begann in Berlin im vergangenen Semester mit Demonstrationsverboten und vorbeugenden polizeilichen Maßnahmen. In der vergangenen Woche hat die Reaktion der Staatsgewalt auf Studentenproteste eine neue Qualität angenommen, eine Qualität, die wir seit den Tagen des Faschismus in Berlin und in der Bundesrepublik zum ersten Mal wieder kennenlernen. Wenn die Augenzeugenberichte, die zuverlässig dokumentiert sind, nicht Wort für Wort widerlegt werden, hat die Polizei am Freitag, dem 2. Juni, vor dem Opernhaus in Berlin Terror ausgeübt, und der Berliner Senat hat am selben Abend diesen Terror gedeckt. Terror heißt: gezielte Einschüchterung, heißt: faktische Einschränkung geltender Rechte. Terror zielt nicht auf die gewaltsame Unterdrückung eines augenblicklichen Protestes, sondern auf die Abschreckung künftiger Proteste. Sollte der begründete Verdacht auf Terror nicht mit aller wünschenswerten Konsequenz aufgeklärt werden, sollte er, im Falle der Bestätigung, nicht unmißverständliche juristische und politische Folgen haben, dann werden wir den 2. Juni 1967 als einen Tag in Erinnerung behalten müssen, an dem die Gefahr nicht nur einer schleichenden Austrocknung, sondern einer manifesten Erschütterung der Demokratie in unserem Lande für jeden Bürger, der lesen kann und nicht willentlich die Augen schließt, drastisch sichtbar geworden ist.

Diese Ereignisse geben Anlaß, darüber nachzudenken, welche politische Rolle heute die Studenten in der Bundesrepublik spielen, spielen können und spielen sollen. Die studentische Opposition ist Teil der intellektuellen, die intellektuelle ist Teil der unorganisierten außerparlamentarischen Opposition. In diesem Rahmen genießen Studenten keine Privilegien. Sie haben keine

Jürgen Habermas

korporativen Sonderrechte, auf die sie ihre politische Aktivität begründen können. Zudem müßte sich jeder Versuch, eine Elitestellung akademisch zu rechtfertigen, vor der historischen Erinnerung an die Rolle, die gerade die aktiven Bürger der deutschen Universitäten in den dreißiger Jahren gespielt haben, aufs peinlichste blamieren. Studenten haben für das, was sie tun, keine andere Legitimation als die Staatsbürgerrechte, die sie mit allen Bürgern teilen. Was sie vor politisch passiveren Gruppen auszeichnen kann, ist nur die extensivere Inanspruchnahme dieser Rechte. Das wiederum ist nicht erstaunlich, wenn man bedenkt, daß 1. Studenten ein höheres Informationsniveau haben, als wir es durchschnittlich in der Bevölkerung antreffen; daß 2. das Studium in einem gewissen Umfang immerhin Motive und Interessen weckt oder begünstigt, die zu politischem Engagement führen können (und sei es nur dadurch, daß es ihren Widerspruch herausfordert); und daß 3. die Studentenrolle vom aktuellen gesellschaftlichen Druck stärker freisetzt als andere Erwachsenenrollen, die einen anerkannten gesellschaftlichen Status einräumen.

Welche Funktion hat nun die studentische Opposition in der Bundesrepublik heute?

Wenn wir die Zielscheiben der studentischen Proteste betrachten, bemerken wir daran etwas Spezifisches – jene Proteste sind nämlich in einem recht altmodischen und heute fast schon diskreditierten Sinne politisch. Sie entzünden sich in den meisten Fällen nicht an den unmittelbaren Verbandsinteressen, sondern an den allzu pragmatischen Unterlassungen, die sich Presse, Parteien und Regierung zuschulden kommen lassen. Die studentischen Proteste bringen oft genug erst zu Bewußtsein, was die offiziellen Instanzen absichtslos oder auch mit Vorsatz aus dem politischen Bewußtsein ihrer Bürger aussperren und vielleicht sogar aus ihrem eigenen Bewußtsein verdrängen. Die Studentenproteste, das ist meine These, haben eine kompensatorische Funktion, weil die in einer Demokratie sonst eingebauten Kontrollmechanismen nicht oder nicht zureichend arbeiten.

Oft waren es erst Studentenproteste, die politische Ereignisse, zu innenpolitischem Hausgebrauch als Konsumwaren abgepackt, in *die* theoretische Perspektive hereingerückt haben, ohne die sie als politische Ereignisse gar nicht begriffen werden können. Dafür ist der Vietnam-Konflikt ein überzeugendes Beispiel. Erst der Vorstoß der Studenten gegen die falschen Definitionen dieses Krieges, der ein sozialer Befreiungskampf ist, hat in das offizielle Weltbild unseres Landes die Bresche geschlagen, durch die dann auch von anderer Seite aufklärende Informationen nach und nach eindringen konnten. Oft waren es erst Studentenproteste, die uns für ein krasses Mißverständnis zwischen beanspruchten Legitimationen und tatsächlichem Verhalten sensibel gemacht haben. Dafür sind die Demonstrationen gegen den persischen Staatsbesuch ein überzeugendes Beispiel. Erst dieser Widerstand hat die durch die Illustriertenpresse vorbereiteten und durch das Staatszeremoniell bekräftigten Personalisierungen durchbrochen und den Gegensatz zwischen Schaubildern aus orientalischen Märchen und der tatsächlichen Rolle eines despotischen Monarchen sichtbar gemacht. Oft waren es erst Studentenproteste, die den auf unmittelbare Ereignisse fixierten Blick unserer Realpolitiker erweitert und welche die heute geforderte Phantasie in Bewegung gesetzt haben, um Folgen gegenwärtigen Handelns in ganzer Tragweite zu antizipieren. Dafür sind die Proteste gegen die Notstandsplanung ein Beispiel. Oft waren es erst Studentenproteste, die dann an Prinzipien erinnerten, als allein ein radikales Festhalten an Grundsätzen vor einer qualitativen Verschiebung des Verfassungszustandes bewahren konnte. Das war so während der *Spiegel*-Affäre, und das ist heute wieder so. Studenten sind es, welche heute die Öffentlichkeit gegen alle offiziellen Darstellungen und gegen die falschen Apologien der Obrigkeit davon überzeugen, daß Polizeiterror, wenn er nicht durch weithin sichtbare politische Konsequenzen öffentlich und wirksam verurteilt wird, den ersten definitiven Schritt zum Polizeistaat bedeuten kann. Es waren schließlich Studentenproteste, die aus Anlaß konkreter Ereignisse in Südafrika, in Südamerika, in Ostasien oder anderswo die Presse, die Parteien und die Regierung darauf gestoßen haben, daß sich der weltgeschichtliche Aggregatzustand der Politik verändert hat und in den Kategorien des 19. Jahrhunderts nicht mehr fassen läßt – daß Außenpolitik nicht mehr als Machtpolitik mit diplomatischen und militärischen Mitteln betrieben werden kann, sondern als eine Gesellschaftspolitik im Weltmaßstab betrieben werden müßte.

Ich fasse zusammen. Die Aufgabe der studentischen Opposition in der Bundesrepublik war es und ist es, den Mangel an theoretischer Perspektive, den Mangel an Sensibilität gegenüber Verschleierungen und Verketzerungen, den Mangel an Radikalität bei der Auslegung und Praktizierung unserer sozialrechtsstaatlichen und demokratischen Verfassung, den Mangel an Antizipationsfähigkeit und wachsamer Phantasie, also Unterlassungen, zu kompensieren. Ihre Aufgabe ist es, das Fehlen einer in ihren Intentionen aufgeklärten, in ihren Mitteln redlichen, in ihren Interpretationen und Handlungen fortschrittlichen Politik, wenn nicht wettzumachen, so doch zu deklarieren. Dabei verkenne ich nicht die engen Grenzen, die einer studentischen Opposition gezogen sind. Darauf kann ich an dieser Stelle nicht eingehen. Statt dessen möchte ich auf einige objektive und subjektive Gefahren hinweisen, die sich im Bereich der Hochschule selber für den politischen Bewegunsspielraum der Studenten ergeben.

Objektive Gefahren ergeben sich aus den bestehenden Strukturen der Hochschulen und erst recht aus einer bestimmten Tendenz zu ihrer Veränderung. Es mehren sich die Zeichen, daß die rückblickend fast liebenswerte Liaison unserer Nachkriegsdemokratie mit der Hochschule traditioneller Gestalt zu Ende geht. Der Schatten einer autoritären Leistungsgesellschaft fällt schon auf eine Korporation, die mit ihren feudalistischen Überbleibseln nicht nur für die Repressionen eigener Art, sondern auch für archaisch anmutende, aber bitter notwendige Freiheitsreservate gesorgt hat. Heute ringen zwei Tendenzen miteinander, von denen die eine gewiß stärker ist – um so mehr muß die Studentenschaft für die Durchsetzung der anderen kämpfen. Entweder ist die Steigerung der Produktivität der einzige Gesichtspunkt einer Reform, welche die Hochschule in das System der gesellschaftlichen Arbeit fugenlos integriert und zugleich unauffällig aus ihrer Verzahnung mit der politischen Öffentlichkeit löst. Oder die Hochschule behauptet ihre Stellung in der Demokratie; das scheint aber heute nur noch auf dem Wege möglich zu sein, der Demokratisierung der Hochschule genannt wird.   1967

Die Diskussion über die Figur des Intellektuellen reicht bis ins neunzehnte Jahrhundert zurück. In diese Tradition stellte sich auch Karl Markus Michel, wissenschaftlicher Lektor beim Suhrkamp Verlag und einer der beiden Herausgeber des »Kursbuchs«. Michel beschrieb die zwar ohne Unterlaß sprechende, aber vor der Wirklichkeit sprachlose Intelligenz als aktuelle und wahrscheinlich letzte Ausprägung dieser sonderbaren Spezies, die vor allem in der russischen Revolution gezeigt hatte, das sie imstande war, Geschichte zu machen. Mit seiner Kritik an den Intellektuellen, die als Buch mit dem Titel »Die sprachlose Intelligenz« in der Hochzeit der Rebellion, 1968, erschien, nahm Michel das Scheitern der sozialkritischen und revolutionären Theorien der Achtundsechziger vorweg, deren Sprache nach der Realität gleichsam mit beiden Händen griff und sie dabei doch nur immer weiter von sich wegschubste. Die Seminarrevolutionäre hielten an Wörtern fest, von denen sie annahmen, es seien Begriffe, in denen die Wahrheit der Wirklichkeit stecken würde. In Michels Augen blieb erst einmal nur die Forderung übrig, ohne ideologische Scheuklappen Einsicht in das Bestehende zu gewinnen.

Wer Französisch konnte, hätte sich damals auch durch den Philosophen Michel Foucault belehren lassen können. Foucault setzte an die Stelle der befreienden Wahrheit, die zu suchen die Menschen in die Welt und auf die Straße zogen, die historischen Ordnungen der Dinge und Wörter, an deren Gängelband die Menschen über sich und die Wirklichkeit nachdachten. Die Rezeption der französischen Denker setzte in der Bundesrepublik im großen Stil erst in den folgenden Jahren ein. In die Wortverliese des damaligen geistigen Gesamtarbeiters – dessen Modebegriffe Karl Markus Michel in dem von Jürgen Habermas 1980 herausgegebenen Band »Stichwörter zur geistigen Situation der Zeit« zusammenstellte und kommentierte – sickerten langsam auch die Erkenntnisse der Ethnologen über ein wildes, begriffsloses Denken und ein Leben hinter den Grenzen der Zivilisation und der engmaschigen Vernunft durch. »Traumzeit« hieß das Buch des Ethnologen Hans-Peter Duerr, das damals diesen Einschnitt des Irrationalen markierte.

Statt die internationale Solidarität mit den unterdrückten Völkern zu skandieren, begannen die revolutionären Gesellschaftskritiker in eine Welt zu schauen, die sich von der eingeübten Sprache immer weiter entfernte – bis dann das ganze Projekt der Moderne und der Aufklärung ins Wanken geriet. In den achtziger Jahren zeigte Heinrich Klotz, der damals das Architekturmuseum in Frankfurt am Main leitete, in einer Ausstellung die Postmoderne in der Architektur. Seitdem ging es mit der Postmoderne in der Bundesrepublik aufwärts. Postmodern hieß auch, sich darüber im klaren zu sein, daß der Vorrat an Ideen erschöpft war und nur immer die alten Ideen in neuen Gewändern auftauchten – und zum spielerischen Umgang bereitstanden und nicht, um mit ihnen wieder Ernst zu machen. Genau das hatten die wortführenden Achtundsechziger getan. Es gehört zu dem »szientifischen Selbstmißverständnis« – um eine Wortprägung von Jürgen Habermas zu verwenden – der Gruppe der sprachlosen Intelligenz, daß sie später gerne erklärte, sie habe in der Bundesrepublik vor allem »Modernisierungsschübe« in Gang gesetzt – während sie doch auf die revolutionären Theorien des neunzehnten Jahrhunderts zurückgriff und damit schließlich auch der Postmoderne und dem Abschied von den hehren Ideen zuarbeitete.

 **Karl Markus Michel.** Und wenn es die Intellektuellen fortan nicht mehr gäbe – was würde sich ändern? Diese Frage, die windig und illegitim erscheinen mag, ist in verschiedenen Thesen über die heutige Intelligenz schon implizit beantwortet: nichts würde sich ändern, denn in Wahrheit gibt es sie gar nicht mehr, jedenfalls nicht als sozial oder geistig profilierte Gruppe, die ernst zu nehmen wäre, die Veränderungen bewirken könnte wie bisher. Was von dieser Gruppe überlebt, sind Rückstände der Geschichte, Nachzügler, mit denen man fertig werden muß wie mit anderen Fehlangepaßten oder Außenseitern: Besserwisser, Nörgler, Querulanten,

Karl Markus Michel

von denen vielleicht Verkehrshindernisse zu erwarten sind, aber keine Fortschritte, schon gar nicht Revolutionen.

Die Gesellschaftsmodelle, die in der Verabschiedung der Intelligenz übereinstimmen – sie reichen von den faschistischen bis zu den technokratischen –, können sich auf die Logik des Bestehenden berufen, der sie nicht nur Vorschub leisten, sondern auch selbst entsprossen sind. Es scheint deshalb geboten, von dieser Position aus auf die Rolle der heutigen Intelligenz zu reflektieren, anstatt nur in Frontstellung gegen sie, wie es den Intellektuellen zur Tradition geworden ist und woraus sie ihre Legitimierung zu schöpfen pflegen, als sei es ausgemacht, daß der Angriff gegen das, was (unten) ist und (oben) betrieben wird, an sich schon gut und notwendig ist.

Um wessen willen wird der Angriff geführt? Die Antworten liegen auf der Hand, aber sie verflüchtigen sich, sobald man sie in den Griff zu bekommen sucht. Freiheit, Gleichheit, Menschenrechte, Wohlstand für alle, Bildung für fast alle, Demokratie – das waren die Schlachtrufe von gestern, heute stehen sie über offiziellen Portalen, denn die Wünsche sind Wirklichkeit geworden oder auf dem besten Weg dazu, falls die Intellektuellen keine Steine werfen. (Schlechte Wirklichkeit, sagen sie; aber dann hätten sie praktikabler wünschen müssen.) Und sie sind gleich in zwei Modellen erfüllt, von denen jedes seine Vorzüge und seine Nachteile hat, weil jede Erfüllung auch einen Verzicht bedeutet; z. B. eine Beschneidung der persönlichen zugunsten der kollektiven Freiheit, oder der sozialen Sicherheit zugunsten des Wohlstandes, oder der Verfügungsgewalt zugunsten der Gleichheit, oder der Bildung zugunsten von was auch immer. Und daß wahre Demokratie ein Abstraktum sei, das haben gerade die Intellektuellen seit Rousseau immer wieder betont; wenn sie in der Massengesellschaft in optimaler Weise realisiert werden soll, bedarf es eines gewissen Quantums an Diktatur und an Dummheit: Beschränkung individueller Rechte – um des Establishment, der Partei, der Verbände willen; und Beschränktheit der Untertanen – um ihrer eigenen Wohlfahrt willen; wohin es führt, wenn jeder mitdenken und mitreden will, hat die Vierte Republik gezeigt. Oder: wer hat am lautesten nach der Ausrottung der Armut verlangt? Die heute am lautesten über den Wohlstand lästern. Und wer schimpft heute über die Dummheit der Wähler? Die das allgemeine Stimmrecht erstritten haben. Überhaupt: Aufklärung, Bildung, Erziehung des Volkes, »Vervollkommnung der Menschheit« – wer denn, wenn nicht die Intelligenz, hat hier versagt? Und wer hindert sie heute, denen, die sie lesen gelehrt hat, auch die richtige Lektüre zu geben? Was steht ihr eigentlich im Wege, es sei denn sie selbst? Vielleicht kann sie, hier oder dort, nicht alles sagen, was sie will. Aber sagt sie wirklich alles, was sie dürfte und könnte? Und das Hauptziel, um das sie seit der Renaissance gestritten hat, die Freiheit des Denkens und Forschens, also ihre *eigene* Freiheit, ist so triumphal errungen, daß es gar nicht mehr erwähnt oder schon verraten wird. Während Galilei unter Druck gesetzt und Darwin noch angegriffen wurde, beschuldigt Daniele Petrucci sich selbst und bricht seine Versuche ab. Jordan restituierte die entthronte Gottheit, Oppenheimer hintertrieb brisante Forschungen, Hans Bethe wartete mit falschen Daten auf – aus moralischen oder ideologischen Gründen, die von gestern sind. Es scheint, allen Beteuerungen zum Trotz, daß sie zu frei und zu mächtig sind, zu viele Chancen haben. Und wenn die anderen, die nicht so klug und unabhängig sind, nicht mitkommen – wäre da Geduld und Bescheidung nicht eher am Platze als Gereiztheit und Hochmut?

Die Rechnung ist falsch, in manchen Details, aber die Summe kommt etwa hin, und man kann sie nicht abtun mit dem Hinweis darauf, daß alles anders gedacht war. Gedacht haben die Intellektuellen, gehandelt die anderen. Sie hätten präziser denken oder ihrerseits handeln sollen. Und wenn man sie heute zum Handeln auffordert, sei's auch nur zur Gutachter- und Beratertätigkeit für die Regierung, verlieren sie schnell die Lust, und die ihre Lust behalten, verlieren das Schibboleth; sie werden von den Ihren als Verräter ausgestoßen, ins »feindliche« Lager gedrängt. Wenn aber Denken und Handeln einander ausschließen, dann müssen sie sich entscheiden: für die Gelehrtenrepublik, die von der Gesellschaft geduldet wird unter der Bedingung, daß dort nur gedacht wird, oder für die Gesellschaft, wo manches anders gemacht werden muß, als es gedacht war.

Worum also kämpfen sie? Die hehren Ziele und großen Worte beginnen ihnen selbst schon leid zu werden, sie schütteln sich nur noch, wenn andere sie im Munde führen. Sie haben neuerdings ganz handfeste, absehbare Ziele. Sie stehen einmütig auf, wenn einem der Ihren vom Arbeitgeber die Stellung gekündigt, vom Staatsoberhaupt eine Auszeichnung verweigert wird – etwa deshalb, weil sie alle Posten und Orden haben möchten? Und wenn sie, mit besseren Argumenten, gegen die große Koalition protestieren, wollen sie dann auch das parlamentarische System, das diese Möglichkeit einräumt, beseitigen? Oder wollen sie, wenn sie – mit noch besseren Argumenten – sich gegen die Notstandsgesetze stark machen, dem bestehenden Herrschaftsverhältnis das Recht absprechen, sich nach besten Kräften zu schützen und zu erhalten? Wollen sie eine andere Gesellschaftsordnung einführen? Die wenigsten denken auch nur an diese Konsequenz, und sie gedenken auch nicht, wenn sie – diesmal mit den allerbesten Argumenten – gegen die amerikanische Vietnampolitik aufbegehren, zugleich die Grundlagen dieser Politik zu

Karl Markus Michel

verdammen: den Monopolkapitalismus, der in Vietnam nur sein wahres Gesicht zeigt, das er zwar auch verbergen könnte (den Intellektuellen zuliebe), aber nicht zu verändern vermag, ohne sich selbst zu verändern. Warum sind die Intellektuellen, die einst als schonungslose Entlarver von Autoritäten auftraten, plötzlich gegen deren Selbstentlarvung? Warum zeigen sie sich, zumal in Amerika, so empört über jede Demonstration von Macht, ohne deren raison d'être glaubhaft zu verurteilen? Worüber also empören sie sich? Über Anfälle von Ehrlichkeit, die einem System, einer Institution, einer Elite unterlaufen, wo lange genug die Heuchelei geherrscht hat.   1968

Eine kleine Gruppe wollte nicht in der redseligen Sprachlosigkeit des Geistes verharren, sondern zur Tat schreiten. Mit dem Frankfurter Kaufhausbrand im April 1968 begann die unheilvolle Geschichte der Roten Armee Fraktion – der sich Ulrike Meinhof anschloß, nachdem sie im Mai 1970 dabei geholfen hatte, einen der Verdächtigen, Andreas Baader, aus dem Gefängnis zu befreien. Die Morde der Roten Armee Fraktion an Repräsentanten des Staates und des Unternehmertums lösten eine heftige Debatte innerhalb der kritischen Intelligenz darüber aus, ob und wie gerechtfertigt werden könnte, Gewalt einzusetzen, die nicht vom Volk ausging. Mit den Verbrechen der Roten Armee Fraktion und dem Schock vor der Gewalt verdämmerte endgültig die bundesrepublikanische Revolutionserwartung.

In die Diskussionen der politisch Einäugigen über die schwierige Lage und den historischen Auftrag der Sowjetunion in der kapitalistischen Welt fiel die Nachricht vom Einmarsch der roten Fahnen in der Tschechoslowakei. Am 28. August 1968 rollten sowjetische Panzer – unterstützt von Truppen aus Polen, Bulgarien und Ungarn – in das »Bruderland« ein und setzten die Regierung Alexander Dubčeks ab, der mitten im realen Sozialismus Reformen durchführen und bürgerliche Freiheiten durchsetzen wollte. Der Philosoph Ernst Bloch war, als er über die Ereignisse in Prag und deren Bedeutung für die Aufbruchsstimmung im Westen interviewt wurde, dreiundachtzig Jahre alt. Das Urgestein aus revolutionären Zeiten, das nach dem Bau der Mauer zwischen den beiden deutschen Staaten im Jahr 1961 nicht mehr in die Deutsche Demokratische Republik zurückgegangen war und in Tübingen Philosophie lehrte, vertrat einen undogmatischen Marxismus, dessen innerster Kern das »Prinzip Hoffnung« war, um das herum Gespräche sowohl mit Rudi Dutschke als auch mit dem Theologen Jürgen Moltmann möglich waren. Moltmann veröffentlichte 1964 sein Buch »Theologie der Hoffnung«, in dem er sich mit Ernst Bloch auseinandersetzte. Der ganze großbürgerliche Charme Ernst Blochs kommt schon in den ersten drei Sätzen einer Fassung seines Lebenslaufs zu Wort: »Am besten krümmt man sich nicht beizeiten. Auch auf die Gefahr hin, kein Häckchen zu werden. Die Hauptsache ist, man bleibt gesund und darin nicht nur munter.« Denn mit Munterkeit alleine kam keiner durch den »objektiv-realen Nebel«, wie Bloch in dem folgenden Interview aus dem Jahr 1968 malerisch sagte – Adorno nannte das Dickicht lieber Verblendungszusammenhang.

Ernst Bloch im Gespräch.

FRAGE: Herr Professor Bloch, Eduard Goldstücker hat vor wenigen Monaten gesagt, das Prager Experiment würde auch dann noch für die ganze Linke seine Bedeutung behalten, wenn ein Erdbeben es verschlänge. Jetzt ist das Erdbeben gekommen. Können Sie uns sagen, worin die Wirkung bestehen könnte?

BLOCH: Am schönsten und besten und großartigsten wäre es, wenn die Wirkung sich in der Sowjetunion einstellen würde. Was in den Randstaaten vorgeht, ist muterweckend und zeigt, daß hier eine Fahne an den Mast genagelt wurde, auch wenn das Schiff unterging. Aber das hat keine unmittelbare Wirkung auf den reaktionären Status in der Sowjetunion, im Gegenteil, es verschärfte ihn noch.

So bleibt also der Westen, wo ja auch noch Millionen von Unterdrückten noch immer nicht zu Wort gekommen sind, Millionen, die korrumpiert sind vom Wirtschaftswunder und von der sogenannten Sozialpartnerschaft. Die überraschende Explosion in der Studentenschaft und die Ereignisse in Paris und in anderen Städten Frankreichs haben jedoch gezeigt, daß im Westen die Ruhe nicht so stabil ist, wie die herrschende Klasse wähnt.

Ich glaube nicht, daß durch die Invasion der Tschechoslowakei der Marxismus auf die Dauer so diskreditiert wurde, wie es die Armee der kalten Krieger hofft und sich wünscht. Diese große Schändung des Sozialismus, dieser Überfall hat das sozialistische Gewissen aufgeweckt. Hier ist eine Parole gegeben worden.

Daraus sollen nun aber nicht diejenigen einen Vorteil ziehen, die daraus im wahrsten Sinn des Wortes Kapital schlagen wollen. Wer Vietnam zugestimmt oder sich lau dazu verhalten hat, hat kein Recht, keine Legitimation, über die Aktion der Sowjetunion gegen Prag zu urteilen. Erst wer sich gegen den imperialistischen Kapitalismus in Vietnam gewandt hat, kann sich auch dazu äußern, was in Prag geschehen ist. Solange das nicht klar ist, muß die Sache im eigenen Lager, unter Marxisten, verhandelt werden. Die Bundesgenossen müssen angesehen werden. Viele sind keine Bundesgenossen, sondern Nutznießer eines Unglücks.

Was die Sowjetunion angerichtet hat, hat zweifellos einen neuen Schlagschatten auf den Marxismus geworfen und zwingt, die Prämissen neu zu überdenken. Sprach das Militär? Sprachen die üblen, abgefallenen Marxisten? Erst sprach das Militär, aber die gebliebenen zivilen Stalinisten sprachen ebenfalls, weil sie panische Angst haben, wie die Forderung nach Zensur erweist. Wie schwach müssen sie sein, daß sie solche Angst haben vor dem, was ohne die oberen Herren Aufsichtsführenden im eigenen Lager gedacht wird!

FRAGE: Sehen Sie in den Prager Ereignissen Chancen für eine Erneuerung der Linken im Westen?

BLOCH: Versuche einer Neuen Linken sind schon oft unternommen worden. Sie blieben meistens in Allgemeinheit stecken und auf bloße Gruppen und Grüppchen beschränkt. Es wäre schon sehr viel, wenn innerhalb der westlichen kommunistischen Parteien die Führerrolle der Sowjetunion bezweifelt würde, ohne daß deshalb ein neuer Maoismus herauskäme, zu dem ja hier die historischen Bedingungen fehlen, die China hat.

Eine neue Internationale wäre nicht möglich ohne eine Reform der bestehenden Kommunistischen Parteien an Haupt und Gliedern. Ohne eine solche Reform scheint mir die Bildung einer Neuen Linken aussichtslos zu sein. Der Funke müßte dasein, der schöpferische Sozialismus, den die Oktoberrevolution gemeint und unter Lenin ja auch erreicht hat. Die kleine Schicht der Studenten reicht dafür nicht aus, die Wirkung müßte alle Menschen erreichen, die Not leiden, damit Licht in den Nebel gebracht werden kann und man auch wieder die praktischen Wege sieht, nicht nur das Ziel.

Eine neue Bewegung müßte Unruhe bringen in den Schlaf, in den jahrelang der Westen gefallen war, in das große Eiapopeia, das nicht vom Himmel heruntergekommen ist, sondern von der Börse, zuerst die Menschen eingeschläfert und sie dann völlig konform gemacht hat mit der kapitalistischen Produktionsweise.

Was die Russen in Prag angestellt haben, war das Gegenteil von Marxismus. Es war das Gegenteil von dem, was die Oktoberrevolution gemeint hat. Sie hätte sich heute genauso gegen die Intervention in der Tschechoslowakei gewandt wie damals gegen die Intervention in der Sowjetunion. Da ist kein Unterschied, nur eine Umtaufe hat stattgefunden.

FRAGE: Die europäische radikale Studentenbewegung hat sich bisher hauptsächlich von den Entwicklungsländern, von Kuba und China, inspirieren lassen. Können Sie sich vorstellen, daß das Prager Experiment jetzt für die Studenten im Westen trotz der Niederlage interessant wird?

BLOCH: Die Prager Ereignisse haben ganz gewiß etwas Neues gebracht. Der objektiv-reale Nebel wurde gelichtet. Eine Schwäche der Studentenbewegung ist es ja bisher gewesen, daß die Studenten sehr genau wußten, was sie nicht wollten, aber nicht so genau, was sie wollten. Das ist nicht ihr Fehler, der Nebel wird von den Machthabern verbreitet.

Die Studentenbewegung wird ohne Zweifel sehr beeindruckt sein von der bewundernswerten Haltung des tschechoslowakischen Volkes. Davon geht eine ungeheure propagandistische Wirkung aus, die keine Niederlage aufhalten kann. Der Sieg des Schlechten kann auf die Dauer nicht die gleiche Wirkung haben wie das Schauspiel eines kleinen Volkes, das durchhält und nicht kapituliert vor dem Großen und auf exemplarische und modellbildende Weise die Demokratie und den Sozialismus an einem Ort zu realisieren sucht. Vielleicht läßt sich die Erneuerung in Prag doch noch auf eine Schwejksche Weise durchsetzen. Vielleicht bilden die Prager eine neue Sklavensprache aus, die die Hindernisse zu erkennen gibt und die die Welt verstehen läßt, wenn die Praxis nicht dem entspricht, was das sozialistische Gewissen und Wissen meint.   1968

Seit Mitte der sechziger Jahre spielte das Wort »Demokratisierung« eine wichtige Rolle. Die Vorstellung, die damit verbunden war, ließ sich noch steigern, und so folgte auf die »Demokratisierung« schließlich die »Selbstverwaltung«. Die Rebellen und Reformer stellten mit dieser Idee institutionalisierte soziale Verhältnisse in Frage. In den Augen des Politikwissenschaftlers Wilhelm Hennis rührte die Emphase, mit der auch von Jürgen Habermas auf die Demokratisierung gedrungen wurde, vor allem aus dem kindlichen Glauben, in institutionalisierten politischen Verhältnissen ließe sich wie unter Freunden gleichberechtigt miteinander leben. Eine Hochschulreform, in der die Demokratisierung so weit getrieben würde, daß ein Unterschied zwischen den Schülern und den Lehrern nicht mehr gelte, lehnte er ab.

In einem Gespräch zwischen Peter Szondi und Theodor W. Adorno über die Unruhe der Studenten, das vom Westdeutschen Rundfunk am 30. Oktober 1967 ausgestrahlt wurde, erklärte Adorno zum Schluß: »Wenn man den Begriff der akademischen Freiheit so streng nimmt, wie ich ihn nun einmal nehmen muß, dann folgt daraus eine Art von Widerstandsrecht der Studenten gegen Versuche, wie sie gerade im Zuge der Rationalisierung der Universität liegen, etwa gegen die Studienzeitbeschränkung oder die Einführung des Numerus clausus … Es wird aber nicht wegzuleugnen sein, daß im allgemeinen ein Professor der Romanistik besser seinen Montaigne kennt, und versteht, als ein Student, der zu ihm ins

Die Freiheit des Studenten

Seminar kommt, und daß im allgemeinen ein Professor der Philosophie seinen Kant und seinen Hegel besser kennt, als der Student, der bei ihm den Hegel studiert. Und ich glaube, daß eine Übertragung von demokratischen Ideen auf die Universität, die auf diese einfachsten, von der Sache her gegebenen Momente keine Rücksicht nimmt, etwas, ja, ich muß schon sagen, Infantiles hätte.« Schon in der Familie, erklärte Hennis in einem Artikel über die Demokratisierung, der in der »Frankfurter Allgemeinen Zeitung« 1969 erschien, könne sich das Kind nicht einfach neben die Eltern setzen.

Wilhelm Hennis. Wer sich die Aufgabe stellt, den Begriff ausfindig zu machen, der am bündigsten, prägnant und doch umfassend den Generalanspruch unserer Zeit zum Ausdruck zu bringen sucht, der muß nicht lange suchen: Es genügt, das tägliche Morgenblatt aufzuschlagen. In jedem Ressort, dem politischen ohnehin, aber auch in allen Sparten des Feuilletons, im Wirtschaftsteil, in allen Berichten aus der Welt der Kirche, Schule, Sport, im Frauenfunk und Kinderfunk, in den Kontroversen um Börsenverein und Kunstverein, Universitätsreform, Theaterreform, Verlagsreform, Reform der Kindergärten, Krankenhäuser und Gefängnisse bis hin zur allgemeinen Forderung der Gesellschaftsreform – der Generaltenor aller Ansprüche der Zeit auf Veränderung der uns umgebenden gesellschaftlichen Welt findet seine knappste Formel in dem einen Wort »Demokratisierung«. Man wird wohl sagen dürfen, daß dieser Begriff die universalste gesellschaftspolitische Forderung unserer Zeit in einem Wort zusammenfaßt.

Die Forderung ist nichts spezifisch Deutsches. Die Forderung nach mehr Demokratie, mehr Partizipation, nach Verringerung oder Abbau der Herrschaft – wir finden sie in allen westlichen Kulturstaaten, aber genauso, sei es als Formel des politischen Untergrunds oder als Propagandabegriff, der gegen die kapitalistischen Staaten ausgespielt wird, auch in den Staaten des kommunistischen Machtbereichs.

Und doch scheint die Formel in Deutschland auf besonders fruchtbaren Boden zu fallen. Die Vorstellung, wir Deutschen hätten einen besonderen Nachholbedarf an Demokratie, die Verhaltensweisen der Menschen seien in unserem Lande noch in besonderer Weise von obrigkeitsstaatlichen Traditionen bestimmt, die »Strukturen« der gesellschaftlichen Sphären der Wirtschaft, Wissenschaft, Bildung seien im Vergleich zu anderen Staaten noch besonders autoritär und unfreiheitlich, ist weit verbreitet. Wenn wir die Staaten des Westens für sich nehmen, so wird man feststellen müssen, daß in keinem Lande während der letztvergangenen fünf Jahre unter dem Ansturm der Formel gesellschaftliche Strukturen so in Bewegung geraten sind wie in der Bundesrepublik. Die von der neuen Welle der Hochschulgesetzgebung intendierte Umwandlung der überkommenen Wissenschaftsuniversität in eine sich als demokratischer verstehende »Gruppenuniversität« steht in der Welt jedenfalls einzigartig da. ...

Demokratie definiert im überkommenen Verständnis nun aber eine bestimmte politische Herrschaftsweise. So jedenfalls überliefert uns die Tradition den Begriff. Setzen wir ihn einmal synonym mit Politie, so gehört Demokratie mit Monarchie und Aristokratie zu den guten Herrschaftsformen, in denen einzelne, wenige oder eben viele ein politisches Gemeinwesen freier Menschen in einer komplizierten Praxis, Politik genannt, zu einer Einheit werden lassen. Seit der antiken Polis wird die Demokratie in Abhebung von den beiden anderen Herrschaftsweisen, der Monarchie und der Aristokratie, definiert durch ihre bei aller sonstigen Rangabstufung der Menschen tunlichste Gleichheit der freien Bürger in bezug auf ihre politischen Rechte.

Was sind folglich die immanenten Konsequenzen der Demokratisierung eines Sozialbereichs unterhalb der politischen Gesamtordnung? Die Demokratisierung eines Sozialbereiches bedeutet im strikten Sinn zunächst seine Politisierung, das heißt die Unterwerfung dieses Bereichs unter jene Prinzipien, die im Bereich der Politik die maßgeblichen sind, zum zweiten, da Demokratie ohne Gleichheit nicht denkbar ist, die tunlichste Herstellung einer Gleichheit aller in diesem Sozialbereich Tätigen. Beides zusammen ist eine Forderung von ungeheurer Tragweite.

Wollen wir sie erfassen, so müssen wir uns vergegenwärtigen, daß die spezifische abendländische Sozialordnung seit der Antike bis in unsere Zeit hinein bestimmt wird durch die Unterscheidung von Politischem und Nichtpolitischem. Diese Unterscheidung, die die antike Polis erstmals mit äußerster Schärfe durchgeführt hat, liegt vor der durch das Christentum die abendländische Welt bestimmenden Unterscheidung von weltlicher und geistlicher Gewalt. Der Gegenbegriff zur politischen Herrschaft ist vielmehr die häusliche Herrschaft, die Herrschaft des Hausvaters im Oikos.

Diese Unterscheidung von politischem und häuslichem (»ökonomischem«) Bereich deckt sich mit der fundamentalen Unterscheidung politischer und hausväterlicher Herrschaftsweise. Diese Unterscheidung ist für das Abendland insofern konstitutiv, als es sich darin gegenüber der östlichen, barbarischen, »despotischen« Welt in ihrem griechischen Ursprung begriffen hat und daß diese Unterscheidung bei allem Wechsel der sozialen Grund-

Wilhelm Hennis

lagen, der metaphysischen Vorstellungen, der realen Lebensweise immer noch alleine rechtfertigt, daß wir mit der Kategorie der Politik umgehen – die man durch die Geschichte des Abendlandes seit der athenischen Polis bis in unsere Tage hinein verstehen kann als den Kampf um die Grenze, ein Kampf, in dem es kleine, mittlere und riesige Grenzverschiebungen zwischen politischem und nichtpolitischem Bereich gegeben hat, Grenzverschiebungen bei Aufrechterhaltung der Grenze! – aber auch den Fall der Grenzaufhebung, womit Politik im abendländischen Sinne hinfällig wird. Der geschichtliche Paradefall der immer möglichen Grenzaufhebung war der Absolutismus; der totale Staat unseres Jahrhunderts ist gleichfalls durch diese Aufhebung der Grenze von öffentlichem und privatem Bereich definiert.

Zwar liegt es auf der Hand und kann natürlich von jemandem, der auch nur die baresten Grundkenntnisse der Problematik eines modernen sozialen Wirtschaftsverwaltungsstaates hat, in keiner Weise bestritten werden, daß die Grenzen zwischen öffentlichem und privatem Bereich, zwischen politischem und »häuslichem« sich außerordentlich verwischt haben. Wenn der Staat zwar, wie es Aristoteles gesagt hat, um der bloßen Existenz willen ins Leben getreten ist, aber um des guten Lebens willen fortbesteht, so ist ohne weiteres zuzugeben, daß der moderne Staat schon um der bloßen Existenz willen, wie es der moderne Terminus technicus will, um der »Daseinsvorsorge« willen nicht mehr weggedacht werden kann.

Und doch ist in einer Beziehung die Unterscheidung des politischen Bereichs, also modern: des Staates und des ihm zugeordneten, auf ihn hinführenden Bereichs der politischen Willensbildung (an der auch heute noch nur die Erwachsenen, die Freien und Gleichen, denen die Demokratie das allgemeine gleiche Wahlrecht zuspricht, beteiligt sind) von allen anderen Sozialbereichen durch eines grundsätzlich unterschieden. Der Staat mag noch so sehr durch alle Einzelbereiche seiner Politik: Gesundheitspolitik, Bevölkerungspolitik, Wohnungspolitik, einwirken auf die Realität des sozialen Volkskörpers; von allen sozialen Tatbeständen bleibt er unterschieden durch seine Abstraktion von der Reproduktion des Lebens: Er ist der Staat der Erwachsenen, der den Menschen erst »emanzipiert«, volljährig, und dann in völliger rechtlicher Gleichbehandlung an seiner Willensbildung teilhaben läßt.

Im Vergleich dazu ist jeder Sozialtatbestand – von Vereinen abgesehen, nach deren Muster der moderne Staat in der naturrechtlichen Theorie sich ja ausgedacht hat – eingebunden in die unabänderliche Folge des Lebens: Geburt, Kindheit, Jugend, Reife, Alter, Tod. Wenn Hegel die Gesellschaft als das »System der Bedürfnisse« – der Bedürfnisse der menschlichen Gattung bezeichnet hat, so kann man nun sagen: Alle Sozialtatbestände und ihre Institutionen: Kirche, Schule, Universität, die Arbeitswelt und schließlich, im Grunde natürlich zuerst zu nennen, die Familie, sind Initiationsgebilde, die in sich Ungleiche und, so jedenfalls die Familie, auch Unfreie vereinigen. Vereinigt die Familie in sich absolut und unaufhebbar Unfreie, die Neugeborenen, so sind alle Sozialtatbestände nicht nur durch das Zusammenwirken von Ungleichen, sondern durch das Zusammenwirken von verschiedenen Freien gekennzeichnet. Dies ist ein nicht aufzuhebender Tatbestand, der der Übertragung einer Kategorie, die kategorial nur auf das Miteinander von Freien und Gleichen paßt, unüberbrückbar entgegensteht.

Man kann – und warum sollte man nicht – in Schulen, Universitäten, Wirtschaftsbetrieben, Zeitungsredaktionen, Krankenhäusern die Formen des menschlichen Miteinander ändern, sie freier, auch ihre rechtlichen »Strukturen« weniger hierarchisch gestalten. Für Anhörung, Mitwirkung, auch Mitbestimmung sollte, wo immer es möglich ist, Raum gegeben werden. Nur »demokratisch« läßt all dies sich nicht legitimieren. Nicht einmal für die wirtschaftliche Mitbestimmung, die ich für eine gute und nicht preiszugebende Sache halte, läßt sich aus dem Begriff der Demokratie das geringste ableiten.   1969

Während sich die bundesrepublikanischen kritischen Intellektuellen mit der Reform und der Moral der Gesellschaft beschäftigten, diskutierten Naturwissenschaftler über Ungeheuerliches. Die Ciba Foundation hatte Anfang der sechziger Jahre Wissenschaftler, darunter fünf Nobelpreisträger, zu einem Symposium in London eingeladen, auf dem sich die Wissenschaftler über die Genmanipulation und die Chancen für den »Übermenschen« austauschten. Über diese Konferenz erschien bald darauf ein Buch unter dem Titel »Die Menschenmacher«.

Fünf Jahre nach dieser Konferenz versammelten sich in Schloß Elmau Naturwissenschaftler und interessierte Laien, um sich über die »Verantwortung der Wissenschaft vor dem Menschen und dem Leben« zu unterhalten. Im Jahr 1969 wurde ein Band mit Aufsätzen veröffentlicht, dessen Titel auch die kritische Intelligenz hätte aufhorchen lassen müssen: »Menschenzüchtung«. Doch sie schwieg und bestätigte damit die These des Engländers Charles Percy Snow, der in einer einflußreichen Schrift darauf aufmerksam gemacht hatte, daß sowohl die Geisteswissenschaften als auch die Naturwissenschaften Kulturen herausbilden, die einander fremd gegenüberstünden. Weder Hans Magnus Enzensberger noch Jürgen Habermas, die doch zu vielen Themen das Wort ergriffen, erkannten öffentlich, was sich in den Naturwissenschaften anbahnte. Erst Jahrzehnte später brach die Mauer und gingen Vorstellungen und Ergebnisse der Naturwissenschaften in die biopolitischen und bioethischen Debatten der Intellektuellen ein.

Während Papst Paul VI. in seiner Enzyklika »Humanae vitae« in die Zeitläufe eingriff, indem er sich gegen die Antibabypille aussprach – der Bundestag beschloß damals, daß die Gotteslästerung und der Ehebruch nicht mehr bestraft werden sollten –, schrieb Karl Rahner, 1904 in Freiburg geboren und damals Ordinarius für Dogmatik und Dogmengeschichte in Münster, für das Buch »Menschenzüchtung« einen Aufsatz über das »Problem der genetischen Manipulation aus der Sicht des Theologen«.

Karl Rahner. Was treibt faktisch zur genetischen Manipulation? Wer wird dazu getrieben? Darauf wäre zu antworten: der Haß gegen das Schicksal; der in der Tiefe seines Wesens vor der Unverfügbarkeit des Daseins Verzweifelte. Dieser überschreitet nun aber in der genetischen Manipulation genau und deutlich jene Grenze zwischen legitimer eugenischer Vorsorge und dem Bereich, in dem die verzweifelte Angst vor dem Schicksal tyrannisch herrscht.  Auch wo eine Grenze nicht genauer festgelegt werden kann, kann man trotzdem sehen, daß ein bestimmter Schritt sie sicher überschreitet. Das ist in unserem Fall deutlich zu sehen, denn die konkrete genetische Manipulation ist vom Willen beherrscht, an einem entscheidenden Punkt das »fatum« aus dem Dasein auszumerzen. Wenn dieses Vorhaben dann nicht ganz gelingt, ist dies gegen den Willen, der das Schicksal haßt und nur das berechnet Geplante als Tat der eigenen Freiheit lieben kann, und gegen den Willen, der nicht mehr sagen will: »Ich habe einen Menschen von *Gott* erhalten« – von Gott, über den man nicht verfügen kann und der konkret im Dasein des Menschen anwesend sein muß. Das Grundwesen dieser mehr theologisch formulierten Konsequenz zeigt sich nicht weniger deutlich auch in konkreten anthropologischen Dimensionen: *Will* der konkrete Mensch, der nicht bloß eine abstrakte Begrifflichkeit zum Inhalt hat, bei Annahme der genetischen Manipulation wirklich noch das Unverfügte annehmen? Hat er überhaupt noch den Mut zu einer Entscheidung, deren Ergebnis offen ist? Hat er den Willen, in eine Zukunft zu gehen, die offen und voll tödlicher und seliger Überraschung ist? Wenn er sich *da* diesem Willen versagt, wird er ihn anderswo in seinem Dasein noch leisten? Oder ist er wie ein Mensch, der eine bestimmte Wesensaufgabe erst und nur dort erfüllen will, wo er nicht mehr anders kann – und darum auch in diesem Fall es nicht wirklich können wird? Das sind die entscheidenden Fragen.

Es gibt eine Intimsphäre des Menschen. Sie mag geschichtlich und gesellschaftlich in ihrer konkreten Gestalt erheblich variieren. Ob ihre Abschaffung technisch möglich ist, ist unerheblich. Die Intimsphäre soll sein, und sie muß entschlossen gewahrt werden. Sie konstituiert nämlich den innersten Bezirk des Freiheitsraumes, den der Mensch braucht, um wirklich der über sich selbst Verfügende zu sein. Wo jedermann willkürlich auf seine Weise in den »Raum« des Vollzugs der personalen Freiheit eindringen kann und es auch darf, da hört die Freiheit selbst auf.

Nun haben aber die Menschen recht, wenn sie den letzten Vollzug des Geschlechtlichen dieser Intimsphäre zuweisen. Denn menschliche Sexualität als ein Vorgang in Freiheit ist und soll mehr sein als eine bloß biologische Funktion, sondern ein ganzmenschlicher Vorgang: Vollzug und Erscheinung personaler Liebe. Diese personale Liebe, die sich als geschlechtliche vollzieht, hat aber einen inneren Wesensbezug auf das Kind in sich, in dem die bleibende Einheit der Ehepartner real zur Verwirklichung kommt, die in der ehelichen Einigung zum Ausdruck kommt. Die genetische Manipulation aber tut ein Doppeltes: Sie trennt grundsätzlich die Zeugung einer neuen Person als der bleibenden Erscheinung der Liebeseinheit der Gatten von der ehelichen Einigung; sie verlegt diese so getrennte und von ihrem menschlichen Urgrund losgerissene Zeugung außerhalb der Intimsphäre des Menschen; in diese gehört aber die geschlechtliche Vereinigung hinein, die zugleich die grundsätzliche Bereitschaft der Ehepartner impliziert, ihre Einheit im Kind erscheinen zu lassen.

Die Tatsache, daß man die mit der genetischen Manipulation so gegebenen prinzipiellen Veränderungen technisch bewerkstelligen *kann* und dennoch ein neuer Mensch entsteht, beweist nichts gegen diesen eben angedeuteten Wesenszusammenhang der Momente (Intimsphäre – eheliche Liebesvereinigung – reales Bleiben dieser Verbindung im Kind). Denn das Kind, das so entsteht, ist in diesem genannten Sinn das Kind der Mutter *und* des Samenspenders. Dieser aber weigert sich *gleichzeitig*, im Akt personaler Liebe sich zu diesem seinem Vatersein zu bekennen; er bleibt anonym oder will wenigstens gar nicht Samenspender gerade auf diese bestimmte Mutter hin sein und beraubt gerade auch durch seine Anonymität das Kind des Rechtes und der Möglichkeit der Erfüllung seiner Daseinspflicht, nämlich sich selbst *als* Kind dieser bestimmten Eltern anzunehmen. So wenig eine Vergewaltigung, bloß weil sie einen Menschen hervorbringt, dadurch schon ihre Menschlichkeit beweist, so wenig tut es die genetische Manipulation auf diese Weise. Daß eine biologische Ursache-Wirkungskette noch nicht abreißt, wo der menschlich-sittliche Zusammenhang und die totale eigentlich menschliche Sinngebung tödlich verletzt wird – für die das »Biologische« Ausdruck und Erscheinung sein sollte –, das ist zwar eine Tatsache, aber keine, die durch das biologische »Gelingen« schon gerechtfertigt wäre. ...

Heute sucht man den Freiheitsraum der einzelnen Menschen zu erweitern und zu sichern. Das ist eine sittliche Aufgabe der Menschheit. Die Erstellung der technischen Möglichkeit einer genetischen Manipulation des Menschen verringert diesen Freiheitsraum des Menschen und dessen Sicherheit. Denn sie bietet ungeahnte, an die Wurzeln des Daseins greifende Möglichkeiten der Manipulation des Menschen durch die organisierte Gesellschaft beziehungsweise durch den Staat. Denn er ist dann in der nächsten Versuchung, die genetische Manipulation selber zu manipulieren. Wenn man aber nicht von der radikal falschen philosophisch und christlich verwerflichen Meinung ausgeht, was der Staat wolle, sei darum auch aus sich gut und rechtens, dann ist mit der genetischen Manipulation eine Möglichkeit für den Staat gegeben, über die innere Wesenswidrigkeit hinaus die genetische Manipulation nochmals unsittlich, das heißt unhuman zu willkürlichen Zwecken zu manipulieren und konsequent jene Menschen herzustellen, die gerade der Willkür des Staates »passen«.

Man sage nicht, *jede* neue und berechtigte Möglichkeit des Menschen schaffe eine neue Versuchung, sie zu mißbrauchen, sie werde dadurch aber nicht in sich unsittlich, es müsse eben nur der Mißbrauch verhindert werden. Eine solche Gefahr des Mißbrauches einer neu geschaffenen Möglichkeit darf einkalkuliert werden, *wenn* diese neue Möglichkeit in sich als berechtigt, ja vom Menschen gefordert, und unvermeidlich erscheint. Aber gilt dies von der genetischen Manipulation? Welche zwingenden Ziele strebt sie denn an? Daß der Mensch etwas älter werde? Aber ist das wirklich bei der heutigen Größe der Menschheit und unter allen Umständen bzw. Bedingungen wünschenswert? Muß dies gerade mit diesem – gar nicht einzig möglichen – Mittel angestrebt werden? Oder ist der Hauptzweck, daß der Mensch vom Genom her intelligenter und gesitteter werde? Aber sind höhere Intelligenz und höhere Disposition für humanes Verhalten eindeutig gekoppelt? Ist die züchtbare Intelligenz wirklich die, die wir heute brauchen: die Intelligenz der Weisheit, der sittlichen Verantwortung und der Selbstlosigkeit, während doch die technische Intelligenz durch Computer, Kybernetik usw. genügend gesteigert werden kann? Wozu soll also die genetische Manipulation eigentlich dienen außer eben zur Erweiterung der Herrschaftsmöglichkeit des Staates und so zur Einschränkung anstatt zur Erweiterung des Freiheitsraumes des Menschen? 1969

Willy Brandt wurde 1969 zum Bundeskanzler gewählt. Künftig sollten sich, so sah es das Konzept der Bundesregierung vor, die Bundesrepublik und die Deutsche Demokratische Republik wie zwei gleichberechtigte Staaten einer Nation gegenüberstehen. Das Staatsoberhaupt in Ostdeutschland, Walter Ulbricht, schüttelte den Kopf und erklärte, daß eine einheitliche deutsche Nation nicht bestehe, sondern sich in der Deutschen Demokratischen Republik ein sozialistischer deutscher Nationalstaat herausgebildet habe.

Der Sozialistische Deutsche Studentenbund löste sich 1970 auf. Am Ende des Jahres wurde der Warschauer Vertrag unterzeichnet, in dem festgelegt wurde, daß die beiden Seiten, die Bundesrepublik und Polen, darauf verzichteten, gegeneinander Gewalt auszuüben, und daß sie die bestehenden Grenzen anerkannten. Damals kam es zu dem berühmten Kniefall Willy Brandts vor dem Mahnmal im Warschauer Ghetto. Auch mit Moskau wurde ein Vertrag geschlossen. Und auch hier erklärten die beiden Seiten, die Bundesrepublik und die Sowjetunion, keine Gewalt gegeneinander auszuüben und die Grenzen der Nachkriegsordnung anzuerkennen. Über diese Verträge wurde 1972 im Bundestag debattiert, schließlich wurden sie ratifiziert. Fehlte nur noch, daß die Bundesrepublik und die Deutsche Demokratische Republik sich gegenseitig offiziell anerkannten.

Der Journalist Sebastian Haffner, 1907 in Berlin geboren, kam erst Mitte der fünfziger Jahre aus seinem Exil in England nach Deutschland zurück. Er hatte Ende der siebziger Jahre mit seinen Büchern »Anmerkungen zu Hitler« und »Preußen ohne Legende« großen Erfolg. In seinem Artikel aus dem Jahr 1970, der den Titel »Die Anerkennung der DDR« trug und in der Zeitschrift »Stern« erschien, sah er gerade in dieser Anerkennung die notwendige Bedingung dafür, daß das deutsche »Nationalge-fühl« am Leben bliebe – das deutsche »Staatsgefühl« könnte sich auch mit zwei Staaten arrangieren. Dem Nationalgefühl sollte nichts im Wege stehen, weshalb Haffner sich sogar gewünscht hat, daß ein Bundesdeutscher auf die Leistungen Ulbrichts »einen gewissen Stolz« empfinden sollte, so wie umgekehrt ein Bürger des anderen deutschen Staates auf die Leistungen Adenauers. Im Dezember 1972 wurde der Grundlagenvertrag zwischen den beiden deutschen Staaten unterzeichnet und damit im Sinne Haffners der Grundstein für das Weiterleben des deutschen Nationalgefühls gelegt. Nationalgefühl und Staatsgefühl gingen nicht immer die von Haffner einmal vorgeschriebenen getrennten Wege. Der Schriftsteller Martin Walser hat sich Jahre später öffentlich zu seinem Heimatgefühl bekannt, das ihn gerade die Existenz zweier deutscher Staaten nicht ertragen lasse.

Sebastian Haffner. Sind die Deutschen überhaupt eine Nation? Waren sie es je? »Zur Nation euch zu bilden, ihr sucht es, Deutsche, vergebens ...« Bilden nicht auch heute schon Deutsche sogar mehr als zwei Nationen? In der Schweiz, in Österreich, auch im Elsaß spricht man deutsch; trotzdem sind die Schweizer Schweizer und die Österreicher Österreicher und die Elsässer Franzosen. Wäre es ein Unglück, wenn auch die Bundesdeutschen und die DDR-Deutschen eines Tages zwei Nationen wären, mit  getrennten Traditionen und Literaturen, mit getrennten landsmannschaftlichen Gefühlen – Fremde? Sind sie es nicht fast schon jetzt? Und vermissen sie einander wirklich?

Dieser Problemknäuel soll hier nicht entwirrt werden. Es wird einfach unterstellt – und es entspricht wohl auch noch der Wirklichkeit –, daß es unter den Deutschen, die die dramatische und schreckensvolle Geschichte des Bismarckreichs gemeinsam durchgemacht haben und die heute fast vollzählig in der Bundesrepublik und der DDR (und in Westberlin) leben, immer noch viele gibt, die diese Gemeinsamkeit als einen erhaltenswürdigen Wert empfinden; denen die drei gemeinsam durchlebten Vierteljahrhunderte von 1870 bis 1945 mehr bedeuten als das eine Vierteljahrhundert, das sie seither trennt; denen »Wiedervereinigung« noch immer ein erstrebenswertes Ziel ist. (Freilich werden diese Menschen immer weniger; in einem weiteren Vierteljahrhundert dürften sie so ziemlich ausgestorben sein.) Von ihrem Standpunkt aus soll hier zum Schluß die Anerkennungsfrage noch kurz betrachtet werden. Hilft die Anerkennung einer Wiedervereinigung oder hindert sie sie?

Dabei tut man gut, sich ein wenig darüber klarzuwerden, wie eine Wiedervereinigung bestenfalls aussehen könnte. Eine Wiedervereinigung durch Annexion oder Anschluß des einen Staates an den anderen ist nicht nur unter allen irgendwie erdenklichen Bedingungen der voraussehbaren Zukunft ausgeschlossen; sie ist auch nicht wünschenswert. Sie setzt Krieg voraus, und ein Krieg würde unter den heutigen Bedingungen in Deutschland nichts zum Wiedervereinigen übriglassen. Aber selbst wenn durch ein Wunder die Bundesrepublik die DDR ohne Krieg in ihre Gewalt bekommen könnte – etwa so wie Hitler Österreich ohne Krieg in seine Gewalt bekam –, würde das, was daraus folgte, ein Schauspiel von unausdenkbarer Furchtbarkeit sein. Wer auch nur die geringste Vorstellungskraft hat, kann nur hoffen, daß etwas Derartiges nie passiert. Gott sei Dank besteht auch nicht die geringste Aussicht, daß es je passieren könnte.

Realistischerweise vorstellbar wäre eine Wiedervereinigung heute nur noch im gegenseitigen Einverständnis der beiden Staaten. Das setzt entweder eine sehr schwache Form von Wiedervereinigung voraus – einen lockeren Staatenbund, eine Konföderation ohne übergreifende Staatsgewalt, wie sie die DDR der Bundesrepublik ja ein paar Jahre lang vergeblich angeboten hat – oder aber einen erheblichen inneren Wandel in beiden Staaten. Zu einem wirklichen Staat wiedervereinigen könnten sich allenfalls eine von Liberalkommunisten regierte DDR und eine von Linkssozialisten in der Bundesrepublik, aber sie sind Minderheiten, und die Chance, daß sie in der Zeit, in der Wiedervereinigung hüben und drüben noch Interessenten hat, also etwa in dem verbleibenden Rest dieses Jahrhunderts, an die Macht kommen werden, ist gering.

Immerhin: Es ist vorstellbar – vorstellbar, keineswegs sicher –, daß gerade die Anerkennung diesen Minderheiten in beiden Staaten Auftrieb geben könnte. Anerkennung würde Verkehr und Austausch nach sich ziehen, die beiden Deutschland würden einander wieder interessanter werden, sie würden dieses und jenes aneinander neu entdecken; möglicherweise gäbe es ein wenig Abbau von Vorurteilen, ein wenig gegenseitige Beeinflussung, ein wenig Abfärben. Das alles ist aber spekulativ, und es wäre den Regierungen auf beiden Seiten auch kaum uneingeschränkt erwünscht. Man darf nicht darauf setzen. Wer in der Anerkennung bereits den ersten Schritt zur Wiedervereinigung sieht, wird wahrscheinlich enttäuscht werden.

Freilich: Wer in der Nichtanerkennung je ein Mittel zur Wiedervereinigung gesehen hat, muß, wenn er nicht völlig realitätsblind ist, schon längst enttäuscht sein. Wenn es überhaupt noch einen Weg zur Wiedervereinigung gäbe, dann allerdings wäre die Anerkennung der erste Schritt auf diesem Weg: Staaten, die sich anerkennen, können sich, wenn sie wollen, auch vereinigen; Staaten, die sich schneiden, können es auf keinen Fall. Aber wahrscheinlich gibt es einen Weg zur Wiedervereinigung heute überhaupt nicht; mindestens ist er unabsehbar weit.

Bleibt die Frage, ob es nicht, wenn schon keine Wiedervereinigung, zumindest einen annehmbaren Wiedervereinigungsersatz geben könnte. Ein berühmter Berliner Arzt der zwanziger Jahre pflegte zu sagen, eine gutkompensierte Krankheit sei so gut wie Gesundheit. Ließe sich die Zweistaatlichkeit – vom nationalen Standpunkt aus zweifellos eine Art Krankheit – wenn nicht heilen, so wenigstens kompensieren?

Hier bietet sich eine historische Überlegung an. Wenn man die gut tausend Jahre deutscher Geschichte betrachtet, findet man, daß die Einheit des Bismarckreichs eine kurze Episode war (und keine besonders glückliche). Normalerweise haben die Deutschen nicht nur in zwei, sondern sogar in vielen

Sebastian Haffner

Staaten gelebt. Diese Staaten sind auch nicht etwa immer homogen gewesen: Es hat katholische und evangelische Staaten gegeben – und das in einer Zeit, in der der Konfessionsgegensatz mindestens so wichtig und so unversöhnlich war wie der ideologische Gegensatz von Kapitalismus und Sozialismus heute –, Monarchien und Republiken, im neunzehnten Jahrhundert konstitutionelle und feudale Staaten. Was es nie gegeben hat, sind Staaten gewesen, die einander die Anerkennung verweigerten.

Wenn sich eine Art deutsches National- und Zusammengehörigkeitsgefühl durch alle Jahrhunderte der Vielstaatlichkeit und Verschiedenstaatlichkeit erhalten hat, dann offenbar gerade dadurch, daß die deutschen Staaten nie die Beziehungen miteinander abbrachen. Anscheinend ist das deutsche Nationalgefühl von einer Art, die die Gesamtstaatlichkeit nicht unbedingt braucht, anscheinend gedeiht es ziemlich unabhängig vom Staatsgefühl. Was es braucht, sind Lebensbedingungen, die ihm gestatten, sich in dieser seiner Sonderart, also unabhängig von der lokalstaatlichen Unterteilung und unbeschadet loyaler Staatsgesinnung, zu entfalten und zu bestätigen. Man könnte so weit gehen zu sagen, daß Nationalgefühl unter Deutschen mehr zur Privatsphäre als zur öffentlichen gehört. Es ist eine gleichzeitig zäh-bescheidene und empfindliche Pflanze. Es windet sich mühelos unter Staatsgrenzen hindurch, solange diese Grenzen eben durchlässig sind. Erst wenn sie es nicht mehr sind, stirbt es ab.

Nicht die Existenz der Staatsgrenzen zwischen Bundesrepublik und DDR, ihre Undurchlässigkeit bedroht heute das Weiterleben eines deutschen Nationalgefühls. Diese Undurchlässigkeit ist aber die Folge der Beziehungslosigkeit, also der Nichtanerkennung. Zwischen Staaten, die sich anerkennen, wird es früher oder später auch wieder Privatverkehr geben – und damit eine Chance für Gefühle nationaler Gemeinsamkeit. Für ein solches Nationalgefühl könnte es sogar eher einen Gewinn als einen Verlust bedeuten, daß die deutschen Staaten gesellschaftlich verschieden sind – also daß Deutsche einen Fuß in beiden Lagern der heutigen Welt haben. Wer sich wirklich noch als Deutscher empfindet, sollte auch als Bundesdeutscher auf die Leistung Ulbrichts, auch als DDR-Deutscher auf die Adenauers einen gewissen Stolz fühlen können. Daß das kaum mehr vorkommt, spricht freilich nicht dafür, daß die Deutschen heute noch viel Nationalgefühl haben.

Wie dem auch sei, die Anerkennung der DDR würde dem, was an deutschem Nationalgefühl die zwanzig Jahre der Nichtanerkennung überlebt hat, eine Chance geben, noch einmal zu Kräften zu kommen. Weitere zwanzig Jahre Nichtanerkennung werden es mit Sicherheit abtöten. 1970

Nur fünf Jahre nach Ralf Dahrendorfs enttäuschter Suche nach einer wahren Humanität in Deutschland erschien in der »Frankfurter Allgemeinen Zeitung« ein Artikel des damals in Heidelberg lehrenden Soziologen Ernst Topitsch. Der Artikel trug den Titel »Machtkampf und Humanität« und war vor allem eine wütende Abrechnung mit dem »Gesinnungsterror«, wie Topitsch gesinnungsfest behauptete, der sogenannten gesellschaftskritischen Weltverbesserer. Ernst Topitsch, 1919 in Wien geboren, hatte in der Wehrmacht bis zum Ende des Krieges gedient und war nach Stationen in Wien und Heidelberg schließlich Professor für Philosophie in Graz geworden. Zu seinen erfolgreichen Büchern gehörte der Band »Logik der Sozialwissenschaften«. Bekannt wurde er durch sein Buch »Vom Ursprung und Ende der Metaphysik« aus den fünfziger Jahren. In der Bundesrepublik sah er rebellierende Ideologen am Werk, die ihren Anspruch auf Humanität und Demokratie als Mittel zum Zweck einsetzen würden. Ernst Topitsch war kein Freund der Frankfurter Schule, die sich darauf konzentrierte, den Kapitalismus und das falsche Bewußtsein zu kritisieren – und eben nicht Kritik an Weltanschauungen aus aller Welt üben wollte.

Der Schriftsteller Franz Fühmann, der in der Deutschen Demokratischen Republik lebte, hat 1971 in einem offenen Brief über die Verführbarkeit des Menschen durch die Ideologien nachgedacht, und zwar am Beispiel seines Lebenslaufes, der ihn in die Arme der Nationalsozialisten geführt hatte. Dort wäre er steckengeblieben, wenn nicht Hitler besiegt worden wäre und wenn nicht er, Fühmann, in die Arme der Kommunisten gefunden hätte, wo er den Sozialismus von der Pike auf lernte. Für Fühmann wie für die marxistischen Gesellschaftskritiker der Bundesrepublik war der Sozialismus selber keine Ideologie, sondern eine Befreiungstheorie, die Deutschland durch den Krieg auch vom Nationalsozialismus erlöst habe. Fühmann beharrte darauf, daß ihn nur »ein gütiges Geschick« davor gerettet habe, Greueltaten zu begehen, »daß Auschwitz ohne mich und meinesgleichen nicht möglich gewesen wäre, daß ich Teil der nationalsozialistischen Totalität war, der genau so funktionierte, wie er funktionieren sollte, und daß damit der Unterschied zwischen Höß und mir nur graduell war; juristisch, aber nicht moralisch-existentiell«. Die Begegnung mit dem dialektischen Materialismus sei für ihn, schrieb Franz Fühmann, »ein geistiges Erlebnis ohnegleichen« gewesen.

Mitte der siebziger Jahre begann das Wort »Ideologie« in der Bundesrepublik zu verschwinden – nicht nur die Erfahrungen mit den Attentaten der Roten Armee Fraktion hatten den Sinn dafür geschärft, daß große, aber trübe Begriffe zu blindem Handeln führten.

Während Ralf Dahrendorf die nur zur Schau getragene Humanität der Deutschen kritisierte, stellte sich Ernst Topitsch auf die Seite des Status quo und griff die in seinen Augen nur strategischen Humanitätsforderungen der revolutionären

Ende der Ideologie

Gesellschaftskritiker an. Auch er zog den Schatten der nationalsozialistischen Vergangenheit bis in die bundesdeutsche Gegenwart hinein – nicht, wie Jürgen Habermas, als Warnung vor einem drohenden »Polizeistaat«, sondern um den, wie er schrieb, »Gesinnungsterror« der bundesrepublikanischen Weltverbesserer in eine üble Nachbarschaft zu rücken.

Ernst Topitsch. Seit dem Einsetzen der Studentenrevolte und ganz allgemein des Angriffes linksradikaler Kräfte auf die verfassungsmäßige Ordnung der Bundesrepublik ist ein Problemkreis brennend aktuell geworden, der eigenartigerweise trotz seiner grundlegenden Wichtigkeit seit dem Ende des Zweiten Weltkrieges bei uns kaum beachtet, geschweige denn mit der seiner Bedeutung angemessenen Gründlichkeit durchdacht worden ist. Es ist dies die Rolle humanitärer oder »humanistischer« Ideologien im Spannungsfeld der harten Realitäten des Machtkampfes und der Machtpolitik.

Doch die Verdrängung und Tabuierung dieses ebenso politisch brisanten wie gedanklich faszinierenden Tatsachenkomplexes ändert nichts an seiner Existenz und an den schwerwiegenden Folgen, die sich ergeben können, wenn man ihm theoretisch und praktisch hilflos gegenübersteht. Ein besonders lehrreiches Beispiel für diese Folgen bietet das Schicksal jener »kritischen« Gesellschaftstheorie, die sich als dialektisch-aufgeklärte, wahrhaft »humane« und »politische« Einsicht in das Wesen der Gesellschaft verstanden, zugleich aber die Problematik des Verhältnisses von Humanität und Politik vor sich selbst und anderen verschleiert hat. Unter den aus dieser Schule stammenden Schlagwörtern der »rationalen Diskussion« und des »herrschaftsfreien Dialoges« werden heute Assistenten und Dozenten an vielen deutschen Hochschulen von den neuen Herren inquisitorischen Verhören unterzogen; im Zeichen der »Demokratisierung« breitet sich dort ein Gesinnungsterror aus, der denjenigen übertrifft, welchen der Verfasser in seiner Studienzeit unter der nationalsozialistischen Gewaltherrschaft kennengelernt hat; hinter dem Schleier »emanzipatorischer« Phrasen etabliert sich eine Unfreiheit, mit der verglichen die Verhältnisse an den hohen Schulen der DDR fast als liberales Idyll erscheinen mögen. Und was heute in der kleinen Welt der Hochschule geschieht, kann sich sehr wohl morgen in der großen Welt des Staates ereignen. ...

Die militanten Humanitätsideologien sind nämlich nicht nur geeignet,

ihren Anhängern das Bewußtsein zu verleihen, für die Sache des Guten ein-
zutreten, sondern sie können unter Umständen auch tiefgreifende Wirkungen auf das Bewußtsein der Angegriffenen ausüben. Diese Wirkungen
werden um so stärker sein, je mehr sich die Attackierten selber den freiheit-
lichen, humanitären und demokratischen Idealen verpflichtet fühlen, ohne
die subtile Perfidie durchschauen zu können, der sie ausgesetzt sind. Gerade
bei den überzeugtesten Demokraten läßt sich leicht ein schlechtes Gewissen,
ja eine Lähmung des Widerstandswillens erzeugen, wenn ihnen die mit militanten Humanitätsideologien bewaffneten Angreifer suggerieren, daß jeder
Widerstand »undemokratisch«, ja »faschistisch« wäre.

Aber gerade der Erfolg solcher psychologischer Entwaffnungsstrategien
ist – darin liegt ja eben ihr perfider Charakter – in Wirklichkeit ein Maßstab für die demokratische Integrität, wenn auch nicht eben für die politische
Intelligenz ihrer Opfer. Echte Faschisten sind gegen derartige Tricks so
vollständig immun, daß man sie an ihnen erst gar nicht versucht. Auch die
Vertreter des imperialen Sowjetmarxismus wird man wohl kaum durch Erzeugung von Schuldgefühlen gefügig machen können, wenn man ihnen »undemokratisches« Verhalten vorwirft.

Dagegen ist die Bundesrepublik gegen derartige pseudo-humanistische und
pseudo-demokratische Unterwerfungsstrategien in höchstem Maße empfindlich. Nicht nur besteht hier die schon erwähnte tiefe innere Unsicherheit, sondern auch eine kaum geringere Unklarheit darüber, was unter »Demokratie«
eigentlich verstanden werden soll. Diese Unklarheit ist nicht zuletzt darauf
zurückzuführen, daß die so wichtige öffentliche Begriffsbildung von Confe-
renciers, Magazinmachern und aufsässigen Pennälern bestimmt wird und
mitunter sogar verantwortliche Politiker solchen Irrlichtern folgen, weil sie *à
tout prix* Anschluß finden wollen. Arnold Gehlens bitterböse Bemerkungen
über die verhängnisvolle Rolle der »Mundwerksburschen« in der deutschen
Politik sind leider allzu richtig. In dem von diesen Leuten zubereiteten Be-
griffsbrei ist längst sogar die Erinnerung daran verschwunden, daß in den
militanten Humanitätsideologien der Anspruch auf Herrschaft und Gewaltanwendung ursprünglich noch durch den Glauben an ein mit Sicherheit rea-
lisierbares »Reich der Menschlichkeit auf Erden« legitimiert gewesen war.

Aber dieser Erinnerungsverlust erspart den jungen – oder auch betagte-
ren – Gesellschaftskritikern nur unangenehme Diskussionen über Mittel,
Risiken und bisherige Erfahrungen im Zusammenhang mit der Errichtung
von irdischen Gottesreichen. Dadurch verstärkt er sogar die psychologische
Wirkung der aus Restbeständen uralter Heilsmythen übriggebliebenen magischen Wortnebel (»Demokratisierung«, »Humanisierung«, »Bewußtseins-

Ernst Topitsch

erweiterung«, »falsches Bewußtsein« usw.), eine Wirkung, die man bei vielen Bundesbürgern – auch und gerade Politikern und Amtsträgern – mit derjenigen der willenslähmenden Nervengase aus der Giftküche oder modernsten chemischen Kriegführung vergleichen könnte.

So können, um mit relativ harmlosen Beispielen zu beginnen, irgendwelche Psychopathen und Exhibitionisten ihre kläglichen und unappetitlichen Schaustellungen als »Mittel der sozialen Bewußtseinserweiterung« jeder Kritik entziehen und alle Einwände als Ausdruck eines faschistischen oder faschistoiden Syndroms diffamieren.

Derartige Strategien wurden und werden in der Bundesrepublik aber auch mit verblüffendem Erfolg gegen die Institutionen des Erziehungswesens, ja sogar gegen zentrale Bereiche des Staates in Gesetzgebung, Rechtsprechung und Exekutive eingesetzt. Als radikale Gruppen unter der Parole der »Demokratisierung« zum Sturm auf die Hochschulen antraten, um diese zu erobern und zu Angriffsbasen gegen die verfassungsmäßige Ordnung auszubauen, sind ihnen die berufenen Wahrer dieser Ordnung nicht entgegengetreten. Im Gegenteil: Viele Länderparlamente haben diesen Kräften legale Machtpositionen an den hohen Schulen eingeräumt und »progressive« Universitätsgesetze beschlossen, die es dem Lehrkörper, aber auch der Staatsmacht erheblich erschweren, jenem Ansturm Widerstand zu leisten. Einen kaum geringeren Erfolg hatte die unter dem Schlagwort der »Demokratisierung« vorgetragene Entwaffungskampagne gegen die staatliche Exekutive. Die gegen die einheitlichen Bedenken der Fachleute beschlossene Neufassung des Demonstrationsrechts vom 20. Mai 1970 hat es für die Polizei wesentlich schwerer gemacht, derartige Veranstaltungen unter Kontrolle zu halten. Unter dem Vorwand, den legitimen Anspruch des Staatsbürgers auf friedliche Demonstrationen zu schützen, hat diese Kampagne tatsächlich einen Freiraum für den Kampf subversiver Kräfte gegen die durch das Grundgesetz umschriebene Ordnung angestrebt und teilweise auch erreicht. Dazu der Münchner Polizeipräsident Manfred Schreiber: »Jede Erweiterung des Freiheitsraumes, jeder unterstellte gute Glaube (angesichts böser Erfahrungen!) kostet einen Sicherheitspreis. Ihn zahlt der Bürger, und er sollte wissen, daß die Polizei davor warnt. Den Preis bestimmt das Parlament.« (in: »Christ und Welt« vom 12.6.70)

Das Verhalten der Parlamentarier, deren demokratische Integrität gewiß über jeden Zweifel erhaben ist, kann in diesem und in anderen Fällen nur dadurch erklärt und subjektiv entschuldigt werden, daß ihnen nicht bewußt wurde, welchen heimtückischen Strategien sie ausgesetzt sind. Doch hat sie auch niemand darüber aufgeklärt, daß machthungrige Gruppen die Schlagworte von »Demokratie« und »Humanität« verwenden können, um die Verteidiger von Demokratie und Humanität psychologisch wehrlos zu machen, sich selbst aber bei der Durchsetzung ihrer totalitären Herrschaftsansprüche von jeder Rücksichtnahme auf die Regeln von Demokratie und Humanität zu dispensieren. 1970

Auch der Weltanschauungskritiker Ernst Topitsch hätte sich freuen müssen, als der Tübinger Professor für Theologie, Hans Küng, die Unfehlbarkeit des Papstes in Zweifel zog. Der Vatikan entzog darauf dem aufmüpfigen Theologen die Lehrbefugnis. Dabei sprach Küng nur aus, was viele junge Katholiken bewegte, die vom Glauben nicht lassen, aber sich nicht allen Entscheidungen und Eingebungen des Papstes beugen wollten. Küngs Kritik am Papst sah aus wie der kleine Bruder der großen Kritik an der Gesellschaft und dem Staat der Bundesrepublik. Während Küng aber durch den Papst aus dem Kreis der kirchlichen Lehrer ausgeschlossen wurde, gelang es dem Staat, die Gesellschaftskritiker in die bundesrepublikanische Gesellschaft zu integrieren. Die Bergpredigt wurde in den siebziger und vor allem in den achtziger Jahren, als die Friedensbewegung ihre Höhepunkte feierte, zum Klassiker der gläubigen kritischen Welthaltung – Küng beschrieb wenige Jahre nach seinem aufsehenerregenden Buch »Unfehlbar?«, aus dem der folgende Text stammt, die Grundlagen dessen, was »Christ sein« heute bedeute. Als schließlich überall von der Globalisierung gesprochen wurde, war Küng schon zum »Projekt Weltethos« vorgerückt. Er wurde Präsident der »Stiftung Weltethos für interkulturelle und interreligiöse Forschung, Bildung und Begegnung«.

Hans Küng. Die vom Zweiten Vatikanischen Konzil gewollte Erneuerung der katholischen Kirche und damit auch die ökumenische Verständigung mit den anderen christlichen Kirchen und die neue Öffnung zur heutigen Welt hin ist ins Stocken geraten: dies ist fünf Jahre nach Abschluß des Vatikanum II nicht mehr zu übersehen. Und es wäre unklug und schädlich, es in Kirche und Theologie zu verschweigen. Vielmehr dürfte nach langen nachkonziliaren Jahren des geduldigen, aber vergeblichen Wartens heute eine offenere und deutlichere Sprache angebracht sein, damit der Ernst der Lage sichtbar wird und die Verantwortlichen vielleicht aufhorchen. Um der Kirche und der Menschen willen, für die der Theologe seine Arbeit tut, müssen die Gründe für diese Stockung aufgedeckt werden, damit der Hoffnung und Tat in der nachkonziliaren Zeit wieder wie vor und während des Konzils zu starkem Durchbruch verholfen wird. Niemand möge dort – immer wieder gemachte Einwürfe und Vorwürfe seien hier vorweggenommen – einen Mangel an Glaube oder Liebe vermuten, wo nun einmal angesichts der Sorge und Einsicht in so viele Leiden der Menschen in der Kirche Beschwichtigung und Beschönigung nicht mehr am Platze, sondern Rede in Freimut und Hoffnung (»parrhesia«) gefordert ist. Ist es nötig zu betonen, daß es im Folgenden nicht darum geht, Unruhe und Unsicherheit in die Kirche hineinzutragen, sondern daß der allenthalben vorfindlichen Unruhe und Unsicherheit nur eine Sprache geliehen werden soll; daß nicht eigener Übermut den Verfasser treibt, sondern daß er mithelfen möchte, den unüberhörbaren Gravamina der Glaubensgemeinschaft Gehör zu verschaffen; daß der vielleicht manchmal scharfe Ton und harte Stil nicht Aggressivität, sondern Betroffenheit von der Sache spiegelt?

Zwei Hauptgründe dürften es sein, warum wir zur Zeit in so manchen Fragen, deren Lösung für die meisten in und außerhalb der katholischen Kirche überreif erscheint, nicht weiterkommen:

1. Es ist bisher trotz der Impulse des Konzils nicht gelungen, die institutionell-personelle *Machtstruktur der Kirchenleitung* im Geiste der christlichen Botschaft entscheidend zu verändern: Papst, Kurie und viele Bischöfe geben sich bei allen unumgänglichen Wandlungen noch immer weithin vorkonziliar; man scheint aus dem Konzil wenig gelernt zu haben. Nach wie vor sind in Rom wie in anderen Kirchengebieten Persönlichkeiten an den Schalthebeln geistlicher Macht, die mehr an der Bewahrung des bequemen Status quo als an ernsthafter Erneuerung interessiert sind. Nach wie vor verhindert man entscheidende institutionelle Reformen, die auch weniger Konservativen, Linientreuen und Römischgesinnten den Aufstieg in die entscheidenden Führungspositionen ermöglichen würden. Nach wie vor ist das geltende (und in einem geplanten »Grundgesetz« erneut zur Geltung zu bringende) römische Kirchenrecht derart, daß die kirchliche Erneuerung, wie sie in weiten und lebendigsten Kreisen des Volkes und des Klerus gewollt und angestrebt wird, für dringendste Probleme nicht zum Durchbruch kommen kann. . . .

An den Bischöfen, die nach dem Vatikanum II alle eine gemeinsame Verantwortung für die Gesamtkirche tragen, wäre es, für eine Durchsetzung der berechtigten Forderungen in Rom besorgt zu sein und zugleich bei der Erneuerung in ihren eigenen Ländern und Diözesen mutig und entschlossen voranzugehen. Ohne unermüdliches Ringen und geduldigen Einsatz wird es jedenfalls nicht abgehen. Auch nicht ohne ständigen legitimen Druck auf die

Kirchenleitungen: von den Einzelnen, Geistlichen und Laien, Männern und Frauen, und von den verschiedenen neu geschaffenen Gremien in Pfarreien, Diözesen und in der Gesamtkirche. Auch nicht ohne die Schaffung von Gegenstrukturen: Priestergruppen und Laiengruppen für bestimmte konkrete Ziele (Mischehe, Mitverantwortung, Zölibat). Und schließlich auch nicht ohne klug überlegte, maßvolle Selbsthilfe unter Umständen auch gegen bestimmte Vorschriften in solchen Fällen, wo ein weiteres Zuwarten um der Not der Menschen willen nicht mehr verantwortet werden kann.

2. Es ist bisher trotz der Impulse des Konzils nicht gelungen, *Wesen und Funktion der kirchlichen Lehrautorität* im Geiste der christlichen Botschaft kritisch zu bedenken und neu zu bestimmen: Auch im Bereich der Lehre scheint man aus dem Konzil erstaunlich wenig gelernt zu haben; das kirchliche »Lehramt« wird vom Papst und auch von manchen Bischöfen weithin in vorkonziliar-autoritärer Weise, ohne die im Konzil bewährte und nach dem Konzil viel notwendigere Zusammenarbeit mit der Theologie, wahrgenommen. Nach wie vor dominiert in Rom eine in Einzelfällen matt aufpolierte vorkonziliare Theologie. Nach wie vor wird die Kirche mit Enzykliken, Dekreten und Hirtenbriefen beschenkt, die in Entscheidendem vom Evangelium nicht gedeckt sind, von den meisten Menschen heute nicht eigentlich verstanden und von der Theologie nicht begründet werden können. Nach wie vor beruft man sich in allen möglichen kleinen und großen Fragen auf den Heiligen Geist, übermittelte apostolische Vollmachten und gebärdet sich faktisch derart unfehlbar, daß fünf Jahre nach dem Konzil die Autorität und Glaubwürdigkeit der katholischen Kirche einer Belastungsprobe wie noch selten ausgesetzt werden. ...

Freilich sollte man nicht alle Schuld an der gegenwärtigen kritischen Lage in Rom suchen. Auch zahlreiche Theologen, die dort, wo sie hätten reden sollen, geschwiegen haben, tragen ein gerütteltes Maß an Verantwortung. Aber es läßt sich doch nicht übersehen, daß die römische Reaktion für die derzeitige Verschärfung der Krise die Hauptverantwortung trägt. Selbstverständlich ist der Papst der Überzeugung, er habe für die Erneuerung der Kirche viel, sehr viel getan; nochmals: seine lautere Gesinnung und guten Absichten seien keinen Moment in Frage gestellt! Aber was aus der engen römischen Perspektive revolutionär erscheint – die Erschütterung mancher längst überfälliger vatikanischer Hoftraditionen, die Vereinfachung von noch immer seltsamen Kleidern und Titeln, die Hereinnahme von ausländischen, aber offensichtlich sehr römisch gesinnten Prälaten in die Kurie –, ist für die Welt und den Großteil der Kirche kaum der Rede wert. Da zählen wichtigere Dinge.

Hans Küng

Zwar hat man den Index abgeschafft und der römischen Inquisitionsbehörde einen anderen Namen gegeben. Aber noch immer kommt es zu Inquisitionsverfahren gegen mißliebige Theologen, und die Verfahrensordnung dieser »Kongregation für die Glaubenslehre« ist, obwohl schon 1965 vom Papst angeordnet, noch immer nicht veröffentlicht worden. Zwar hat man schließlich eine internationale Theologenkommission gegründet. Aber die neuere konziliare und nachkonziliare Theologie hat in der Kurie kaum Eingang gefunden, wie unter anderem die peinlichen Vorfälle um den holländischen Katechismus beweisen; Theologen wie Daniélou, die früher von der Inquisition verfolgt worden waren, sich aber nun selber als pseudowissenschaftlich agierende Großinquisitoren bewähren, werden zu Kardinälen der heiligen römischen Kirche ernannt und erfüllen deren Erwartungen. …

Zwar hatte man während des Konzils nach mehr als 900 Jahren die Exkommunikation des Patriarchen von Konstantinopel und seiner Kirchen rückgängig gemacht und sich gegenseitig Besuche abgestattet. Aber nach Aufhebung der Ex-communicatio hat man die Communio, die Abendmahlsgemeinschaft, doch nicht wiederhergestellt, sondern beharrt auf allen seit dem Mittelalter üblich gewordenen römischen Privilegien und Prärogativen. Zwar hat man Beziehungen mit dem Weltrat der Kirchen geknüpft und anläßlich eines Besuches des Internationalen Arbeitsamtes (!) auch das Generalsekretariat des Weltrates der Kirchen aufgesucht. Aber all den ökumenischen Worten sind nur wenige ökumenische Taten gefolgt. In der Mischehenfrage versucht man mit einem neuen Motu proprio (1970) weiterhin, durch eine diskriminierende Dispenspraxis eine generelle Anerkennung der Gültigkeit aller Mischehen, eine auf Gleichberechtigung der Kirchen beruhende ökumenische Trauung und einen verantwortlichen Gewissentscheid der Eltern bezüglich der Kindertaufe und Kindererziehung zu umgehen und zu verhindern.

Zwar ist man nach Jerusalem gereist und hat auch die israelische Regierung begrüßt. Aber man hat den Staat Israel aus politischen Rücksichten nach wie vor nicht anerkannt und auf die Drohung der Ausrottung des israelischen Volkes in der Art des Lehrmeisters Pius' XII. klug an beide Seiten die gleichen Friedensmahnungen geschickt. Den Reisen zu den Vereinten Nationen und Reden für die Menschenrechte steht das diplomatische Schweigen gegenüber der Verfolgung und Folterung katholischer Priester und Laien in südamerikanischen Militärdiktaturen und eine Reise nach Portugal gegenüber, wo damals die Unterdrückung der Freiheit in Staat und Kirche mit rüdesten totalitären Methoden ebenfalls mit Schweigen übergangen und dafür einem historisch wie theologisch in jeder Hinsicht dubiosen Marienwallfahrtsort Tribut gezollt wurde. Gegen ein vernünftiges ziviles Scheidungsrecht, wie es in weiten Teil der Welt schon längst Gesetz ist, hat man nur in Italien heftig protestiert und mit allen Mitteln interveniert, obwohl man andererseits durch Nichtanerkennung der Gültigkeit so vieler Mischehen der leichtfertigen Ehescheidung geradezu Vorschub leistet. Zwar macht man Reisen nach Afrika, Asien und Südamerika, die als Bemühungen um die dritte Welt einen großen Publizitätserfolg darstellen. Aber dem dortigen Zentralproblem der Bevölkerungsexplosion meint man mit dem Rat der Enthaltsamkeit und dem Verbot von empfängnisverhütenden Mitteln beikommen zu können. ...

Die Krise muß durchgestanden und wird überwunden werden. Ohne alle Bitterkeit und Ressentiments, aber auch unbeeindruckt von allen scheinheiligen Mahnungen zum Stillhalten, zu gehorsamer »Demut« und »Liebe« zur Kirche soll aus der Kraft der Botschaft Jesu Christi selbst und seines Geistes, soll auf der Linie des Zweiten Vatikanischen Konzils weiterhin für die Reform und Erneuerung unserer Kirche in Wort und Tat eingestanden werden. Für Reform und Erneuerung! Auch dies sei deutlich gesagt: Wie wir in der Kirche nichts von der Reaktion halten, so auch nichts von der Revolution, von der Revolution im Sinne eines gewaltsamen Umsturzes der Leitung und der Werte. Gewiß, die Frage besteht zu Recht: Kann ein absolutistisches System – und das römische System ist das einzige absolutistische System, das die Französische Revolution heil überstanden hat – ohne gewaltsame Revolution überwunden werden? Doch auch die Gegenfrage stellt sich gerade von der christlichen Botschaft her, die zwar auf radikale Umkehr, aber nicht auf gewaltsamen Umsturz zielt: Sollte aus der Kraft der Botschaft Christi nicht das in der Kirche möglich sein, was in der Welt und in der Weltpolitik so selten vorzukommen scheint: ein absolutistisches System ohne gewaltsame Revolution durch innere Erneuerung der Personen und Strukturen zu überwinden? Wir dürfen den Kampf um Erneuerung und Reform, wir dürfen aber auch das Gespräch und die Hoffnung auf gegenseitiges Verstehen nicht aufgeben.   1970

Die Wahrheit lag in den Augen der kritischen Intelligenz unter einer Decke von Ideologien. Wer Ideologiekritik betrieb, der befreite sich auch von Autoritäten. Die Emanzipation wurde deswegen zu einem Bildungsziel ernannt. Die Verfechter der Emanzipation hielten mit Adorno an der Vorstellung fest, daß eine Erziehung zur Mündigkeit der Garant dafür sei, dem Zugriff der Ideologien auf den Menschen – dem Irren der Menschen im »Nebel«, wie Ernst Bloch sagte – vorzubeugen. Der

Münchner Philosoph Robert Spaemann wehrte sich in einem Aufsatz, der 1971 unter dem Titel »Emanzipation – ein Bildungsziel?« erschien, gegen die Zumutungen der Emanzipationspädagogik, die sich »als Schule des Verdachts« verstehe. »An die Stelle primärer Werteerfahrungen und Sachkenntnisse«, schrieb Spaemann, »tritt die Erfahrung des Mißbrauchs, an die Stelle der Kenntnis eines Gehaltes die Kenntnis seiner Entstehungsbedingungen, an die Stelle der adäquaten Auffassung einer geschichtlichen Lebensform die leere, abstrakte und triviale Einsicht in ihre Veränderbarkeit.«

Ein Vorstoß zur Veränderung einer geschichtlichen Lebensform wurde durch einen Artikel gemacht, der am 3. Juni 1971 in der Zeitschrift »Stern« erschien und von der Journalistin Alice Schwarzer geschrieben worden war. Er trug den provokanten emanzipatorischen Titel »Ich habe abgetrieben«. Mit diesem Artikel begann sich in der Bundesrepublik die Frauenbewegung offen gegen die Männergesellschaft zu stellen.

Die Schriftstellerin Monika Maron hat Anfang der neunziger Jahren, als über den deutschen Einigungsvertrag diskutiert wurde, darauf hingewiesen, daß Alice Schwarzer auch die Frauenbewegung in der Deutschen Demokratischen Republik angestoßen hätte. Dort verabschiedete die Volkskammer im März 1972 die Fristenlösung, nach der Schwangere innerhalb der ersten zwölf Wochen straffrei abtreiben konnten. Monika Maron nannte diese Entscheidung die einzige Errungenschaft der Deutschen Demokratischen Republik, die es zu erhalten lohne, und setzte sich dafür ein, daß sie in den Einigungsvertrag übernommen wurde. Im April 1974 hatte der Bundestag nachgezogen und ebenfalls die Fristenlösung beschlossen. Damit aber konnten sich die christlichen Parteien nicht abfinden, und sie machten sich auf nach Karlsruhe zum Bundesverfassungsgericht. Im Februar 1975 erklärte das Bundesverfassungsgericht, daß die Freigabe des Schwangerschaftsabbruchs in den ersten zwölf Monaten verfassungswidrig sei. Wenige Tage nach dieser Entscheidung verübten die »Frauen der revolutionären Zellen« einen Anschlag auf das Gericht.

Im Sommer 1976 wurde eine medizinisch-soziale Indikationslösung verabschiedet. Eine Schwangerschaft durfte innerhalb bestimmter Fristen abgebrochen werden, wenn bestimmte Indikationen vorlagen, zum Beispiel medizinisch eindeutig war, daß die Schwangerschaft das Leben oder die Gesundheit der Schwangeren bedrohte. Nach der deutschen Wiedervereinigung 1990 bestand deshalb in der Frage der Abtreibung eine uneinheitliche Rechtslage, die im Einigungsvertrag gelöst werden mußte.

Alice Schwarzer, 1942 in Wuppertal-Elberfeld geboren, gründete am Ende der siebziger Jahre, als der Achtundsechziger Daniel Cohn-Bendit in einem Interview laut über die neuen sozialen Bewegungen nachdachte, die Zeitschrift »Emma«.

Ihr Buch »Frauen gegen den § 218. 18 Protokolle, aufgezeichnet von Alice Schwarzer«, aus dessen Nachwort der folgende Text stammt, erschien 1971 im Suhrkamp Verlag.

**Alice Schwarzer.** Während bisher sogenannte Experten, während Theologen, Mediziner, Juristen und Politiker über den »Beginn des personalen Lebens«, über die »Seele des Fötus«, die »bevölkerungspolitischen Aspekte« und das »zu schützende Rechtsgut« aus der Distanz debattierten, haben die direkt Betroffenen, die Frauen, bislang geschwiegen und gehandelt. Daß sie täglich zu Tausenden handeln, das heißt: heimlich abtreiben, haben die isolierten Frauen selbst in vollem Ausmaß erst nach dem Schock der Selbstbezichtigungs-Kampagne der Aktion 218 begriffen. Mit dieser Aktion haben Frauen sich offensiv und fordernd Gehör verschafft und den § 218 zum Politikum gemacht.

Diese Aktion ist die erste in Deutschland geführte Kampagne gegen das Abtreibungsverbot, die ausschließlich von Frauen initiiert wurde und hauptsächlich von ihnen getragen wird. Damit gewinnt die Diskussion um die Abtreibung neue Inhalte. Frauen sind nicht länger gewillt, Abtreibung als ihre individuelle Misere hinzunehmen, sondern sie beginnen, die gesellschaftlichen Zusammenhänge zu sehen – wobei klar wird, daß der Gebärzwang eine der Hauptstützen der frauenspezifischen Unterdrückung ist. Wie komplex seine Auswirkungen in dieser Gesellschaft für die Frau sind, kann nur von Frauen erfahren und nur von ihnen vermittelt werden. ...

Frauen fordern. Schon das ist ungewöhnlich. Und sie klagen an. In einer Gesellschaft, die die kollektive Verantwortung für die Menschenreproduktion auf die einzelne Familie abschiebt, und in der innerhalb dieser Familie der Mann – unterstützt von der herrschenden Ideologie – der Frau die Verantwortung aufbürdet, in dieser Gesellschaft muß der Zwang zur Mutterschaft zum Werkzeug der spezifischen Unterdrückung der Frau werden. In welchem Ausmaß sich der Mann bei der Ausbeutung der Frau nicht nur zum Handlanger des Systems machen läßt, sondern darüber hinaus auch persönlich profitiert, zeigen die Protokolle. Väter, Ehemänner und Freunde spielen darin eine äußerst fragwürdige Rolle. ...

In einer Gesellschaft, in der der Zwang zur Mutterschaft – bewußt oder unbewußt – eine der zentralen Stützen der männlichen Domination ist, muß die konsequente Revolte gegen diesen Zwang ebenso zwangsläufig zur Re-

Alice Schwarzer

volte gegen die Herrschaft der Männer und damit gegen die von Männern repräsentierte Gesellschaft werden. Am Beispiel des Gebärzwangs können Frauen in der Verstrickung ihrer doppelten Unterdrückung ansetzen: gegen eine Gesellschaft, die alle Männer gegen alle Frauen ausspielt und in der Männer wiederum alle Frauen gegen alle Frauen ausspielen. Am Ende findet sich die einzelne Frau isoliert in ihren vier Wänden der doppelten Ausbeutung ausgeliefert, wobei aus ihrer Sicht, nach jahrtausendelanger Konditionierung, der Unterdrücker Mann für sie die einzige Chance in dieser Gesellschaft überhaupt zu sein scheint – so wie für den Sklaven die Gunst des Herrn.

Die Frau, die abtreibt, revoltiert nicht; sie handelt passiv. Denn Abtreibung ist nicht eine die Initiative ergreifende Vorbeugung, sondern der letzte Ausweg. Bedenkt man das, so ist es nicht überraschend, daß zwar – nach realitätsnahen Schätzungen – jede zweite Frau in der Bundesrepublik abtreibt, aber nur jede fünfte das einzig sichere Verhütungsmittel, die Pille, nimmt. Die Beseitigung des § 218 ist darum eine der Hauptvoraussetzungen für die Selbstbestimmung der Frau überhaupt. ...

Als die SPD-FDP-Regierung im Herbst 1969 ihre Arbeit aufnahm, gehörte der § 218 zu ihrem »Reformen-Paket«. 1970 meldete der *Parlamentarische Pressedienst*, Bonn erwäge eine »eventuelle Freigabe der Abtreibung bis zum dritten Schwangerschaftsmonat« und ihre Durchführung »in Kliniken bei voller Kostenübernahme durch die Krankenkassen«. Eine weitgehende Lockerung des Abtreibungsverbots wurde in Parteien und Institutionen diskutiert. Die SPD-Frauen forderten die Aufhebung des Verbots, und der Juristinnenbund verlangte »weitgehende Straffreiheit«, weil »der Paragraph 218 nicht mehr dem Rechtsbewußtsein weiter Kreise der Bevölkerung entspricht«. Tatsächlich wurden 1969 nur noch 276 Frauen in der Bundesrepublik und in Westberlin für Selbstabtreibung vor den Richter zitiert und zu Minimalstrafen verurteilt. 1965 waren noch 802 Frauen verurteilt worden, 1955 noch 1033 – die Justiz selbst mochte ihr Gesetz kaum noch anwenden. Längst war es zu einem Stillhalte-Abkommen zwischen Gesetz und Realität gekommen: zwischen einer halben bis zwei Millionen heimlicher Abtreibungen im Jahr und einer Legislative, die Selbstabtreibung mit Strafen bis zu fünf Jahren Gefängnis bedroht. ...

»Rein medizinisch gesehen ist eine Abtreibung bis zum dritten Monat nicht gefährlicher als eine Geburt«, gab Ärztekammer-Präsident Erich Fromm zu. In der Tat ist die fachgerechte Schwangerschaftsunterbrechung weit weniger riskant als die Geburt. Bei 140000 legalen Unterbrechungen meldete die Tschechoslowakei keinen einzigen Todesfall. Mit dem neuen, auch in England gebrauchten Unterdruckgerät, das wie ein Staubsauger arbeitet, ist der Eingriff innerhalb von zwei Minuten durchgeführt. Das Unterbrechen einer Schwangerschaft ist, medizinisch gesehen, geringfügiger als das Herausnehmen der Mandeln. Die Mär von der Sterilität nach der Abtreibung wurde durch vergleichende Untersuchungen in Schweden und in den sozialistischen Ländern widerlegt. Derlei Informationen werden jedoch den Frauen in der Bundesrepublik geschwätzig verheimlicht. Sie zwingt ein sinnentleertes Gesetz weiter in den lebensgefährlichen und demütigenden Untergrund, denn der § 218 kann Abtreibungen zwar verbieten, aber verhindern kann er sie nicht. Jede Frau, die vom Arzt abgewiesen wird, begibt sich in die Hände von Kurpfuschern oder – wenn sie Geld und Beziehungen hat – in die bundesdeutscher bzw. ausländischer Ärzte. Das gilt auch noch 1971, zwei Jahre nach dem von der Regierung bekundeten Reformwillen.   1971

Der kritische Geist der Bundesrepublik emanzipierte sich von der Tradition. Das humanistische Gymnasium verschwand und existierte nur noch an der Peripherie der neuen Schulen, in denen vor allem Englisch und Französisch gelernt werden sollten und nicht Griechisch und Latein. Der Verlust der Tradition konnte einen der prominentesten Klassischen Philologen der Bundesrepublik, Walter Jens, nicht kaltlassen. Jens, 1923 in Hamburg geboren, lehrte in Tübingen Klassische Philologie und Allgemeine Rhetorik. Er stellte sich im Kampf des Papstes gegen Küng an die Seite seines Kollegen – mit dem zusammen er Mitte der neunziger Jahre das Buch »Menschenwürdig sterben« schrieb. Früh hat er sich einen Namen gemacht, unter anderem als Kritiker in der »Gruppe 47« und als Autor des Buches »Statt einer Literaturgeschichte«, mit seinen politischen Reden und seinen Fernsehkritiken, die er unter dem Pseudonym »Momos« über zwanzig Jahre lang in der »Zeit« veröffentlichte.

Doch auch der eloquente Walter Jens konnte den Niedergang der Antike in der bundesrepublikanischen Bildung nicht aufhalten. Die Helden und Sagen des klassischen Altertums verschwanden aus der Schule und fanden ein kleines Exil im Theater eines Peter Stein und eines Klaus Michael Grüber, die im Altertum den Menschen im Rohzustand, vor allen bürgerlichen Verschüttungen und Verkrustungen, entdeckten. Die Bemerkungen von Walter Jens trugen den Titel »Antiquierte Antike? Perspektiven eines neuen Humanismus« und erschienen 1971.

Walter Jens. So war Thomas Mann also im Recht, als er erklärte, die humanistische Bildung sei mit jener bürgerlichen Gesellschaft untergegangen, die sie einst trug? So wäre jetzt die Stunde da, in der das Hegelsche Diktum eingelöst wird: »Es ist aber ein für allemal vergebens, wenn die substantielle Form des Geistes sich umgestaltet hat, die Formen früherer Bildung erhalten zu wollen. Sie sind wie welke Blätter, welche von den neuen Knospen, die an ihren Wurzeln schon erzeugt sind, abgestoßen werden«?

Welke Blätter: wie vieles, längst schon obsolet, wird an bundesrepublikanischen Gymnasien noch immer traktiert, weitergeschleust von Klasse zu Klasse, nur weil die Tradition und der Lehrplan es wollen: Generationen von Schülern mit Ovids »Metamorphosen« gelangweilt, die lateinische Unterweisung mit Caesar, die griechische mit Xenophon begonnen; »der Krieg ist der Vater aller Dinge«, heißt die Devise, *enteuthen exelaunei stathmous treis, parasangas pente*, damit verglichen präsentiert sich Asterix als wahrer Homer; aber im Grunde ist der Gehalt ohne Belang, wenn Caesar seine Brücken über Flüsse schlägt, dann geht es um Gerundium und Gerundiv, und wenn dem Xenophontischen Soldaten – oder ist er gar ein Lochage? – die Gedärme aus dem Leib heraushängen – o unvergeßlicher Eindruck in Untersekunda! –, dann heißt es: »Was schert uns der Darm? Die Schüler üben die Verben auf -mi.« (Und das mit einer Routine, die jene humanistischen Gymnasien um 1900 ausgezeichnet haben mag, an denen, mit Ausnahme des Mathematikers, das gesamte Lehrerkollegium aus Altphilologen bestand.)

Man sieht, wir stehen mit dem Rücken zur Wand; es gilt, sich zu entscheiden, was als Ballast preiszugeben ist und was auf jeden Fall behauptet werden muß. Preiszugeben – dies vorweg – ist zuallererst jene abendländische Ideologie, die, unter dem Vorwand, historische Kontinuitäten zu wahren, nur der Legitimation des status quo, der Aufrechterhaltung bestehender Herrschaftsverhältnisse und der Absicherung des schlechten Wirklichen gegenüber der Problematisierung durch das mögliche Bessere dient. Preiszugeben und in seiner Irrationalität zu durchschauen ist jenes heilsgeschichtliche Denken, das, den Blick auf das Klassische als ein vermeintlich transhistorisches Phänomen gerichtet, festhält am Gedanken der Kanonität und Universalität des griechisch-römischen Erbes und damit Denkmuster, die in einer bestimmten Situation Relevanz besaßen, verabsolutiert.

Daß diese Betrachtungsweise, die Vorstellungen der deutschen Klassik unreflektiert übernimmt und antike Vollkommenheit mit dem Vokabular der Goethezeit (herabgesunken zum Schmuckelement des bildungsbürgerlichen

Florilegiums) verherrlicht, tatsächlich alle Katastrophen und Kriege ungebrochen überdauert hat, mag ein einziges Zitat verdeutlichen: »Die Akropo-
lis in Athen und das Kapitol in Rom waren für uns geistige Sinnbilder für
Freiheit und Ordnung. Das Recht des Individuums, die Würde des Menschen, die Idee der Gerechtigkeit, der Sinn für das Maß, das Verständnis für
Kosmos im Sinne einer geistig erfüllten Ordnung, die angstvolle Scheu vor
dem Chaos ... sind Ideen ... denen ich sehr Wesentliches meiner Auspra-
gung verdanke.«

So, die Beschwörung des Geists der Antike, die Hofmannsthal anno 26
in hymnischer Rede vortrug, in einer eher schlichten Sprache rekapitulierend,
Konrad Adenauer in Beantwortung einer Enquête aus dem Jahre 1964 ... eine
Äußerung, die sich mühelos durch eine Blütenlese vergleichbarer Bekundun-
gen ergänzen ließe, wobei es befremdlich anmutet, daß die unproblemati-
sierte Gleichung »griechisch = humanistisch« und »klassisch = kanonisch«
sich auch – und gerade – in Grundsatzreferaten der DDR nachweisen läßt:
Schon das Thema, das sich die vom 23. bis zum 25. Januar 1969 in Jena ta-
gende Arbeitskonferenz stellte, »das klassische Altertum in der sozialistischen Kultur«, läßt erkennen, daß hier Marxens Bewertung der griechischen
Kunst als »Norm und unerreichbares Muster« und die durchaus bürgerliche
Interpretation dieses Tatbestands: »Warum sollte die gesellschaftliche Kindheit der Menschheit, wo sie am schönsten entfaltet, nicht ewigen Reiz ausüben?« höchst ahistorisch und unmarxistisch abstrahiert worden ist ... und
es kommt noch hinzu, daß auch die am Exempel solcher Idealität entwickelte
Vorstellung der »harmonischen Persönlichkeit« in Gefahr ist, jenes dialektische Element zu verlieren, das ihr in der Goethezeit den »antagonistischen«
Aspekt, im Sinne des *nen diapheron beauto*, beließ. (Auf der anderen Seite sei
mit Nachdruck betont, daß, im Gegensatz zur Bundesrepublik, in der DDR
zumindest ansatzweise eine ideologiekritisch bestimmte Analyse des klassischen Bildungswesens und seiner sozialhistorischen Implikationen ins Werk
gesetzt wurde: Johannes Irmschers beispielhafte Untersuchungen über »Die
Antike im Bildungswesen der Weimarer Zeit und zur Zeit des Faschismus«
bedürfen der Erweiterung.) ...

In einem Augenblick, da das »klassische Erbe« zum bürgerlichen Hauss-
chatz geworden ist (oder – das ist paradox – zu einer Art von materialistischer Marschverpflegung im Stile Alfred Kurellas: »Ich kann mir keinen
Sozialisten denken, der nicht verstünde, daß die Welt der Ideen und Bilder,
der Begriffe und Gestalten, der Mythen und Theorien, die die europäische
Antike hervorgebracht hat, nicht nur zur selten in Anspruch genommenen
eisernen Ration, sondern zur täglichen Nahrung der sozialistischen Persön-

lichkeit gehört«) – in einem solchen Augenblick sollte es unsere Aufgabe sein, das Theorem T. S. Eliots zu beherzigen, das da besagt: die Vergangenheit erfährt durch die Gegenwart eine genau so große Umwandlung wie die Gegenwart ihrerseits Richtlinien von der Vergangenheit empfängt: »Jedes neue Kunstwerk, jeder neue Gedanke verändert das gesamte frühere Rang- und Ordnungs-System« – und je entschiedener dies geschieht (fügen wir, die Eliotsche Maxime weiterdenkend, hinzu), desto eklatanter wird die Veränderung jener älteren, ihrerseits vielfach vermittelten Werke, deren Größe identisch mit ihrer Unfertigkeit ist, einer Unfertigkeit, die den Charakter eines Versprechens hat und zu deren Wesen in erster Linie das Appellative gehört, der Wille, es noch einmal, zum zweiten oder hundertsten Mal zu versuchen und immer neue Variationen auszuprobieren: Odysseus als König und Prolet, als Höllensohn und christlicher Ritter, als stoischer Weiser und epikureischer Vielfraß, als Kriegsdienstverweigerer und Militarist, als Lutheraner und Jesuit, als Faschist und als Jude! ...

So betrachtet, ist für die humanistische Bildung der Fluch der Musealität mit der Chance identisch, ihre Autonomie bewahren zu können und sich damit – dem Verwertungsprozeß zumindest partiell entzogen: abgehoben von der Gesellschaft – als eine Meta-Wissenschaft zu konstituieren, die den »geistigen Raum erhalten (kann), in dem kritisches Überschreiten, Opposition und Absage sich entfalten« können: so Herbert Marcuse, der nicht zufällig, im Zusammenhang mit seinen Überlegungen über die nichtoperationelle (vielmehr transzendente) Dimension einer nichtwissenschaftlichen Kultur, unter deren potentiellen Verwaltern neben den Schriftstellern gerade die klassischen Philologen erwähnt ... und in der Tat, wer wäre geeigneter, die etablierte Wirklichkeit, in Marcuses Sinn, mit jenem nicht in die Wirklichkeit überführten, aber auf historische Realisierung abzielenden Humanisierungsfundus zu konfrontieren, als die Anwälte einer Disziplin, deren Geschichte eine Geschichte gewaltiger Antizipationen und bescheidener Einlösungen, großer Versprechen und barbarischer Versagungen, kühner Ideen und schneidender Frustrationen ist, eine Geschichte der rationalen Aufklärung, die mit den Griechen in die Welt kam, und der romantisierenden Remythisierungen, eine Geschichte immer neuer Anläufe: eine wahre Sisyphos-Geschichte, bestimmt von Rebellion und Eskapismus, gezeichnet von der revolutionären Hoffnung bürgerlicher Aufklärung und dem Verrat dieser Hoffnung im Laufe des letzten Jahrhunderts ... eine Geschichte, deren Bedeutung sich danach bemißt, ob und in welcher Weise die in ihr bewahrten Humaniora das Bestehende zu transzendieren vermögen.   1971

Unter der Regierung Willy Brandts wurde im Januar 1972 von den Ministerpräsidenten der Länder der Radikalenerlaß durchgesetzt, der es erlaubte, Anwärter des öffentlichen Dienstes politisch zu überprüfen und abzulehnen. Das Augenmerk nicht nur der Verfechter des Radikalenerlasses, sondern auch von politischen Kommentatoren richtete sich damals vor allem auf die kommunistische Szene in der Bundesrepublik. Dabei hatte der Münchner Politikwissenschaftler Kurt Sontheimer in seiner Studie »Gefahr von rechts – Gefahr von links« aus dem Jahr 1970 festgestellt, daß gerade die Gefahr von rechts unterschätzt würde. Sontheimer schrieb: »Die Beschwörung einer gleichzeitigen und gleich starken Gefahr von links und von rechts ist nicht begründet. Sie tendiert zu einer Verharmlosung der Gefahr von rechts. Durch die zum Teil aus der faktischen Ohnmacht erwachsene aggressive Radikalität eines im Endeffekt selbstzerstörerischen linken Aktionismus entsteht zwar subjektiv der Eindruck einer revolutionären Gefährdung des Staates durch die Linke, aber diese Linke ist objektiv ohne politische und soziale Basis im deutschen Volk und darum isoliert … Objektiv gefährlich ist für diese Demokratie ein in der NPD als Partei manifest gewordenes, in anderen konservativen Parteien und Gruppen ebenfalls vorhandenes autoritäres Potential, gekoppelt mit einem Mißtrauen gegenüber der pluralistischen Demokratie und ihrer Freiheitsordnung, das sich aus vordemokratischen und romantischen geschichtlichen Traditionen speist.«

Im selben Jahr wie der Radikalenerlaß wurde in einigen Ländern die Gesamtschule eingeführt und eine zentrale Vergabestelle für all jene Studienrichtungen eröffnet, für die eine Zulassungsbeschränkung – der »Numerus clausus« – bestand. Wenige Monate zuvor war eine Sondereinheit zur Bekämpfung des Terrorismus aufgestellt worden, nachdem bei den Olympischen Spielen in München die Befreiung von Geiseln aus den Händen palästinensischer Terroristen gescheitert war.

Der Begriff des »Staatsfeindes« machte die Runde. Peter Brückner, Professor für Psychologie in Hannover, schrieb darüber gemeinsam mit Alfred Krovoza, Professor für Sozialpsychologie ebenfalls in Hannover, ein Buch. Ein Jahr zuvor war Brückner von seinem Lehramt suspendiert worden, weil im Prozeß gegen die Baader-Meinhof-Gruppe ein Angeklagter behauptet hatte, Brückner habe Mitglieder der Terrorgruppe unterstützt. Brückner wurde 1977 ein zweites Mal vom Dienst suspendiert, nachdem seine Analyse des berüchtigten »Mescalero-Artikels« und der darauf reagierenden politischen Kommentare als Broschüre erschienen war. Der »Mescalero-Artikel« war von einem Göttinger Studenten verfaßt worden, nachdem die Rote Armee Fraktion den Generalbundesanwalt Siegfried Buback ermordet hatte. Der Autor des Artikels beschrieb, wie er auf das Attentat reagierte: »Meine unmittelbare Reaktion … ist schnell geschildert: ich konnte und wollte (und will) eine klammheimliche Freude nicht verhehlen … Aber das ist ja nun nicht alles gewesen, was in meinem und im Kopf vieler anderer nach diesem Ding

Radikalenerlaß und klammheimliche Freude

herumspukte. So eine richtige Freude … konnte einfach nicht aufkommen.«
Brückner und Krovoza behaupteten in ihrem Buch »Staatsfeinde. Innerstaatliche
Feinderklärung in der BRD« aus dem Jahr 1972, daß die parlamentarische Demokratie eine Herrschaftsform sei, die mit dem Faschismus ein Ziel teile: den Kapitalismus zu sichern. Das Buch, aus dem der folgende Text stammt, erschien im Berliner Wagenbach Verlag, der zu den zahlreichen kleinen gesellschaftskritischen
Verlagen jener Jahre der Gegenöffentlichkeit gehörte und der zu seinen Autoren
auch Rudi Dutschke und Ulrike Meinhof zählte.

**Peter Brückner und Alfred Kro-
voza.** Während des *Dritten Reichs*,
so sagt man mit Recht, war un-
schwer zu erkennen, was wirklich
der Fall war: Unmenschlichkeit
als das Prinzip des Staats. Hier
wäre freilich daran zu erinnern,
daß ein großer Anteil der deut-
schen Professoren, Rektoren, Studenten, Lehrer *nicht* gewußt, nicht gesehen,
nichts erkannt, sondern zugestimmt, gefeiert, abgeleugnet oder verdrängt
hat. Doch ist es nichts als Schlagwort, als Täuschung, wenn heute jemand von
»Elementen offenen Faschismus« redet – oder von Rechtsstaatlichkeit, von
Demokratie in den klassischen Bedeutungen dieser Termini. Es ist heute viel
schwerer, den Zusammenhang dessen, was in den Nachrichtennetzen der
Massenkommunikation zirkuliert und was sich strukturell an politischer
Herrschaft und wirtschaftlichem Interesse verfilzt, auf das hin zu durch-
stoßen, was sich *wirklich* in unserem Lande entwickelt.

Da verändern sich Demokratien in ihrem Herrschaftsapparat und ihren
Steuerungstechniken so, daß zumindest Teilziele demokratisch zu realisieren
sind, für die man früher offenen Faschismus benötigte. In der Tendenz: Ausschaltung der Massen aus der Politik, Verhinderung der Emanzipation der
Arbeiterklasse, Restriktion in den Bildungsprozessen von Bewußtsein und
die Chance, mit staatlicher Hilfe gute Geschäfte zu machen, d. h. den Fortbe-
stand von Ausbeutung zu garantieren, wenn auch etwas vergoldet; Aufrüstung und stillere Unterstützung diktatorischer Regimes in Europa und in
fernen Kontinenten; Unterdrückung kommunistischer Politik und Organisation – in der Tendenz also nehmen Staatsgebilde wie die USA oder die BRD
längst Züge des griechischen, spanischen oder portugiesischen Regimes an,
aber sie leisten dies sozusagen hinter der Hand, formell bleiben demokrati-

sche Verfassung und Rechtsstaatlichkeit weitgehend, wenn auch keineswegs total, erhalten.

Es wäre für Viele leicht und für uns alle bequem, wenn wir diese Involution der Demokratie als »faschistisch« bezeichnen könnten, aber wir würden damit nicht nur behaupten, was niemals stimmt, wir würden gerade damit *ein* wesentliches und schwer zu fassendes Strukturmerkmal einiger parlamentarisch-demokratischer Staaten verdecken: daß sie sich in einer letztlich verhängnisvollen Weise organisieren, die nicht nur den Faschismus überflüssig macht, sondern Demokratie suspendiert. Die Unterdrückung aller Kräfte, die auf geschichtsangemessene Veränderungen in dieser Gesellschaft hinwirken, findet ihre noch weitgehend legalistische Gestalt. Die parlamentarische Demokratie, in deren zweite Involutionsphase wir jetzt eingetreten sind, läuft auf *Ziele* zu, die denen des Faschismus in *einem* Strukturmerkmal gleichen: im Zusammenhang unseres Geschichtsverständnisses erfüllen beide politische Systeme die Funktion, die Fortdauer der kapitalistischen Produktionsweise zu sichern. Worauf es mit der parlamentarischen Demokratie in ihrer Involution hinauswill: Fortdauer der Ausbeutung, Ausschaltung der Massen aus der Politik, Verhinderung der Emanzipation der Arbeiterklasse, dahin tendiert der Faschismus auch. Ganz anders auf der Ebene des *Selbstverständnisses*: der bewußten Ziele und Absichten – da werden wir bei einem Vergleich der Regierungsgewalt und der staatstragenden Parteien mit dem offenen Faschismus des »Dritten Reichs« große Differenzen auffinden, die auch durch einzelne, selbst prominente Personen nicht vom Tische gewischt werden. Schließlich ist die Differenz groß auch in den *Methoden*: da besteht ein Unterschied zwischen Faschismus und unserer Involutions-Demokratie. Was zwischen 1933 und 1945 als Diskussion öffentlich undenkbar war, ist heute möglich, freilich eher halböffentlich: Die Absperrung von der hochtechnisierten, kapitalfixierten Öffentlichkeit der Massenmedien verweist die Linke heute auf beschränktere oder spontane Öffentlichkeit (Bücher, Zeitschriften, teach-ins). Diese Absperrung vollzieht sich im Rahmen der Legalität, hat aber, als Methoden-Differenz, dennoch einige Konsequenzen für die Inhalte der Politik und für ihre Entfaltung. *Noch* lassen die Involutions-Demokratien, noch läßt uns die *BRD* eine gewisse Chance, die Kontinuität der bürgerlichen und der proletarischen Revolution fortzuschreiben.

Die Rückkehr von *Gewaltförmigkeit* an der Regelung sozialer Prozesse in eine Involutions-Demokratie macht sie nicht zu einem faschistischen Regime. Der Versuch, Marxisten und Sozialisten ins Ghetto zu drängen und sie auszuschalten, macht die BRD – auch wenn dabei ihre »Rechtsstaatlichkeit« sich aushöhlt – nicht zu einer Parallele des Nationalsozialismus.

Peter Brückner und Alfred Krovoza

So wie kein Teilhaber an der Regierungsgewalt sein Selbstgefühl darauf aufbauen dürfte, daß die BRD nicht faschistisch ist, so wird kein Marxist darin irgendeinen Grund zur Ruhe oder Hoffnung sehen. Rom wurde nicht nur nicht an *einem* Tage zerstört, es führten auch viele Wege zu seiner Zerstörung.   1972

Während sich die bundesrepublikanischen Gesellschaftskritiker vom Verfassungsschutz bedroht und verfolgt sahen, wachte die Staatssicherheit über die Bürger der Deutschen Demokratischen Republik. Die Opposition gegen den sozialistischen Staat sammelte sich vor allem im weiten Umkreis der Kirchen, in den zahlreichen kleinen kirchlichen Arbeitskreisen und Organisationen. Doch auch innerhalb der Kirchenleitung wurden an manchen Tagen offene Worte gesprochen. Dazu zählte die Rede des Görlitzer Bischofs Hans Joachim Fränkel, die er am 8. November 1973 in der Annenkirche in Dresden über die Frage hielt: »Was haben wir aus dem Kirchenkampf gelernt?« Fränkel, 1909 in Liegnitz geboren, studierte Theologie und trat noch in seiner Studienzeit in die Bekennende Kirche ein. Von Kriegsbeginn bis 1943 war er in der Wehrmacht. Danach ging er nach Breslau, wo er sich an der Bekenntnissynode beteiligte, die öffentlich gegen den Massenmord an den Juden protestierte. Mit solchen Sorgen, wie Fränkel sie ansprach, wollten sich die Christen in der Bundesrepublik nicht quälen. Heinrich Albertz forderte in den achtziger Jahren die Kirchen und die Christen auf, mehr Mut und Rückgrat im Kampf für den Frieden zu zeigen.

Hans Joachim Fränkel. Wir haben damals im Kirchenkampf bekannt, daß wir in allen Bereichen unseres Lebens der Herrschaft Jesu Christi unterstehen. Damit aber ist uns eine Beschränkung der Verantwortung auf den innerkirchlichen Bereich und eine Flucht in die private Erbauung verwehrt. Gerade unter dem Ansturm eines militanten Atheismus ist die sogenannte Innerlichkeit eine große Versuchung. Hier wird die Er-
bauung der Gemeinde verstanden im Sinne der inneren Erbauung des Herzens. Hier wünsche ich mich ungestört von der Welt, ihren Fragen und Forderungen, frommer Betrachtung hinzugeben. Eine Predigt, die in die Verkündigung des Evangeliums die großen öffentlichen Fragen des Rechtes, der Wirtschaft und des Friedens einbezieht, wird als störend empfunden. Der Friede des Herzens ist alles, der Friede der Welt aber eine rein politische Sa-

che, die mit dem Evangelium im Grunde nichts zu tun hat. Das aber bedeutet die Preisgabe der öffentlichen Bereiche an ihre Eigengesetzlichkeit und die Privatisierung des Christseins. Das läuft dann auf den bekannten, auch von den Marxisten behaupteten Satz hinaus: »Religion ist Privatsache.«

Doch dieser Satz widerspricht dem Evangelium, denn Christus ist nicht Privatperson, sondern der, dem alle Gewalt gegeben ist im Himmel und auf Erden. Weil Gott in Christus die Welt mit sich selber versöhnte, ist im Auftrag, diese Versöhnung zu proklamieren, die öffentliche Verantwortung der Kirche unausweichlich begründet. Nun weiß ich wohl, daß die Kirche in der Vergangenheit dieser Verantwortung oft nicht entsprochen hat. Sie hat z. B. angesichts der sozialen Nöte des vorigen Jahrhunderts zwar den Dienst der Liebe nicht vergessen, aber die Frage nach dem Recht nicht gestellt, und im Kirchenkampf hat selbst in der Bekennenden Kirche nur die Preußische Bekenntnissynode Breslau 1943 öffentlich ihre Stimme gegen den Mord an den Juden erhoben.

Es könnte naheliegen, angesichts der Versäumnisse der Kirche in der Vergangenheit zu sagen: »Nun seid aber mal bescheiden und haltet euch zurück!« Aber die im Auftrag der Evangeliumsverkündigung gründende öffentliche Verantwortung der Kirche wird auch nicht durch Versagen in Vergangenheit und Gegenwart außer Kraft gesetzt.

»Buße heißt nicht Lähmung angesichts der Schuld, sondern besserer Gehorsam gegenüber dem Auftrag« (Artikel 1 der »Zehn Artikel über Freiheit und Dienst der Kirche«). Es darf keinen Rückzug auf den inneren kirchlichen Bereich geben. Als man sich im Kirchenkampf der Hitlerzeit Fragen der liturgischen Erneuerung zuwandte, da hat Bonhoeffer gesagt: »Nur wer für die Juden schreit, darf auch gregorianisch singen.« Und heute müssen wir sagen: »Nur wer mit Leidenschaft für einen Frieden in der Welt eintritt, in welchem Menschenwürde und die elementarsten Menschenrechte gewahrt sind, darf sich des Herzensfriedens erfreuen, den Jesus Christus wahrhaftig auch bedeutet.«

Nun hat man gewiß in der Weltchristenheit erkannt, daß die Kirche sich im Kampf für den Frieden und das Wohl der Menschen und gegen offenbare Unrechtssituationen engagieren muß. Aber dieses Engagement darf nicht einseitig sein, so daß man dort am lautesten und klarsten redet, wo das Risiko am geringsten ist. Wir haben über unserem Einsatz für den fernen Nächsten nicht den nahen Nächsten zu vergessen. Unser Einspruch gegen den Terror in Chile wird um so glaubwürdiger sein, je ernster wir als Kirche unsere öffentliche Verantwortung im eigenen Raum wahrnehmen. In jeder Gesellschaftsordnung bleibt der Mensch ein Sünder. Darum ist es ein Irrtum zu

Hans Joachim Fränkel

meinen, daß die Qualität des Sozialismus die öffentliche Verantwortung der Kirche überflüssig mache.

Nun kann darüber gar kein Streit sein, daß in unserer Verfassung grundlegende Menschenrechte verankert sind. Hier ist an erster Stelle das entscheidende Recht der Glaubens- und Gewissensfreiheit zu nennen. Andererseits ist unsere Verfassung eine sozialistische Verfassung, und das bedeutet nicht nur, daß für unsere Gesellschaftsordnung die Vergesellschaftung der Produktionsmittel grundlegend ist, sondern weit darüber hinaus, daß unsere Gesellschaft durch den Marxismus-Leninismus geprägt ist unter der Zielsetzung, alle Bürger zu sozialistischen Persönlichkeiten heranzubilden. Damit ist aber notwendig eine Spannung zwischen dieser Zielsetzung und grundlegenden Menschenrechten wie der Religionsfreiheit, der Glaubens- und der Gewissensfreiheit, Meinungsfreiheit und Gleichberechtigung gegeben.

Diese Spannung läßt sich auch nicht dadurch auflösen, daß diese Menschenrechte an das Maß der Leistung für den Sozialismus gebunden und also nachträglich auf Grund erfüllter Bedingungen den Bürgern zugesprochen werden, denn dadurch werden Menschenwürde und die damit verbundenen Freiheiten und Grundrechte in ihrem Wesen verkannt. Sie sind das, was sie sind, nur dann, wenn sie als den Menschen vorgegeben anerkannt und nicht unter das Soll einer bestimmten Gesinnung gestellt werden. Dieses Vorgegebensein ist in Gottes Schöpfung und Erlösung begründet. Die Anerkennung dieses Vorgegebenseins ist ein unbewältigtes Problem in unserer Gesellschaft.

Dieses Problem stellt sich heute in besonderer Schärfe auf dem Bildungs- und Erziehungssektor. Die Nöte, die christliche Eltern und Kinder hier haben, sind auch auf der Bundessynode so offen zur Sprache gekommen, daß ich jetzt nicht einzeln darauf einzugehen brauche. Es soll auch anerkannt werden, daß einige besonders schwere Fälle der Benachteiligung christlicher Kinder bereinigt werden konnten. Aber ich kann meine tiefe Enttäuschung nicht verbergen, daß trotz aller Bemühungen der Kirche, Eltern und Kindern zu helfen, bisher ein grundlegender Wandel noch nicht eingetreten ist. Noch immer müssen wir es erleben, daß z. B. Eltern gesagt wird: Ihr Kind soll auf die erweiterte Oberschule kommen, aber es besucht den Konfirmandenunterricht. Sie müssen sich entscheiden.

So gewiß jedem einzelnen Fall nachzugehen ist, müssen wir doch erkennen, daß es nicht nur um einzelne Fälle geht, sondern hinter allen diesen Nöten steht der Widerspruch zwischen dem Erziehungsziel, sich den dialektischen Materialismus anzueignen, und dem christlichen Glauben, der sich eine atheistische Weltanschauung nicht zu eigen machen kann. Jeder Versuch, diesen Widerspruch durch Verletzung der Gewissen aufzulösen, macht die

Atmosphäre unerträglich. Dieser Widerspruch kann nur so getragen werden, daß das Toleranzprinzip grundlegend zur Geltung kommt. Echte Toleranz bedeutet prinzipiellen Verzicht darauf, das weltanschauliche Erziehungsziel mit administrativen Mitteln, mit Druck oder irgendwelchen Formen der Benachteiligung erreichen zu wollen. Echte Toleranz bedeutet die unbedingte Respektierung der Gewissen. Die damit gegebene Spannung zwischen dem weltanschaulichen Erziehungsziel und dem Toleranzprinzip muß ausgehalten werden. Das ist die Zumutung, die die christliche Gemeinde unserer Gesellschaft stellt. Darum müssen wir die Erwartung aussprechen, daß auch in dem neuen Jugendgesetz die Glaubens- und Gewissensfreiheit eine feste Verankerung findet.

Nun weiß ich natürlich, daß, wenn das Toleranzprinzip mit aller Klarheit angesprochen wird, die Sorge auftaucht, es würde damit eine Liberalisierung gefordert, die eine Erweichung fester Standpunkte und Überzeugungen mit sich bringt. Ich meine aber, man muß zwischen echter Toleranz und einer Liberalisierung, die zur Unverbindlichkeit führt, unterscheiden. Ich habe Verständnis für die Sorge vor einer alles ins Unverbindliche auflösenden Liberalisierung, und an einer solchen Liberalisierung liegt mir auch nichts. Aber ich muß darauf bestehen, daß die Glaubens- und Gewissensfreiheit als Grundrecht grundsätzlich als vorgegeben anerkannt wird und die damit gegebene Spannung zwischen weltanschaulichen Zielen einerseits und dem Toleranzprinzip andererseits getragen wird.

Man sage nicht, das sei unmöglich. Im Atomzeitalter ist der Weltfriede zu einer ehernen Notwendigkeit geworden, wenn die Menschheit überleben will. Das erfordert zwingend die friedliche Koexistenz. Und das um so mehr, als auch die das Leben der Menschheit bedrohenden Gefahren der Umweltvergiftung nur in weltweiter Zusammenarbeit gelöst werden können. In diesem Zusammenhang möchte ich aus der Rede Breschnews, die er am 26. Oktober auf dem Weltkongreß der Friedenskräfte in Moskau gehalten hat, ein Wort zitieren: »Die langen Jahre des kalten Krieges haben ihre Spuren im Bewußtsein der Menschen, und zwar nicht nur der Berufspolitiker hinterlassen. Es sind dies Vorurteile, Argwohn, ungenügende Kenntnis der wirklichen Standpunkte und Möglichkeiten der anderen, ja mangelnder Wille, diese kennen zu lernen. Und die Umstellung ist gewiß nicht leicht. Man muß lernen, zusammenzuarbeiten.« Man sollte diesen Worten Breschnews Beachtung schenken.

Friedliche Koexistenz ist unteilbar, das heißt, sie bedeutet nicht nur die Koexistenz von Machtblöcken und Völkern, sondern grundsätzlich auch immer die Koexistenz von Menschen, wie sie in den elementaren Menschen-

Hans Joachim Fränkel

rechten ihren Ausdruck finden. Unser Staat ist als Mitglied der Vereinten Nationen in die Verantwortung für eine Durchsetzung der Menschenrechte in allen Kontinenten eingetreten und hat auch die Konvention gegen die Diskriminierung im Bildungswesen angenommen. Mit dem allen wachsen unserer Gesellschaft Hilfen und moralische Argumente zu, sich echter Toleranz zu öffnen. Die christliche Gemeinde sollte in jeder Weise dazu Mut machen und eine umfassende Strategie der Toleranz entfalten.

Wenn ich wiederholt von der christlichen Gemeinde gesprochen habe, dann habe ich dabei nicht in erster Linie an uns Pastoren, sondern an unsere Laien gedacht. Was wären wir denn damals im Kirchenkampf ohne unsere Laien gewesen? Als angesichts der die Kirche verwüstenden Irrlehren nicht nur Pastoren protestierten, sondern die Gemeinden aufstanden, wurde die Bekennende Kirche Ereignis. Als uns das Führerprinzip und der Glaube an Blut und Boden zugemutet wurde, haben wir das rechte Verhältnis von Amt und Gemeinde neu verstehen gelernt und bekannten die Kirche als die Gemeinde von Brüdern.

Was wir damals gelernt haben, hat heute für die Kirche als Zeugnis- und Dienstgemeinschaft seine besondere Bedeutung. In einer Zeit, in der alle, die der Kirche hauptamtlich dienen, zunehmend in das gesellschaftliche Abseits geraten, gewinnt der Zeugendienst unserer Laien immer mehr an Gewicht, denn sie sind an Orten unserer Gesellschaft präsent, die den Amtsträgern weithin unerreichbar geworden sind. Das aber bedeutet, daß die öffentliche Verkündigung heute nicht ohne Rückkoppelung zu den Erfahrungen unserer Laien geschehen kann und daß wiederum unsere Laien der Zurüstung durch ihre Pastoren für ihren Zeugendienst bedürfen. Solche Zurüstung sollte in bruderschaftlichen Kreisen geschehen, in denen alle Beteiligten zugleich Gebende und Nehmende sind und gegenseitig die so notwendige Stärkung im Glauben empfangen.

Was haben wir im Kirchenkampf gelernt? Lassen Sie mich am Schluß noch das eine sagen: Wir haben gelernt, daß zuletzt doch alles auf den Glauben ankommt, der den Zusagen unseres Gottes traut und sich von den Prognosen seiner Umwelt nicht imponieren läßt. Wir waren in der Bekennenden Kirche im Kirchenkampf gewiß keine Heldengarde, wir waren eine kleine, zusammengeschmolzene Schar, aber wir waren kein verlorener Haufe. Gott hat uns durchgetragen. Gott hat die vermessen proklamierten Tausend Jahre des Dritten Reiches auf 12 Jahre zusammengequetscht, das sollten wir nicht vergessen. Es sind niemals die von außen die Kirche treffenden Bedrängnisse die schlimmste Gefahr, viel gefährlicher sind die inneren Anfechtungen, die uns zur Resignation verleiten wollen, jener Sünde des Unglaubens, der nichts mehr zu hoffen wagt. Aber wir haben keine Veranlassung, der Resignation zu verfallen, denn Christus hält den Posten des Erlösers fest besetzt und denkt nicht daran, ihn zu räumen. Wir brauchen uns nicht in der Sorge um unser und unserer Kinder Fortkommen und Zukunft zu verzehren, denn wir stehen mit unseren Kindern in Gottes Hand: … der wird auch Wege finden, da dein Fuß gehen kann …

Der Segen Gottes in unserem und unserer Kinder Leben ist mehr wert als die größte Karriere in unserer Gesellschaft. Wir brauchen nicht der das Mark des Charakters zerfressenden Angst zu unterliegen, die wie eine Seuche umgeht, denn der Terrorbrecher Christus ist bei uns. *Das* haben wir aus dem Kirchenkampf gelernt! 1973

Zwei Jahre nach dem Radikalenerlaß, dessen Reichweite im Jahr 1976 eingeschränkt wurde, trat Willy Brandt als Bundeskanzler zurück, weil sein persönlicher Referent als Spion der Deutschen Demokratischen Republik enttarnt worden war. Am 10. November 1974 ermordete die Rote Armee Fraktion den Berliner Kammergerichtspräsidenten Günter von Drenkmann. Heinrich Böll hatte 1974 seinen Roman »Die verlorene Ehre der Katharina Blum« veröffentlicht und in einem »Spiegel«-Interview über die »Bild-Zeitung« gesagt: »Das ist nicht mehr kryptofaschistisch, nicht mehr faschistoid, das ist nackter Faschismus … Die Überschrift ›Baader-Meinhof-Gruppe mordet weiter‹ ist eine Aufforderung zur Lynchjustiz.« Böll wurde von der Boulevardpresse heftig angegriffen und im Bundestag von Karl Carstens von der Christlich-Demokratischen Union als Schriftsteller angeprangert, der zur Gewalt aufrufe.

Helmut Schmidt, der als Soldat an der Ostfront gewesen war, wurde im Mai 1974 zum Bundeskanzler gewählt. Ein Jahr nach der Debatte im Bundestag über die Antiterrormaßnahmen begann im Mai 1975 in Stammheim der Prozeß gegen die Baader-Meinhof-Gruppe. Im Jahr darauf, im Mai 1976, erhängte sich Ulrike Meinhof in ihrer Gefängniszelle. Im Sommer 1977 wurde der Chef der Dresdner Bank, Jürgen Ponto, von der Roten Armee Fraktion ermordet, wenig später ereilte den Arbeitgeberpräsidenten Hanns Martin Schleyer das gleiche Schicksal. Drei Terroristen verübten in Stammheim Selbstmord, nachdem ein Flugzeug, das entführt worden war und mit dessen Passagieren ihre Freilassung erpreßt werden sollte, in Mogadischu von der Sondereinheit zur Bekämpfung des Terrorismus gestürmt worden war. Die Politiker zogen bei den Antiterrormaßnahmen an einem Strang, machten sich aber Vorhaltungen darüber, welche Politik den Anfängen der terroristischen Gesinnung nicht gewehrt, schlimmer noch, dieser Gesinnung zugearbeitet habe.

Helmut Schmidt. In den rechtsstaatlichen Demokratien der Nachkriegszeit ist Terrorismus international eine relativ neue Erscheinung. Wir beobachten sie bewußt vielleicht seit Beginn der sechziger Jahre mit dem Fanal der Ermordung der beiden Kennedys und der Ermordung Martin Luther Kings. Terrorismus gibt es  nicht nur im Mittleren Osten, in Irland, in England, in Holland, in der Schweiz, selbst in Spanien, in vielen anderen Ländern. Es gibt ihn aus den verschiedensten *Motivationen* – er steckt sich gegenseitig an –, aus nationalen, aus religiösen, aus rassistischen, aus ideologischen Motivationen. Keine Regierung, keines dieser Länder könnte versprechen, daß der Terrorismus schnell getilgt werden könnte. Ich sage hier ganz offen: Durchgreifende Erfolge sind, wenn ich die Landschaft international in den Blick ziehe, kurzfristig nicht zu erwarten. Im Gegenteil! Es wird immer wieder in allen diesen unseren Ländern terroristische Aktionen geben, und wir werden uns in jeder konkreten Situation immer wieder neu zu entscheiden haben, wie wir ihnen begegnen wollen und wie wir ihnen begegnen müssen.

Mit Baader-Meinhof ist die Sache nicht ausgestanden. Es gibt Nachfolger und Nachahmer, Terrorgruppen, die sogar miteinander konkurrieren. Nicht nur auf deutschem Boden ist diese Erscheinung erkennbar. Es gibt *internationale Verbindungen der Terroristen* und internationale Verbindungen ihrer Mitläufer. Die bei uns bevorstehenden Baader-Meinhof-Prozesse werden mit Sicherheit große internationale Kampagnen der Sympathisanten auslösen. Sogenannte Anwälte des Rechts werden aus aller Welt in die Bundesrepublik Deutschland angereist kommen und uns ihre Philosophie verkünden.

(Dr. Jenninger [CDU/CSU]: Müssen wir die hereinlassen? –
Vogel [CDU/CSU]: Müssen die denn rein?)

Sie werden angereist kommen, um unseren Rechtsstaat vor unserer eigenen öffentlichen Meinung herabzusetzen, wie es schon geschehen ist, wie es sich gerade auch gegenwärtig anläßlich des Prozesses in Bückeburg schon abzeichnet.

Die Bundesregierung muß erwarten, daß – ähnlich wie jüngst in Stuttgart ein Gericht die Zulassung eines solchen Anwaltes abgelehnt hat – solchen Kampagnen mit aller Klarheit und Entschiedenheit entgegengetreten wird. So ist zum Beispiel die von den Terroristen und ihren Anwälten angezettelte Kampagne gegen eine angebliche sogenannte Isolationsfolter einschließlich des Hungerstreiks, wie ich denke, falsch, nämlich viel zu nachsichtig, behandelt worden.

(Beifall bei der SPD, der FDP und bei der CDU/CSU)

Solche Nachsichtigkeit und solche Hilflosigkeit sollten sich nicht wiederholen.

(Sehr gut! bei der CDU/CSU)

Es ist ein Fehler gewesen, daß die *Haftbedingungen der Baader-Meinhof-Häftlinge* von den für diese Haftanstalten zuständigen Behörden nicht rechtzeitig und nicht so umfassend der Öffentlichkeit dargestellt wurden, wie sie doch wirklich waren und wie sie wirklich unseren Gesetzen entsprechen.

(Beifall bei der SPD und der FDP)

Auch einige der Massenmedien, eine gewisse Sensationspresse voran,

(Reddemann [CDU/CSU]: »Spiegel« und »Stern«!)

sind in diesen Kampagnen, zum Beispiel der Isolationsfolter-Kampagne, jenen Leuten auf den Leim gekrochen, und manche Medien tun dies heute noch und täglich mit seitenlangen Schilderungen der Aktivitäten der Terroristen unter Weglassung dessen, was Kriminalpolizei, Schutzpolizei und Verfassungsschutz erfolgreich tun.

(Beifall bei der SPD und der FDP und bei Abgeordneten der CDU/CSU)

Das Beklagen dieser Mängel soll auf der anderen Seite unseren Blick nicht vor der ganz wesentlichen Erkenntnis verstellen, daß es den Terroristen und ihren Kampagnen nicht gelungen ist, irgendeine Mobilisierung der Massen zu erreichen, von der sie in ihrer Vermessenheit geträumt und geschwatzt haben.

(Beifall bei der SPD und der FDP)

Sie werden dieses Ziel auch in Zukunft nicht erreichen. Ich bin ganz sicher, daß die Bürger dieses Staates, daß die gesellschaftlichen Gruppen, daß unsere Gesellschaft als Ganzes die *geistig-politische Auseinandersetzung mit dem Terrorismus* bestehen wird. Dazu ist es erforderlich, daß wir uns auch klar Rechenschaft darüber ablegen, ob wir alle immer alles richtig gemacht haben.

Es ist wahr, daß in unserem Lande seit den Tagen der sogenannten APO manches verharmlost oder bagatellisiert worden ist, was nicht hätte bagatellisiert werden sollen,

*(Beifall bei der SPD, der FDP und lebhafter
Beifall bei der CDU/CSU)*

manches nämlich, was über die Grenzen des in allen Demokratien notwendigerweise erlaubten Protestes hineingeht, kunstvolle oder künstliche Unterscheidungen etwa zwischen illegitimer Gewalt gegenüber Sachen und illegitimer Gewalt gegenüber Personen

*(Beifall bei der SPD und bei der FDP – Zurufe von der CDU/CSU. Ja! Ja! –
Vereinzelter Beifall bei der CDU/CSU)*

Helmut Schmidt

– die Zwischenrufer aus den Reihen der Opposition können in den Protokollen des Bundestages von 1968 nachlesen, daß derselbe Sprecher das schon
damals mit derselben Klarheit angeprangert hat! –

(Lebhafter Beifall bei der SPD und bei der FDP –
Reddemann [CDU/CSU]: Aber Ihre eigenen Parteifreunde! –
Vogel [CDU/CSU]: Wo war die Stimme zwischendurch? –
Weitere Zurufe von der CDU/CSU)

oder Demonstration, die in zielstrebige Provokationen des Rechtsstaates und
seiner Organe übergingen,

(Dr. Marx [CDU/CSU]: Lesen Sie man nach, was Brandt
gesagt hat! – Reddemann [CDU/CSU]: Oder Steffen!)

oder auch nur schlichte Verkennung der anarchisch-terroristischen Zielrich-
tung jener Minderheit, die sich in Wahrheit doch über ihre eigenen Sympathisanten lustig macht, indem sie sie als nützliche, schwachsinnige Mitläufer
ansieht.

(Sehr gut! bei der CDU/CSU)

Ich will niemandem ersparen zu sagen, daß dann dazu auch die von mir selbst
immer als recht unecht empfundene, aber von anderen mit Verve vertretene
Unterscheidung zwischen »Gruppen« und »Banden« gehört. Hier hat einer
dem anderen – und umgekehrt – Etiketten aufzukleben versucht. Und dann
ging es schon gar nicht mehr um die Terroristen, sondern nur noch um die
Etiketten.

(Beifall bei der SPD und bei der FDP)

Seien wir uns dessen bewußt, daß neue Dolchstoßlegenden dort beginnen
können, wo man die Taten jener verbrecherischen Gruppen von irregeleite-
ten Söhnen und Töchtern aus sogenanntem gutbürgerlichem Elternhaus
ausgerechnet uns Sozialdemokraten anzulasten versucht.

(Lebhafter Beifall bei der SPD und Beifall bei der FDP –
Zuruf von der CDU/CSU: Das ist aber eine
Bürgerbeschimpfung! – Weitere Zurufe
von der CDU/CSU)

Sie sehen, ich bin heute morgen gern geneigt, dem verehrten Nachredner – sei
es nun Professor Carstens oder sei es Herr Dregger – die Stichworte zu liefern, die er übrigens von mir nicht bräuchte, da sie ihm schon längst geläufig
und von ihm schon vielfach benutzt worden sind.

(Beifall bei der SPD und bei der FDP –
Zurufe von der CDU/CSU)

Wer nach den *geistigen Ursachen* fragt und wer gewissenhaft, zum Beispiel
was die Bundesrepublik Deutschland angeht, bis in die Jahre 1967/68 zurück-

denkt, findet allerdings manches Mal übertriebene Langmut, übertriebene Duldsamkeit, manches Mal auch

(Zuruf von der CDU/CSU: Naivität!)

die Bereitschaft, aus Bequemlichkeit Positionen kampflos zu räumen, und er findet oft mangelhafte Zivilcourage gegenüber den Kräften, die auf die Zerstörung demokratischer Einrichtungen gerichtet sind.

Aber auch das ist richtig, was hier notwendigerweise hinzugefügt werden muß: Zuwenig war in den zwanzig Jahren eines weitgehenden *politischen Immobilismus* während des wirtschaftlichen Aufbaus unseres Landes getan worden, zuwenig war getan worden, um die Wertvorstellungen des Grundgesetzes in die aktuelle gesellschaftliche Praxis umzusetzen.

(Beifall bei der SPD und der FDP)

Dies alles gehört zu den vielfältigen Ursachen, die ich hier heute morgen nicht in ihrer Vollständigkeit analysieren kann. Aber wenn hier Schuld- und Mitverantwortung festgestellt werden sollen oder können, dann trifft die Mitverantwortung bei uns nicht anders als in den übrigen demokratischen Staaten viele aus der älteren Generation, rechts wie links wie in der Mitte, Liberale wie Konservative, Politiker wie Professoren, Verantwortliche oder Mitverantwortliche für allzuviel Laxheit überall dort, wo man die Auseinandersetzung gescheut und wo man notwendige Autorität nicht verteidigt hat.

(Beifall bei der SPD und bei der FDP)   1975

Hans Magnus Enzensberger hatte 1973 in der Zeitschrift »Kursbuch« einen Artikel mit dem Titel »Kritik der politischen Ökologie« veröffentlicht – eine Anspielung auf den damals gerne zitierten Band »Kritik der politischen Ökonomie« von Karl Marx. In seinem Aufsatz stellte Enzensberger die Bedeutung und die Grenzen des neuen ökologischen Denkens vor, das sich auch in der Bundesrepublik langsam zu verbreiten begann, nachdem die Katastrophenmeldungen, wie der berühmte Bericht des Club of Rome über »Die Grenzen des Wachstums« aus dem Jahr 1972, eingetroffen waren. Nach diesem Bericht waren die Aussichten für die Ressourcen der Erde schlecht, wenn die Weltwirtschaft auf ihrem Kurs bleiben sollte.

Enzensbergers kapitalismuskritischer Rundblick am Ende seiner Betrachtungen blieb bei China hängen. Die besten Chancen für das ökologische Überleben der Menschen, meinte Enzensberger ohne Ironie, biete sicherlich die chinesische Gesellschaft. »Der sparsame Umgang mit den Ressourcen der Natur«, schrieb er weiter, »ist ein wesentlicher Bestandteil der chinesischen Kultur. Diese jahrtausendealte Tradition ist nach dem Sieg der Revolution nicht unterbrochen, sondern auf den Begriff gebracht worden. Wenn man die Politik der chinesischen Führung unter diesem Gesichtspunkt analysiert, kommt man zu dem Schluß, daß sie sich der ökologischen Problematik vollkommen bewußt ist und daß sie, als einzige Regierung der Welt, nicht nur mit ihr rechnet, sondern konsequente Strategien zur Verhinderung der Katastrophe entwickelt hat. Eine Losung Mao Tse-tungs, die Anfang 1973 ausgegeben wurde (und die übrigens eine fast wörtliche Replik auf eine Weisung des Führers der ›Roten Bauernarmee‹, Tschu Juan-tschang, aus dem vierzehnten Jahrhundert ist), läßt dieses Zielbewußtsein klar erkennen: ›Baut tiefe Tunnel, schafft Vorräte an Getreide und geratet niemals in Versuchung, Hegemonie anzustreben‹.«

Die rasche Abwanderung des kritischen Bewußtseins nach China erklärte sich aus der Sorge des Gesellschaftskritikers, daß sich das ökologische Denken nicht mehr mit der marxistischen Kritik des Kapitalismus zufriedengeben, sondern sich grundsätzlich gegen die Auswüchse der Industrie richten würde, mochte diese sozialistisch oder kapitalistisch sein. Der Marxist Wolfgang Harich, der in der Deutschen Demokratischen Republik lebte und gerade vom Sozialismus erwartete, daß er die industrielle Notbremse ziehen werde, erklärte denn auch Enzensbergers Aufsatz zu einem Glanzstück der bundesrepublikanischen Kritik. Das ökologische Denken war neu und sollte bald ganz an die Stelle der marxistischen Kapitalismuskritik treten. Die Bedürfnisse des Volkes, von denen Rudi Dutschke geschwärmt hatte, machten vor den Ressourcen der Natur nicht halt. Die kritische Intelligenz hatte das ökologische Denken von der gesellschaftsfixierten Frankfurter Schule, die keinen Schritt in die freie Natur machte, nicht lernen können.

Am 20. Februar 1975 rückten Hunderte von Polizisten mit Wasserwerfern im badischen Wyhl ein, um die Demonstranten zu vertreiben, die dort den Bauplatz für das Atomkraftwerk besetzt hatten. In den folgenden Tagen kamen mehrere tausend Umweltschützer in den Wyhler Auenwald, um gegen den Beginn der Bauarbeiten zu protestieren. Der Protest, bei dem Bauern auf ihren Treckern fuhren, hatte Erfolg, denn der Bau des Atomkraftwerks wurde 1977 durch einen Gerichtsbeschluß untersagt. Zwei Monate nach Wyhl wurde das größte Atomkraftwerk der Welt in Biblis in Betrieb genommen. Im November 1976 demonstrierten Tausende von Umweltschützern gegen das geplante Atomkraftwerk in Brokdorf. In Seveso in Italien wurden ein großes Gebiet und zahlreiche Menschen vergiftet, als bei einem Unfall in einer Fabrik im August 1976 Dioxin freigesetzt wurde. Dieser Unfall wurde auch in der Bundesrepublik zu einem Inbegriff der industriellen Verseuchung. Der ehemalige Abgeordnete der Christlich-Demokratischen Union, Herbert Gruhl, trat aus seiner Partei aus und schrieb sein Buch »Ein Planet wird geplündert«.

Der Schriftsteller Jürgen Dahl, der die von Friedrich Georg Jünger zu Beginn der siebziger Jahre begründete Zeitschrift »Scheidewege. Jahresschrift für skeptisches Denken« als Redakteur betreute, gehörte zu den eindringlichsten Warnern vor der rasenden Naturzerstörung. Der folgende Text stammt aus Dahls Buch »Auf Gedeih und Verderb. Kommt Zeit, kommt Unrat. Zur Metaphysik der Atom-energie-Erzeugung« aus dem Jahr 1974.

 **Jürgen Dahl.** Die öffentliche Diskussion um die Er-zeugung von Energie aus Atomreaktoren ist zum Ri-tual erstarrt: Die Argumente und Gegenargumente sind allseits bekannt, Zitate von Gewährsleuten aller Couleur werden wie Keulen nach festen Kampfregeln geschwungen, Rede und Gegenrede folgen einander nach einem seit Jahren eingeübten Programm: Anhörungstermine, Eingaben, Bürgerinitiativen, Peti-tionen, Leserbriefe und Flugblätter wiederholen die immergleichen Ein-wände und Befürchtungen, Vorwürfe und Prophezeiungen, – Aufklärungs-schriften, Vorträge, Filme und Broschüren antworten darauf geduldig oder hochfahrend, einlenkend oder gekränkt, begütigend oder ausweichend: Die Diskutanten drehen sich stampfend im Kreise umeinander und um die Sache herum.

Der Erstarrung des Rituals entspricht seine Absurdität. Denn: Während über Atomkraftwerke noch hin und her geredet wird, werden sie zugleich gebaut und betrieben. Während die Risiken noch gewogen und von den einen als tragbar, von den anderen als zu schwer befunden werden, rechnen die Elektrizitätswerke schon an der Rendite herum, die im Jahre 2000 zu Buche schlagen wird. Während man im Saale noch die Eventualität der sogenannten Störfälle diskutiert, sind sie draußen schon vorgefallen.

Die Erzeugung von Energie aus Atomreaktoren ist im Gange, und es ist längst die Linie überschritten, hinter der man kaum mehr ernstlich darüber debattieren kann, was vermutlich geschehen wird oder vielleicht geschehen könnte und warum.

Elf Atomkraftwerke sind allein in der Bundesrepublik in Betrieb, mehr als zwanzig sind im Bau oder in der Planung, über hundert Meiler sollen bis 1980 in den Ländern der Europäischen Gemeinschaft stehen, weit über 200 bis 1985 (nach einer Ankündigung des EG-Kommissars Henri Simonet vor dem Europäischen Parlament in Straßburg).

Zehn Milliarden Mark hat allein die Bundesrepublik seit 1956 an staat-lichen Mitteln zur Förderung der Atomenergie-Produktion ausgegeben, weitere Milliarden hat die private Industrie in Planung und Bau von kommerziell betriebenen Reaktoren investiert, um dereinst die Früchte der vom Staat alimentierten Atomforschung zu ernten.

Nur der »Sachzwang« einer großen Katastrophe könnte die Entwicklung, die da in zwanzig Jahren zunächst zögernd in Gang geraten und dann immer mehr beschleunigt worden ist, noch einmal aufhalten – und dies gilt auch nur so lange, wie ein Verzicht auf die Atomenergie nicht die gegenwärtige Industriezivilisation gefährdet; wenn das Funktionieren dieser Zivilisation erst einmal – in zehn oder fünfzehn Jahren – weitgehend davon abhängig ist, daß der Strom aus den Reaktoren weiterfließt, dann wird selbst eine mittlere Katastrophe die Überlebenden kaum mehr davon abhalten können, eine Technologie weiter zu betreiben, der man sich auf Gedeih und Verderb ausgeliefert hat.

Die Möglichkeit einer solchen Katastrophe ist nicht auszuschließen. Der Umgang mit immensen Mengen radioaktiven Materials, seine Verwendung in den Reaktoren, seine Verarbeitung in Anreicherungs- und Wiederaufbereitungsanlagen, sein unausgesetzter Transport auf allen Verkehrswegen, die »Endlagerung« des jahrhunderte- oder jahrtausendelang weiter strahlenden Abfalls, – dies alles birgt Risiken, von denen kein vernünftiger Mensch in Abrede stellt, *daß* es sie gibt: Die Möglichkeit einer Katastrophe ist nicht auszuschließen.

An diesem Punkt beginnt die Metaphysik der Atomenergie-Erzeugung, jener Teil der Veranstaltung also, der nicht mehr viel mit Physik zu tun hat, sondern weit darüber hinausreicht in ein Feld der Vermutungen, Erwartungen, Hoffnungen, Schätzungen.

Natürlich lassen sich auch solche Vermutungen und Schätzungen in die Sprache der Wissenschaft übertragen und in die strengen Formen der Mathematik kleiden. Mit Zahlen läßt sich ein großer Teil der Welt und der Vorkommnisse in ihr beschreiben – auch das Ungefähre. Und wenn das Ungefähre erst einmal in eine Zahl verwandelt worden ist, dann läßt sich damit trefflich weiterrechnen. Die Zahlen, die dabei herauskommen, sind freilich verkappte Brüche: Im Nenner unterm Strich steht das Ungefähre, und niemand kann sagen, ob die Zahl im Zähler durch zwei oder durch fünf oder durch hundert dividiert werden muß, um der Wirklichkeit zu entsprechen.

Das Ergebnis solcher Rechenkunst, welche die Schätzung, als Zahl verkleidet, in die Kalkulation einbringt, dann aber bis auf die vierte Stelle hinterm Komma genau jene Wahrscheinlichkeit ausrechnet, die an die Gewißheit immer nur »grenzt«, – das Ergebnis solcher Rechnerei war eine Verunklärung des Begriffes »Sicherheit«, des Begriffes, um den die Hoffnungen und Bemühungen der Atomtechniker und die Ängste und Bedenken des Publikums kreisen.

Die Entstellung dieses Begriffes gipfelt in der Behauptung der Atomtechniker, daß es eine absolute Sicherheit im Bereich menschlicher Technik gar nicht gebe und daß man deshalb die unter großen Mühe angestrebte relative Sicherheit für die absolute nehmen müsse, wie es ja auch sonst im täglichen Leben stets geschehe.

An dieser Behauptung ist so gut wie alles schief und krumm.

Die relative Sicherheit bleibt relativ, was immer man unternimmt, um sie an allen Ecken und Enden zu verbessern; mit ihr vorliebzunehmen, mag bei Meßgeräten und Haushaltleitern notwendig und vertretbar sein; bei Feuerwerkskörpern streift es bereits das Gebiet des Unsittlichen, und bei atomaren Unternehmungen ist es angesichts des Umfangs möglicher Katastrophen nichts anderes als Augenwischerei, wenn man von »Sicherheit« spricht und nicht die absolute Sicherheit meint.

Vor allem aber gerät bei solcher Art der Handhabung des Sicherheits-Begriffes der Umstand außer acht, daß eine absolute Sicherheit vor den Gefährdungen menschlicher Technik sehr wohl zu haben ist: Die Bewohner Ostfrieslands zum Beispiel können absolut sicher sein, daß ein Staudammbruch in den österreichischen Alpen ihnen nicht das geringste anhaben kann; wer keine Hochspannungsleitung über sich hat, kann absolut sicher sein, nicht von einer solchen erschlagen zu werden; und mit einer Brücke einstürzen kann nur, wer darüber geht.

Eben diese durchaus erreichbare Situation gegen das Versagen technischer Einrichtungen macht den Umgang mit ihnen überhaupt erst erträglich. Die Risiken sind, was Zeit und Ort angehen, begrenzt, und man kann sich ihnen wenigstens teilweise und zeitweise in eine absolute Sicherheit entziehen. An der Technik kann nur Schaden leiden, wer sich mit ihr einläßt und jeweils nur, solange er sich mit ihr einläßt, freiwillig oder notgedrungen.   1974

Der Bericht des Club of Rome bewegte auch Sozialisten in der Deutschen Demokratischen Republik, in der ebenfalls Atomkraftwerke in Betrieb genommen wurden. Das brüderliche Verhältnis, in dem der Sozialismus mit dem technischen Fortschritt stand, drohte durch die prognostizierten Grenzen des Wachstums gestört zu werden. Der marxistische Philosoph Wolfgang Harich führte darüber mit dem Sozialdemokraten Freimut Duve mehrere Gespräche, die 1975 in dem Buch »Kommunismus ohne Wachstum?« veröffentlicht wurden und aus dem der folgende Text stammt. Wolfgang Harich, 1923 geboren, war nach seine Studium Mit-

Sozialismus und technischer Fortschritt

arbeiter des Aufbau-Verlags in Berlin, wo er unter anderem die Werke Georg Lukács und Ernst Blochs betreute. In den fünfziger Jahren schrieb er ein Thesenpapier über Deutschlands besonderen Weg zum Sozialismus, das ihn für mehr als acht Jahre ins Zuchthaus brachte. Während seiner Haftzeit arbeitete er an seiner umfangreichen Studie über den Dichter Jean Paul und die Revolution, die auch im Westen erschien.

Wolfgang Harich im Gespräch mit Freimut Duve.

HARICH: Der Sturz der Bourgeoisie, die Errichtung der Diktatur des Proletariats und die Verwirklichung des Kommunismus sind die Voraussetzungen dafür, die Forderungen des Club of Rome in der Gesellschaft durchzusetzen. Ich sehe nicht, daß die Sozialdemokratie gewillt und imstande wäre, diese Voraussetzungen zu schaffen. Aber die Aufgabe, für das Überleben der Menschheit auf unserem Planeten zu kämpfen, erhebt sich heute vor allen Fraktionen der internationalen Arbeiterbewegung, egal, ob sie auf revolutionäre oder auf reformistische Konzeptionen eingeschworen sind, und es ist ein sozialdemokratischer Staatsmann, Sicco Mansholt, der, im Hinblick auf diese Aufgabe, als erster die vom Club of Rome formulierten Vorschläge mit sozialistischen Gedankengängen in Verbindung gebracht hat. Überleben wird die Menschheit nur, wenn es ihr gelingt, die Bevölkerungslawine aufzuhalten, dem Wirtschaftswachstum Grenzen zu setzen, die Natur vor den schädlichen Nebenwirkungen der industriellen Produktion zu schützen, äußerst sparsam mit den natürlichen Ressourcen, besonders den nichtregenerierbaren Roh- und Brennstoffen, umzugehen, das soziale Gefälle zwischen Nord und Süd rigoros einzuebnen und die allgemeine und vollständige Abrüstung herbeizuführen. Alle darauf abzielenden Pläne und Maßnahmen wären zum Scheitern verurteilt, wenn sie nicht von der Arbeiterklasse getragen würden. Sie aber hört, in von Land zu Land unterschiedlichem Maße, auf das Wort der kommunistischen und der sozialdemokratischen Parteien. An ihnen liegt es, die Arbeiter auf diesen Weg zu führen. Folgt die Sozialdemokratie dem Beispiel Mansholts, so wird sie dazu wesentlich beitragen, obwohl ihr »demokratischer Sozialismus« den radikalen Lösungen, die historisch fällig sind, abträglich sein dürfte.

DUVE: Während man bei den Kommunisten – zugegeben: außer den genannten Beispielen in der Sowjetunion – nur Hohn und Spott für die Begrenzungsdebatte beobachten kann, haben die Demokratischen Sozialisten sich seit Jahren intensiv mit diesen Fragen beschäftigt. Erhard Eppler, Joachim Steffen, ja selbst der Entwurf des neuen Orientierungsrahmens der SPD gehen sehr ernsthaft auf diese Diskussion ein. Bei der DKP und den anderen westeuropäischen kommunistischen Parteien vermißt man ähnliche Stellungnahmen. Im Westen werden die Parteien der Linken jedoch – wenn sie die Vorschläge des Club of Rome akzeptieren – die Völker der industrialisierten Regionen der Erde dafür gewinnen müssen, auf Ausweitung ihres Konsums, auf steigenden Lebensstandard zu verzichten. Und das ist unser zentrales Problem.

HARICH: Allerdings. Und die fühlbarsten Einschränkungen, gemessen an ihrem derzeitigen Lebensstandard, hätten die Nationen der kapitalistischen Industrieländer, namentlich der USA, Westeuropas und Japans, auf sich zu nehmen, da bisher sie den größten Teil des Weltenergieaufkommens und der Rohmaterialien verbrauchen und die Völker der Dritten Welt von ihren Konzernherren ausgeplündert oder zumindest in Rückständigkeit gehalten werden.

DUVE: Unser Problem ist, daß wir den Kampf für den Demokratischen Sozialismus lähmen, wenn wir in ihn bereits die Losungen des Nullwachstums und des Konsumverzichts hineintragen.

HARICH: Es kommt darauf an, wie man das macht. Die Linksparteien sollten schon jetzt, sofort damit anfangen, der Arbeiterklasse die Gründe darzulegen, aus denen sie, sobald sie zur Macht gelangt sind, das Wirtschaftswachstum stoppen und der ganzen Bevölkerung, mit Einschluß der Arbeiter, materielle Einschränkungen auferlegen werden. Sie sollten aber gleichzeitig klarstellen, daß es zu eben diesem Zweck notwendig sein wird, die kapitalistischen Produktions- und Eigentumsverhältnisse zu beseitigen, und den Arbeitern dringend anraten, jede materielle Einbuße zu verweigern, solange diese Verhältnisse noch nicht überwunden sind.

DUVE: Erstens haben die Linken auch kein Allheilmittel, und zweitens klingt das kompliziert.

HARICH: Es ist keineswegs kompliziert. Die holländischen Jungarbeiter, mit denen Sicco Mansholt sprach, haben es so gut verstanden, daß sie es von sich aus vorschlugen, indem sie sagten: »Opfer ja, aber erst muß der Kapitalismus weg!« Dies ist die Formel, welche die Parteien der Linken fortan in den Mittelpunkt ihrer Agitation und Propaganda stellen sollten. Dem Proletariat liegen asketische Ideale an sich fern. Aber wenn es darauf ankam, hat es noch stets bewiesen, daß es eine heroische Klasse ist – in den Tagen der Pariser Commune, in drei russischen Revolutionen, im spanischen Bürgerkrieg, im Widerstandskampf gegen Hitler, in zahllosen Aufständen und politischen

Massenstreiks, zuletzt wieder in Paris, während des glorreichen Mai-Juni 1968. Das Proletariat wird bereit sein, für die Erhaltung der Biosphäre, für die Rettung der Menschheit vor dem Untergang, auch für ein besseres, menschenwürdigeres Leben der Völker der Dritten Welt jedes Opfer zu bringen, von dem die Wissenschaft nachweist, daß es nötig ist. Aber der Bourgeoisie wird es und soll es gar nichts opfern. Die Zumutung, sich im Rahmen des kapitalistischen Systems mit einem einfachen, bescheidenen Leben abzufinden, wird es ablehnen, mit vollem Recht. Und selbst angenommen, das Proletariat ließe von Demagogen, die mit den Argumenten der Ökologie oder mit dem Ruf nach besserer Lebensqualität Mißbrauch treiben, sich hier bereits zu Verzichtsleistungen überreden, so wären diese, weil unter kapitalistischen Bedingungen erbracht, ohne jeden Sinn. Der Kapitalismus kann, da Kapitalakkumulation und Kapitalverwertung sein Lebensgesetz sind, unmöglich von der erweiterten zur einfachen Reproduktion übergehen. Je geringer daher der Anteil ist, den die Arbeiterklasse vom Bruttosozialprodukt erhält, desto größere Summen investiert die Bourgeoisie in die Erweiterung des – umweltzerstörenden, Rohstoffe verschlingenden – Reproduktionsprozesses. Etwas anderes ist nicht möglich. Erst der Sozialismus kennt diese Zwangsläufigkeit nicht mehr. Erst hier kann eine Einschränkung des Massenkonsums, je nach den Zielen, die sich die Wirtschaftsplanung setzt, sowohl der erweiterten Reproduktion als auch ganz anderen, entgegengesetzten Zwecken dienen, z. B. dem Schutz der Natur, der Schonung der Ressourcen – ganz wie der Arbeiter- und Bauernstaat es aus *außer*ökonomischen Beweggründen haben will.

DUVE: Die Anti-Konsum-Diktatur des Proletariats? Der Club of Rome rät dringend zum Anhalten des Wirtschaftswachstums und zur Konsumeinschränkung, und Arbeitslosigkeit und Preissteigerungen haben eben diese Wirkung.

HARICH: Nur hat die Biosphäre nichts davon. Sehen Sie sich in dem Milieu, in dem Sie leben, um und fragen Sie sich, ob der keineswegs planvoll und überlegt, sondern durch soziale Mißstände spontan hervorgerufene Rückgang von Produktion und Konsum dort ökologisch überhaupt zum Tragen kommen kann. Ein Blick in die nächste Mülltonne wird Sie darüber belehren, daß das nicht der Fall ist. Ihr Entschluß, die Anschaffung eines neuen PKW zu vertagen und den alten, klapprigen noch eine Weile zu behalten, reinigt ja auch nicht dessen Abgase von Schadstoffen. Wer sich von der veränderten Lebensweise des Arbeitslosenheeres in einer kapitalistischen Industriegesellschaft ein Plus an Naturschutz erhofft, könnte ebensogut die Zunahme der Erkrankungen an Gebärmutterkrebs als erfreuliches Anzeichen dafür werten, daß nun bald die Bevölkerungslawine zum Stillstand kommen werde. Mit albernen, makaberen Vorstellungen dieser Art ließen sich ganze Kabarett-Programme bestreiten. Doch selbst gesetzt den Fall, Rezession und Inflation hätten tatsächlich einen nennenswert umweltschonenden, Rohstoffe streckenden Effekt, so hieße das, ökologisch gesehen, doch nur, daß das Wirtschaftswachstum die unaufhebbare Naturschranke, die ihm gesetzt ist, nicht mit kontinuierlich zunehmendem Druck, sondern durch den Wechsel von Konjunktur und Krise ruckweise, in Stößen zerschlägt. Und der nächste Stoß – darauf können Sie sich verlassen – wird um so heftiger ausfallen, je gründlicher die multinationalen Konzerne jetzt den Volksmassen die Bankkonten und Geldbörsen ausräumen, um den im Vollzug begriffenen Umbau ihres Produktionsapparats finanzieren zu können. …

DUVE: Sie sagten, das Konzept müsse realistisch sein. Die Maßstäbe der Politik für das, was realistisch genannt zu werden verdient, sind andere als die der Ökologie. Ist es nicht unrealistisch, zu glauben, daß die Bevölkerung eine Partei, die ihr für den Fall ihres Sieges Versagungen und Entbehrungen in Aussicht stellt, mit Mehrheit ins Parlament wählen, ja für sie auf die Barrikade steigen wird?

HARICH: Diese Partei wird es wahrscheinlich vorübergehend auf sich nehmen müssen, gegen den Strom zu schwimmen – den Strom des Wohlstandsdenkens, des Wachstumsfetischismus, der Konsumillusionen, den Strom der Unwissenheit und Gewissenlosigkeit in Sachen Ökologie. Aber das macht nichts. Die wenigen revolutionären Marxisten, die es zu Beginn dieses Jahrhunderts in den Reihen der II. Internationale gab, unter ihnen Lenin, Liebknecht, Rosa Luxemburg, sind bei Ausbruch des Ersten Weltkriegs gegen eine gewaltige Hochflut des Chauvinismus angeschwommen. Drei, vier Jahre später trug gerade deswegen das Vertrauen der Massen sie zu Führern der Revolution empor. Und welche Partei heute das Vermächtnis Lenins, Liebknechts, Luxemburgs verkörpert, bewahrt und in die Zukunft trägt, ist bekannt. Bekannt ist ebenfalls, daß diese Partei es unterdes nicht verlernt hat, gegen den Strom zu schwimmen. Sie hat beispielsweise die Endgültigkeit der Oder-Neiße-Grenze und die Realität DDR schon zu einer Zeit anerkannt, als die rechten SPD-Führer noch die Vertriebenenverbände hofierten.   1975

Im September 1976 hatte der Liedermacher Wolf Biermann nach einem elfjährigen Berufsverbot in der Nicolai-Kirche in Prenzlau ein Konzert gegeben, worüber er in einem Brief an seine Mutter in Hamburg berichtete. Der Brief wurde im »Spiegel« veröffentlicht. Im November durfte Biermann in den Westen zu Konzerten ausreisen. Am 13. November 1976 gab er in Köln ein Konzert, das vom Rundfunk und vom Fernsehen übertragen wurde. Nach diesem Konzert durfte er nicht mehr in den anderen Teil Deutschlands zurückfahren, wohin er 1953 freiwillig gegangen war und wo er sich mit seiner sozialistischen Kritik am real existierenden Sozialismus schnell Feinde im Staat gemacht hatte. Die Ausbürgerung Biermanns führte in seiner Heimat zu Protesten von Schriftstellern und Künstlern. Ein Jahr darauf wurde in Prag die »Charta 77« veröffentlicht, in der tschechische Bürgerrechtler die Durchsetzung der Menschenrechte forderten. Im Begriff der »Menschenrechte« bündelten sich in den osteuropäischen Ländern die Hoffnungen auf gesellschaftliche Veränderungen, deren Ziel nicht mehr notwendig der Sozialismus war.

Dieser politischen Grundkategorie der »Menschenrechte« im Kampf der Bürger gegen den diktatorischen Staat entsprach der politische Grundvorwurf des »Sexismus« im Kampf der Frauen gegen die Herrschaft der Männer. Auch bei den Frauen in der außerparlamentarischen Opposition hatte sich bald die Einsicht durchgesetzt, daß sie in diesen Kreisen oft ebensowenig zu sagen hatten wie ihre Mütter daheim und im Büro. Das Buch von Marielouise Janssen-Jurreit, aus dem der folgende Text stammt, hieß »Sexismus. Über die Abtreibung der Frauenfrage« und erschien 1976.

Marielouise Janssen-Jurreit. Eine feministische Selbstorganisation erfordert eine Trennung oder wenigstens eine Distanzierung von den Institutionen, die ähnliche politische Grundpositionen beziehen, wie Gewerkschaften und sozialistische Parteien westlicher Länder. Da der Feminismus grundsätzlich andere psychologische, sexuelle und ökonomische Beziehungen zwischen Männern und Frauen anstrebt, in denen es keinerlei  Privilegien mehr gibt, ist die Vorbedingung für diesen Kampf eine separate oder wenigstens auf eigene Faust handlungsfähige Organisation der Frauen. (Erst wenn es den Frauenorganisationen der etablierten Parteien, Gewerkschaften und Großverbände gelingt, organisatorisch und in ihrer politischen Zielsetzung sich eigene Handlungsspielräume zu verschaffen, könnten sie wichtige Träger des Frauenkampfes werden.) Feminismus richtet sich gegen den patriarchalischen Charakter aller existierenden Institutionen ohne Ausnahme. Feministische und sozialistische Organisationen können Koalitionen bilden, um gemeinsame Ziele zu erreichen, aber auf der Grundlage der Gegenseitigkeit, nicht der einseitigen Vereinnahmung von Frauen für Ziele, bei denen für sie nichts oder wenig herauskommt. Frauen – als Unterdrückte der Unterdrückten – haben keinen Nebenwiderspruch des Kapitalismus zu bekämpfen, sondern einen gesellschaftlichen Gesamtwiderspruch, das Patriarchat.

Eine wesentliche Aufgabe autonomer Frauengruppen besteht in der Bestandsaufnahme der weiblichen Situation, der Abhängigkeit, Ängste und Wünsche von Frauen, um eine selbstbewußte eigene Identität zu ermöglichen und zu formen. Der Feminismus hat als ein wesentliches bewußtseinsbildendes Ziel, die Geschichte der Frauen in ihr Selbstverständnis und ihre Identität zu integrieren. Nur durch historische Vergleiche können Frauen heute zu einer Standortbestimmung kommen. Es geht nicht darum, die Einzeltaten von Frauen in der Geschichte zu verherrlichen oder Frauen unkritisch zu beurteilen. Ihr Geschichtsdefizit zu beseitigen, kann nicht darauf zielen, der Geschichte der großen Männer eine Geschichte der großen Frauen hinzuzufügen, sondern die historische Forschung in ihren Fragestellungen und in ihren Wichtigkeits- und Rangvorstellungen zu berichtigen.

Wenn die Frauenbewegung behauptet, daß in jedem Individuum unabhängig vom Geschlecht das volle menschliche Potential von Begabung, Empfindung, Intelligenz, Sinnlichkeit angelegt ist, und daß maskuline und feminine Temperamente und Verhaltensweisen durch die Sozialisation hergestellt werden, dann heißt dies nicht, daß wir aus der historischen Formung unserer Person in dem Moment aussteigen können, in dem wir sie erkannt haben. Außerdem ist die Geschlechtsrolle etwas, was sorgfältig zu unterscheiden ist von der Selbsterfahrung des Körpers. Der Feminismus bestreitet nicht, daß Frauen und Männer ihre Körperlichkeit anders erleben. Er bestreitet nur Männern das Recht, daß sie durch die von ihnen beherrschten Sprachregelungen und Medien bestimmen, in welcher Weise wir unsere Körper zu empfinden haben. Der Feminismus ermutigt Frauen, ihre bisher unausgesprochenen Selbstempfindungen unbefangen zu verbalisieren, kommunzierbar zu machen. Die Selbstzeugnisse von Frauen, die Alice Schwarzer in ihrem Buch »Der kleine Unterschied und seine großen Folgen« vorlegte, zeigen eine Differenziertheit von Empfindungen, die etablierten psychologischen Schablonen konkrete weibliche Selbsterfahrung entgegensetzen, wie in der Aussage einer 39jährigen vor dem Scheidungsrichter: »Der letzte Verkehr meines Mannes mit mir war am 26. April, mein letzter mit ihm vor neun Jahren.«

Der Feminismus muß, indem er sich löst von den Stereotypen männlich definierter Geschlechtlichkeit, gleichzeitig eine Entscheidung treffen für die Werte, für die Frauen eintreten wollen, die sie für sich in Anspruch nehmen. Das bedeutet keineswegs eine Verneinung alles dessen, was zum weiblichen Charakteristikum gestempelt wurde, sondern eine bewußte Entscheidung

Marielouise Janssen-Jurreit

für solche als weiblich geltenden humanen Werte, die ein Sozialleben erst erträglich machen, wie Empfindsamkeit und Einfühlungsvermögen, Mitmenschlichkeit und Zärtlichkeit. Die Tatsache, daß viele dieser Werte in der Vergangenheit mit weiblicher Machtlosigkeit assoziiert waren, sollte uns nicht daran hindern, sie bewußt zu vertreten.   1976

Die kritische Generation, die in den sechziger und siebziger Jahren dem demokratischen Staat der Bundesrepublik und ihren Eltern reserviert gegenüberstand, weil beide sich mit der nationalsozialistischen Vergangenheit nicht in einem in ihren Augen moralisch erträglichen Maße auseinandergesetzt hätten – diese Generation schlug sich im Konflikt, der zwischen Israel und Palästina ausgebrochen war und bis heute nicht zu einem friedlichen Ende gefunden hat, auf die Seite der Palästinenser. Die Identifikation mit den Palästinensern ging manchmal so weit, daß sich Jugendliche mit dem Palästinensertuch schmückten. Sie schmückten sich mit dem Palästinensertuch auch noch, als in den neunziger Jahren der Golfkrieg ausbrach und Wolf Biermann in der »Zeit« erklärte, wieso er sich nicht in die Reihen der Friedensbewegten einreihen werde, sondern für einen Angriff auf den Irak sei – auf ein Land, das Israel mit dem Krieg bedrohe.

Der Schriftsteller Jean Améry, 1912 in Wien geboren, war nach dem »Anschluß« Österreichs an das nationalsozialistische Reich nach Belgien geflohen und kämpfte dort in der belgischen Widerstandsbewegung. Er wurde verhaftet und in Konzentrationslagern interniert. Er nahm sich 1978 das Leben. Sein Essay, aus dem im folgenden zitiert wird, trug den Titel »Der ehrbare Antisemitismus« und erschien 1976 im »Merkur«.

Jean Améry. Der Antisemitismus hat eine in tiefen historischen und psychologischen Schichten eingesenkte kollektive Infrastruktur. Wenn er heute sich wieder aktualisiert, drei Jahrzehnte nach der Entdeckung des von den Nazis Veranstalteten, dann hat dies nicht nur mit der schweigend und unablässig die ethische Entrüstung erodierenden Zeit zu tun, sondern auch, ja wahrscheinlich in erster Linie mit den Verhältnissen im *Nahen*
Osten. Bestürzend ist hierbei, daß die *Jugend,* und namentlich eine sich sozialistisch im weitesten Begriffsumfang verstehende, vor unseren ungläubigen Blicken das uralte und längst abgelebt Geglaubte hervorholt. Wir wissen es aus der im Gang befindlichen Debatte innerhalb der traditionell juden-

freundlichen und pro-israelischen Zweiten Internationale: Die jungen Sozialisten, denen heute die Palästinenser als die Freiheitskämpfer und die Israelis als die imperialistischen Unterdrücker erscheinen, drängen darauf, daß die 2. Internationale sich von Israel distanziere. Für die Dritte Internationale stellt sich die Frage ohnehin nicht: ihr ist Israel ein imperialistisches Krebsgeschwür und sind die Juden im allgemeinen Komplizen des kapitalistischen Komplotts in Permanenz. Der Führer, die UdSSR, befahl, man folgte.

Nun wird man freilich einwenden, es habe Israel nichts mit dem Judenproblem im weiteren Sinne zu tun. *Nicht antisemitisch sei man, sondern antiisraelisch*. Dem Einwand ist leicht, allzu leicht zu entgegnen. Lassen Sie mich bitte hier den Germanisten Hans Mayer zitieren, einen Mann von gründlicher marxistischer Bildung. In seinem bemerkenswerten Buch *Außenseiter* schreibt dieser Autor: »Wer den Zionismus angreift, aber beileibe nichts gegen die Juden sagen möchte, macht sich oder anderen etwas vor. Der Staat Israel ist ein Judenstaat. Wer ihn zerstören möchte, erklärtermaßen oder durch eine Politik, die nichts anderes bewirken kann als solche Vernichtung, betreibt den Judenhaß von einst und von jeher. Wie sehr das auch am Wechselspiel von Außenpolitik und Innenpolitik beobachtet werden kann, zeigt die Innenpolitik der derzeitigen anti-zionistischen Staaten; sie wird ihre jüdischen Bürger im Innern virtuell als ›Zionisten‹ verstehen und entsprechend traktieren.« ...

Ich bin kein Spezialist für Mittelostfragen und in der Geschichte des Zionismus nicht besser bewandert als ein beliebiger Zeitungsleser. Durchaus aber genügt mir diese dürftige Kenntnis zu ein paar Feststellungen, die dem common sense ebenso einleuchten müssen, wie der – ideologisch nicht distordierten – Fachmannschaft. Die Palästinenser, die es als Nation nicht gab, als die ersten zionistischen Einwanderer den Boden des heutigen Israel betraten, die sich aber in unseren Tagen in der Phase der Nationwerdung befinden, haben ein *Recht* auf einen eigenen Staat. Die Araber, die das israelische Territorium in seinen Grenzen vor dem Sechstage-Krieg bewohnen, haben ein *Recht* darauf, nicht als Bürger zweiter Klasse behandelt zu werden. In dem ganzen Konflikt steht, ich sagte dies schon bei anderer Gelegenheit, *Recht gegen Recht*. Nur muß beachtet werden, daß das Recht der Palästinenser – jener, die innerhalb der Grenzen des ursprünglichen Israel vor 1948 leben, und der anderen, welche die Kriege, an denen ihre arabischen Stammesgenossen so ganz unschuldig doch wohl nicht waren, von ihren Heimstätten vertrieben – *prinzipiell* ohne unüberwindliche Schwierigkeiten realisierbar ist. Was verlangt man von den einen? Daß sie loyale Bürger Israels seien. Was wird von den anderen gefordert? Sie mögen endlich einmal klar das Faktum

Jean Améry

des jüdischen Nationalstaates anerkennen. Der Rest ist rein technischer Natur und darum mit einiger Intelligenz und gutem Willen zu meistern. Und was schließlich mutet man einer öffentlichen Meinung zu, die von rechtsaußen bis linksaußen bereit ist, Israel zu verurteilen im Namen des Selbstbestimmungsrechtes der Völker und der nationalen Identitäten? Nichts anderes als die Anerkennung der auf der Hand liegenden Tatsache, daß auch der viel geschmähte Zionismus eine *nationale Befreiungsbewegung* ist, daß auch die Juden, das gemartertste, tragischste Volk der Welt, ein Recht haben auf ihre nationale Identität – sofern sie eine solche suchen und nicht schon religiös und ethnisch eingeschmolzen sind in die Wirtsvölker, was durchaus auch eine Lösung ist, zu der aber stets zweie gehören: der sich Einschmelzende und der zu seiner Absorption Bereite. ...

Existential-Positivist und obstinater Atheist, der ich bin, fällt es mir nicht ein, aus dem jüdischen Schicksal ein Metaphysikum zu machen. Die Juden sind in meinen Augen so wenig ein auserwähltes Volk wie ein verfluchtes. Sie sind nichts als die Zufalls-Resultante geschichtlicher Konstellationen, die ihnen seit zwei Jahrtausenden ungünstig waren. Zwei Jahrtausende: Das ist eine ganz winzige Zeitspanne in der unaufzeichenbaren Geschichte der Spezies Mensch. Sehr gut kann ich mir vorstellen, daß ein Mann vom Schlage eines Lévi-Strauss, der befaßt ist mit vorgeschichtlichen Gesellschaften und deren strukturalen Mythen, sanft und ein wenig verächtlich lächelt über solche für ihn mikro-temporalen Verläufe. Das Lächeln würde diesem Mitglied der Académie Française erst vergehen, wenn hart an seine Türe geklopft würde und eine barsche Stimme, gleichgültig in welcher Sprache, ihm, dem Juden, sofortiges Öffnen und Mitkommen befähle. Es wäre ganz verkehrt, wenn er sich in Sicherheit wöge. Bekanntlich mußte ein Mann noch höherer Statur, nämlich Henri Bergson, den Judenstern tragen, ehe ein freundlicher Tod ihn vor dem Äußersten bewahrte.

Nein, die Juden und ihr geschichtliches Sein sind kein Metaphysikum. Sie sind, ich sagte das eben, die Opfer von Zufall mehr als von Notwendigkeit – und auch jener *Trägheit des Herzens*, die im Mittelalter den Bauern, im Hochkapitalismus den Proletarier in namenloses Elend stieß. Trägheit des Herzens: ich bediene mich gern dieser altmodischen Formel, denn sie faßt die Tatbestände besser zusammen als die geistreichsten sozio-psychologischen Untersuchungen. Die Älteren unter Ihnen mögen noch Zeugen gewesen sein, wie im Dritten Reich die Herzensfaulheit der Menschen schnell sich daran gewöhnte, daß der jüdische Nachbar nächtens abgeholt und deportiert wurde. Heute kann ein jeder beobachten, wie die trägen Herzen sich daran anpassen, daß die Welt, kapitalistische wie sozialistische, es gilt gleich, die

Israelis und die ihnen verbundenen Juden allerorten isoliert und sie damit der über ihren Häupten schon wie eine Gewitterwolke hängenden Katastrophe überläßt. Aus der Nah-Ost-Frage wird im Nu eine neue Judenfrage: und *wie* eine solche beantwortet wird, das wissen wir aus der Geschichte. Das ebenso vorsichtige wie deutliche Abrücken von Israel und damit von einem jeden Juden verblüfft den Kenner der trägen Herzen kaum. Die Millionen jüdischer Brandopfer – ach, es waren vielleicht wirklich »nur« fünf oder sogar vier und nicht sechse – sind abbezahlt. Nun mögen diese ewigen Störenfriede sich doch ruhig verhalten, man hat andere Sorgen: Krise, Inflation, Arbeitslosigkeit, Energieprobleme. Man ließ den Armen schuldig werden: die Pein wird ihn treffen und die Welt wird, gleich Pontius Pilatus, ihre Hände in Unschuld waschen. Der Antisemitismus im Kleide des Anti-Zionismus wurde ehrbar.

Ich gehe auf seine Wurzeln hier nicht ein, jedermann kennt sie, es ist genugsam darüber gearbeitet worden. Ich stelle nur fest, was viele Zeitungsartikel, vor allem in Frankreich, mir offenbar machen. Trägen Herzens tut man so, als wisse man nichts von der *existentiellen Bindung der Diaspora-Juden* an Israel. Tumben Hirnes will man nicht erkennen, daß diese Union der Verzweiflung keine phantastische Narretei ist, vielmehr nur die bare Tatsache ausdrückt, daß das gebrannte Kind Jude im tiefsten Herzen weiß, wo – und wo allein – der Verbandplatz sich befindet, an dem man seine Brandwunden zu pflegen willens ist.

Der ehrbare Antisemit hat ein beneidenswert reines Gewissen, ein meeresstilles Gemüt. Er fühlt sich zudem, was seinem Gewissensfrieden noch zuträglich ist, im Einverständnis mit der geschichtlichen Entwicklung. Erwacht er gelegentlich aus der Dumpfheit seines Dämmerns, stellt er die rituellen Fragen. Ob Israel denn nicht ein expansionistischer Staat sei; ein imperialistischer Vorposten. Ob es nicht durch den »Immobilismus« seiner Politik das Ungemach, das von allen Seiten hereinbricht, selbst verursache habe. Ob nicht die ganze zionistische Idee die Erbsünde des Kolonialismus trage und damit jeder mit diesem Lande solidarische Jude selber schuldhaft werde. Hier lohnt es sich kaum noch, zu diskutieren. Israels Expansion war die Folge des kriegerischen arabischen Fanatismus, der schon 1948 nichts anderes den Juden versprach, als sie »ins Meer zu werfen«. Der jüdische Kolonialismus war kein erobernder, er ist etymologisch und zugleich politisch abzuleiten vom lateinischen Colonus, Bauer. Der »Immobilismus« ist erklärlich aus der Position eines, der mit dem Rücken gegen die Wand steht: der ist nicht immobil, sondern schon apriori immobilisiert.

Dies alles soll nicht heißen, daß ich mir nicht der Fehler der israelischen Politik bewußt sei. Aber noch tiefer und präziser weiß ich, daß diese Fehler in lächerlicher Disproportion stehen zu der durchaus »realpolitischen« Indifferenz der anderen, der Russen und Engländer, der Franzosen und der Deutschen, morgen höchstwahrscheinlich der Amerikaner – nicht zu sprechen von den Arabern, die unbegreiflich werden, wenn sie zum großen Fest ihrer Volkwerdung, die ich ihnen herzlich gönne, den Juden als Brandopfer darbringen zu müssen scheinen. Menschenopfer unerhört. ...

Mit einem Gran Phantasie vermag jedermann sich vorzustellen, was geschähe, wenn Israel zerstört würde. Die überlebenden Israelis, dann wieder zu mythischen Wanderjuden geworden, würden sich, flüchtend vor dem Standort des Propheten Mohammed, in die Welt ergießen. Und wieder würde diese sich verhalten wie nach 1933, da unterbevölkerte Staaten wie Kanada und Australien sich den Juden verschlossen, als wären sie Träger von Pestbazillen. Wiederum wären sie gezwungen, sich durch fragwürdige Schwarzarbeit, durch undurchsichtige finanzielle Transaktionen ihr Brot zu verdienen, denn nicht einmal als Gastarbeiter würde man sie haben wollen, in Krisenzeiten weniger denn je zuvor. Die sehr alte »Judenfrage«, die, wenn wir Sartre glauben wollen, niemals eine war, vielmehr stets nur eine Antisemitenfrage, würde die Öffentlichkeit beschäftigen. Kein UNO-Flüchtlingskomitee würde sie in normale Staatsbürgerrechte einzusetzen vermögen. Der Anti-Zionismus wäre tot, das wohl. Aber der krude, aus tiefsten Schichten des kollektiven Unbewußten hervorgeholte und aktualisierte Antisemitismus würde aus einer historischen Zufallskonstellation einmal mehr einen Mythos, den Mythos von Ahasver, von Shylock machen. ...

Ich glaube allen Ernstes, daß die Linke sich am israelischen, id est: am jüdischen Problem neu zu definieren hat. Steht sie noch ein für die humanistischen Werte? Ja oder nein? Ist ihr der Begriff Demokratie noch etwas, das mit allgemeinem Wahlrecht, Rede- und Versammlungsfreiheit, mit den immerhin seit der Französischen Revolution nicht unbekannten »droits de l'homme« etwas zu schaffen hat? Ist *Nationalismus* ihr immer noch, was er stets für sie war, ein aus Vertrotztheit geborener politischer Irrtum? Oder ist er ihr vielleicht überall dort genehm, wo er im Zeichen der Gewaltherrschaft sich gegen Juden richtet, und unrecht, sobald, reaktiv, die Juden ihrerseits unter unerträglicher Pression in seine Falle gehen?

Schließlich: Ist die Linke bereit, anzuerkennen, daß, wenn auch die also benannte »formale« Demokratie nicht zu ihrer Wirklichkeit gelangen kann, solange nicht die ökonomische sie ergänzt, die *formale doch* den absoluten Vorrang hat, da nur aufgrund ihrer die ökonomische errichtet werden kann? Ist, um die abschließende Frage zu stellen, noch immer der Begriff der *Gerechtigkeit* verbindlich für die Linke? Er ist ihre »raison d'être«, seit es sie gibt. Wenn sie ihn opfert, um den Fetisch Revolution einzuhandeln, löscht sie sich selber aus.

Womit der Bogen wieder zurückgespannt ist zur Israel- und Judenfrage. Die Errichtung des Staates Israel war ein Akt der Gerechtigkeit, wie damals auch Gromyko es im Namen der Sowjetunion ausdrücklich verkündete. Daß es im Vollzuge gerechter Rehabilitierung zu Ungerechtigkeiten kam gegenüber den Arabern, kann niemand ableugnen und darf auch ich hier nicht verschweigen. Nur freilich: Das den palästinensischen Arabern angetane Unrecht kann, ohne daß es darum zu einem Weltkonflikt kommen müßte, wieder gutgemacht werden; schon heute sind sie nicht eigentlich heimatlos, sondern besitzen zwei Staaten, nämlich Jordanien, wo sie die Mehrheit der Bevölkerung bilden, und den Libanon, dem sie, gemeinsam mit Syrien, ihr Gesetz diktieren. Daß Israel und die Juden der Welt bei der Wiederherstellung des vollen Rechts der Araber ihren Beitrag leisten müßten, muß freilich gefordert werden. Würde es aber zu einer Zerstörung des Judenstaates kommen, worauf, zugegeben oder nicht, die gesamte arabische Politik rechts bis linksaußen, vom saudiarabischen König bis zu Georges Habache, hinausläuft, geschähe ein *irreversibles Unrecht*. Ein flüchtiger Blick in die Geschichte genügt uns, daß wir dessen inne werden – sofern wir nur zu sachlichen Analysen bereit sind. Hier, an präzise diesem Punkte hätte eine sich selbst wiederfindende Linke, wenn sie sich von einem zwanghaft sie umklammernden Vokabular und ein paar politischen Mythen zu befreien verstände, mit ihrer großen Aufgabe zu beginnen. Sie könnte, entzöge sie den Arabern ihre blinde Unterstützung und mechanische Jasage, mithelfen, zugleich die israelische Frage wie das jüdische Problem zu lösen.   1976

Mitte der siebziger Jahre erschien im Suhrkamp Verlag ein Theaterstück von Rainer Werner Fassbinder. Das Stück hieß »Die Stadt, der Müll und der Tod« und handelte von jüdischen Spekulanten in Frankfurt am Main. Nach vehementen Protesten mußte der Suhrkamp Verlag die Buchausgabe des Stückes zurückziehen. Der Vorwurf des Antisemitismus und des Linksfaschismus gegenüber dem Autor, schrieb der Verleger Siegfried Unseld im April 1976 in der »Zeit«, sei nicht haltbar. »Nach meiner Erfahrung«, räsonierte Unseld, »gibt es diese neueste Stimmung im linken Westen nicht, so sehr uns dies gewisse Leute einreden.« Nachdem Joachim Fests Artikel »Linke Schwierigkeiten mit ›links‹« im April 1976 in der »Frankfurter Allgemeinen Zeitung« erschienen war, riet Jean Améry in der »Zeit« zur Vorsicht gegenüber dem Vorwurf des linken Faschismus. »Ich werde jetzt nicht schreien ›Der Schnee ist schwarz‹, nur weil Joachim Fest die Behauptung aufstellt, der Schnee sei weiß. Ich sehe zwar keinen ›linken Faschismus‹ in Fassbinders Spiel, fürchte aber, daß derlei unelegante Nichtigkeit dem allgemeinen und keineswegs auf Deutschland beschränkten latenten Antisemitismus, der sich oft genug als Antizionismus drapiert, Auftrieb geben könnte.« Erst zehn Jahre später wurde versucht, das Stück am Frankfurter Schauspiel aufzuführen. Die Aufführung wurde verhindert, weil sich Mitglieder der jüdischen Gemeinde auf die Bühne setzten.

Der Journalist Joachim Fest, 1926 in Berlin geboren, war in jenen Jahren einer der Herausgeber der »Frankfurter Allgemeinen Zeitung« und verantwortlich für das Feuilleton. Er nahm in seinem Artikel »Linke Schwierigkeiten mit ›links‹. Ein Nachwort zu R. W. Fassbinder«, aus dem der folgende Text stammt, das Stück zum Anlaß, sich über den Verfall der Linken Gedanken zu machen. Die Revolutionserwartung versickerte, es blieb die Hoffnung auf Reformen: Einige Altbauten wurden von jungen Menschen besetzt, darauf wurden sie geräumt und saniert und teuer verkauft. Die Unwirtlichkeit der Städte, die Alexander Mitscherlich beklagt hatte, blieb bestehen. Das Wort »links« verlor an Gewicht. Die neue Heimat lag im Grünen.

Joachim Fest. Das Stimmengewirr, das die Kontroverse über Rainer Werner Fassbinders Stück »Der Müll, die Stadt und der Tod« ausgelöst hat, ist beträchtlich. Manche Redaktion, die ihre Themenverlegenheit gern mit dem Prinzip des konstruierten »Falles« überspielt, füllt Seiten damit. Sieht man von den Aspekten ab, die im strengen Sinne nicht zu diesem Thema gehören, sondern lediglich im Streit hochgespült wur-den, so erhielt die Auseinandersetzung ihre teilweise Heftigkeit durch die Behauptung, Fassbinder gehöre zur Linken, er habe sich, ohne freilich Antisemit aus Ressentiment zu sein, antisemitisch geäußert, und es sei, rechne man verwandte Erscheinungen hinzu, ein Antisemitismus von links durchaus zu gewärtigen.

Die ungewohnte Verkoppelung von Begriffen, die als konträr empfunden werden, irritierte manchen. Vorweg meldete sich ein junger, begabter Theaterkritiker zu Wort und bestritt kurzentschlossen, daß Fassbinder zur Linken zähle; alles nur Klischees und Gerüchte, meinte er, vages und pflaumenweiches Gerede. Die eher übermütige Art, in der er das Vorrecht seines Alters, alles viel besser zu wissen, wahrnahm, mochte ihn persönlich dem Leser womöglich sympathisch machen. In der Sache dagegen setzte er sich nicht nur gegen die offenbaren Fakten ins Unrecht; vielmehr bewies er auch einen bemerkenswerten Mangel an Verständnis der Kategorien.

Für »fortschrittlich« oder »links« halte Fassbinder niemand, verkündete er platterdings, aber das deutete, falls es zuträfe, nur die Unschärfe der umlaufenden Begriffe an. Ich überblicke gewiß nicht das ganze, ungestüm ausgeworfene Werk des Film- und Theatermanns; aber daß eine erhebliche Anzahl seiner Produktionen von »linken« Themen und Fragestellungen beherrscht ist, läßt sich nur mit Mühe diskutieren, weil es allzu offenkundig ist. Fast immer geht es um Probleme der Entfremdung, der sozialen Entwürdigung und Deformation, der Reduzierung des Menschen auf Angst, Unglück und Verbrechen vor dem Hintergrund der kapitalistischen Verhältnisse: so in »Katzelmacher«, in »Warum läuft Herr R. Amok?«, »Angst essen Seele auf« oder »Ich will doch nur, daß ihr mich liebt«. In »Bremer Freiheit« deutet Fassbinder die historische Geschichte einer Giftmörderin kurzerhand im Sinne des Emanzipationsprozesses um, und wie wenig gesellschaftliche Hoffnung man in einem Stück wie »Der Müll, die Stadt und der Tod« auch entdecken mag: daß darin, angefangen von den Prostituierten über den Polizeipräsidenten bis hin zum »reichen Juden«, die Typengalerie der kapitalistischen Welt in all ihrer Verdorbenheit kritisch vorgeführt werden soll, ist schwerlich bestreitbar, wiewohl jener Theatermann versichert, der Autor wolle nur den allgemeinen Zustand der Welt oder auch den »lieben, bösen Gott« anklagen. So weit gehen manche, selber mit Maßen links, denn doch schon in der Ideologienverleugnung, wenn ihnen ein erprobter Mitstreiter plötzlich nicht mehr paßt.

Zweifellos gibt es eine extrem selbstbezogene, ästhetisierende und jedenfalls gesellschaftlich höchst desinteressierte Seite im Werk Fassbinders. Aber einem Aufsatz über den französischen Filmregisseur Claude Chabrol, einer wütenden, auch von Selbsthaß eingegebenen Absage an den Ästhetizismus als einer Form des Zynismus hat er als Motto programmatisch einen Satz von Gerhard Zwerenz vorangestellt: »Es gibt nichts Schöneres als die Parteinahme für die Unterdrückten, die wahre Ästhetik ist die Verteidigung der Schwachen und Benachteiligten.«

Möglicherweise sind das nichts als Worte, wie sie der Pathetiker Fassbinder billig abzugeben pflegt; aber auch das hätte dann doch einige Bedeutung und erlaubte die klötzerne Bestimmtheit nicht, mit der unser Kritiker seine Urteile spricht. Und übersehen darf man wohl auch nicht ganz das linke Milieu, aus dem ein Mann wie Fassbinder stammt und dessen ideologischer Stallgeruch ihm unverlierbar anhaftet: angefangen von seinem Start in der Münchener Theaterkommune, mitsamt der Kommune fürs Private im nahen Feldkirchen, über die Freundschaften und besonderen Feindschaften, durch die einer sich doch auch definiert, bis hin zum »Mitbestimmungs-Theater« in Frankfurt.

Falls dies alles indessen noch immer nicht die Position Fassbinders hinreichend veranschaulicht, hilft vielleicht doch die im Stil eines Pronunciamento abgefaßte Erklärung weiter, die das TAT »Zum Spielplan« veröffentlichte: »Der Spielplan 1975/76 des Theaters am Turm handelt von deutschem Wesen: von kapitalistischem Wesen, von groß- und kleinbürgerlichem Wesen, von faschistoid-faschistisch-autoritärem Wesen. Diese Thematik soll historisch-kritisch aufgearbeitet werden ...« Nachdem unter reichlicher Verwendung von Begriffen wie »Monopolkapital«, »Klassenprobleme«, »Unterdrückungsmechanismen« oder »Repression« der Spielplan Stück für Stück vorgestellt worden war, hieß es gegen Ende nicht ohne apotheotischen Unterton: »Mit ›Trommeln in der Nacht‹ (von Bertolt Brecht) wird angedeutet, wie die politischen Verhältnisse in Deutschland sich hätten entwickeln können, wenn die Chance einer Emanzipation in Richtung Sozialismus nicht verpaßt worden wäre ...« Niemand, so hatte der erwähnte Kritiker geschrieben, halte Fassbinder für »fortschrittlich« oder »links«. Gewiß, gewiß! Alles nur pflaumenweiches Gerede ...

Tatsächlich lohnten diese Hinweise nicht, wenn es lediglich darum ginge, eine etwas minorenne Gedankenübereiltheit bloßzustellen. Doch hat die Kontroverse einen gründsätzlichen Aspekt. Er ist eine kurze Erörterung wert.

Denn die Verwirrung um einen Begriff wie »links«, dem keine gleichgeartete Konfusion für das Wort »rechts« entspricht, hat ihre beschreibbaren Gründe. Noch immer ist, um einige Kriterien aufzuführen, »links« die prinzipiell kritische Haltung gegenüber der Welt und, daraus resultierend, die Neigung zur Veränderung der Gesellschaft nach einem rationalen, vorgefaßten Entwurf; mithin die Priorität des Gedachten über das Gewachsene, des Geistes – wie man früher gesagt hätte – über das Leben. »Links« ist die Gleichheitsidee mit ihrem Anspruch, Unterschiede des Herkommens, auch der Begabung oder der Leistung, nach Kräften einzuebnen und die Schwachen zu privilegieren. Und »links«, von daher kommend, der Affekt gegen die bürgerliche Gesellschaft (»Schön ist für mich die antibürgerliche Haltung«, äußerte Fassbinder gelegentlich) mit ihren streng hierarchischen, auf Dauer und sozialen Abstand gegründeten Strukturen. Desgleichen ist jener moralische Rigorismus »links«, der alle Erscheinungen in Politik wie Gesellschaft allgemeinen Sittlichkeitspostulaten unterwirft.

Entscheidend aber war immer die Gewißheit, daß eine vernünftige und gerechte Gesellschaftsordnung nur nach vorgegebenem Modell herstellbar sei: das Pathos dieses Gedankens hat über ein Vierteljahrtausend, vom Beginn der Aufklärung an, den Veränderungswillen in Theorie und Praxis getragen und, unentmutigt von zahllosen Rückschlägen, die Linke immer wieder nach neuen Ansätzen suchen lassen. Die bewahrenden, konservativen Mächte hatten gegen die Überzeugung, daß die ideale Ordnung nicht in rückwärtigen, verlorenen Paradiesen liege, sondern noch bevorstehe, nichts aufzubieten außer einigen äußerlichen Triumphen, die zuletzt nur ihrer Selbstzerstörung dienten. Die Triebkraft eines beflügelnden, optimistischen Grundgefühls verlieh der Linken eine allesüberrennende Gewalt.

Eben dieses Gefühl ist, wenn nicht alles täuscht, erschöpft. Es hat sich in den immensen Enttäuschungen verbraucht, die linke Herrschaftssysteme, wo immer sie zum Zuge kamen, der Erwartung bereitet haben. Man muß dabei nicht nur an die abstoßende Kulisse der Stacheldrähte und Wachtürme denken, mit deren Hilfe sie, zumindest im Osten, ihre Macht bislang einzig zu sichern wußten, an die Lager, die Massenprozesse und Kollektivverbrechen der Stalinzeit, wieviel das alles der Idee auch von der einst suggestiven Kraft entzog; als nicht minder auszehrend erwiesen sich die weit weniger dramatischen Erfahrungen, die vor allem für Westeuropa charakteristisch waren.

Die Ära Brandt ist ein treffendes Beispiel dafür. Ihre Anfänge brachten noch einmal etwas von einer optimistischen Grundwelle zum Vorschein, der die Linke so viel von ihrer inspirierten Kraft zu verdanken hatte. Aber schon nach kurzen, hektischen Ansätzen, die einen blinden Rundumreformeifer, kaum aber eine innenpolitische Konzeption erkennbar machten, kam das Erlahmen der Energien, das Versacken im Halben, ehe er, der Kanzler selber, lustlos und entnervt, den Bettel hinwarf – repräsentativ in all seiner Machtverlegenheit noch im Abgang. Die Linke, das sagte dieses Scheitern zumindest auch, hat das konkrete Bild der neuen Gesellschaft verloren, sie glaubt ihren Träumen nicht mehr.

Das ist, andeutungsweise, der Hintergrund für die Schwierigkeiten in der Positionsbestimmung dessen, was »links« ist: zu erheblichen Teilen ist die Linke pessimistisch geworden. Der »fatalistische« oder »statische« Charakter, den unser Theaterkritiker im Werk Fassbinders entdeckt und voreilig als Divergenzpunkt gegenüber der linken Position ausgegeben hat, dementiert diese gerade nicht; er macht vielmehr den unverwechselbar gegenwärtigen Charakter der Linken in all ihrer Ratlosigkeit deutlich.

Für diese Ratlosigkeit ist die Irritation vor dem Phänomen der Stadt, das Zwerenz wie Fassbinder zu ihrem Thema gemacht haben, ein anschaulicher Beleg. Noch in den zwanziger und dreißiger Jahren entwarfen »linke« Architekten, in bewußter Frontstellung gegen die als unmenschlich verpönte, bürgerliche Stadt, klassenlose Siedlungsformen, wie sie dann beispielsweise in

Breslau, Stuttgart, Berlin und anderswo gebaut wurden. Die später, nach dem Zweiten Weltkrieg, entstandenen Satellitenstädte wie die Frankfurter Nordweststadt oder das Märkische Viertel haben nichts von dem humanen Enthusiasmus jener frühen Vorläufer bewahrt und sind nur noch Monumente eines gewaltigen Mißmuts in Beton.

Die Motive jener breiten Bürgerbewegung, die die Reste alter Stadtgebiete zu konservieren trachtet, sind nur allzu begreiflich; doch daß die Initiative zur Bewahrung des Vergangenen so häufig von jenen Linken kommt, deren Väter noch in die Zukunft planten und bauten, bezeichnet die neue Lage. Man hat in zurückliegenden Jahren, das von den aktuellen Umständen heraufbeschworene politische Dilemma zahlreicher überzeugter Sozialisten bedenkend, von einer »heimatlosen Linken« gesprochen. Doch erst eine Linke, die kein Bild für Zukunft mehr hat, ist wirklich heimatlos. Schwerlich wird man für das Bewußtsein der zerronnenen Utopie einen bewegenderen Ausdruck finden als in den Schlußsätzen der Stellungnahme, die Jean Améry für die jüngste Ausgabe der »Zeit« zur Kontroverse um Fassbinder verfaßt hat: Sehend abzutreten sei alles, was die ewigen Verlierer der alten, der echten Linken noch vermögen.

Am Ende der Erkenntnis steht freilich nicht immer die Resignation. Häufiger ist die große Haßgebärde gegen die Welt, das radikale Anathema. Wer je eine Vorstellung vom Suchtcharakter ideologischer Bedürfnisse gewonnen hat, wird die psychologische Mechanik begreifen, die da am Werke ist: den Zusammenhang von unvermittelt einstürzenden Gedankengebilden, Gefühlen der Ausweglosigkeit, von einsetzendem Realitätsverlust und daraus sich entwickelnden Wahnsystemen.

Es ist die Sorge doch gewiß nicht unbegründet, daß in solchen Wahnsystemen auch der »Judd«, wie Fassbinder in seinem Stück gelegentlich sagen läßt, einen Platz erhält. Auch der von Hitler mobilisierte Antisemitismus gedieh erst auf dem Untergrund eines unvermittelt eingestürzten ideologischen Weltbildes. Dies ist denn auch der Grund, warum das Judengeschrei beispielsweise des Rechtsanwalts Roeder und seines Anhangs ungleich gefahrloser ist: es kommt vom Müllhaufen der Geschichte. Nur die Wahngebilde und Haßkomplexe, die eine gerade zerbrechende Ideologie freisetzt, besitzen verheerende Energie. Deshalb muß man heute im Grunde den »linken« Antisemitismus eher fürchten: der von rechts ist mehr oder minder eine Sache des Polizeireviers.

Ungeachtet dessen versichert Gerhard Zwerenz, ein linker Antisemitismus sei unmöglich. Die Vorgänge in Polen nach dem Jom-Kippur-Krieg, als einige tausend jüdische Intellektuelle aus dem Land getrieben wurden, die immer erneut aufflackernden Verfolgungen in der Sowjetunion, auch der Antisemitismus der linksradikalen Gruppen in der Bundesrepublik, der sich freilich im Anschluß an die sowjetrussische Sprachregelung als Antizionismus auszugeben pflegt: all das bleibt solchem realitätsentfremdeten Denken fern.

Unterdessen versichert Verleger Siegfried Unseld, er ziehe Fassbinders Arbeit in dieser Form zurück, weil sie bei denen, »die ein Stück deutscher Geschichte nicht aus eigener Erfahrung erlebt haben, Mißverständnisse auslösen« könne. Ist tatsächlich gemeint, die jüngere Generation müsse die historischen Erfahrungen der älteren noch einmal machen, um vor »Mißverständnissen« sicher zu sein? Und um welche Art Mißverständnis geht es angesichts der Massenvernichtung wohl?

Wieviel Geschichte, auch das wäre zu fragen, kann ein Volk wohl erfahren und dennoch unbelehrt bleiben? 1976

Aus der Deutschen Demokratischen Republik wurde Rudolf Bahros Manuskript »Die Alternative. Zur Kritik des real existierenden Sozialismus« in den Westen geschmuggelt. Mit der Niederschrift hatte Bahro nach dem Einmarsch der sowjetischen Truppen in Prag 1968 begonnen. Rudolf Bahro arbeitete damals als Abteilungsleiter in einem Gummiwerk. Der »Spiegel« veröffentlichte im Sommer 1977 einen Vorabdruck aus dem Manuskript. Wenige Tage später wurde Rudolf Bahro verhaftet. Er wurde aus der Partei ausgeschlossen und zu acht Jahren Zuchthaus verurteilt. Sein Anwalt war Gregor Gysi, der später als Vorsitzender der Partei des Demokratischen Sozialismus auch im Westen bekannt wurde. Zum dreißigsten Jahrestag der Deutschen Demokratischen Republik wurde Rudolf Bahro entlassen. Er ging in den Westen, promovierte bei dem Soziologen Oskar Negt in Hannover, habilitierte sich dort einige Jahre später, gehörte zu den Gründern der »Grünen« und widmete sich schließlich der alternativen Landwirtschaft. Er ging im November 1989 zurück in die Deutsche Demokratische Republik und gründete an der Humboldt-Universität Berlin das »Institut für Sozialökologie« und hielt dort Vorlesungen über die ökologische Krise. Die einzige reale deutsche Alternative zum real existierenden Sozialismus war, wie sich zwanzig Jahre später zeigte, als die Mauer fiel: der Kapitalismus. Der folgende Text stammt aus Bahros Buch »Die Alternative«.

Kritik des real existierenden Sozialismus

Rudolf Bahro. In den zurückliegenden Jahren haben sich auch die inneren subjektiven Bedingungen für eine effektivere Formierung der oppositionellen Elemente verbessert. Noch ist es mehr eine sozialpsychische als eine politische Realität, mehr der Ausdruck einer politischen Forderung, wenn von einer kommunistischen Opposition bei uns gesprochen wird. Darüber braucht sich niemand hinwegzutäuschen. Jedoch bewegt sich  die ideologische Entwicklung auf einen qualitativen Umschlag zu. Bis gegen Ende der sechziger Jahre war das Auftreten einzelner, voneinander isolierter Persönlichkeiten typisch, die aber auch schon nicht mehr völlig außerhalb der Legalität gestellt werden konnten, so viele Schikanen es auch gab und gibt. In den letzten Jahren halten nun, soweit man sehen kann, beispielsweise in Ungarn und in Polen bereits größere Gruppen Sympathisierender halboffenen Kontakt miteinander und sind vor allem ideologisch keineswegs isoliert, gewinnen Einfluß auf die kritischen Individuen wesentlicher Zweige des Funktionärsapparats. In der ČSSR hat der energische Kern der Bewegung für die sozialistische Erneuerung seit 1968 nicht kapituliert; in dieser Hinsicht ist es symptomatisch, daß Alexander Dubček nichts von seiner Nachjanuarposition preisgegeben hat – die moralische Autorität der Reformpolitik ist ungebrochen. Auch in der Sowjetunion kann es sich – da z. B. das bekannte Buch von Roy Medwedjew verschiedene Standpunkte zitiert und diskutiert – nicht mehr um Einzelgänger handeln. (Von Bulgarien und Rumänien muß ich aus Mangel an Informationen schweigen.)

In der DDR geschieht bisher – neuerdings hat der Fall Biermann die Szene anders beleuchtet – am wenigsten, aus einer ganzen Reihe von Gründen, die ich hier nur stichwortartig andeuten will: ihre exponierte Stellung gegenüber der BRD, ihr verhältnismäßig gutes ökonomisches Funktionieren, die preußisch-deutsche Tradition des Staatsgehorsams, die Dichte, Wachsamkeit und relative Effizienz des ganzen sozialen Kontrollsystems. Aber auch hier nimmt spürbar die Zahl der engagierten Menschen zu, die in der Gesamtanlage der bestehenden Verhältnisse, in ihrer bloß allmählichen, an den Symptomen kurierenden Ausgestaltung keine lohnende Perspektive mehr sehen. Das Bedürfnis nach Loslösung vom Apparat, nach persönlicher Distanzierung von den bürokratischen Rollen greift um sich, ein subjektiver Drang, der Öffentlichkeit, wenigstens der jeweils nahen, das wirkliche Gesicht zu zeigen. Dieses auf den ersten Blick bloß psychologische Phänomen hat einen durchaus faßbaren soziologischen Boden: Jetzt steht in der DDR diejenige Generation am Scheideweg, die als erste das Glück hatte, weitgehend unberührt von Faschismus und Schützengraben zu bleiben und deshalb – in ihrem psychosozial dafür disponierten Teil – eine ungebrochene »idealistische« Jugendentscheidung für die kommunistische Idee treffen konnte. Man mag da etwa an die Subjektivität denken, die sich in der Dichtung Volker Brauns äußert.

Die Aktivisten dieser Generation leiden nach ihren fünfzehn bis zwanzig Jahren Dienst am Apparat und im Apparat, der ihre Initiative hemmt, kanalisiert und standardisiert, an einem Stau nach innen abgelenkter Energie. Bei dem Grad an Verbundenheit mit der Sache der Partei, der für diese Menschen kennzeichnend war, konnte der Prozeß der Ablösung natürlich nicht auf erborgten Einsichten, sondern nur auf schubweise vertiefter Erfahrung beruhen. Er brauchte also seine Zeit. Wem die Sache des Kommunismus, das heißt der realen Gleichheit und der allgemeinen Emanzipation, jemals wirklich ernst war, wer also den »realpolitischen« Ausflüchten, die zum Stillhalten nötig sind, von vornherein mißtraut, der kann gar nicht umhin, sich nun die Sinnfrage neu zu stellen. Wozu, wofür weitere zwanzig, dreißig Jahre ohne Inspiration in einem System funktionieren, das den eigenen Hoffnungen und Idealen keine Nahrung mehr gibt?

So lebt in einer Gruppe, die gewichtiger ist als ihre Zahl, die latente Bereitschaft, ja, die moralische Nötigung, »auszusteigen«, wie man sagt, aufzubrechen, etwas zu unternehmen. Woran es noch mangelt, ist die Initiative zur Sammlung, zum Zusammenschluß für den bewußten, zielstrebigen Dialog. Gewiß wird es sich zunächst um vorwiegend theoretisch-ideologische und propagandistische Zirkel handeln, noch nicht um eine Massenbewegung. Die Aufgabe besteht erst einmal darin, die Mehrheit der politisch am Sozialismus interessierten Menschen innerhalb und außerhalb der Partei mit den Gedanken an die Möglichkeit einer Alternative vertraut zu machen. Schon die Präsenz entsprechender Gruppen wäre ein wichtiger Beweis. Die Zeit ist reif, um die Menschen zusammenzuführen – natürlich nicht nur aus dieser einen Generation –, die die neuen subjektiven Produktivkräfte mit dem höchsten Grad an Bewußtheit repräsentieren, Geduld und Mut für das Eindringen in die Probleme mitbringen, welche eine tiefgreifende Umgestaltung der nichtkapitalistischen Industriegesellschaft aufwirft. Zu Ende gedacht, ist das, was da beginnen soll und in Ansätzen bereits begonnen hat, eine andere Kommunistische Partei.

1977

Rudolf Bahro

IV

Natur und Frieden

1978 – 1989

Nach politischen Alternativen hielten Ende der siebziger Jahre auch die Kritiker der Bundesrepublik Deutschland verstärkt Ausschau. An die Stelle des Klassenstaates, der aus dem Wörtervorrat der revolutionären Theorien stammte, setzte der Journalist Robert Jungk im Jahr 1977 den Atomstaat. Der Staat, erklärte Jungk, hinge am Gängelband der Atomindustrie, deren Machenschaften er decke. Robert Jungk, 1913 in Berlin geboren, hatte in den fünfziger Jahren über die aufstrebenden Naturwissenschaften in Amerika berichtet, die in ihrem hybriden Anspruch auch vor dem Experiment am Menschen nicht haltmachten. Darüber schrieb Jungk das erfolgreiche Buch »Die Zukunft hat schon begonnen«. Sein Bericht über die Opfer von Hiroshima erschien 1959 und wurde ein Bestseller.

In Deutschland stehen Atomkraftwerke, eine sofortige Beendigung der Atomenergienutzung ist von der Regierung nicht vorgesehen. Im Wendland kommt es seit Jahren zu Protesten gegen die Castor-Transporte von Atommüll aus der französischen Wiederaufbereitungsanlage La Hague ins Zwischenlager in Gorleben. Vor allem für jene, die gegen die Atomindustrie demonstrieren, ist der »Atomstaat« kein bleicher Begriff. In einem Flugblatt einer Bürgerinitiative aus dem Wendland heißt es, daß sich bei einem der letzten Castor-Transporte »endgültig gezeigt habe, daß der von Robert Jungk prophezeite ›Atomstaat‹ Realität geworden ist. Tagelang wurde im Wendland der ›Ausnahmezustand‹ nicht nur geprobt, sondern faktisch in Kraft gesetzt.« In der öffentlichen Diskussion aber tauchen die Atomkraftwerke nur noch selten auf. Der Schriftsteller Andreas Meier hat diese Verdrängung eines Problems und einer Gefahr in seinem beeindruckenden Artikel über seine Entdeckungsfahrt zum sogenannten Endlager in Gorleben beschrieben, der in der »Zeit« im November 2003 erschien.

Daniel Cohn-Bendit, geboren 1945 in Montauban und einer der berühmten Protagonisten der Pariser Studentenbewegung, dachte in den siebziger Jahren über die Zukunft der Oppositionen nach. Er sprach darüber mit Wolfgang Kraushaar, einem der Chronisten der Jahre des Aufbruchs. Das Gespräch, aus dem der folgende Text stammt, hieß »Eine Schwalbe macht noch keinen Sommer. Die Reduktion der Alternativbewegung auf ihre Projekte« und wurde 1978 veröffentlicht. Welten lagen zwischen der Revolutionsrhetorik Rudi Dutschkes und der Erkenntnis Daniel Cohn-Bendits, daß der Theorie der Revolution keine erfahrene Wirklichkeit mehr entsprach. Daniel Cohn-Bendit wurde 1978 Herausgeber der Frankfurter Szenezeitschrift »Pflasterstrand«. Die Zeitschrift wurde 1990 eingestellt.

Daniel Cohn-Bendit.

Wolfgang Kraushaar: Dany, Du hast in Deinem Buch »Der große Basar« etwas geschrieben, was meines Erachtens kaum irgendwo richtig rezipiert worden ist. Du triffst dort eine Unterscheidung zwischen »instrumenteller« und »authentischer« Politik, um das historisch Neuartige im Pariser Mai zu charakterisieren. Die »Bewegung 22. März«, die ja die Ereignisse vor zehn Jahren ausgelöst hat, bezeichnest Du als »authentisch«, während die gesamte traditionelle Arbeiterbewegung bis hin zu solchen Organisationsformen, wie sie von der Studentenbewegung auch aufgegriffen worden sind – z. B. Betriebsgruppen – dagegen als »instrumentell« abgegrenzt wird. … Über diesen Unterschied zwischen einer »instrumentellen« und einer »authentischen« Politik – darüber sollten wir genauer sprechen.

Daniel Cohn-Bendit: Diese ganze Politik geht ja auf den zentralen Satz zurück, der Ende der 68er Bewegung überall entstanden ist: »Nicht Politik für die Zukunft machen, sondern für heute«. Die Kritik an der klassischen Revolutionstheorie war doch die, daß man sagte: dabei werden wir auf dem Altar der Geschichte geopfert. Unser Kampf ist in dem Fall nur ein Vehikel für eine rosige Zukunft, völlig ungeachtet dessen, was mit uns passiert. Das haben die Leute empfunden und darum haben wir uns von dieser Art von Politik instrumentalisiert gefühlt. Es wurde definiert, was die Zukunft ist und wie wir uns in diese Zukunftsperspektive einzuordnen hatten. Als Gegenschritt dazu wurde die Existenz einer unmittelbaren Subjektivität formuliert, die Existenz des unmittelbaren Bedürfnisses nach Veränderung. Außerdem – und das war entscheidend – wurde jegliche Theorie, die einer Klasse oder Schicht zentrale Bedeutung zugesprochen hat, angegriffen. D. h. es wurde die Revolutionstheorie angegriffen, die der Arbeiterklasse die Rolle der Avantgarde zuwies und damit auch die Rolle der Klasse, die durch ihre Kämpfe die Ebene und Inhalte der Auseinandersetzung formuliert und damit auch die zukünftige Gesellschaft antizipiert. Mit diesem Beispiel will ich nur sagen, daß die Diskussion falsch wird, wenn man die Frage, warum die Alternativbewegung entstanden ist, aus diesem historischen Zusammenhang herausnimmt. Man diskutiert dann an Projekten, die mehr oder weniger gut sind, die mehr oder weniger gescheitert sind oder die alle gescheitert sind. Man diskutiert überhaupt nicht, warum dieses Bedürfnis, der Wunsch, etwas Neues zu machen – was man vielleicht als Politik bezeichnen kann oder auch nicht – überhaupt entstanden ist. Was mich im Moment interessiert, ist, über die konkreteren Erscheinungsformen der Alternativbewegung wieder zu

Daniel Cohn-Bendit

dem Begründungszusammenhang zurückzufinden, warum sich überhaupt so etwas entwickelt hat. Das ist für mich das Entscheidende, und wenn ich das inhaltlich im Griff habe, bin ich bereit, mich über jedes Projekt auseinanderzusetzen oder über die Abschaffung aller Projekte zu diskutieren.

In meiner Politisierungsphase war es ja gerade die Auseinandersetzung mit den tradierten Revolutionstheorien – also nicht nur mit der herrschenden Arbeiterbewegung in ihrer reformistischen Form, sondern auch mit den linksradikalen Gruppen oder Parteien und ihren tradierten Revolutionsvorstellungen –, die uns immer und permanent vor die Alternative nach der gesamtgesellschaftlichen Veränderung gestellt hat. Am Anfang dieses Gesprächs wird vieles banal klingen, weil es einfach Banalitäten sind. Das ist oft die Schwierigkeit solcher Diskussionen. Ich glaube, daß jede Auseinandersetzung erstmal banal anfängt, d. h. mit Aussagen, von denen man meint, sie bereits zu kennen. Und die Worte, die wir gebrauchen, kennen wir auch schon lange. Aber ich glaube, daß mittlerweile die Inhalte, die hinter ganz einfachen politischen Sätzen standen, verlorengegangen sind. Wenn wir z. B. sagen, wir haben uns mit den tradierten Revolutionstheorien und den herrschenden reformistischen Organisationen auseinandergesetzt, ist das eine Banalität, die aber keine reale Erfahrung der meisten Leute heute mehr ist, und damit ist sie auch keine Realität in ihren Köpfen. Und das ist ein Problem.

Am Ende der Revolte hieß doch die Auseinandersetzung: Lenin – ja oder nein. Entweder zurück zur traditionellen Politik oder zu einer Konzeption von Autonomie, die dieses Bedürfnis, das Ende der 6oer Jahre entstanden ist, beinhaltet, nämlich Politik nicht mehr in Abstraktum zu machen, sondern Politik konkret für sich. Im Grunde genommen war das ein Versuch, den alten Widerspruch von Reform und Revolution aufzugreifen und ihn auf eine andere Ebene zu stellen. Es handelt sich dabei um ein Problem, mit dem sich die Arbeiterbewegung immer rumgeschlagen hat, nämlich das Bedürfnis der Leute, nicht nur im Namen einer revolutionären Perspektive etwas zu vollbringen, sondern das, was sich unmittelbar in dieser Revolte artikuliert hat, auch zu verwirklichen. Aufgefallen ist mir das an einer Analyse des Pariser Mai – mit dem ich jetzt zwangsläufig durch die Flut der Bücher, die entstanden sind, konfrontiert werde. Aufgefallen ist mir dabei, daß dieses Bedürfnis nach einer Alternativbewegung – was man negativ »Getto«, positiv »Milieu« nennen kann, also nach einem Ort der Autonomie, der eigenen Existenz –, daß dieses Bedürfnis im Grunde genommen die Form der Auseinandersetzung des Mais geprägt hat. Ich will versuchen, das zu erklären:

Da gibt es zuerst eine Studentenbewegung, dann eine Jugendbewegung – Jugend in dem Sinne, daß wir alle zwanzig und nicht nur Studenten waren –, die am Anfang immer größer wurde, die an jedem Konflikt ihre eigene Regeneration und ihre eigene Verbreiterung geschaffen hat. Sie war überhaupt nicht mehr bereit, Kompromisse zu formulieren, weil sie auch gar keine Kompromisse zu formulieren hatte, nicht weil sie gedanklich so radikal war, sondern weil diese ganze Bewegung im Grunde von Bedürfnissen getrieben war, die sie selber nicht formulieren konnte. Die ich selber nicht formulieren konnte – in dieser Zeit. Die Diskrepanz, die existiert, wenn du dir einen Film vom Mai 68 ansiehst oder dir die Reden von damals anhörst, ist die, daß das, was wir gemacht haben und das, was wir in diesem Moment gesagt haben, nicht in Einklang zu bringen war. Die Sachen, von denen wir gesprochen haben, erklärten eigentlich nicht, was passiert ist. ...

Die späten sechziger Jahre sind doch Ausgangspunkt für die verschiedensten Revolten. Sie sind weltweit geprägt von der Unfähigkeit, die aufkommenden gesellschaftlichen Probleme anzugehen, geschweige denn sie zu lösen. Das wurde von der Jugend als sensibelstem Moment gespürt, aber nicht allein von der Jugend. Deutlich wird das an Vietnam und der ganzen Dritten Welt, die Beweise für die Unfähigkeit einer Gesellschaft sind, die legitimen Bedürfnisse dieser Völker anzuerkennen. Stattdessen wurden wir mit dem allesbeherrschenden Machtanspruch dieser Gesellschaft konfrontiert. Und da wird Vietnam als konkretestes erfaßbar, als Steigbügelhalter von der Bewegung gebraucht. Jedesmal wenn irgendetwas war, was man nicht formulieren konnte, wurde es delegiert, transferiert nach Vietnam. Die Bedürfnisse nach anderen Lebensformen wurden auf die Bänke nach Hanoi verlegt, auf die man sich dann mit größter Ruhe setzen konnte. Es waren die wahnwitzigsten Projektionen. ... 1978

Authentizität – ein Wort, das auch Adorno gerne gebrauchte – wurde nach dem Scheitern der revolutionären Theorien zu einem Stichwort der späten siebziger und der achtziger Jahre. Die Grundlage von politischen Aktionen sollten ausschließlich die eigenen Erfahrungen bilden. An die Stelle einer wissenschaftlichen Kritik der politischen Ökonomie trat die praktische Kritik an den Lebensverhältnissen in überschaubaren Milieus, zum Beispiel in der Hausbesetzerszene. Reichte die Kritik über das Milieu hinaus, entzündete sie sich an einem politischen System, das den allgemeinen Grundlagen des Lebens zu widersprechen schien: in Frieden zu leben und die Natur zu erhalten. Die Umweltkatastrophen setzten sich 1979 mit dem Reaktorunfall im amerikanischen Kernkraftwerk in Harrisburg fort und kulminierten 1986 im Unfall von Tschernobyl. Der Reaktorkern des nördlich von Kiew gelegenen Kernkraftwerks explodierte und schmolz, Menschen und ganze Landstriche wurden verseucht. Angesichts der Aufrüstung im Westen und im Osten verblaßten die schönen Vorstellungen einer besseren Gesellschaft. Es mußte hier und jetzt etwas passieren, um das Schlimmste zu verhindern. Wer sich nicht wehrt, lebt verkehrt: Weiter reichten die gesellschaftlichen Entwürfe nicht mehr.

»Die Grünen« wurden 1980 als Bundespartei gegründet. Ein paar tausend Atomkraftgegner besetzten im Mai 1980 eine Bohrstelle bei Gorleben, bauten ein Runddorf und gründeten die Freie Republik Wendland. Wenige Wochen darauf rückten die Polizei und der Bundesgrenzschutz an und räumten die Freie Republik. In Berlin lieferten sich im Dezember 1980 die Hausbesetzer Straßenschlachten mit der Polizei. Sieben Jahre später tobten in der Hamburger Hafenstraße die Kämpfe zwischen Polizei und Hausbesetzern. Dreihunderttausend Menschen demonstrierten im Oktober 1981 in Bonn gegen den Nato-Doppelbeschluß. Einen Monat danach kämpften die Gegner der Startbahn West am Frankfurter Flughafen mit der Polizei. Die Startbahn wurde im April 1984 in Betrieb genommen. Der Kampf ging weiter. Im November 1987 wurden dort bei einer nicht genehmigten Demonstration gegen die Startbahn zwei Polizisten erschossen und neun Polizisten angeschossen.

In Mutlangen wurde im September 1983 von Rüstungsgegnern ein amerikanisches Waffendepot blockiert. Damit begann der bundesrepublikanische Protest gegen die Stationierung der amerikanischen Pershing-II-Raketen. Einen Monat darauf hielten sich Friedenskämpfer an den Händen und bildeten eine einhundert Kilometer lange Menschenkette, die von Neu-Ulm nach Stuttgart reichte. Im Januar 1986 räumte die Polizei das Hüttendorf in Wackersdorf, das Atomkraftgegner aus Protest gegen die Wiederaufbereitungsanlage dort gebaut hatten. Im Mai kam es in Wackersdorf erneut zu schweren Auseinandersetzungen, bei denen Hunderte von Menschen verletzt wurden.

Die Politik zog nach. Bundeskanzler Helmut Kohl ernannte 1986 mit Walter Wallmann den ersten Umweltminister der Bundesrepublik. Die Staatsgewalt aber behielt sich drastische Maßnahmen vor. In Hamburg wurden unter dem Ersten Bürgermeister Klaus von Dohnanyi im Juni 1986 rund achthundert Demonstranten sechzehn Stunden lang von der Polizei eingekesselt, als sie gegen den Polizeieinsatz protestierten, zu dem es einen Tag zuvor bei einer Kundgebung von Atomkraftgegnern in Brokdorf gekommen war.

Die Liste der Gewalttaten von Extremisten in diesen Jahren ist lang: Im Mai 1977 wurden der Generalbundesanwalt Siegfried Buback und sein Fahrer von der Roten Armee Fraktion erschossen. Im Juli erschoß die Rote Armee Fraktion Jürgen Ponto, den Vorstandsvorsitzenden der Dresdner Bank, in seiner Villa. Im September wurde der Arbeitgeberpräsident Hanns Martin Schleyer von der Roten Armee Fraktion entführt, später ermordet. Bei der Entführung wurden sein Fahrer und drei Sicherheitsbeamte erschossen. Auf dem Münchner Oktoberfest 1980 zündeten Rechtsextremisten eine Bombe, dreizehn Menschen wurden getötet, über zweihundert Menschen verletzt. Im Mai 1981 wurde der hessische Wirtschaftsminister Heinz Herbert Karry von der Roten Armee Fraktion erschossen. Fünf Monate später verübte das »Kommando Gudrun Ensslin« in Heidelberg ein Attentat auf den Oberbefehlshaber der amerikanischen Landstreitkräfte in Europa. Im Juli 1986 wurden der Siemens-Manager Karl Heinz Beckurts und sein Fahrer bei München von der Roten Armee Fraktion getötet, drei Monate später Gerold von Braunmühl, der die politische Abteilung des Auswärtigen Amtes leitete. Im September 1988 versuchte die Rote Armee Fraktion, den Staatssekretär im Bundesfinanzministerium, Hans Tietmeyer, zu ermorden.

Der Feuilletonleiter der Wochenzeitung »Die Zeit«, Fritz J. Raddatz, geboren 1931 in Berlin, hielt 1978 der Gesellschaft vor, daß auch sie die Verantwortung für die Fehlentwicklungen trage. »Bruder Baader« hieß sein Text, der 1978 erschien und dessen Titel eine Anspielung auf Heinar Kipphardts Drama »Bruder Eichmann« oder auf Thomas Manns Aufsatz »Bruder Hitler« war. Der Hinweis darauf, daß die Gesellschaft die psychische Entwicklung des einzelnen beeinflusse, gehörte zum Repertoire der kritischen sozialen Analysen. Jürgen Habermas hat diesen Zusammenhang in eine auch in erziehungswissenschaftlichen Seminaren beliebte Theorie der Sozialisation gepackt. Während der Staat begriffliche Metamorphosen durchlief und auch als Überwachungsstaat berühmt wurde, löste sich die bürgerliche Gesellschaft langsam in ein Bedingungsfeld des demokratischen und persönlichen Gelingens auf.

Fritz J. Raddatz. Ist die Gesellschaft schuld? Es ist die entscheidende Frage. Sie muß beantwortet werden. Der Terrorist, der den Bankier Ponto erschoß, ist so gut Produkt dieser Gesellschaft wie der Bankier Ponto. Auch Fehlentwicklungen sind Entwicklungen. So töricht es ist, jedes legasthenische Kind als »Versagen der Gesellschaft« vorzuführen, so ohne Moral und Verantwortung ist es, ihr ersichtliches Versagen hinwegzumogeln. Es ist »unredlich«, wie Hessler sagt.

80000 drogenabhängige Jugendliche. 82000 Jugendliche ohne Arbeitsplatz. 300000 Jugendliche zwischen 14 und 29 Jahren alkoholgefährdet. Die höchste Rate an Kinderselbstmorden in Westeuropa (500 jährlich). Die höchste Rate an stellungslosen Akademikern in Europa (ca. 40000). 40% der Studenten in psychiatrischer Behandlung. Die niedrigste Rate von studierenden Arbeiterkindern in Europa (13%) – und das alles soll keine Folgen haben?

Und das alles, dieser Rostfraß unter dem Lack der Produktgesellschaft, soll nicht Ursache sein? Jeder neunte Jugendliche in der Bundesrepublik lehnt das bestehende Gesellschaftssystem ab, und einer, der es wissen muß, der Ex-Terrorist Hans-Joachim Klein, dokumentiert: »Ich weiß von Siebzehn- und Achtzehnjährigen, die würden heute am liebsten ein Inserat in der FAZ aufgeben, um eine Knarre zu kriegen und in den Terror einzusteigen.«

Die sich da zu Tode fixen (84 allein im Jahr 1977 in Berlin); die sich da zu Tode trinken; die da schließlich andere totschießen – mit denen haben wir alle nichts zu tun? Unterwelt, Abschaum, Ratten? Auch, wenn es unsere Söhne und Töchter sind, die die saturierten Vorstadthäuschen verlassen haben, ins Nirgendwohin?

Hier ist zweierlei zu sagen: Wer diese Gebärde der Wegwerfgesellschaft zur Verfügung hat, *der* handelt unmoralisch. Menschen sind keine Einwegflaschen. Dem liegt eine verborgene Erbarmungslosigkeit zugrunde, die auch durch Appelle des Bundespräsidenten oder Willy Brandts oder des Bundeskanzlers nicht »abgelöst« wird.

Es liegt aber noch etwas anderes zugrunde, das vielleicht Schlimmere, kaum mehr verborgen: Die gänzliche Unfähigkeit, analytisch zu denken, simpelste kausale Abfolgen zu erkennen. Auch – oder gerade – die, bei denen ständige winzige Verletzungen des Menschlichen eines Tages das Unmenschliche hervorrufen. Wo die Titelzeile »Kennedy erschossen« garniert ist mit »Kein Schälen, kein Schneiden, keine Tränen! – Thomys Röst-Zwiebeln«; wo das Foto vom Mord an einem Vietcong garniert wird mit sekttrinkender Fürstenhochzeit und BMW-Reklame; wo Mannequin-Passagiere der »Landshut« eine Woche nach Mogadischu ihre läppischen »Erinnerungen« pfennigweise verkaufen – da *muß* doch, leise, langsam, unmerkbar erst, eine Verbiegung von Wahrnehmungen, ein Zerklirren von Werten stattfinden. Wie mühelos ließe sich eine Anthologie der ekelhaftesten »Gedankenlosigkeiten« zusammenstellen, Bilder verhungerter Kinder neben Kaviarreklame und Aufnahmen der Vergifteten von Seveso neben Chemiewerbung. In Wahrheit gibt es, bei wachen Aufnahmeapparaturen, keinen Tag ohne Schock. Schock heißt Angst. Angst heißt Haß.

Unserer bürgerlichen Welt begegnet eine ganze Generation in dieser Schock-Angst-Haß-Mischung. ...

Sie sehen sich als eine Generation »Gewähr bei Fuß«. Eine Million von ihnen wurde als Bewerber für den öffentlichen Dienst überprüft; 285 Periodika, für die sie sich interessieren – vom »Argument« über das »Kursbuch« bis zur »Sozialistischen Zeitschrift für Kunst und Gesellschaft« –, wurden auf Schnüffellisten des Verfassungsschutzes festgehalten; 239 ihrer

Bünde und Organisationen ebenso – von »amnesty international« bis zum »Werkkreis Arbeitswelt«. Nach der Schleyer-Entführung – keine deutsche Zeitung, lediglich die »New York Times« nannte ihn »a once hated SS-man« – wurde jeder von ihnen – jeder zwischen 20 und 30 –, der nach Frankreich fuhr, überwacht; selbst Mitglieder der Jungen Union. …

Die Liste der Vergehen, derer man diesen Staat anzuklagen hat, wäre lang – von der untersagten Carl-von-Ossietzky-Namensgebung für eine deutsche Universität (gleichsam ein zweites Todesurteil für den pazifistischen Schriftsteller) bis zum entlassenen linken Armeekoch, einer Farce, die selbst Conrad Ahlers fragen ließ: »Hat er zu oft Rote Bete serviert?« Nur gefriert einem das Witzeln; wer von kritischen Geistern als von »Ratten und Schmeißfliegen« spricht – Ungeziefer, das man gemeinhin mit Gas ausrottet –, der ist nicht mehr zu bespötteln. Darunter liegt eine deutsche Sehnsucht nach Katastrophe und Untergang, die *ihn* mit derselben Intensität herbeischwört, wie sie Demokratie als das normale Miteinander von Gegensätzen nicht versteht, also zugrunde verteidigt. …

Vakuum des historischen Bewußtseins ist immer auch Vakuum der Moral. Das ist beweisbar bis ins winzigste Detail von Redeweisen: Wer von »Zusammenbruch« spricht, damit ist das Ende der Hitler-Herrschaft gemeint, der bedauert etwas. Zusammenbruch ist nichts Herbeigewünschtes, gar selber Herbeigeführtes. Zusammenbruch ist erlittene Naturkatastrophe.

Heute liest sich das so: »Bald ist es soweit! Die Neue Partei wird gegründet. Sie soll NSPD, Nationalsozialistische Partei Deutschlands heißen. Noch werden echte Mitbegründer mit Nationalstolz gesucht!« Das ist kein Witz. Das steht, zwischen der Einladung der Kant-Gesellschaft und »scharfen Attraktionen hübscher Girls«, am 18. Januar 1978 als Annonce in der »Mainzer Allgemeinen Zeitung«. (Die Partei wurde am 28. Januar 1978 in Oberwesel am Rhein gegründet.)

Kein Witz, keine Ausnahme. Im selben Frühjahr werden im Eisstadion von Berlin-Wilmersdorf Hakenkreuz-Anstecknadeln verkauft; wird das DKP-Kreiszentrum mit hakenkreuzverziertem Aufkleber »Kauft nicht bei Juden« beklebt; liest man eine Annonce »An Sammler: Adolf-Hitler-Büste, 190 mm hoch, für DM 250 abzugeben«; meldet der »Tagesspiegel«: »Vom Eisernen Kreuz über NSDAP-Parteiabzeichen bis hin zum Ritterkreuz zum Preis von 365 DM, all das bot ein privater Händler auf der 4. Internationalen Sammlerbörse (ISAB) am Funkturm am Wochenende an.« …

Das kriecht wieder hervor und wimmelt und regt sich. Fast wöchentlich muß man Überschriften in der liberalen bürgerlichen Presse lesen: »Neonazis haben ihr Waffenarsenal gefüllt«, »Gewaltverherrlichung neonazistischer

Fritz J. Raddatz

Gruppen«, »Mit Braunhemd und deutschem Gruß«, »Alte Nazis werden umschwärmt«, »Nazi-Literatur und Hitler-Symbole offen gehandelt«. Der Londoner »Observer« faßt das zusammen, 26. Februar 1978: »Germany's new Nazis come into the open.« Doch die erschreckendste, wohl richtigste Zeile stand in der *Zeit*: »Jugendliche rufen nach starkem Führer.« Das ist es. Es ist die Situation *nach* Brechts Dictum »Der Schoß ist fruchtbar noch, aus dem das kroch«. Jetzt nämlich ist gar kein Schoß mehr fruchtbar, und irgendein handfertiger Retortendoktor kann leicht implantieren, was ihm beliebt.

Die kritiklose Geschwindigkeit, mit der ein unverdauter, in Schnellkochkursen angerührter Instant-Marxismus eingeschlürft wurde, und die schneller, schärfer werdende Rechtspirouette: sie haben *eine* Wurzel. Das Wort »Sinngebung« mag heikel sein; doch die Tatsache ist nicht hinwegzuretuschieren, daß einer neuen Generation, die nichts kennt als unsere Demokratie, deren Sinn und Wert nicht vermittelt wurde. Junge Menschen sind empfindlich gegen Lüge und Obszönität – ob es nun die kläglichen Winkelzüge des Marinerichters Filbinger oder die PS-Sehnsüchte des eigenen bürgerlichen Elternhauses sind oder Alfred Dreggers Satz: »Ich gebe mich mit dem Quatsch der Umfragen nicht ab – ich möchte vor allem regieren.« Wo Ideale nicht geboten werden, greift man zu Idolen: im Glücksfall Elvis oder die Beatles; im Mißverständnis Mao oder Che; im schlimmsten Fall Hitler.

Weil diese Gesellschaft monologisch statt dialogisch strukturiert ist, hat sie eine Generation aus dem Gespräch entlassen, sich der Möglichkeit zur Aussprache begeben. Ob RAF, Tunix oder Wikingerbund: Haben wir das Recht, den Stab zu brechen? Ich habe kürzlich in einer Illustrierten zwei Seiten von Fotos junger Leute gesehen, die mit Berufsverboten belegt sind: Es sah aus, exakt, wie die Fahndungsliste von morgen. Wenn diese Gesellschaft keine anderen politischen Angebote machen kann als die an Schüler, beim Verfassungsschutz mitzuarbeiten, an Studenten, vor geschlossenen Numerus-clausus-Türen zu stehen, und an Lehrer, arbeitslos zu sein – wer von uns könnte aufrichtig von sich sagen, er gehörte nicht vielleicht auch auf eine solche Fotoliste der Verbotenen oder Gesuchten? Hat sich jeder von uns geprüft, wie er als junger Mensch reagiert hätte auf diese Welt von lächelndem Eis und samtenem Gift, die Angebot mit Sortiment verwechselt und Fragen mit Nachfrage, ein flimmerndes Riesenrad, dahinrasend zwischen Unbarmherzigkeit, Sentimentalität und Gnadenlosigkeit?

Die Väter dieses Staates sind es, die ihn zu unterwühlen beginnen. Sie ertragen nicht Zweifel an sich noch an der von ihnen gezimmerten Gesellschaft – und sie begreifen nicht, daß unterdrückter Zweifel zu Verzweiflung gerinnt.   1978

Bruder Baader (1978)

Die einen Intellektuellen waren mit dem Zustand der Gesellschaft nicht zufrieden und klagten sie an. Die anderen Intellektuellen waren mit der demokratischen Verfassung dieser Gesellschaft zufrieden und meinten sogar, daß sich daran ein neuer Patriotismus entzünden sollte. Der emeritierte Heidelberger Politikwissenschaftler Dolf Sternberger, 1907 in Wiesbaden geboren, hatte in den ersten Jahren nach dem Krieg mit Karl Jaspers und dem Romanisten Werner Krauss die Zeitschrift »Die Wandlung« herausgegeben. Er war schließlich Herausgeber der Zeitschrift »Die Gegenwart« geworden. Sternberger, der bis 1972 als Professor für Politische Wissenschaften in Heidelberg lehrte, schrieb 1979, zum dreißigjährigen Jubiläum des Inkrafttretens des Grundgesetzes, einen Artikel in der »Frankfurter Allgemeinen Zeitung«, in dem er den Begriff des Verfassungspatriotismus prägte. Dieser Begriff wurde in den achtziger Jahren, als der Historikerstreit ausbrach, von Jürgen Habermas aufgenommen und verschärft.

Dolf Sternberger hatte angesichts des geteilten Deutschland erklärt, des Deutschen Vaterland sei das Grundgesetz. Er schlug vor, das Wort Verfassungspatriotismus als einen neuen Ausdruck für die alte Vaterlandsliebe zu gebrauchen. In einer Rede über den Verfassungspatriotismus, die er drei Jahre nach dem Erscheinen seines Artikels hielt, wünschte er sich sogar, daß endlich einmal Menschen auf die Straße gingen, um für die gelungene bundesrepublikanische Verfassung zu demonstrieren – und daß sie damit eine Gegendemonstration zu all den Demonstrationen veranstalteten, in denen immer nur die Unzufriedenheit mit dem Staat und seiner Verfassung bekundet wurde. Zu einer solchen Demonstration ist es bis heute nicht gekommen.

Als 1986 einige Historiker die Singularität der Judenvernichtung in Zweifel zogen und ein ungebrocheneres Verhältnis der Deutschen zur deutschen Geschichte forderten, reagierte Jürgen Habermas prompt. Er erklärte den Verfassungspatriotismus zum Ausdruck eines, wie er das nannte, postnationalen deutschen Selbstbewußtseins. Der Inhalt dieses Selbstbewußtseins sei das Wissen, daß Auschwitz als der negative Gründungsakt der Bundesrepublik verstanden werden müsse.

Sternbergers Vorstellung vom Verfassungspatriotismus hat sich durch die deutsche Wiedervereinigung auf besondere Weise erledigt und erfüllt. Erfüllt hat sich der Begriff, weil die Deutsche Demokratische Republik 1990 einfach in den Geltungsbereich des Grundgesetzes eintrat. Dieser Schritt fand damals seine Kritiker. Sie wiesen auf den in der Präambel ausdrücklich erwähnten provisorischen Charakter des Grundgesetzes hin, das eben nur für die Bundesrepublik Deutschland gelte und einem wiedervereinigten deutschen Volk zur Abstimmung vorgelegt werden sollte. Erledigt hat sich Sternbergers Begriff insofern, als nun offenbar die Vaterlandsliebe wieder zum Zuge kommen konnte.

Alte Vaterlandsliebe

Dolf Sternberger. Es herrschte kaum Begeisterung vor dreißig Jahren, als der Parlamentarische Rat die Arbeit abschloß. Was die Bevölkerung angeht, so erfuhr sie nicht allzuviel davon, wurde auch nicht aufgerufen, ihr Votum abzugeben. Die Mitglieder dieser verfassunggebenden Versammlung ihrerseits taten ihr Werk eher in einer gedrückten Seelenlage. Es war nur ein Teil der Nation, für den sie handeln konnten. So meinten viele  von ihnen, auch dem Staat, den sie widerstrebend schufen, einen bloß vorläufigen oder bloß interimistischen Charakter aufprägen zu sollen. Der klanglose Name »Grundgesetz« zeugt von solcher Zurückhaltung. Man sprach gleichsam mit gedämpfter Stimme, arbeitete mit zögernden Händen – in der Trauer um die Zertrennung der Nation, in der zagen Hoffnung auf einen künftigen freien Akt des ganzen Deutschlands.

Noch immer trauern wir, noch immer hoffen wir. Doch ist den nationalen Gefühlen seither ein helles Bewußtsein von der Wohltat dieses Grundgesetzes zugewachsen. Die Verfassung ist aus der Verschattung hervorgekommen, worin sie entstanden war. In dem Maße, wie sie Leben gewann, wie aus bloßen Vorschriften kräftige Akteure und Aktionen hervorgingen, wie die Organe sich leibhaftig regten, die dort entworfen, wie wir selbst die Freiheiten gebrauchten, die dort gewährleistet waren, wie wir in und mit diesem Staat uns zu bewegen lernten, hat sich unmerklich ein neuer, ein zweiter Patriotismus ausgebildet, der eben auf die Verfassung sich gründet. Das Nationalgefühl bleibt verwundet, wir leben nicht im ganzen Deutschland. Aber wir leben in einer ganzen Verfassung, in einem ganzen Verfassungsstaat, und das ist selbst eine Art von Vaterland.

Alle spüren es, die meisten wissen es, einige freilich wollen es partout nicht wahrhaben, daß hier die Luft der Freiheit weht. Man muß nur begreifen, daß es keine Freiheit geben kann ohne Staat. Und keine Menschenrechte außerhalb des Staates, der sie nämlich in Bürgerrechte verwandelt. Und keinen Staat ohne Behörden. Überhaupt sollen wir uns nicht scheuen, das Wort »Staat« zu gebrauchen. Das Wort »Demokratie« kann kein Ersatz dafür sein, es führt eine Träumerei mit sich, als ob es eigentlich auch ohne Regierung ginge, wenn man das Volk nur machen ließe. Darum ist es besser, sich vor Augen zu halten, daß es in unserem Verfassungsstaat nicht das »Volk« ist, das »sich selbst« regierte, daß es darin vielmehr Regierende und Regierte gibt, eine Minderheit von Regierenden und eine Minderheit von Regierten. Das ist unaufhebbar. Aber diese Regierten sind zugleich die Wähler, und diese Regierenden sind die Gewählten; die Regierenden hängen in gewisser Weise und in gewissem Maße von den Regierten ab. In jenen sonderbaren Vereinen, die politische Parteien heißen, sind Regierende und Regierte, Bewerber und ihre Anhänger miteinander organisatorisch verbunden. Die Parteien sitzen in den Parlamenten, bilden kooperierende und konkurrierende Mannschaften, treten in aller Regel in wechselseitiger Kritik auseinander, in einen regierenden und einen opponierenden Teil. Wir haben eine Auswahl, ein Wechsel im Regierungsamt ist möglich, wenn auch mühsam. Im Bund hatte zwanzig Jahre lang die eine, zehn Jahre lang die andere Gruppierung die Führung inne.

Die Staatsgewalt ist nicht an einem Ort konzentriert, weder oben noch unten, weder links noch rechts, sie ist vielmehr weit herum verteilt, wir nehmen auf allerlei Art an ihr teil, nicht nur leidend, auch tätig. Das Leben der Verfassung spielt sich nicht allein in den Parlamenten des Bundes, der Länder und in der Gemeinden, nicht allein in den Regierungen und Verwaltungen ab; hinzu treten die Gerichte als »dritte Gewalt«, zumal diejenigen, welche die Gesetzgebung und die Verwaltung zu kontrollieren, zu korrigieren, die politische Machtübung in Grenzen zu halten sich erstaunlich fähig gezeigt haben. Die gesellschaftlichen Organisationen in ihrer Vielfalt existieren und wirken aus dem Grundrecht der Vereinigungsfreiheit, stellen Kräfte der lebenden Verfassung dar, auch wenn sie sich dessen nicht bewußt sind; es ist an den politischen Instanzen, ihr Recht zu berücksichtigen, ihren Übermut zu dämpfen. Jede Tarifverhandlung stellt ein Stück lebender Verfassung, die Autonomie der Tarifpartner, die keiner behördlichen Intervention bedarf, gleichwohl in sich selber ein Stück Staat dar. Nicht zu reden von dem vielstimmigen Simultan-Gespräch der sogenannten öffentlichen Meinung, die aus dem Grundrecht der Meinungs- und Informationsfreiheit erwächst. Auch Bürgerinitiativen, auch Demonstrationen sind Verfassungs-Lebensvorgänge, der Staat ist nicht bloß in der Polizeimannschaft gegenwärtig, die sie zu begleiten, ihre verfassungsrechtlich gebotene Friedlichkeit zu sichern bestimmt ist.

Es ist eine gute Verfassung, die all dergleichen und obendrein kräftige Führung möglich macht. Wir brauchen uns nicht zu scheuen, das Grundgesetz zu rühmen. Wir mögen im gegebenen Augenblick die Regierung tadeln, der Opposition Schwäche vorhalten, dem Parlament die Flut der Gesetze übelnehmen, bei den Parteien insgesamt Geist und Phantasie vermissen, von der Bürokratie uns beschwert fühlen, die Gewerkschaften für allzu anspruchsvoll, die Reporter für zudringlich halten – die Verfassung ist von der Art, daß sie dies alles zu bessern erlaubt, zu bessern uns ermuntert und ermutigt. Eine gewisse maßvolle Unzufriedenheit ist dem Staat förderlich. Sie mindert nicht die Treue, die der Verfassung geschuldet wird. Gegen erklärte Feinde jedoch muß die Verfassung verteidigt werden, das ist patriotische Pflicht. 1979

Dolf Sternberger

Die ökonomische Grundlage der Wegwerfgesellschaft, von der auch Fritz J. Raddatz gesprochen hatte, geriet ins Wanken. Hatte die Arbeitslosigkeit noch Anfang der siebziger Jahre unter einem Prozent gelegen, stieg sie Mitte der achtziger Jahre auf über neun Prozent. Die Reaktion ließ nicht auf sich warten. Die Bundesregierung hatte 1979 beschlossen, daß auch Ehegatten und Kinder von Gastarbeitern aus Ländern, die nicht zur Europäischen Union gehörten, in der Bundesrepublik eine Arbeitserlaubnis erhalten sollten – wenn auch erst nach festgelegten Wartefristen. Drei Jahre später wurde im Bundestag eine Debatte über die Ausländer geführt, in der die Opposition dafür plädierte, die Ausländer wieder in ihre Heimat zurückzuschicken. Die Regierung kam diesem Vorschlag nicht nach, sondern sprach sich dafür aus, die Ausländer zu integrieren. Im Jahr 1983 aber, nach einem Regierungswechsel in Bonn, wurde ein Gesetz verabschiedet, das erlaubte, arbeitslosen Ausländern Geld anzubieten, wenn sie im Gegenzug in ihre Heimat zurückkehren würden. Im Bundestagswahlkampf 1980 wurde von einer »Asylantenflut« gesprochen. Eine entsprechende Kampagne wurde erst aufgegeben, nachdem am 22. August 1980 Rechtsradikale zwei Vietnamesen in einem Hamburger Wohnheim ermordet hatten. Aus Protest gegen die Ausländerfeindlichkeit in der Bundesrepublik hatte sich im Mai 1982 die Türkin Semra Ertan Bilir in Hamburg verbrannt.

Im Bundestagswahlkampf 1986 tauchte das Wort »Asylantenflut« erneut auf. Der in der Bundesrepublik lebende Iraner Bahman Nirumand, gegen dessen drohende Ausweisung Ulrike Meinhof 1969 den Artikel »Alle reden vom Wetter« geschrieben hatte, schickte einen offenen Brief an den Bundespräsidenten Richard von Weizsäcker mit der Bitte, gegen die Asylantenkampagne einzuschreiten: »An den Bahn- und Bushaltestellen, auf den Straßen, in den Lokalen und anderswo spürt man als Ausländer feindliche, haßerfüllte Blicke. Nachts wagen viele sich nicht mehr auf die Straße. Das Schicksal des Türken Ramazan Avci, der in Hamburg erschlagen wurde, nur weil er Ausländer war, legt die Befürchtung nahe, man selbst könne der nächste sein.«

Der Bundestag verabschiedete im November 1986 ein neues Asylrecht. Das neue Asylrecht sah vor, daß Asylbewerber, die rechtskräftig abgewiesen worden waren, schneller in ihre Heimatländer zurückgebracht werden durften. Asylbewerbern, bei denen keine berechtigten Gründe für ein Asyl festgestellt wurden, sollte der Weg in die Bundesrepublik Deutschland schwieriger gemacht werden. Die Verschärfung des Asylrechts stieß auf heftigen Widerstand. Insbesondere die Bundesrepublik sollte sich als ein Land verstehen, das für Asylsuchende offen sei, da Deutsche unter der Hitler-Diktatur, wenn sie sich ins Exil retten wollten, auf die offenen Türen fremder Länder angewiesen gewesen waren. Die Bundesrepublik, erklärten die Gegner des neuen Asylrechts, habe eine historische Verpflichtung, für politisch Verfolgte ein Asylland zu sein.

Der Schriftsteller Günter Grass, der die politischen und gesellschaftlichen Entwicklungen der Bundesrepublik mit seinen Einwänden über die Jahrzehnte begleitet hat, trat 1981 auf einem Kongreß der Sozialdemokratischen Wählerinitiative Berlin vehement für diese Verpflichtung ein. Aus seiner Rede »Die Bundesrepublik ist (k)ein Einwanderungsland« stammt das folgende Zitat. Günter Grass, 1927 in Danzig geboren, war in den Jahren 1965, 1969 und 1972 für die Sozialdemokratische Partei auf Wahlkampftour gegangen, 1982 wurde er Mitglied in der Partei, und 1986 trat er aus Protest gegen die Asylpolitik aus der Partei aus. Als der türkische Schriftsteller Yaşar Kemal 1997 mit dem Friedenspreis des Deutschen Buchhandels ausgezeichnet wurde, sorgte Grass für Aufregung, weil er in seiner Preisrede die Asylpolitik und die Türkeipolitik der Bundesregierung heftig angriff. Die Diskussionen über die Ausländer in Deutschland hielten an, und sie nahmen noch einmal eine besondere Wendung und gewannen an Schärfe nach dem Attentat islamischer Fundamentalisten auf die beiden Bürotürme des World Trade Center in Manhattan am 11. September 2001. Im Zuge der Terroristenfahndungen stellte sich heraus, daß einige der Terroristen an der Technischen Universität in Hamburg Maschinenbau studiert hatten.

Günter Grass. Meine Damen und Herren, ich gehöre mit zu den Gründern und Begründern der Sozialdemokratischen Wählerinitiative. Ende der 60er Jahre, als wir noch glaubten, man könne in diese relativ junge Republik demokratische Impulse mit dauerhafter Wirkung hineintragen, gab es einen Elan, gab es eine Möglichkeit, so etwas aufzubauen. Und es hat sich auch erwiesen, daß diese Sozialdemokratische Wählerinitiative in ihrem kritischen Verhältnis zur SPD immer wieder Gelegenheit genommen hat, der Partei unangenehme Fragen zu stellen, ihr oft Themen aufzureden, denen sie sich sperrte. Unter anderem war es das Thema der Ausländerpolitik, das Zusammenleben der Deutschen mit Ausländern, die zum Gutteil in unser Land gerufen worden sind, die man gebraucht, benötigt, benutzt hat, und die dann behandelt wurden zum Gotterbarmen. Dieses Problemthema gibt es schon über ein Jahrzehnt und länger.

Damals war schon deutlich, daß es notwendig war, hier nicht etwa ein einseitiges Konzept zu praktizieren, indem man sagte, die Ausländer müssen sich in unsere Lebensgewohnheiten hineinfügen und das annehmen, was wir hier praktizieren, dann wird alles gut sein. Nein, ob Türken, Jugoslawen, Italiener, was immer sie auch waren, sie brachten ihre eigene Kultur mit, eine

Kultur, die sich durchaus neben unserer eigenen Kultur sehen lassen kann und von der wir ja auch bis in die Trivialbereiche hinein profitiert haben.

Berlin kann auf Dauer gesehen nicht aus eigener Substanz leben. Die Stadt dörrt aus, sie verfilzt, sie ist verkrustet, sie ist allerdings auch eine Stadt ohne Hinterland. Ich sage das nicht als Entschuldigung, sondern als Erklärung. Es gibt immer wieder Westdeutsche, die ihren eigenen Filz zu Hause vergessen und den überdeutlichen Berliner Filz zum Anlaß nehmen, hier ihre Kritik loszuwerden. Berlin ist auf den Zuwachs, auf den Zustrom von Menschen von außerhalb angewiesen. Nur durch eine Öffnung der Stadt gerade den Ausländern gegenüber ist die Zukunft dieser Stadt sicherzustellen.

Hier müßte man an eigentlich recht gute preußische Traditionen anknüpfen. Dieser Staat Preußen, die Ausstellungen haben es nochmal deutlich gemacht, ist entstanden, weil man – sicher auch aus Kalkül und Berechnung – begriffen hatte, daß auf diesen Sandboden Menschen gebracht werden mußten.

Politische, religiöse Flüchtlinge, in den damaligen Jahrhunderten war das deckungsgleich, fanden hier ihre Heimat und haben Preußen entstehen lassen, haben von Anfang an ihre Chance gehabt. Wer einen Blick ins Berliner Telefonbuch wirft, wird an den Namen erkennen können, daß Berlin eine Summe von Einwanderern gewesen ist.

Das hat sich geändert. Dieses Sich-Abkapseln, und das auch noch in einer Lage als Stadt ohne Hinterland, wird auf die Dauer den Ruin Berlins bewirken.

Nach 1945 hat es wieder eine Einwanderungswelle gegeben. Es waren über neun Millionen Flüchtlinge, die aus den verlorenen Ostprovinzen, auch aus anderen Ländern des Ostens, nach Westen strömten. Und ich behaupte hier, daß die Reaktion eines Großteils der westdeutschen Bevölkerung auf diese Ostflüchtlinge die Reaktion war wie auf Ausländer, obgleich es sich um Deutsche handelte.

Ich habe zwei Jahre nach Kriegsende meine Eltern auf einem rheinischen Bauernhof wiedergefunden. Sie waren dort in dem bösen Winter 46/47 in der Futterküche untergebracht und aßen erfrorene Kartoffeln und wurden von den rheinischen Großbauern wie der letzte Mist behandelt. Die Rede war: Die sollen doch hingehen, wo sie herkommen! Es wurde nicht zur Kenntnis genommen, daß wir einen Krieg angefangen und verloren hatten, daß diese Flüchtlinge gemeinsam mit den Ausgebombten in den Großstädten, die noch am ehesten Verständnis für die Ostflüchtlinge hatten, die Hauptlast des verlorenen Krieges zu tragen hatten.

Dennoch hat man politisch richtig gehandelt. Diese neun Millionen Flüchtlinge sind nicht in Lager gesperrt worden. Man hat sie nicht an den

Rand der Gesellschaft gedrängt. Man hat sehr rasch begriffen, daß diese neun Millionen Flüchtlinge mit einem Nichts im Hintergrund natürlich der Motor gewesen sind für das, was man später das Wirtschaftswunder genannt hat.

Ein Jahrzehnt später begann dieses Wirtschaftswunder, Arbeitskräftemangel aufzuzeigen. Es wurden Ausländer, in erster Linie aus Italien, aber auch aus anderen Ländern, ins Land gerufen. Der Boom der Wirtschaft, die beständigen Zuwachsraten, ließen die Zahl der Gastarbeiter anschwellen und anschwellen. Und erst, als es Anfang der 70er Jahre nach der ersten Erdölkrise auf einmal hieß, mit dem Zuwachs ist auf die Dauer nicht zu rechnen, war man sehr rasch bereit, die Leute wieder abschieben zu wollen, denen man einen großen Teil des Wirtschaftswunders verdankt. Es wird sich heute nicht mehr so machen lassen.

Wir wissen es aus den Zahlen, daß ein Großteil der Kinder dieser Gastarbeiter hier aufgewachsen ist, daß ihre Bindungen an die Bundesrepublik, wie immer die aussehen mögen, stärker sind als an das Heimatland ihrer Eltern. Wir werden mit ihnen leben müssen. Es wird uns keine Abkapselungspolitik dabei helfen, zumal wir im Verlauf der nächsten zwei Jahrzehnte mit einem Einwanderungstrupp zu rechnen haben werden, der sich mit den Normaleinwanderern, ich nenne sie mal so, die wir selbst ins Land gerufen haben, nicht mehr vergleichen läßt.

Das Anschwellen der Weltbevölkerung von viereinhalb Milliarden auf über sieben Milliarden im Jahre 2000 wird, ich wage das zu behaupten, eine neue Form von Völkerwanderung zur Folge haben. Diese Völkerwanderung wird nicht nur asiatischen und afrikanischen und südamerikanischen Ursprungs sein und sich in alle Industriestaaten hinein ergießen. Auch in den Ländern des Ostblocks, selbst wenn sie bessere Abwehrmechanismen haben, wird man auf Dauer diesem Druck nicht standhalten können. Es wird zu Bewegungen innerhalb Europas führen, da es auch dort zum Austausch von Bevölkerungsgruppen kommen wird.

Ich glaube, die Aufgabe von Politikern liegt in erster Linie wohl darin, sich den Blick freizuhalten aus der pragmatischen Anforderung des Alltags in Zukunftsentwicklungen hinein. Diese Zukunftsentwicklungen sind heute schon zu erkennen. Sie haben in Ländern, die früher große Kolonialreiche hatten, deutliche Spuren hinterlassen. Ich denke z.B. an Großbritannien, ich denke an Holland.

Eine derartige Entwicklung werden wir in Deutschland nicht haben, weil wir zu spät und zu kurzfristig zu Kolonien gekommen sind. Aber der Ruf der Bundesrepublik, ein Einwanderungsland zu sein, ein Ruf, den wir selbst

Günter Grass

aus vulgär-materialistischen Gründen jahrelang gefördert haben, indem wir die Gastarbeiter hereinholten, dieser Ruf wird bestehen bleiben; und ein anderer Ruf, auf den wir eigentlich stolz sein sollten, daß die Bundesrepublik lange als ein Land galt, in dem Menschen, die politisches Asyl suchen, eine Heimat finden können, dieser Ruf droht verloren zu gehen.

Wenn wir als Sozialdemokraten oder als Leute, die sich einer solchen Gruppierung nahe sehen, es nicht verstehen, dem überlieferten Begriff Solidarität, diesem leergequatschten Begriff Solidarität, einen neuen Inhalt zu geben, wie wir es in Polen zur Zeit erleben; wenn wir es nicht verstehen, unseren ausländischen Mitbürgern gleiche Rechte zu garantieren und ihnen die Chance einzuräumen, hier zu leben und gleichzeitig ihre Kultur weiter zu entfalten; wenn wir diese Solidarität nicht aufbringen, werden wir an unserem eigenen Egoismus scheitern.

Insgesamt: Wir sind schuld.   1981

Rainer Eppelmann und Robert Havemann führten Ende 1981 zusammen ein Gespräch, das im Westdeutschen Rundfunk ausgestrahlt wurde und aus dem Auszüge unten abgedruckt sind. Seit 1973 war Eppelmann Pfarrer an der Samariter-Kirche in Berlin-Friedrichshain, wo er mit seinen »Blues-Messen« immer mehr Jugendliche anzog. Im September jenes Jahres schickte der gelernte Maurer Eppelmann einen offenen Brief an Erich Honecker. Dort machte er Vorschläge, wie sich die Deutsche Demokratische Republik daran beteiligen könnte, den Frieden in der Welt zu sichern. Der Physiker Robert Havemann schrieb im September 1981 einen offenen Brief an das sowjetische Staatsoberhaupt Leonid Breschnew und legte darin seine Vorstellungen dar, wie der Frieden in der Welt zu sichern sei. Dieser Brief, der zahlreiche Unterschriften aus West- und Ostdeutschland trug, wurde in westdeutschen Tageszeitungen als Anzeige veröffentlicht.

In der Deutschen Demokratischen Republik war 1962 die Wehrpflicht eingeführt worden. Einen Zivildienst zu absolvieren war nicht erlaubt. Christliche junge Männer verweigerten den Dienst an der Waffe und wurden inhaftiert. Nach Verhandlungen mit der Kirche räumte der sozialistische Staat den Wehrdienstverweigerern ein, als Soldaten ohne Waffe ihren Dienst anzutreten. Sie wurden nicht befördert, mußten ein Gelöbnis statt des Fahneneides ablegen und trugen als Kennzeichen einen goldenen Spaten auf den Schulterstücken. Jeder Wehrpflichtige konnte sich nach diesem Erlaß entscheiden, ob er aus religiösen oder ähnlichen Gründen den Wehrdienst mit der Waffe ablehnen und ein sogenannter Bausoldat werden wollte. Die Bausoldaten wurden auch in volkseigenen Betrieben zu Arbeiten herangezogen, die gesundheitsschädlich waren. Sie blieben durch ihre anhaltende Kritik am sozialistischen System ein Risiko für die Herrschenden. Sie organisierten sich tatkräftig in der Friedensbewegung und stellten sich in den achtziger Jahren auf die Seite der polnischen Solidarność. Rainer Eppelmann gehörte zu den Wehrdienstverweigerern, kam deswegen für acht Monate in Haft und wurde darauf Bausoldat. Er gründete mit anderen 1989 die Partei »Demokratischer Aufbruch«, war 1990 Minister für Abrüstung und Verteidigung und ging als Mitglied der Christlichen Union in den Bundestag.

Rainer Eppelmann im Gespräch.

FRAGE: Ich möchte Sie beide fragen, halten Sie es für möglich, daß sich auch in der DDR ähnlich wie in der Bundesrepublik eine spontane, nicht von der Partei und den Behörden organisierte Friedensbewegung entwickeln könnte, und was müßte nach Ihrer Meinung die Hauptforderung einer freien Friedensbewegung in der DDR sein? Ich stelle diese Frage, obwohl Herr Pfarrer Eppelmann bisher keine ermutigenden Erfahrungen gemacht hat.

ROBERT HAVEMANN: Ja, Freund Eppelmann hat tatsächlich keine ermutigenden Erfahrungen gemacht, denn als eine Gruppe von jungen Christen an einer Friedensdemonstration der FDJ teilnehmen wollte, mit eigenen Transparenten, mit eigenen Spruchbändern, Tafeln, wurde zuerst mal verlangt, man müsse die vorher sehen und genehmigen und den Text genau prüfen, und als zu diesem Zweck jemand sich angekündigt hatte von der Freien Deutschen Jugend, um eben diese Kontrolle durchzuführen, kam anstelle der FDJ die Staatssicherheit und nahm die ganzen Plakate und den jungen Mann, der dabei war, gleich mit.

RAINER EPPELMANN: Aber trotzdem, was du jetzt gesagt hast, Robert, würde ich die Frage anders beantworten wollen, ich glaube doch, daß es auch mutmachende Erfahrungen gegeben hat, ganz sicher bisher nicht mit den staatlichen Organen, aber daß sich Jugendliche spontan bereitgefunden haben, so etwas zu machen, das finde ich ungeheuer gut. Oder daß es Bausoldaten in der DDR gibt, trotzdem die wissen, daß sie dadurch Nachteile auf sich nehmen, das finde ich gut, das finde ich mutmachend.

HAVEMANN: Und was die Ziele einer Friedensbewegung in der DDR anlangt, hast du gerade in deinem Brief sehr viel darüber ausgeführt, ich glaube ja, daß eine spontane Friedensbewegung in der DDR jederzeit möglich wäre, wenn sie eben nicht so schwer behindert würde. Wenn sie aber in Gang gekommen ist, halte ich sie für unaufhaltsam. Ja, und ich glaube, das sind die wichtigsten Forderungen, gerade die Forderungen, die du in deinem Brief erhebst. ...

FRAGE: In Ihren beiden Briefen finden sich in sehr entscheidenden Punkten weitgehende Übereinstimmungen. Sie schlagen vor, zu den Grundsätzen des Potsdamer Abkommens von 1945 zurückzukehren, die eine totale Entmilitarisierung Deutschlands verlangen. Dementsprechend sollten die vier Alliierten des Zweiten Weltkrieges Friedensverträge mit den inzwischen entstandenen beiden deutschen Staaten abschließen, ihre Besatzungstruppen aus beiden deutschen Staaten abziehen, dann wohl auch untereinander Garantieverträge abschließen, durch die gesichert wird, daß keine der Mächte sich in die inneren Angelegenheiten der beiden deutschen Staaten einmischen darf. Ist diese Idee nicht doch eine reine Utopie? Wenn wir die gegenwärtigen militärischen, wirtschaftlichen und machtpolitischen Verhältnisse in Europa und überhaupt in der ganzen Welt nüchtern und ohne Illusionen beurteilen?

HAVEMANN: Es ist eigentlich eher eine Illusion, daß durch Verhandlungen über Abrüstung oder über Beschränkung von Rüstung oder über partielle oder weitergehende Zurücknahme von Raketen zwischen den Amerikanern und Russen, der Sowjetunion, der Frieden gesichert werden kann in Europa. Das wird sich ewig hinziehen, und schließlich werden wir eines Tages doch vor dem großen Untergang stehen. Es muß – wenn wir in Europa überleben wollen – die Ursache beseitigt werden für die Kriegsgefahr, und diese Ursache ist eben die Verwandlung der beiden Teile Deutschlands in militärische Basen der beiden miteinander kämpfenden oder miteinander streitenden Großmächte. Die DDR ist eine Militärbasis der Sowjetunion und die BRD ist die größte ausländische Militärbasis der Vereinigten Staaten. Jedes Jahr vermehrt sich das Potential in diesen beiden Teilen Deutschlands. Früher hat man mal geglaubt, es könnte Frieden durch die Teilung Deutschlands gesichert werden, die ausländischen Truppen könnten gewissermaßen die Deutschen daran hindern, wieder übereinander und über die Welt herzufallen. Nein, im Gegenteil, das ist umgedreht gegangen. Der Frieden wurde immer unsicherer, und wenn wir heute von der Gefahr eines nuklearen Krieges in Europa reden, dann wissen wir, er kommt eben daher, daß hier die meisten Kernwaffen, die meisten Sprengköpfe, atomaren Sprengköpfe konzentriert sind in diesen beiden Gebieten. Deswegen meine ich, müssen wir zurück zum Potsdamer Abkommen, müssen wir die Entmilitarisierung Deutschlands fordern und den Abzug der Besatzungstruppen, und damit wird dann auch die Ursache beseitigt ...

EPPELMANN: Denn zunächst würden ja die beiden Militärblöcke auseinanderrücken müssen, wenn das so passieren könnte, wie du dir das jetzt hier vorstellst, Robert, und das ist ja, wenn ich mich richtig entsinne, schon mal ein Vorschlag des polnischen Außenministers Rapacki gewesen, eine solche Zone in Europa zu schaffen, daß sich die beiden militärischen Blöcke nicht unmittelbar gegenüberstehen, sondern daß da eine Pufferzone sich durch Europa zieht.

HAVEMANN: Ja, es wird ja noch weitergehen. Wenn tatsächlich die Vereinigten Staaten ihre Truppen aus der Bundesrepublik abziehen und die Russen entsprechend ihre Truppen aus der DDR mitsamt dem ganzen Kriegsmaterial, wenn außerdem die Streitkräfte, soweit man sie überhaupt noch braucht, in dem nun entmilitarisierten Deutschland auf ein Minimum reduziert sind, ja, ich meine, dann …

EPPELMANN: Ja, um auf Ihre Frage nochmal einzugehen, ich halte das auch nicht für eine Illusion. Das scheint sich sehr unmöglich anzuhören, aber solche unmöglichen Dinge müssen gedacht werden, um Wirklichkeit werden zu können, und wenn uns kleinen Leuten deutlich wird, daß wir weder an der Aufrüstung noch an einem Krieg etwas gewinnen können, aber alles verlieren, dann meine ich auch, muß es möglich sein, daß wir so großen Druck auf unsere Regierenden ausüben könnten, daß es zu politischen Lösungen in der eben angezeigten Richtung kommen muß. …

FRAGE: Glauben Sie, daß durch den Abzug der Amerikaner und der Sowjets aus den beiden deutschen Staaten die Wiedervereinigung Deutschlands über kurz oder lang erreicht werden könnte? Sind Sie für die Wiedervereinigung, und wenn ja, wie stellen Sie sich das wiedervereinigte Deutschland vor, politisch und ökonomisch? Sie haben vor gar nicht langer Zeit Ihr Wort wiederholt, nämlich daß Sie die DDR für das bessere Deutschland halten. Wären Sie bereit, es vor einer Wiedervereinigung aufzugeben?

HAVEMANN: Diese Frage würde ich in dieser Form nicht akzeptieren. Ich glaube zwar, daß wenn die Amerikaner und die Russen wieder abziehen aus Deutschland, die Wiedervereinigung endlich als eine politische Möglichkeit erscheint. Wie wir Deutsche diese Möglichkeit verwirklichen, ja, das ist sehr schwer vorauszusehen. Ich wünsche mir die Wiedervereinigung natürlich nicht in der Form eines Deutschland, wie es, sagen wir, gegenwärtig die Bundesrepublik darstellt. Auch auf keinen Fall so, wie es die DDR gegenwärtig uns zeigt. Ich finde, beide deutschen Staaten haben Eigenschaften, die mir ganz und gar mißfallen. Bei der DDR mißfällt mir alles, was das Leben der Menschen behindert, der einzelnen Menschen behindert. Unterdrückte Menschen … Das völlige Fehlen der Freiheit des einzelnen gegenüber der Willkür des Staates. Das ist das, was ich diesem Lande und diesem System vorwerfe, was mich empört. Wieso ich dieses Land trotzdem als das bessere Deutschland ansehe, weil ich glaube, es ist historisch weiter vorangeschritten, weil es die eine gefährliche Art von Privileg beseitigt hat, nämlich das Privateigentum an Produktionsmitteln. Es ist ein alter Begriff aus der marxistischen Ökonomielehre, aber ich glaube, es ist entscheidend, daß es in der DDR, wenn man von kleinen Handwerkern und Kleinunternehmen absieht, was ich eher sogar für gut und wichtig halte, es eben kein großes Konzern- und Privateigentum an Fabriken und Gruben und auch Grund und Boden gibt. Es gibt nicht diese Clique, diese große Schicht von Mächtigen, die niemand gewählt hat und die sich jeder Kontrolle entziehen. Unsere Mächtigen entziehen sich zwar auch auf ihre Weise der Kontrolle, aber sie sind doch nicht identisch mit Privateigentümern von Produktionsmitteln. Das ist der Grund, warum ich dieses Deutschland für das bessere halte, es ist historisch weiter vorangeschritten, in der Richtung auf eine sozialistische Gesellschaft, die ich mir erstrebe, für die ich mein Leben immer eingesetzt habe. Für eine solche Wiedervereinigung bin ich. Aber ich bin auch bereit, für die Wiedervereinigung mit in Kauf zu nehmen, wenn sie nicht so ganz nach meinen Wünschen gehen sollte.

Auf jeden Fall darf keinerlei Gewalt angewendet werden. Von keiner Seite. Es muß frei und demokratisch vor sich gehen. Weder durch Einmischung, es darf weder Einmischung von außen geben noch natürlich Gewaltanwendung im Innern. Es darf nicht mit Polizei die Lebensfrage des deutschen Volkes entschieden werden, sondern nach dem Willen der Bevölkerung. Natürlich werden wir wahrscheinlich eine neue Nationalversammlung haben. Die wird die Frage der Einheit besprechen. Und wie lange wird es beide Staaten noch selbständig geben? Sicher auch noch ziemlich lange. Von heute auf morgen, gewissermaßen kurz nachdem das alles Realität geworden ist mit dem Abzug der Besatzungstruppen, wird es noch keine Wiedervereinigung geben. Das wird noch eine ganze Weile Zeit kosten, und ich wünsche mir geradezu, daß es noch eine ganze Weile Zeit kosten wird.

EPPELMANN: Ich glaube, daß das dann auch gar nicht das entscheidende Problem ist, wenn wir Menschen über unsere Grenzen hinweg miteinander umgehen können. Wenn Grenzen ja noch ein Strich auf der Landkarte sind, aber wir miteinander in Verbindung treten können, dann glaub' ich, ist die Frage der Grenzen oder eines ... zu irgendeinem Staat zu gehören, eine zweitrangige Frage. Dann wäre vielleicht auch der Weg zu einem vereinten Europa frei.

HAVEMANN: Das wiedervereinigte Deutschland wird viel weniger ein wiedervereinigtes Deutschland sein, sondern eine Wiedervereinigung in Deutschland, die Ausgangspunkt für eine große Wiedervereinigung oder eine große

Neuvereinigung in Europa werden kann. Das ist auch meine Meinung. Und ich finde, die politischen Entwicklungen in verschiedenen Staaten, nicht gerade die allerneuesten, aber in Frankreich auch gegenwärtig, lassen uns wirklich hoffen.

EPPELMANN: Ja, und diese Vision erscheint mir viel verlockender als die, die so unser augenblickliches Tagesgeschehen ausmacht.   1981

Heinrich Albertz forderte die Christen in der Bundesrepublik auf, das Christentum ernst zu nehmen und sich auf eigene Initiative hin für den Frieden einzusetzen. Der Sozialdemokrat Albertz, 1915 in Breslau geboren, hatte nach dem Attentat auf Rudi Dutschke 1968 alle seine politischen Ämter niedergelegt. Er hatte seit den dreißiger Jahren zur Bekennenden Kirche gehört und war mehrmals von den Nationalsozialisten verhaftet worden.

Im Jahr 1966 hatte er die Nachfolge Willy Brandts als Regierender Bürgermeister von Berlin angetreten. Am 2. Juni 1967 begleitete er zusammen mit dem Bundespräsidenten Heinrich Lübke den Schah von Persien in die Deutsche Oper in Berlin. Nach dem Tod von Benno Ohnesorg an jenem Opernabend, als sich draußen die Polizei und die persischen Schahanhänger mit den Studenten und den Schahgegnern eine Straßenschlacht geliefert hatten, erklärte Albertz, daß die Berliner Regierung sich nicht länger von einer Minderheit terrorisieren lasse. Was sich in den letzten vierundzwanzig Stunden ereignet habe, das habe mit dem Recht auf freie Meinungsäußerung nichts zu tun. Die Geduld der Berliner habe ein Ende, Sicherheit und Ordnung müßten in dieser Stadt gewährleistet bleiben. Aus diesem Grund, erklärte Albertz, habe sich der Senat entschlossen, jede öffentliche Demonstration bis auf weiteres zu verbieten. Wer sich dieser Aufforderung widersetze, werde auf den energischen Einsatz der Polizei stoßen und ohne Ansehen der Person strafrechtlich verfolgt werden. Wer Ursache und Wirkung verwechsle, der mache sich bereits schuldig, sagte Heinrich Albertz. Die Erklärungen der Polizei einerseits, der Studenten andererseits über den Verlauf der Ereignisse, die zum Tod des Studenten geführt hatten, klafften auseinander. Die Ermittlungen der Staatsanwaltschaft ließen große Zweifel an der Behauptung des Regierenden Bürgermeisters über Ursache und Wirkung aufkommen. Albertz ging.

Frieden mußte sich auch ohne Gewalt schaffen lassen. In den osteuropäischen Ländern, vor allem in Polen mit der Gewerkschaft Solidarność und in der Deutschen Demokratischen Republik, wo sich in den Nischen der evangelischen Gemeinden Friedensbewegte trafen, bildete der Glauben ein Rückgrat der Opposition gegen das herrschende Regime. »Schwerter zu Pflugscharen«, hieß die Bewegung für den Frieden in Leipzig. Schon in den frühen achtziger Jahren fanden sich Friedensbewegte zu Montagsgebeten für Frieden und Menschenrechte zusammen. Heinrich Albertz sah in der ernstgenommenen christlichen Botschaft eine Grundlage für ein politisches Handeln. Auf dieser Grundlage fanden sich politische Bewegungen aus beiden deutschen Staaten mit ihren Forderungen nach Demokratie, Frieden und dem Schutz der Natur zusammen. Das Fanal für ein ernstgenommenes Christentum, das sich weder mit dem Sozialismus noch mit der offiziellen Kirchenleitung abfinden mochte, setzte in der Deutschen Demokratischen Republik am 18. August 1976 der Pfarrer Oskar Brüsewitz. Er verbrannte sich in Zeitz vor der Michaelis-Kirche. Der Text von Albertz, aus dem im folgenden zitiert wird, hieß »Von der Angst der Kirche vor der Bergpredigt« und erschien 1982.

Heinrich Albertz. Wer in den letzten Jahren die elenden Auseinandersetzungen über die politische Dimension des Evangeliums verfolgt oder gar selbst geführt hat, wird nicht ohne vergnügte Verwunderung miterlebt haben, wie *ein* Text der alten Bücher von Jesu Leben und Lehre immer mehr in den Vordergrund rückte, den auch die gebildeten Stände des Landes wahrscheinlich nur noch vom Hörensagen kannten. Die Bergpredigt  war in aller Munde, plötzlich und so, als sei sie gerade gehalten worden. Eher laizistische Zeitungen druckten sie in vollem Wortlaut ab. Und anstatt sich über diese neue und ganz unerwartete »Volksmission« zu freuen, begann auch in den Amtskirchen in einer Unzahl von theologischen und kirchenpolitischen Veröffentlichungen, bischöflichen Ermahnungen und handfestem Streit mit den Regierenden des Landes die alte Frage nach Sinn und Wert und Anwendungsmöglichkeit der alten Texte. Freilich kam nicht ihre ganze Breite in den Blick. Vielmehr erschien wie in einem Brennglas die Mitte der Seligpreisungen vor aller Augen und Ohren. Die Schlüsselworte: Frieden stiften, Barmherzigkeit üben, trauern können, die Feinde lieben, Rechtsverzichte leisten – also den ersten Schritt auf den Gegner hin wagen. Dies wurden die Leitworte, die Fahnen, den Aufbrüchen der Kirchentage vorangetragen, in unzähligen Friedenswochen behandelt, und damit die tragende Kraft auch für die allgemeine Friedensbewegung des Volkes bis zu dem Marsch der 300000 nach Bonn.

Jedoch, die Kirche verhielt sich abwartend, ja ängstlich. Hatte sie sich nach 1945 zwar in moderater Weise immer zur »politischen Diakonie« bekannt, so doch immer in den Grenzen des von der Gesellschaft und der Verfassung, in der wir lebten, Erlaubten. Das volle »Regierungsprogramm« Jesu (Kurt Scharf) ernst zu nehmen, also die Veränderung aller Maßstäbe unseres politischen und ökonomischen Zusammenlebens, der Auszug aus allen Sicherheiten, die auf Gewalt und Gegengewalt beruhten – dies voll zur Geltung kommen zu lassen in einer Situation, in der auch und gerade die Bundesrepublik Deutschland voll auf die Abschreckung durch Waffen setzte, dies konnte in einer Volkskirche westdeutschen Zuschnitts lebensgefährlich werden.

Die Überschrift »Selig sind die Friedensstifter« für den Hamburger Kirchentag 1981 wurde zugunsten des »Fürchtet euch nicht« verworfen, das so schön auf der Welle der Kampagne gegen die Angst lag, die der Bundeskanzler für einen schlechten Ratgeber hielt. Alle jahrhundertealten Argumente tauchten wieder auf: die Bergpredigt als eine Art Mönchs- und Heiligenregel, nur für die private Frömmigkeit bestimmt, jedenfalls als extreme Möglichkeit für einzelne – Träumer und Spinner – und nie für den für alle verantwortlichen Politiker. Die Bergpredigt als Beschreibung des Reiches Gottes nach dem Ende unserer Welt, ein Rauschmittel für Utopien aller Art, die nüchternes und sachbezogenes Handeln verhindern.

Das war alles sehr vertraut. Es war das Ergebnis von höchst realen Ängsten, die amtliche Kirche könnte plötzlich im Abseits stehen oder gar gegen den Grundkonsens einer Leistungs- und Sicherheitsgesellschaft verstoßen, zu der sie selbst mit ihrer bürokratischen Verwaltung, ihren Körperschaftsrechten und vor allem ihrer Abhängigkeit von der staatlichen Steuergesetzgebung gehörte. Immer wenn einer gegen die Regeln dieser bürgerlichen Ordnung verstieß, waren diese Ängste wachgeworden. So, als ich Ulrike Meinhof besuchte und sie als Mensch behandelte, so immer, wenn sich Pfarrer oder Gemeinden auf die Seite von unbequemen Minderheiten schlugen oder am Aufbau von Feindbildern aller Art nicht mehr teilzunehmen wünschten, so, als immer mehr Christen sich gegen die Vorbereitung des Völkermordes auflehnten, den die weltweite nukleare Rüstung in Wahrheit bedeutet, so, als sie diese Rüstung ein Verbrechen vor Gott und den Menschen nannten. Die Bergpredigt stand wie ein Vorzeigetext für das wörtlich genommene Evangelium von der Versöhnung Gottes mit den Menschen und der Menschen untereinander in diesem unbequemen, gefährlichen Jesus Christus, von dem man wie der Großinquisitor Dostojevskijs der Meinung war, er möge, er dürfe nie, nie wiederkommen.

Das Merkwürdige, tief Traurige an diesen jüngsten Erfahrungen ist, daß die Schule, durch die die verfaßte Kirche während des Verbrecherregimes Adolf Hitlers gegangen war, völlig vergessen wurde. Die einfache – und noch dazu richtige – Binsenwahrheit, das Dritte Reich sei nicht mit der Bundesrepublik Deutschland zu vergleichen, hat dazu verführt, das Grundgesetz dieser Republik gleichsam als Anhang zu den Bekenntnisschriften zu empfinden und die »freiheitlich-demokratische Grundordnung« als christliche Lebensform. Daß Jesu Grundverfassungstext, vor allem aber sein Leben und seine Lehre im Ganzen, auch diesen Gesetzestext auf den Kopf stellt, wird verdrängt. Und daß die Kirche Jesu Christi zwar in allen Staats- und Wirtschaftsformen leben kann, aber niemals deren religiöse Überhöhung werden darf, ist weitgehend vergessen. Solange etwa – wie in Bayern der Bischof und die anderen kirchenleitenden Amtspersonen – direkt vom Staat bezahlt werden, solange unsere Landeskirchenämter den Provinzministerien der Länder wie ein Ei dem andern gleichen, solange selbst die Pfarrer staatlichen Beamten gleichgeachtet und gleichbesoldet werden, muß man Angst vor der Bergpredigt, Angst vor dem Herrn Jesus Christus haben. …

Also heraus aus den Amtskirchen? Nein, noch jede sogenannte Freikirche ist bis auf wenige Ausnahmen sehr schnell wieder zu bürokratischen Formen erstarrt. Aber in den Amtskirchen für die Freiheit der Bergpredigt eintreten und gegen die kindische Angst der Angepaßten angehen, das Andersleben als andere könnte zur Zerstörung der Kirche führen! Kirche Jesu Christi beginnt erst dort, wo sie als Gemeinschaft erkennbar wird, die das Evangelium Jesu wenigstens in Ansätzen zu leben versucht. Den vielberedeten christlichen Brüdern und Schwestern im kommunistischen Machtbereich muten wir dies doch täglich schulterklopfend zu. In Polen wurde zu Beginn jeder politischen Aktion von »Solidarność« die Messe gelesen – nur zu also, ihr Heuchler hier im Westen, wenn sich eine Bürgerinitiative zum Handeln anschickt! 1982

In der Bundesrepublik Deutschland trafen sich im April 1982 Tausende von Kriegsgegnern zu den traditionellen Ostermärschen für den Frieden. Acht Tage zuvor hatten argentinische Streitkräfte die Falklandinseln besetzt, die seit einhundertfünfzig Jahren britisch waren. Einen Tag darauf entsandte die britische Regierung Truppen. Vier Wochen später kapitulierten die argentinischen Streitkräfte. Unmittelbar nach der Truppenentsendung schrieb der Korrespondent der »Frankfurter Allgemeinen Zeitung« in London, Karl Heinz Bohrer, seine Polemik über Falkland und die Deutschen. Bohrer gehörte nicht zu denen, die zu Ostern für den Frieden marschierten. Er marschierte für den aufrechten Gang einer deutschen Nation. Der »Spiegel«-Herausgeber Rudolf Augstein winkte in seiner Replik auf die Polemik dem marschierenden Bohrer kopfschüttelnd hinterher. Ralf Dahrendorf korrigierte in der »Zeit« das Bild, das Bohrer von der Kampfeseinheit der britischen Nation entworfen hatte, die in See stach, um den Feind zu besiegen.

Als sich die deutsche Provinz mit Helmut Kohl, der durch ein konstruktives Mißtrauensvotum im Oktober 1982 zum Bundeskanzler gewählt worden war, daranmachte, die deutschen Geschicke zu lenken, brach für Karl Heinz Bohrer eine dunkle Zeit über das Land herein. Das mickrige Los Deutschlands in der Weltgeschichte wiederholte sich für ihn im Versagen Kohls, der Staatsmacht eine akzeptable symbolische Form zu geben. In der Kritik am Provinzialismus Helmut Kohls war sich Bohrer mit vielen Intellektuellen einig. Karl Markus Michel hat ihm hier ebenso sekundiert wie am Ende der Regierung Kohl noch einmal Heribert Prantl, politischer Redakteur der »Süddeutschen Zeitung«, in seinem Resümee der langen Jahre mit Kohl, das unter dem Titel »Lob der Provinz« erschien.

Rudolf Augstein nannte Bohrer damals einen Wütigen und von achtundsechzig romantisch Enttäuschten, der den Ernstfall nicht nur in der Politik, sondern auch in der Liebe und der Kunst vermisse und in dem Weltkriegsveteranen Ernst Jünger den Rhetoriker des Schreckens zu loben nicht müde werde. Der Ernst, den Bohrer gegen die bundesrepublikanische Händlergesinnung auffuhr, kam auch aus der Tradition einer ästhetischen Revolte, die sich gegen die selbstzufriedene kleingeistige Welt richtete. Gegen diese Enge hatte schon Bohrers dichtender Heros Charles Baudelaire, hatten die von ihm geschätzten Surrealisten ihre Provokationen gestellt. Die Kunst ist in den Händen ihrer Deuter geschmeidig: Vierzehn Jahre zuvor hatte der Philosoph Jacob Taubes zum Berliner Prozeß, der gegen zwei Verfasser der Kaufhausbrand-Flugblätter eröffnet worden war, ein entlastendes Gutachten verfaßt, in dem er dem Aufruf gerade dadurch den politischen Ernst nehmen wollte, daß er die vermeintlich surrealistische Ästhetik des Flugblatts hervorhob. Karl Heinz Bohrer, geboren 1932 in Köln, ehemals auch Literaturchef der »Frankfurter Allgemeinen Zeitung« und emeritierter Professor für Literaturwissenschaft, ist Herausgeber der Zeitschrift »Merkur«.

Der Text von Karl Heinz Bohrer hieß »Falkland und die Deutschen«. Die Entpolitisierung des Denkens, die Bohrer in der Friedensmentalität der Deutschen zu entdecken meinte, holte die Bundesrepublik in den Debatten nach der deutschen Wiedervereinigung ein. Deutschland zog in den Krieg, als der Völkermord im ehemaligen Jugoslawien auch von den Deutschen Taten statt Reden forderte. Wolf Biermann bekannte sich Anfang der neunziger Jahre zu einem Militärschlag gegen den Irak und stellte sich damit gegen die Friedensbewegten. Eine öffentliche Diskussion über die Stellung der Bundeswehr im wiedervereinigten Deutschland und über ihre neuen internationalen Aufgaben kam dadurch nicht in Gang.

Karl Heinz Bohrer. Reden wir nicht über die strategischen und politischen Einwände, die, kompetent oder nicht, in westdeutschen Amtsstuben heimlich, in westdeutschen Zeitungen und Magazinen offener an die englische Adresse gerichtet wurden. Reden wir über etwas Verborgeneres, das dabei plötzlich zutage tritt und Nachwirkungen haben wird, nicht zuletzt bei Freund und Feind, wie immer der Falklandkonflikt auch zu Ende geht.  Reden wir davon, wie das öffentliche Westdeutschland, jedenfalls Teile seiner politischen Elite, offensichtlich durch die englische Reaktion, den Krieg nicht bloß anzudrohen, sondern damit Ernst zu machen, in mehrfacher Hinsicht überfordert wurde. Von Beginn an ist eigentlich nicht verstanden worden, daß auch dieser Krieg trotz der bekannten englischen Game-Stimmung und des notorischen englischen Zivilistentums seine sonore Symbolik haben kann: Instinkte der alten Großmacht, offenbar noch intakter als die ihres angelsächsischen mächtigen Verbündeten aus zwei Weltkriegen, parlamentarische Metaphern, die plötzlich verpflichtende Bedeutung herstellen, zum Beispiel die Bedeutung von »Prinzipien«, die nationale Identität als das große Über-Ich, ja sogar das mystische Element der Ehre – auf einen Begriff gebracht: Spiritualität.

Das alles ist nicht richtig verstanden worden. Vor allem nicht die symbolische Qualität in den Details: etwa daß man »seine« Inseln nicht besetzen läßt, vor allem nicht von einem Militärregime, auch wenn man bisher mit ihm Handel trieb. Im Unterschied zu den Vichy-Franzosen haben Engländer solches nie akzeptiert. Insofern hätte das kontinentale Europa auch heute noch alle Ursache, bevor es sich mokiert, genauer hinzuhören, wenn abermals in England von »Prinzipien« gesprochen wird. Denn die kontinentaleuropäische Unfähigkeit gerade gegenüber diesem Argument erinnert peinlich daran, daß man entweder selbst sich allzuoft mit den Verächtern der eigenen Grundsätze einließ oder selbst Opfer war. Henry Kissinger brachte es am Wochenende in einer Londoner Rede auf den Satz: »In der Falklandkrise erinnert Britannien uns alle daran, daß gewisse Grundprinzipien, solche wie Ehre, Gerechtigkeit und Patriotismus, gültig bleiben und durch mehr als bloße Worte erhalten werden müssen.«

Diese Noblesse aber ist einigen ersten westdeutschen Interpreten offenbar eine Obszönität, urteilt man nach wirkungsvollen Kommentatoren, wobei die Mischung aus journaillehafter Häme und vulgärer Begriffsstutzigkeit besonders repräsentativ scheint für den neudeutschen Stil, von dem wir hier reden. Nennen wir als einziges Beispiel für oberflächliche Information das durch repräsentative westdeutsche Blätter sich durchwindende Wort »Hurra-Patriotismus«, der angeblich die Briten überfallen habe (sozusagen ein Rück-fall, den die Deutschen längst überwunden haben). Die Sache ist nur, daß die Schlagzeilengewitter der konservativen Londoner Massenpresse, die wie-derum von englischen Augen anders aufgenommen werden als einst von den notorisch autoritätssüchtigen Deutschen, wirkungsvoll ausbalanciert sind von der schon aufreizend neutralen Berichterstattung der BBC (ihr ist im Parlament deshalb von Konservativen Vaterlandsverrat vorgeworfen worden) und daß vom liberalen *Guardian* bis zum sozialistischen *New Statesman* plus der Labour-Linken der Falklandkrieg skeptisch bis aggressiv behandelt wird. Entscheidender in diesem Vorfeld der Mißverständnisse bleibt: Offen-bar ist der Begriff »Patriotismus« nach westdeutschem Sprachempfinden nur noch mit dem Präfix »Hurra« akzeptierbar, wobei das englische Wort »Jin-goismus« damit ebensowenig vergleichbar ist wie britischer Nationalstolz mit dem Analogon wilhelminischer oder gar nationalsozialistischer Weltgel-tungsansprüche. Die Westdeutschen werden wieder lernen müssen, daß ihre eigene geschichtliche Katastrophe oder Desillusionierung in der Niederlage den Wert des »Patriotismus« keineswegs relativierte; oder sie laufen weiter einer politischen Lebenslüge nach.

Was jetzt in Westdeutschland zynisch direkt oder heimlich an manchen »nassen« Stellen zum Ausdruck kommt, ist nichts anderes als eine Variante der famosen »Lieber-rot-als-tot-Mentalität«, die längst schon Anlaß der Ver-achtung gerade auch linker westeuropäischer Intellektueller ist. Die Unter-drückung der polnischen »Solidarität« hat diese Mentalität bei den gleichen Kommentatoren zutage gefördert, die jetzt über die Engländer höhnen. Auch die rhetorische Frage »Sterben für die Falkländer?« gibt vor, fürs Ster-ben gebe es einen höheren Preis. In Wahrheit enthüllt sie aber, daß man für gar nichts, jedenfalls für kein Prinzip, zu sterben bereit ist. Wenn die Ehr-lichkeit dies zugäbe, wäre man weiter und verstünde die psychischen An-triebe besser, weshalb westdeutsche Politdenker zur Zeit so überfordert sind, warum sie den Thukydides-Tonfall der *Times* nicht verstehen würden. Sie verstehen ihn nicht, weil sie von der Psychologie einer neuen Händlergesin-nung, von der Argumentation des dritten (Aus-)Wegs und der Mentalität des neuen »Friedens« geprägt sind.

Zur Händlergesinnung: Bekanntlich gehört es zur Rhetorik der »Ideen von 1914«, an denen die ersten Köpfe der Nation wie Max Scheler und Tho-mas Mann teilhatten, zwischen dem metaphysischen, »heldischen« Deutsch-land und dem Händlertum des »Westens« zu unterscheiden. Diese heldische Erbschaft ist, da sie nur Ruin und Tod brachte, mit Erfolg ins Gegenteil verkehrt worden. Es gibt keine Nation auf Erden, nicht einmal die sprichwörtlichen Levantiner, die so ausschließlich von ökonomischen Argumenten beherrscht wären wie die Westdeutschen. Sie sind die neuen Phönizier, das heißt, sie erkaufen sich alles, selbst den russischen Frieden, so wie die karthagischen Kaufleute selbst nicht gegen die Römer kämpften, sondern Söldnerheere schickten.

Die westdeutsche Händlergesinnung enthält im Unterschied zu Karthago allerdings kein Staatsbewußtsein mehr, keine Staatssymbolik, sondern bloß das harmlose Bild föderativer, fettprangender Provinzen zwischen Karneval und Weinernten. Mit Metzgereien ausstaffiert wie mit Boutiquen und so übersättigt, verängstigt, eingekauft ist diese westdeutsche Händlernation, daß sie nur andere für sich kämpfen lassen könnte, oder es bräche eine Massenhysterie aus: die Staatskrise. Da sie das nicht offen zugeben kann, tabuisiert sie den Kampf überhaupt oder rationalisiert sie ihre Angst davor mit pragmatischer Vernunft, das heißt mit wirtschaftlichen Zwängen wie der Ertragslage der Schiffbauindustrie oder Erdgasgeschäften. Wie verräterisch! Alles geht, denn alles beweist das Ende aller Kriege im Zeichen der händlerischen Vernunft. Wenn diese Vernunft in den seriösen Medien so überdimensioniert widergespiegelt ist, dann liegt das auch an der Psyche eines Berufsstandes: Journalisten, liberal, wie sie mehrheitlich sind, haben die händlerische Vernunft mit Löffeln gegessen. Opportunistisch und voyeuristisch, verstehen sie nicht die Symbole des Ernstfalls. Letzlich Unbeteiligte, verwandeln sie den Ernstfall immer in einen Verhandlungsfall und diesen dann in einen moralisch-modernen Vorwurf gegen solche, die den Ernstfall begriffen und akzeptiert haben, zum Beispiel die *Times*, die das Prinzip gegen die Leere von bloßen Kompromissen verteidigt.

Zur Psychologie des dritten (Aus-)Wegs: Die hatte ihre lange, gewissermaßen berühmte Hegelsche Tradition, das heißt, einfach ausgedrückt: unterhalb der scharfsinnigen Begriffsdialektik des großen Denkens beginnt im gewöhnlich westdeutschen Denkseminar und Jargonbetrieb jenes die Gegensätze verwischende Gespräch, genauer ausgedrückt: das Gelabere. Sein verräterisches Wort heißt: »Vermittlung«. Dadurch ist die schwierige intellektuelle und politische Opposition, ist der Konflikt geistig aufgehoben, alles ist auf dem Wege, sozusagen im Prozeß, und wenn das nicht hilft, dann hilft immer der furchterregende, weil tabuschüttelnde Hinweis auf das durch Carl Schmitt ein für allemal angeblich desavouierte »Freund-Feind-Denken«. Dieses Denken ohne Feind, ohne elementares Konsequenzbewußtsein, enthüllte sich in der Falkland-Krise, als die ersten Schiffe sanken. Plötzlich war die Psyche des Auswegs »betroffen«, um es mit einem Modewort zu sagen.

Es war nicht die Trauer oder die Wut der betroffenen Engländer, sondern etwas anderes. Die kollektive westdeutsche Psyche muß sich fragen lassen: Wieso gab sie ihr Plazet, als die Kriegsschiffe ausliefen, und begann zu jammern, als es ernst wurde? Weil ihr Ja weder ein »Ja« noch ein »Nein«, sondern etwas Undenkbares dazwischen war? Weil sie nicht weiß, daß Kriegsschiffe schießen, oder weil ihr erstes Ja schon wertlos war?

Ein typisches Symptom dieser dritten Ausweg-Lüge: als ob Verhandlungen etwas anderes erbrächten als Vorteile für die Friedensbrecher! Man könnte an die Parabel vom ertappten französischen Liebhaber, der kämpft, und vom deutschen, der durch die Tapetentür verschwindet, erinnern, um den amüsierten Hohn auf die moralischen Konsequenzen der angewandten Dialektik zu erläutern. Die Psychologie des dritten (Aus-)Wegs ist ein leeres Ethos ohne letzte Causa, ohne Brinkmanship; diese kann nur am Abgrund verhandeln, weil der Gegner weiß, daß der andere wirklich am Abgrund zu stehen bereit ist. Nur deshalb ist der Mann am Abgrund nicht erpreßbar. Wenn englische Finanzhaie sich verächtlich ihrer Erfolge am westdeutschen Grundstücksmarkt brüsten, dann besonders deshalb, weil ihre westdeutschen Partner angeblich nichts von dieser Brinkmanship verstehen, nie wirklich nein sagen können, das heißt unendlich und beliebig erpreßbar sind. Mit anderen Worten: selbst britische Gerissenheit schmeichelt sich im Vergleich mit westdeutschen seriösen Geschäftsleuten noch mit einem Anflug von Gentleman-Ethos.

Zur Friedensmentalität: Die Crux von dem allen – um es nur deutlich genug zu sagen – ist jene Friedensmentalität, die vom trügerischen Unwort »Friedenspolitik« und Slogans wie »Den Frieden sicherer machen« vorbereitet wurde und inzwischen auf das westdeutsche preisgekrönte Eurovisionslied »Ein bißchen Frieden« herunterkam. Die hübsche Sängerin meinte hastig, um politischem Verdacht zu entgehen, das Lied sei ganz privat gemeint. Als genauso entpuppt sich aber die allerneueste Friedensmentalität. Die traumatische Erinnerung an unsere verlorenen Kriege und die Vorwegnahme eines potentiellen tödlichen Zukunftskrieges sollte eigentlich alles erklären. Warum nicht aus diesem Trauma eine Strategie zum Nutzen aller machen? Das Trostlose daran ist nur, daß dieses edle Unterfangen auf der Ebene der neuen Friedensmentalität nur winselnde Harmlosigkeit entläßt: »Laßt uns in Frieden!« Als ob es das gäbe. Als ob es geben könnte: Machtverzicht und politische Raumleere! Solche Entpolitisierung des Denkens – sie ist nichts anderes als der Friede um jeden Preis, der Friede wieder infantil Gewordener unter der Fuchtel ihres Imperators. Und es kommt nicht von ungefähr.

Karl Heinz Bohrer

Die winselnde Harmlosigkeit – wo wäre sie psychoanalytisch sprechender, repräsentativer dargestellt als in den Symbolfiguren des Zweiten Deutschen Fernsehens, jenen unsäglichen Kreaturen, die als Mainzelmännchen das Nachkriegs-Gartenzwerg-Bewußtsein einhechelten. Es hechelt seit einer Epoche: »Ich bin klein, mein Herz ist rein, soll niemand drin wohnen als Mutti (Vati, Omi, Waldi) allein.« Dem Gegner die Kehle hinhalten, ganz unschuldig, die brüllende Unbedarftheit, die zerstörte Emotion, das politisch Häßliche schlechthin – das ist es, was den Fernsehdeutschen auf der untersten Ebene den verlogenen Pazifismus eindudelte. Die höhere Ebene, das ist die Friedenssoziologie. Das ist das ewige Gespräch, Freizeitmentalität, kein »Ernstfall« (auch nicht in der Liebe und in der Kunst). Man möchte die Erfinder von alldem noch erhabene Aufklärer nennen. Die Folgen bei Universitäten, Pen-Club, bei Sozialhelfern, im intellektuellen Milieu schließlich sind so banal wie nachwirkend verheerend. Symptomatische Beispiele: die betulichen Rezensionen des britischen Films *Chariots of Fire* oder die beflissenen Friedensbemühungen des westdeutschen Schriftsteller-Verbandes.

Als während der Skagerrak-Schlacht im Ersten Weltkrieg die Deutschen mit besserer Feuergenauigkeit gleich zu Beginn drei der strategisch überlegenen, aber schlecht gepanzerten englischen Schlachtschiffe vernichtend trafen, war die überlieferte lakonische Reaktion des englischen Admirals: »Something must be wrong with our bloody ships.« Die derzeitige englische Reaktion nach dem Raketentreffer auf den englischen Zerstörer hatte am Ende noch immer etwas von dieser Lakonie. Dazu gehört, im grellen Kontrast zur angedeuteten Friedenssoziologie, das Bewußtsein, wie unberechenbar trotz ebendiesen genauen Berechnungen Beginn, Ablauf und Ende eines Zukunftskriegs sein kann. Stoizismus plus ein bißchen Hobbes. Die Falklandkrise hat diesen Effekt wider die Hochrechnungen schon gehabt. Und somit war die Ausfahrt der englischen Flotte doch mehr als Don Quichottes letzter Ritt im Zeichen eines noblen, aber untergegangenen Prinzips. Es bewies sich, daß nicht bloße Schlauheit und Unterwerfung unter das angeblich furchtbar Absehbare, sondern Noblesse und Prinzipien es sind, die politische Völker von unpolitischen noch immer unterscheiden. Und weil das so ist, klang auch die alte Melodie »Scotland the Brave«, als die zum Truppentransporter umgewandelte Queen Elizabeth II. mit der schottischen und walisischen Garde an Bord langsam aufs offene Meer hinausfuhr, noch immer so emotionell. Es war weder hurrapatriotisch noch anachronistisch. Es war ein Stück europäischer Zivilisation. Nur die Mainzelmännchen kichern darüber. 1982

Karl Heinz Bohrer stand nicht ganz allein, als er sich nach einem Deutschland umsah, das nicht länger gedrückt und mit hängenden Schultern durch die Weltgeschichte lief. Die Geschichte sollte der Bundesrepublik den Rücken stärken. Im Berliner Gropius-Bau wurde 1981 mit großem Erfolg die Ausstellung »Preußen – Versuch einer Bilanz« gezeigt. Kanzler Helmut Kohl machte in seiner Regierungserklärung 1982 den Vorschlag, in Bonn ein Haus der Geschichte der Bundesrepublik und des geteilten Deutschland zu bauen. Das Museum wurde 1994 eröffnet. In Berlin wurde 1987 das Deutsche Historische Museum gegründet, das die Geschichte der Deutschen in Europa zeigen sollte.

In der Bundesrepublik konnten die Deutschen 1984 vor dem Fernseher sitzen und mit Behagen das Epos »Heimat« von Edgar Reitz verfolgen, das sich über mehrere Folgen erstreckte und aus dem Blickwickel der Bewohner eines Dorfes im Hunsrück die deutsche Geschichte seit den dreißiger Jahren erzählte. Im September 1983 begann die Deutsche Demokratische Republik damit, die Selbstschußanlagen an der Grenze durch Deutschland abzubauen, deren Existenz sie bisher geleugnet hatte. Es dauerte noch vier Jahre, bis sich Erich Honecker zu seinem ersten Besuch in die Bundesrepublik aufmachte.

Der Dramatiker Heiner Müller saß 1982 in der Deutschen Demokratischen Republik und sah mit Unbehagen, wie die Bundesrepublik nach Preußen griff. Er gehörte zu den privilegierten Schriftstellern des sozialistischen Staates, die in das westliche Ausland fahren durften. Er kehrte immer wieder in die Deutsche Demokratische Republik zurück. Nach der deutschen Wiedervereinigung wurde bekannt, daß er als Informeller Mitarbeiter bei der Staatssicherheit geführt worden war. Heiner Müller gab diese Nähe zur Macht freimütig zu, weil er dadurch keinem Menschen geschadet habe. In dem Gespräch, das er 1982 führte und aus dem der folgende Text stammt, ließ er keinen Zweifel daran aufkommen, wo seine Heimat liegt. Mit dem Begriff eines Verfassungspatriotismus hätte er, der sich eine deutsche Wiedervereinigung unter bundesrepublikanischer Führung nicht vorstellen mochte, wenig anfangen können.

Für Heiner Müller war – ebenso wie für Robert Havemann – die Deutsche Demokratische Republik eine reale Alternative zum westlichen kapitalistischen Staat – trotz der Toten an der Mauer, die beim Fluchtversuch erschossen worden waren, und trotz der staatlichen Repressionen gegen die Oppositionellen in seinem Land. Hier lehnte ein Intellektueller am Block der Geschichte, um den Titel eines seiner letzten großen Gedichte, das er dem Historiker Theodor Mommsen gewidmet hatte, abzuwandeln, und wurde deshalb nicht durch Ereignisse, mochten sie für einzelne Menschen tragisch sein, aus dem Gleichgewicht mit der historischen Entwicklung gebracht. Mit der gleichen Ruhe lehnte am Block der Geschichte nur noch ein anderer deutscher Schriftsteller des zwanzigsten Jahrhunderts: der von Heiner Müller verehrte Ernst Jünger. Wo Karl Heinz Bohrer ein entpolitisiertes Denken gefunden hatte, sah Heiner Müller ein politisches Vakuum. Dieses politische Vakuum, erklärte Müller, sei entstanden, weil die Mehrheit der Deutschen im Westen sich der deutschen Geschichte nicht wirklich gestellt hätte. Ähnlich wie Ralf Dahrendorf in den sechziger Jahren sah er im Westen eine Einstellung gegenüber Ausländern zutage treten, die ihn in den Grundzügen an das Verhältnis der Deutschen zu den Juden während des nationalsozialistischen Regimes erinnerte.

Heiner Müller im Gespräch.

Sie leben in Ostberlin, aber Sie sind in der ungewöhnlichen Lage, ungehindert in den Westen reisen zu können. Wieviel Mauer ist zwischen Ost und West?

Wenn ich vom Übergang Friedrichstraße zum Bahnhof Zoo in Westberlin fahre, fühle ich einen großen Unterschied, einen Unterschied von Zivilisationen, von Epochen, von Zeit. Es gibt da verschiedene Zeitebenen, verschiedene Zeit-Räume. Man fährt da wirklich durch eine Zeitmauer.

Ich befragte gestern ein paar deutsche Freunde aus Ostberlin, und sie sagten: »Wir lieben es. Es ist, als ob man in die fünfziger Jahre zurückginge.«

Die meisten Leute, die von West- nach Ostberlin kommen, stellen Vergleiche auf einer horizontalen Ebene an. Das funktioniert nicht. Das Problem ist das Elend des Vergleichens. Man kann die Dinge nicht einfach so vergleichen.

Ostberlin ist also eine Sache für sich?

Mich hat die Bemerkung eines jungen Mannes beeindruckt, der einen Aufsatz über meine Arbeit schrieb. Was ihn am meisten interessierte, sagte er, war dieses Problem der anderen Zeit. Er erinnert sich, daß er nie ganz verstanden hatte, weshalb es der deutschen Wehrmacht im zweiten Weltkrieg nicht gelang, in Moskau einzudringen. Sie stand einfach da und konnte nicht weiter. Er glaubte nicht an militärische oder strategische Gründe. Er glaubte nicht an geographische Gründe. Er glaubte nicht an ideologische Gründe. Es gab da einfach eine Zeitmauer. Die Wehrmacht war nicht mehr auf demselben Gleis. Das ist das wirkliche Problem. Vor ein paar Jahren bat mich LE MONDE in Paris, etwas über die kulturelle Situation in Ostberlin zu schreiben. Ich versuchte, sie dem französischen Publikum zu erklären, und das war nicht leicht. Dann fiel mir eine Bemerkung von Ernst Jünger ein. Er sagte, man kann die Differenz von zwei Erfahrungen nicht diskutieren. Es gibt eine andere Bemerkung von Viktor Schklovskij, einem der russischen Formalisten. Er schrieb, in Eisensteins OKTOBER wird das Ende der Warengesellschaft Bild. Viele meiner Freunde sind in den Westen gezogen – Schriftsteller vor allem. Sie versuchten, dort zu schreiben, aber das ist wirklich ein Problem. Leute, die hier aufgewachsen sind, haben zumindest ein Bild von oder eine Hoffnung auf eine andere Gesellschaft, eine andere Art zu leben. Dieses Bild verbindet sich mit dem Ende der Warengesellschaft. Im Westen ist diese Welt in voller Blüte, und daran kann man sich nie ganz gewöhnen. Man kann das Bild einer anderen Welt nie ganz vergessen. Das wird ihre Schizophrenie, wenn sie sich dazu entschließen, im Westen zu leben.

Und Sie fühlen sich nicht auf dieselbe Weise schizophren?

Vielleicht bin ich auch schizophren, aber ich möchte nicht in einem anderen Zeitalter leben mit dem Bild von dem, was ich für ein neues Zeitalter halte. Vielleicht wird dieses neue Zeitalter nie kommen, aber es existiert als Utopie.

Der Westen hat auch seine Utopie. Glauben Sie, daß die DDR etwas mit der westlichen Utopie einer sozialistischen Gesellschaft zu tun hat?

Nein, die können Sie hier nicht finden, aber Ihre Vorstellung hat hier trotzdem eine Realität als Programm. In den Fünfzigern versuchten die Leute sich zu überzeugen, daß die Realität das Programm sei, aber im Westen gibt es keine andere Utopie. Es gibt keine rechte Utopie. Utopie ist immer links.

Wenn das Leben in Ostberlin oder in der DDR sich vom Leben im Westen so sehr unterscheidet, wie würden Sie es dann definieren, besonders als Schriftsteller?

Alles, was man im Osten schreibt, ist für die Gesellschaft sehr wichtig, oder die Gesellschaft glaubt, daß es sehr wichtig ist. Man hat es hier schwer, etwas zu publizieren, weil alles eine so große Wirkung hat. In der Bundesrepublik hat man keine Schwierigkeiten, publiziert zu werden, außer wenn es sich um etwas handelt, das mit Terrorismus zu tun hat. Das ist das westdeutsche Tabu.

Sie meinen, in Westdeutschland kann man fast alles publizieren, weil es keine Wirkung hat?

Es gibt da eine künstliche Freiheit, einen künstlichen Freiraum für Ideologie, für die Künste und für Literatur. Die Künstlichkeit dieser Freiheit beruht auf der Tatsache, daß Westdeutschland nicht funktionieren könnte, wenn nicht Ausländer, Leute aus dem Süden, aus armen Ländern, die Dreckarbeit oder die Dienstleistungen machen würden. Und deshalb haben sie im Westen ein enormes Problem mit dem Süden. In unseren Ländern, in unserem Block, haben wir eine Art Osmose mit der Dritten Welt. Rußland ist nur ein

Heiner Müller

ganz kleiner Teil der Sowjetunion. Seine Bevölkerung ist im Verhältnis zu den asiatischen Republiken, den asiatischen Regionen, geradezu minimal. In der Sowjetunion gibt es viel mehr Dritte Welt als in den Vereinigten Staaten. Nirgends in der weißen Welt, nicht einmal in New York oder Los Angeles, findet man diese Art Osmose mit der Dritten Welt. Es gibt da eine Zeile von Jim Morrison: »Leb mit uns in den Wäldern Asiens ...«

Und Sie glauben, daß die Osmose in der Sowjetunion tatsächlich gelingt?

Ich glaube, ja. Die Änderungen oder Reformen, die in unseren Ländern nötig sind, hängen sehr von der Entwicklung der Dritten Welt ab. Das ist wie ein großer Wartesaal, in dem alles auf Geschichte wartet. Und Geschichte ist jetzt die Geschichte der Dritten Welt mit all den Problemen von Hunger und Überbevölkerung.

Glauben Sie, daß es zwischen dem Westen (Rußland jetzt eingeschlossen) und der Dritten Welt auch eine Zeitmauer gibt?

Für mich gibt es nur eine Definition von Kommunismus – Chancengleichheit. Das bedeutet, es muß eine gemeinsame Geschichte geben. Und wenn es eine gemeinsame Geschichte gäbe, wäre die alte Vorstellung von Geschichte vorbei, erledigt. Jacopetti, ein ganz rechter Dokumentarist, hat einen Film gemacht über einen Flugzeugabsturz in Australien. Es stürzte in der Wildnis ab, und die Eingeborenen sahen es. Sie hatten bis dahin nie ein Flugzeug gesehen. Sie studierten es also und versuchten, es mit Holzstücken zu rekonstruieren oder zu kopieren. Dann sprachen sie ihre Gebete und führten verschiedene Rituale und Tänze aus. Sie beteten das Flugzeug an und erwarteten, daß es fliegt. Das war ein gutes Bild für die verschiedenen Ebenen von Denken, von Zivilisation. Das ist die Welt, in der wir leben, eine Welt mit solchen Standardunterschieden.

Die Berliner Mauer ist also nicht die einzige Mauer. Es gibt eine ganze Menge anderer Mauern.

Was ich daran mag, ist, daß sie ein Zeichen ist für eine reale Situation, für die reale Situation, in der die Welt sich befindet. Und hier haben Sie es in Beton.

Glauben Sie, daß nur noch die Dritte Welt in der Geschichte ist? Glauben Sie, wir leben noch in der Geschichte?

Es gibt zwei Ideen oder Konzepte von Geschichte. In Westeuropa gibt es keine Geschichte mehr. Das europäische Geschichtskonzept ist erledigt. ...

Die preußische Identität kommt jetzt in Westdeutschland wieder hoch. Viele Leute beunruhigt das, weil es dunkle Erinnerungen weckt. Es kratzt auch an der Mauer, die die zwei Welten trennt. Wie stehen die Ostdeutschen zu dieser preußischen Wiederbelebung? Sind sie gewillt, ein gemeinsames

*Band, eine nationale Identität mit ihrem Gegenstück im Westen anzuer-
kennen?*

Das Interesse für Preußen und die preußische Geschichte im Westen ist
nur ein Versuch, es dem Osten wegzunehmen. Das ist das Hauptmotiv hinter
der Preußenwiederbelebung, und das Gegenmotiv hier ist, es festzuhalten, es
für unsere eigenen Zwecke am Leben zu erhalten. Da ist wieder der alte deutsche Bruderkonflikt. Der Krieg zwischen Brüdern, zwischen Verwandten,
ist ein Hauptthema der deutschen Literatur. Das fängt bei Tacitus an, wo Arminius auf dem einen Ufer des Flusses steht und sein Bruder auf dem anderen zusammen mit den Römern. Der Bruder versucht, Arminius zu überzeugen, daß die Römer die beste Chance für Germanien und Zivilisation
sind. Warum sie bekämpfen? Aber Arminius schimpft ihn einen Römerskla-
ven. Sie fangen an, sich zu streiten, und werfen Speere gegeneinander. So fing
das alles an – eine altdeutsche Situation.

Auf welcher Seite sind die Römer?

Die Römer sind auf beiden Seiten!

*Glauben Sie wirklich, daß die preußische Idee Teil einer Strategie ist, die
die ostdeutsche Identität in Frage stellen soll?*

Ich habe mehrere Stücke über deutsche Geschichte geschrieben. Das pole-
mischste handelt von preußischer Geschichte. Es ist nicht leicht, es hier auf-
führen zu lassen, weil es preußischen oder deutschen Traditionen gegenüber
zu kritisch ist. Ich möchte nicht sagen, daß es unbedingt eine schlechte Sache
ist, die preußische Geschichte wiederzubeleben oder sogar Denkmäler wieder aufzustellen, die weggestellt worden waren. Leute müssen zu ihrem eigenen historischen Hintergrund Zugang haben. Das Gedächtnis der Nation
sollte nicht ausgelöscht werden. Man tötet eine Nation am gründlichsten,
wenn man ihr Gedächtnis und ihre Geschichte auslöscht.

*Wir befinden uns an dem Punkt, wo die Vorstellung von Geschichte ziem-
lich unklar geworden ist. Besteht nicht die Gefahr, daß die Geschichte auf
eine künstliche Weise zurückkehrt, als reines Konstrukt: als erfundenes Gedächtnis, als gefälschte Identität, als Hyper-Geschichte? Meinen Sie, die Geschichte Preußens ist hyper-real geworden: die Wiederbelebung der Geschichte, wo die Geschichte schon verschwunden ist?*

Um den Alptraum der Geschichte loszuwerden, muß man zuerst die Existenz der Geschichte anerkennen. Man muß die Geschichte kennen. Sie
könnte sonst auf die altmodische Weise wiedererstehen, als ein Alptraum,
Hamlets Geist. Man muß sie erst analysieren, dann kann man sie denunzie-
ren, sie loswerden. Sehr wichtige Aspekte unserer Geschichte sind zu lange
unterdrückt worden.

Heiner Müller

Im Osten?

Ja. Im Westen ist ein anderer Teil der Geschichte unterdrückt worden und wird noch unterdrückt. Durch Unterdrückung kann man sie nicht loswerden.

Was wurde im Westen unterdrückt: die Nazizeit?

Ja, zum größten Teil.

Und was wurde hier unterdrückt?

Hauptsächlich die positiven Aspekte preußischer Geschichte. Wir haben immer über die negativen Aspekte gesprochen. Es hat hier eine Menge Illusionen über die Rolle der Arbeiterklasse im Faschismus gegeben.

Von offizieller Seite Illusionen über den Antifaschismus der Arbeiterklasse?

Ja. Es wird jetzt in dieser Richtung viel historische Arbeit getan.

Die DDR hatte die deutliche Tendenz, Westdeutschland den Faschismus anzukreiden. Meinen Sie, das hat damit zu tun, daß Ostdeutschland eigentlich den Preis für den Krieg hat zahlen müssen und der Westen nicht?

Die meisten Leute, die etwas in ihrer Vergangenheit zu verbergen hatten, gingen in den Westen.

Indem man die Verbrecher loswurde, wurde man auch das Verbrechen los?

Ja.

Glauben Sie, Westdeutschland ist nun dabei, die Unterdrückung seiner eigenen Geschichte zu bewältigen?

Das glaube ich nicht. Das Problem in Westdeutschland ist, daß es dort immer noch ein politisches Vakuum gibt. Dieses Vakuum wird von einer schweigenden Mehrheit eingenommen, die ihre Vorstellungen oder ihre Meinung von Politik, Geschichte oder der Vergangenheit nie richtig geändert hat. Sie schweigt einfach. Die Stabilität des westdeutschen Staats fußt auf diesem Schweigen, das nicht gebrochen wird außer durch ein paar extremistische Gruppen auf der Linken oder Rechten.

Als die Geschichte nach Westdeutschland zurückkehrte, trug sie die Maske des Terrorismus. Daß der Terrorismus in Deutschland so extrem war...

Das hat mit seiner Isoliertheit zu tun.

Bedeutet die Tatsache, daß der Terrorismus kaum noch eine Gefahr ist, daß Westdeutschland nun eine Chance hat, seine Geschichte zu bewältigen? Meinen Sie, das Problem besteht noch?

Sie können es in Westdeutschland in der Haltung gegenüber den Türken oder den Griechen oder den Schwarzen sehen. Das ist ganz einfach eine Fortsetzung der Haltung gegenüber den Juden. Die Minderheiten sind immer noch das Ziel des ganzen Hasses und der ganzen Frustration.

Ich glaube an Konflikt (1982)

Im Osten gibt es kein vergleichbares Problem?

Anfangs gab es das vielleicht. Es war hier jahrelang gefährlich, etwas gegen Juden zu sagen. Es ist immer noch gefährlich, etwas gegen die Schwarzen zu sagen, die hier leben – die hier arbeiten oder studieren. Sie leben hier viel privilegierter – auch in finanzieller Hinsicht.

Drückt sich darin ein ähnliches Schuldgefühl aus?

Das hat nichts mit Schuld zu tun. Es hat zu tun mit Solidarität mit den Schwachen, den Unterprivilegierten, den Benachteiligten.   1982

Im März 1983 zog Petra Kelly mit den Grünen in den Bundestag ein. Damit änderte sich schlagartig der Ton der dort geführten Debatten. Dieser Ton schliff sich ab, als aus den Grünen, die einmal eine grundlegende Alternative zur traditionellen Politik gewesen waren, eine Regierungspartei wurde. Der spätere Außenminister Joschka Fischer, der damals mit den Grünen in den Bundestag einzog, erzählte in der Frankfurter Szenezeitschrift »Pflasterstrand«, was er dort erlebte: »Erstaunlich ist, daß an diesem Bundestag scheinbar der Zeitgeist vorübergegangen ist. Diese steife Krähenversammlung erinnert mich an ein Turnier der Standardtänze ... Der Bundestag ist eine unglaubliche Alkoholikerversammlung, die teilweise ganz ordinär nach Schnaps stinkt. Je länger die Sitzung dauert, desto intensiver. Du siehst sie bechernd und zechend in der Kantine, mit jeder Stunde weiter unter den Tisch rutschend ... Mundtot kriegen sie uns nie ... Die geballte Aggression trifft unsere Frauen viel mehr als die Männer. Zum Beispiel werden sie auf die übelste Art angegriffen wie: ›Wollen mal sehen, ob das überhaupt ne Frau ist‹ oder ›Guck dir mal den Besen an‹. Das war nach der Kanzlervereidigung, bei der wir ja nicht waren. Natürlich läuft so was nicht öffentlich. Ein anderes Beispiel: Als eine Frau von uns im Parlament über Vergewaltigungen in der Ehe gesprochen hat. Du kamst dir vor wie in einem Herrenclub, wo Arroganz und Sexualangst zu dem berühmten Männergrinsen führen.«

Vor allem Petra Kelly machte Politik aus ihrer Betroffenheit über den Zustand einer Welt, deren Einrichtungen nicht dem Wohle aller guten Menschen dienten. Von den Grünen wurden Themen auf die Tagesordnung des Bundestages gesetzt, die in den alternativen Bewegungen im Lande diskutiert wurden. Hier wurde vor allem für den Frieden ohne Waffen, für Gerechtigkeit und Menschenrechte sowie für den Schutz der Natur gekämpft. Petra Kelly, 1947 in Günzburg geboren, demonstrierte 1983 auf dem Berliner Alexanderplatz zusammen mit der Friedensbewegung »Schwerter zu Pflugscharen« für Frieden und Abrüstung und wurde prompt von der Volkspolizei abgeführt. Im selben Jahr war sie in Moskau bei einer Demonstration dabei, auf der die Verschrottung der Raketen gefordert wurde. Die

Einreise in die Sowjetunion wurde ihr 1987, die Einreise in den östlichen Teil Deutschlands 1988 verweigert. Petra Kelly hielt ihre Rede, aus welcher der folgende Text stammt, in der Aussprache zur Regierungserklärung im Mai 1983.

Petra Kelly.

FRAU KELLY (GRÜNE): »Daß die Dinge geschehen, ist nichts, daß sie gewußt werden, ist alles.«

Liebe Freundinnen und Freunde! Rosa Luxemburg erklärte im September 1913 auf einer politischen Veranstaltung: »Wenn uns zugemutet wird, die Mordwaffe gegen unsere französischen Brüder zu erheben, dann rufen wir: Nein, das tun wir nicht.« Dieser Humanismus kam einem Hochverrat gleich. Der Richter verurteilte die Angeklagte Luxemburg zu einem Jahr Gefängnis.

Ich spreche dies an in diesem Hohen Haus der vielen Männer und wenigen Frauen, weil die Menschen aus der Friedens- und Ökologiebewegung, für die ich hier spreche, in dieser Tradition der Gewaltfreiheit stehen, im Atomzeitalter auch die Drohung, Atomwaffen einzusetzen, strikt ablehnen. Der Bundeskanzler, der jetzt wohl nicht hier ist, hat am 25. November 1982 gesagt –

(*Zuruf von der CDU/CSU: Langsam!*)

VIZEPRÄSIDENT STÜCKLEN: Frau Abgeordnete – –

FRAU KELLY (GRÜNE): Ich zitiere mit Erlaubnis des Präsidenten – –

VIZEPRÄSIDENT STÜCKLEN: Einen Augenblick, bitte schön.

FRAU KELLY (GRÜNE): »Weil wir den Frieden – –«

VIZEPRÄSIDENT STÜCKLEN: Frau Abgeordnete Kelly, wenn der Präsident Sie unterbricht, dann bitte ich, dies auch zu beachten.

FRAU KELLY (GRÜNE): Verzeihung.

VIZEPRÄSIDENT STÜCKLEN: Der Herr Bundeskanzler ist im Saal. Er ist Abgeordneter und hat natürlich das Recht, sich auf seinem Abgeordnetenplatz niederzulassen.

FRAU KELLY (GRÜNE): Verzeihung. – Ich zitiere mit Erlaubnis des Präsidenten:

Weil wir den Frieden erhalten wollen, ist der Gewaltverzicht das Kernstück unserer Sicherheitspolitik.

Als eine der Krefelder Mitinitiatoren weiß ich aber leider, welche Diffamierungskampagnen von vielen Herren in diesem Hohen Haus gegen die Friedensbewegung geführt wurden, wie man mit denen umgeht, die nach gewaltfreien Lösungen suchen, die strukturelle und persönliche Gewalt als

Mittel der Politik im Sinne von Mahatma Gandhi, Martin Luther King und Albert Schweitzer ablehnen.

Es ist eine Ironie, wenn Sie, Herr Bundeskanzler, von der Politik des Gewaltverzichts sprechen und eventuell in diesem Sommer Gummischrotgeschosse der Polizei eingeführt und gegen gewaltfreie Friedensdemonstranten eingesetzt werden. Es ist eine Perversion, wenn Sie von der Erhaltung des Friedens als oberstem Ziel der Politik sprechen, doch Mitglieder Ihrer Regierung bereit sind,

(Kittelmann [CDU/CSU]: Nicht so schnell, Frau Kollegin!)

die ohnehin schon sehr lockeren Rüstungsexportrichtlinien weiterhin zu lockern.

(Kroll-Schlüter [CDU/CSU]: Nehmen Sie bitte etwas Rücksicht auf die Stenographen!)

Wir werden nicht die Waffenschmiede der Welt, sagte Ihr Vorgänger Helmut Schmidt, sagten auch Sie.

Tatsache ist aber, daß die Bundesrepublik heute an vierter Stelle als Spitzenreiter in der Tabelle der Waffenexporteure steht. Hauptabnehmer des deutschen Waffenexports sind südamerikanische Militärdiktaturen, wohin zwei Drittel aller deutschen Waffenexporte gehen. Auch Sozialdemokraten haben ihren Teil dazu beigetragen. Bisher lieferte die BRD Waffen in 72 Staaten.

(Kittelmann [CDU/CSU]: Was war das für ein Land?)

Eine Außenpolitik, die daran denkt, Pakistan – ich zitiere – »in seiner besonderen Lage wirksame Hilfe zu leisten«, die darangeht, die Militärjunta in der Türkei trotz brutaler Menschenrechtsverletzungen stärker zu unterstützen, wobei an die Türkei als stabiler Vorposten der NATO an der Südostflanke gedacht wird, eine Außenpolitik, die zuläßt, daß vor wenigen Wochen die zweite gebaute Fregatte an die argentinische Marine ausgeliefert worden ist, an das Land der mehr als 15 000 Verschwundenen, von der Junta für tot Erklärten, hat kein Recht, von Entspannungspolitik zu sprechen.

(Beifall bei den GRÜNEN)

Dies sind gesetzwidrige Rüstungsgeschäfte, die gegen das Kriegswaffenkontrollgesetz verstoßen. Heute morgen haben schon Teile der Friedensbewegung und Teile der GRÜNEN gewaltfrei dagegen protestiert, nur war die Polizei nicht sehr gewaltfrei. Welche Heuchelei für eine sogenannte christliche Regierung, die durch die ungeheuren Summen für Rüstungshaushalt, Stationierungsmaßnahmen und Rüstungsexport eine Politik der Unterschlagung betreibt. Der klare Widerspruch zwischen verschwenderischer Rüstungsproduktion und der Summe unbefriedigter Lebensbedürfnisse – in zwei Se-

Petra Kelly

kunden verhungern drei Menschen, jede Minute fast 100; das sind im Jahr zirka 50 Millionen Menschen, die gesamte Einwohnerzahl der Bundesrepublik – ist allein schon ein Angriff auf jene, die ohnehin schon Opfer sind, ein Angriff, der zum Verbrechen wird; denn die Kosten der Rüstung töten im sogenannten Frieden.

(Beifall bei den GRÜNEN)

Der Bundeskanzler hat deutlich erkennen lassen – bei seinen sicherheitspolitischen Leitlinien und bei den Leitlinien zur Außenpolitik sowie bei der Beschreibung der NATO- und Dritte-Welt-Politik –, daß diese Bundesregierung – und nicht wir – dabei ist, Gesetze zu brechen, dabei ist, die allgemeinen Regeln des Völkerrechts zu mißachten, und damit ihren Regierungsanspruch verwirkt.

(Beifall bei den GRÜNEN)

Wir, die grenzüberschreitende und systemsprengende Friedensbewegung in Ost und West, werden gegen diese menschenverachtende Politik gewaltfreien Widerstand – sogar im Sinne des Grundgesetzes gegen Erstschlagswaffenstationierung – sowie Gehorsamsverweigerung auf vielen Ebenen leisten.

(Beifall bei den GRÜNEN – Bohl [CDU/CSU]:
Was ihr unter gewaltfrei versteht!)

Wir als die GRÜNEN im Bundestag werden dabei nicht weniger riskieren als unsere Verbündeten in der außerparlamentarischen Opposition. . . .

Da die Gesetze für das Leben und Überleben von Ihrer Regierung ständig gebrochen werden, rufen wir hiermit zum außerparlamentarischen gewaltfreien Widerstand gegen die Militarisierung und Nuklearisierung in diesem Land auf. Das tun nicht nur wir, sondern auch die außerparlamentarische Bewegung in ganz Europa, in Amerika, in Japan und auch in Osteuropa von unten ruft dazu auf. . . .

Es bleibt die Hoffnung, den von Ihnen mit zu verantwortenden atomaren Holocaust zu verhindern. Wir lassen auf jeden Fall nicht zu, daß Gerichte, daß Herrschende, daß die Polizei und wer sonst noch, die selbst Gewalt anwenden, unseren Begriff von Gewaltfreiheit selbst definieren und uns die moralische Integrität absprechen.

(Beifall bei den GRÜNEN)

Vielleicht sollten viele von Ihnen nicht über den Wehrkundeunterricht sprechen, vielleicht sollten viele von Ihnen zu den Begriffen zurückgehen, die Jesus in der Bergpredigt geprägt hat, die Mahatma Gandhi, Bertha von Suttner und Rosa Luxemburg geprägt haben. Vielleicht sollten Sie in Ihrem Bildungsunterricht zu denjenigen zurückgehen, die Gewaltfreiheit als ein Mittel der Politik gesehen haben.

(Beifall bei den GRÜNEN - Zuruf von der CDU/CSU:
Wer Rosa Luxemburg zum Apostel der Gewaltfreiheit macht!)
Die Begriffe der Blockade in Großengstingen in Baden-Württemberg und
die Begriffe von Wyhl, der Widerstand, der diese GRÜNEN überhaupt in
dieses Parlament hineingetragen hat – das waren nicht die Medien, das war
die Bewegung – sind für uns symbolisch.
(Lachen bei der CDU/CSU – Zuruf von der CDU/CSU:
»Bewegung«, das haben wir schon einmal gehört!)
Vielleicht sollten Sie das noch hören, daß wir bitten und daß wir fordern, daß
Großengstingen und Wyhl zum Widerstandssymbol überall werden, auch in
diesem gewaltfreien und vielleicht für Sie – nicht für uns – heißen Herbst, auch
in Bonn, dem politischen Stationierungsort der amerikanischen Erstschlag-
waffen. Wo Recht zu Unrecht wird, wird gewaltfreier Widerstand zur Pflicht.
(Beifall bei den GRÜNEN – Zuruf von der CDU/CSU:
Das ist die Inkarnation des Sanftmutes!)   1983

Im Januar 1983 hatte zum fünfzigsten Jahrestag der Machtübernahme der Nationalsozialisten im Plenarsaal des Berliner Reichstags ein Kongreß stattgefunden.
Die dort versammelten Wissenschaftler diskutierten darüber, ob die nationalsozialistische Machtübernahme den Namen einer Revolution verdiente und ob der
Nationalsozialismus auch ohne Hitler denkbar gewesen wäre. Der Philosoph Hermann Lübbe, 1926 in Aurich geboren, hielt auf diesem Kongreß einen aufsehenerregenden Schlußvortrag. Der Vortrag erschien in der »Frankfurter Allgemeinen
Zeitung« unter dem Titel »Es ist nichts vergessen, aber einiges ausgeheilt. Der Nationalsozialismus im Bewußtsein der deutschen Gegenwart«. Das folgende Zitat
stammt daraus. Hermann Lübbe lehrte damals Philosophie und Politische Theorie
in Zürich. Der Vortrag war eine Provokation. Lübbe rechtfertigte die Vergangenheitspolitik der unmittelbaren Nachkriegsjahre und kritisierte die Anstrengungen
und das moralische Recht der jungen Generation, die nationalsozialistische
Vergangenheit der jungen Bundesrepublik aufzuarbeiten. Er widersprach der vor
allem durch den Psychoanalytiker Alexander Mitscherlich populär gemachten
These von der kollektiven deutschen Verdrängung der Schuld und setzte dagegen
die These, daß ohne ein Schweigen über die Vergangenheit der Aufbau der demokratischen Gegenwart nicht hätte gelingen können.
    Lübbes Vorstellung, der junge bundesrepublikanische Staat hätte nur mit der
Mehrheit des Volkes und nicht gegen sie errichtet werden können und habe deswegen Diskretion gegenüber der nationalsozialistischen Vergangenheit geübt,
erinnert auch an Eugen Kogons Rede vom Recht auf politischen Irrtum aus den

fünfziger Jahren – dieses Recht auf politischen Irrtum war eine entscheidende Voraussetzung dafür gewesen, in den Deutschen fähige Demokraten zu entdecken. Lübbes Vortrag erntete Pfiffe und von manchen Seiten Beifall. Kritiker, darunter Hans-Ulrich Wehler, bezweifelten, ob sich die Integration von Millionen ehemaliger Mitglieder der Nationalsozialistischen Arbeiterpartei Deutschlands in die Bundesrepublik einfach mit dem Aufbau der Demokratie rechtfertigen ließe. Die Verteidiger von Lübbes Thesen wiesen darauf hin, daß gerade die Integration der außerparlamentarischen Opposition in die bundesrepublikanische Gesellschaft immer wieder als eine besondere Leistung des Staates herausgestellt würde.

Hermann Lübbe. Die Intensität der Beschäftigung mit dem Nationalsozialismus ist mit der Zahl der Jahre, die uns vom Zusammenbruch seiner Herrschaft trennen, gewachsen. Mit der größeren temporalen Distanz von den zwölf Jahren des »Dritten Reiches« ist kein Effekt des Verblassens der Erinnerung im wachen zeitgenössischen Bewußtsein verbunden gewesen. Ganz im Gegenteil hat die kulturelle und politische Aufdringlichkeit dieser Erinnerung zugenommen.

Die Symptome, an denen sich dieser Bestand ablesen läßt, sind wohlbekannt. Vor allem gehört die neuere expansive Thematisierung des Nationalsozialismus in den Medien, zumal in den elektronischen Medien, in diesen Zusammenhang – von der Holocaust-Serie mit ihrer außerordentlichen Wirkung bis zu den aktuellen Versuchen, die mediale Vergegenwärtigung des Nationalsozialismus einzudeutschen. ...

Wie hat sich dieser Wandel ausgewirkt? Auf diese Frage gibt es eine Antwort, die weniger populär als publik ist. Ich belege sie mit der Äußerung einer bekannten deutschen Publizistin vor Gymnasiasten im Kontext der politischen Phase unserer Jugendbewegung, wie sie um das Jahr 1967 anhob. Die Publizistin erklärte, erst in dieser Bewegung sei definitiv der politische Wille hervorgetreten, daß künftig »nicht wieder passieren« solle, was einst, indem »die Generation der Eltern ... versagt« habe, geschehen sei. In einem biographischen Sinne belastet war diese neue Generation ohnehin nicht mehr, und in dieses Bild ließ sich dann auch mühelos der Wandel in den Formen der Rückbeziehung auf den Nationalsozialismus fügen: das Schweigen der Väter, das nun vernehmlich zu werden schien, und komplementär dazu die immer wieder einmal laute, vergangenheitsüberwindende, zukunftsbereite Kritik der Söhne.

Diese Interpretation der Bedeutung des Generationenwechsels fürs deutsche Nachkriegsverhältnis zum Nationalsozialismus ist überhaus wirksam gewesen. Gleichwohl ist sie unangemessen. Das erkennt man, wenn man sich einige sehr einfache, aber fundamentale Voraussetzungen vergegenwärtigt, die die deutsche Nachkriegsgeschichte in ihren Anfängen mitbestimmt haben. Drei dieser Voraussetzungen scheinen mir besonders wichtig zu sein.

Erstens: die vernichtende Vollständigkeit des Zusammenbruchs des Dritten Reiches. Die seit Jahren schon sich als unvermeidbar abzeichnende Niederlage traf die Deutschen mit einer Wucht, die jedes Räsonnement über die Bedingungen ihrer militärischen Vermeidbarkeit niederschlug. Das hatte für die deutsche Nachkriegsgeschichte die wichtige Folge, daß selbst der innerdeutsche aktive Widerstand, insbesondere der mit dem Datum des 20. Juli 1944 verknüpfte, als Ferment der Wiederbelebung eines neuerlichen Massenglaubens an Dolchstoßlegenden nichts hergab.

Zweitens: die politische Evidenz der Unmöglichkeit, den Untergang des Reiches anders denn als Folge schließlich unvermeidlicher Reaktionen anderer auf Absichten und Entscheidungen zu begreifen, die man als Angehörige dieses Reiches sich selber zurechnen mußte. Der erlittene Zusammenprall mit den weltpolitischen Tatsachen wurde für die deutsche Nachkriegsgeschichte als Zugewinn an Bereitschaft wirksam, sich mit gekräftigtem, desillusioniertem Realitätssinn im Rahmen verbliebener politischer Handlungsspielräume einzurichten.

Drittens: die moralische Evidenz der terroristischen und verbrecherischen Konsequenzen nationalsozialistischer Herrschaft, mit denen die Deutschen, soweit sie davon nicht vorher schon wußten, sich bei Kriegsende bekanntzumachen hatten. Die Wirkung war eine vollständige Diskreditierung der nationalsozialistischen Ideologie, insbesondere in ihren rassistischen und auf den Gewinn von Lebensraum orientierten Kerngehalten. Als Massenglaube war diese Ideologie im Nachkriegsdeutschland nicht mehr wiederbelebungsfähig.

Selbstverständlich folgt aus diesen drei Voraussetzungen für das deutsche Verhältnis zum Nationalsozialismus in der Frühgeschichte der Bundesrepublik nicht, daß die Bürgerschaft dieser Republik von Relikten des Nationalsozialismus von Anfang an frei gewesen wäre. Man mag diese Relikte sogar quantitativ für erheblich halten. Auf der normativen Ebene jedenfalls waren nationalsozialistische Relikte inexistent.

Wenn man auf die Gründungsgeschichte der Bundesrepublik Deutschland zurückblickt, so wird deutlich, daß die öffentliche Anerkennung der politischen und moralischen Niederlage der nationalsozialistischen Herrschaft zu

Hermann Lübbe

den zentralen legitimatorischen Elementen dieser Republik gehörte. Dasselbe gilt für den Willen, aus naheliegenden Erfahrungen mit jener Herrschaft und insbesondere auch aus Erfahrungen mit den verfassungsmäßigen Voraussetzungen der sogenannten Machtergreifung institutionelle Konsequenzen zu ziehen. Und schließlich galt der Grundsatz der Wiederanknüpfung an jene moralischen und politischen Traditionen, die in der nationalsozialistischen Kulturrevolution liquidiert worden waren. Die maßgebenden und tonangebenden Gründerväter der Bundesrepublik Deutschland repräsentierten diese Traditionen.

Im öffentlichen Schutz dieser normativen Geltungen im Verhältnis zum Nationalsozialismus vollzog sich die Staatwerdung der zweiten deutschen Demokratie. Bis in die Präambeln zumal auch unserer Landesverfassungen hinein ist dieser normative Bestand sichtbar, in den öffentlichen Trauerbekundungen zum Gedenken an die Opfer der nationalsozialistischen Herrschaft und in den repräsentativen Politiker-Reden der damaligen Zeit ohnehin.

Indessen bleibt richtig: Im Vergleich mit diesen normativen Selbstverständlichkeiten öffentlicher Abgrenzung dem Dritten Reich gegenüber spielen in den Anfangsjahren der Bundesrepublik Deutschland historische oder theoretische Bemühungen zur Bewältigung des Nationalsozialismus in der kulturellen und politischen Öffentlichkeit eher eine geringere Rolle. Ein innenpolitisch und näherhin ideologiepolitisch frontenbildender Faktor ist die Auseinandersetzung mit dem Nationalsozialismus damals auch nicht gewesen, und insbesondere hat es im Verhältnis der Deutschen zueinander weder bei Kriegsende noch in den Jahren darauf einen lagebeherrschenden Willen zur politischen Abrechnung gegeben.

Wie erklärt es sich also, daß in dieser Weise, im Schutz öffentlich wiederhergestellter normativer Normalität, das deutsche Verhältnis zum Nationalsozialismus in temporaler Nähe zu ihm stiller war als in späteren Jahren unserer Nachkriegsgeschichte? Die Antwort scheint mir zu lauten: Diese gewisse Stille war das sozialpsychologisch und politisch nötige Medium der Verwandlung unserer Nachkriegsbevölkerung in die Bürgerschaft der Bundesrepublik Deutschland.

Es hätte eines solchen Mediums nicht bedurft, wenn die Herrschaft des Nationalsozialismus ihre Wirklichkeit exklusiv in jenen Machthabern gehabt hätte, die in den Prozessen der Alliierten abgeurteilt wurden, kraft Spruchkammerbescheid im Entnazifizierungsverfahren nun als »untragbar« galten oder auch als kleine Schergen im Funktionalismus des Verbrechens tätig gewesen waren. Zur nationalsozialistischen Realität gehörten ja ebenso die schließlich weit mehr als Dutzendmillionen registrierter Parteigenossen, die noch größere Zahl der mitlaufenden Volksgenossen, darüber hinaus die unter der überwältigenden Wirkung der Anfangserfolge Hitlers sogar aus nazifernen weltanschaulichen und politischen Räumen schließlich ihm Zugewandten – kurz: die Mehrheit des Volkes. Gegen Ideologie und Politik des Nationalsozialismus, in dessen Katastrophe zugleich auch das Reich untergegangen war, mußte der neue deutsche Staat eingerichtet werden. Gegen die Mehrheit des Volkes konnte er schwerlich eingerichtet werden.

Das gilt natürlich für beide deutsche Staaten, und von ihren ideologischen Prämissen her hatte die DDR es sogar leichter, das damit gegebene Problem zu lösen. Wenn nämlich der Faschismus, wie es die seit 1933 bis heute gültige Dimitroff-Formel will, in seiner politischen Kernfunktion nicht anderes ist als »die offene terroristische Diktatur der am meisten reaktionären … Elemente des Finanzkapitals«, dann hätte ja das »Volk« in seiner übergroßen Mehrheit sich unter der Diktatur-Knute dieser Elemente befunden und war nun, nachdem mit diesen Elementen aufgeräumt worden war, befreit. Im Westen blieb man demgegenüber, indem man auf einen mythischen Volksbegriff dieser Art ideologisch nicht verpflichtet war, realistischer. Im wirklichkeitsnah erfundenen Beispiel heißt das: Pedell und Professor hatten doch, sogar als Funktionäre, derselben NSDAP-Ortsgruppe angehört, und sie wußten es voneinander. Der als Widerständler aus Flucht und Untergrund remigrierte Professoren-Kollege wußte es auch, und die Studenten, die sich 1945 noch im Pimpfenalter befunden hatten, desgleichen. Wie ging man nun miteinander um?

Wer sich die Antwort auf diese Frage geben kann, hat das Wichtigste an der Gegenwart des Nationalsozialismus in der frühen deutschen Nachkriegsöffentlichkeit verstanden. Die Rechtfertigung und Verteidigung des Nationalsozialismus wurde niemandem zugebilligt. Daß der Widerständler gegen seinen Ex-Nazi-Kollegen recht behalten hatte, war gleichfalls öffentlich nicht bestreitbar, und wieso der Kollege einst Nationalsozialist geworden war – das war, nach seinen respektablen oder auch weniger respektablen Gründen, keinem der Beteiligten einschließlich der studentischen Ex-Pimpfen ein Rätsel.

Eben deswegen wäre es auch ganz müßig gewesen, dieses Nicht-Rätsel als Frage universitätsöffentlich aufzuwerfen, und ein Auslösungspunkt für einen Generationenkonflikt lag hier insoweit nicht vor. Der im Widerstand bewährte Kollege wurde Rektor. Um so mehr verstand es sich, daß er seinem sich gebotenerweise zurückhaltenden Ex-Nazi-Kollegen gegenüber darauf verzichtete, die Situation, die sich aus der Differenz ihrer politischen Biographien ergab, in besonderer Weise hervorzukehren oder gar auszunutzen. Kurz: Es entwickelten sich Verhältnisse nichtsymmetrischer Diskretion. In dieser Diskretion vollzog sich der Wiederaufbau der Institution, der man gemeinsam verbunden war, und nach zehn Jahren war nichts vergessen, aber einiges schließlich ausgeheilt.

Meine These, daß die gewisse Zurückhaltung in der öffentlichen Thematisierung individueller oder auch institutioneller Nazi-Vergangenheiten, die die Frühgeschichte der Bundesrepublik kennzeichnet, eine Funktion der Bemühung war, zwar nicht diese Vergangenheiten, aber doch ihre Subjekte in den neuen demokratischen Staat zu integrieren – diese These schließt übrigens ein, daß die bekannte Verdrängungsthese falsch ist. Was gegen diese Verdrängungsthese spricht, ist rasch aufgezählt:

Erstens ist nicht erkennbar, wofür man eigentlich diese anspruchsvolle Theorie braucht, wenn der Bestand, den sie erklären soll, auch im Ausgang von simpleren Annahmen sich plausibel machen läßt.

Zweitens mutet sie dem Common sense zu, für möglich halten zu sollen, millionenfach aus der Erinnerung zum Verschwinden zu bringen, was doch Millionen mit eigenen Augen gesehen hatten – von den brennenden Synagogen bis zu den KZ-Dokumentarfilm-Vorführungen, in die die Besatzungsmächte die deutsche Bevölkerung kommandiert hatten.

Drittens verwandelt die Verdrängungsthese die historisch-politische Aufgabe, sich zum Nationalsozialismus in ein moralisch und politisch zukunftsfähiges Verhältnis zu setzen, in die Merkwürdigkeit der nationaltherapeutischen Unternehmung einer kollektiven Verdrängungsanalyse.

Viertens widerspricht die Verdrängungsthese dem Faktum, daß mit dem Prozeß der Konsolidierung der in Deutschland neu geschaffenen politischen Realitäten die vergangene Realität des Dritten Reiches nicht etwa endgültig in Dunkelzonen des deutschen Selbstbewußtseins abgeschoben wurde, sondern ganz im Gegenteil ständig an dokumentarischer, literarischer und historiographischer Präsenz gewann.

Zur Verdrängungsthese paßt das alles nicht, aber es paßt, noch einmal, in den Kontext von Vorgängen der politischen Konsolidierung eines Gemeinwesens, das sich für seine eigene Legitimität der Realitäten versichern mußte, aus deren Katastrophe und normativer Überwindung es hervorgegangen war. …

Vergangenheitsabhängige Unsicherheiten ganz anderer Art ergaben sich aus der Selbstverständlichkeit, daß unter Bedingungen erneuerter Rechtsstaatlichkeit die Verfolgung der NS-Verbrechen – wenn anders man ein Sonderstrafrecht für diese Verbrechen nicht wollte und überdies aufs Rückwirkungsverbot sich verpflichtet wußte – an den normativen Rahmen eines Strafrechts und Strafprozeßrechts gebunden war, das auf fällige Aburteilung solcher politischen Verbrechen hin gar nicht konzipiert war. Die vom besten Willen begleitete, unvermeidbare Unsicherheit darüber, wie beides sich aufeinander beziehen lasse, hat sich bis in die Verjährungsdebatten hinein, wie sie im Deutschen Bundestag ab 1965 dreimal geführt werden mußten, ausgebreitet. ...

Diese Unsicherheiten sind nicht ein Indiz der mißlungenen, sondern gerade umgekehrt der gelingenden Rekonstruktion deutscher Staatlichkeit, und Subjekte dieser Unsicherheiten sind gerade diejenigen, die sich mit dieser Staatlichkeit von Anfang an identifizierten.

Die Bereitschaft zu dieser Identifikation nimmt Ende der sechziger Jahre dramatisch ab, und zwar generationenspezifisch. Wieso? Das hat Voraussetzungen, die gar nicht spezifisch deutsch, vielmehr industriegesellschaftsspezifisch, näherhin »westlich«, nämlich charakteristisch für hochentwickelte, politisch liberal verfaßte Gesellschaften sind. Diese sind, erneut, dabei, sich emotional von sich selbst zu distanzieren. So möchte ich den Vorgang kennzeichnen, der auch bei uns Ende der sechziger Jahre die Oberfläche des kulturellen und politischen Lebens durchbrach, und zwar zunächst in Formen einer politischen Jugendbewegung, deren anfängliche spätmarxistische Orientierungen weniger durch ihren Realitätsgehalt als durch ihr Verweigerungspotential faszinierend wirkten.

Für die deutsche Situation ist charakteristisch, daß dieser Rückzug durch generationenspezifische Belastungsfolgen deutscher NS-Vergangenheit überlagert und verstärkt wurde. Die Protestgeneration, wie sie Ende der sechziger Jahre zumal in den akademischen Kommunitäten hervortrat, war ja zugleich die erste deutsche Nachkriegsgeneration, die vielfach schon von ihrem Geburtsdatum her zum Dritten Reich in keinerlei biographischer Verbindung mehr stand.

Die entscheidende Frage fürs Verständnis des Verhältnisses dieser Generation zum Nationalsozialismus scheint mir nun diese zu sein: Unter welchen Voraussetzungen hätte sie bereit sein können, die deutsche Nazi-Vergangenheit mit ihren entsprechenden Belastungs- und Verunsicherungsfolgen sich als Teil der eigenen Herkunftsgeschichte überhaupt noch zurechnen zu lassen? Die Antwort lautet: Nur bei einem hohen Grad der Übereinstimmung mit dem politischen System der Bundesrepublik hätte sie bereit sein können, die Vergangenheit der Väter als eigene Vergangenheit politisch zu übernehmen. Eben diese Übereinstimmung hatte sich aus Gründen, die vom Verhältnis zum Nationalsozialismus prinzipiell unabhängig sind, längst abgeschwächt.

Hermann Lübbe

Als Konsequenz ergab sich, daß man nun beides zugleich aus der eigenen historisch-politischen Identität abschob: die deutsche Nachkriegsgeschichte ebenso wie das Dritte Reich, das ihr vorauslag. Das konnte natürlich am wirkungsvollsten dadurch geschehen, daß man die Geschichte der Bundesrepublik Deutschland als eine Geschichte der unvollendeten Überwindung des Nationalsozialismus umschrieb, und genau das ist die Funktion der großen akademisch-publizistischen Faschismusdebatte gewesen, die sich Ende der sechziger Jahre erhob und bis tief in die siebziger Jahre hinein anhielt.

Selbstverständlich haben diese Debatten vor zehn, fünfzehn Jahren auch mannigfache historische Erträge gebracht. Aber nicht darauf kommt es für die Analyse des deutschen Verhältnisses zum Nationalsozialismus an, sondern auf die weitreichenden Folgewirkungen. Ich skizziere diese Wirkungen in drei Absätzen.

Erstens. Die historische Erklärung des Faschismus mit Einschluß des Nationalsozialismus zur politischen Funktion des Kapitalismus erhob diesen zur unabhängigen Größe im faschismustheoretischen Kontext. »Wer ... vom Kapitalismus nicht reden will, sollte auch vom Faschismus schweigen« – dieser bekannte Satz Max Horkheimers wurde nun hochakzeptabel. In seiner Konsequenz vollzog sich eine zunächst theoretische, dann aber auch politisch-moralische Delegitimierung der zur Frühgeschichte der Bundesrepublik Deutschland gehörenden Versuche, die nationalsozialistische Vergangenheit ins politische Gegenwartsbewußtsein zu heben. »Der hilflose Antifaschismus« – so lautet ein bekannter Titel, der für diesen Zusammenhang steht.

Zweitens. Der durch die neue oder doch erneuerte Faschismus-Theorie in Gang gesetzte Delegitimierungsprozeß konnte selbstverständlich mühelos, über den für hilflos erklärten altbundesrepublikanischen Antifaschismus hinaus auch auf die Geschichte der Bundesrepublik insgesamt ausgedehnt werden, und so geschah es. Selbstverständlich hat kein ernst zu nehmender Theoretiker jemals behauptet, die Bundesrepublik Deutschland sei ein faschistischer Staat. Aber ein postfaschistischer Staat mit konserviertem Kapitalismus war er eben doch und damit ein Staat, der unverändert dazu herausfordern sollte, ihn in antifaschistischer Absicht zu verändern. Damit wird die bisherige Geschichte der Bundesrepublik Deutschland zu einer ihrerseits bewältigungsbedürftigen Geschichte erhoben, zu einer »vergessenen Geschichte« und näherhin zu einer Geschichte der »verpaßten Chancen«. Wenn sich die Bürgerschaft der Bundesrepublik Deutschland das hätte einreden lassen, so wäre sie damit auch desjenigen politischen Selbstgefühls noch verlustig gegangen, das sich, immerhin, aus ihrer grundsätzlichen Zustimmung zu dieser Republik einschließlich ihrer Geschichte doch allmählich ergeben hatte.

Drittens. Wenn die unabhängige Größe Kapitalismus sogar in ihrer besonders prekären Spätgestalt fortdauerte, so lag es nahe anzunehmen, daß damit zugleich auch faschistoide Einstellungs- und Verhaltensprädispositionen fortdauern mußten, die es in vorbeugender Absicht aufzuspüren und bloßzustellen galt. In der Frühgeschichte der Bundesrepublik Deutschland war, wie geschildert, eher das integrative Verhalten zu braunen Biographieanteilen der gewöhnliche Fall. Das hatte ein kommunikatives Beschweigen unter der politischen Rekonsolidierungsprämisse hervorgebracht, daß es, diesseits gewisser Grenzen, politisch weniger wichtig sei, woher einer kommt, als wohin er zu gehen willens ist.

Im Kunstlicht der revitalisierten linken Faschismus-Theorien erschien nun aber eben dieser zukunftsbezogene politische Wille der Bürgerschaft, soweit sie ans kapitalistische System sich gebunden zu haben schien, grundsätzlich zweifelhaft. Eine Atmosphäre des intellektuellen Verdachts breitete sich aus. Die NS-Studentschaftsaktivitäten etablierter Professoren, auch literarische, im Regelfall übrigens längst bekannte Dokumente intellektueller Bewegtheit von damals, wurden nun mit dem Gestus der Entlarvung vorgezeigt, Gesinnungsfronten wurden gebildet, hinter denen man sich unter dem Anspruch versammelte, im Unterschied zu den jeweils Ausgeschlossenen »für jene Traditionen« einzustehen, »gegen die 1933 ein deutsches Regime angetreten ist«. Der Faschismus erschien als aktuelle Wirklichkeit »nebenan«, galt sogar als Nato-spezifisch.

Damit gewannen die Fremdheitsgefühle dem politischen System des eigenen Staates gegenüber eine Intensität, die eine Literatur der Versuche hervortrieb, »uns und anderen die Bundesrepublik zu erklären«. Schlichte pädagogische Bemühungen, im Interesse der Arbeitsbedingungen von Putzfrauen ebenso wie von Schülern, die sekundären Tugenden der Ordnung und der Sauberkeit in Erinnerung zu bringen, wurden als Bemühungen aus dem Geiste Adolf Eichmanns durchschaut, indem dieser ja auch ein sehr ordentlicher Mensch gewesen sein soll.

Überhaupt steigerte sich die alte deutsche Idiosynkrasie gegen Deutsches in diesem ideologiepolitischen Kontext noch einmal beträchtlich. In feiner Witterung überhaupt für demokratisch defizitäre Entwicklungszustände auf dem Weg zum volldemokratisierten Bewußtsein wurde schließlich der deutsche Zeigefinger auch über die Grenzen hinweg erhoben. »Ein ganz undemokratisches Land«, konnte nunmehr ein berühmter Professor in repräsentativem Kreise die ja notorisch ordentliche, auch saubere Schweiz nennen und das sogar drucken lassen, und die Genugtuung der Briten über den bestandenen Falkland-Konflikt wurde im günstigsten Fall mit milder Ironie kommentiert.

Das demokratische Bewußtsein, das man in solchen Vorkommnissen der übrigen Welt zum Zweck ihrer Genesung als neudeutsches Ideal vorhielt, definierte sich unzweifelhaft aus der Opposition zum Nationalsozialismus. Aber es ist nicht wahr, daß, wie die eingangs zitierte Publizistin meinte, der entschiedene Wille zur Verhinderung seiner Wiederkehr erst in der zweiten Hälfte der bisherigen Geschichte der Bundesrepublik, nämlich zuerst in der Jugendbewegung der späten sechziger Jahre, hervorgetreten sei. Hervorgetreten ist vielmehr die Transformation der Auseinandersetzung mit dem Faschismus in ein Medium der Delegitimierung des politischen Systems der Bundesrepublik. 1983

Der Philosoph und Katholik Robert Spaemann, 1927 in Berlin geboren, forderte in den siebziger Jahren unter anderem mit Hermann Lübbe und dem bayerischen Kultusminister Hans Maier einen neuen Mut zur Erziehung. Die Erzieher sollten sich nicht mehr von der Idee der Chancengleichheit für alle Schüler gängeln lassen und sich wieder zur schulischen Vermittlung von Tugenden und von geistiger Orientierung bekennen. Vom modischen Lob der Emanzipation hielt er genausowenig wie Wilhelm Hennis vom modischen Lob der Demokratisierung. In den bioethischen Debatten stand der Katholik Spaemann als treuer Wächter auf der Seite der Menschenwürde. Der Mensch, erklärte Spaemann, sei eine Person, das Personsein beginne mit der Befruchtung und ende, wenn nicht Mord und Totschlag dazwischenführen, mit dem natürlichen Tod. Auf dem Chirurgenkongreß in München im Mai 1984 beklagte er, daß die Natürlichkeit des Todes durch die medizinisch-technischen Möglichkeiten zerstört werde – wies aber darauf hin, daß sich daraus nicht das Recht auf Selbsttötung oder der Tod auf Verlangen ableiten ließe. Mit der modernen Medizin stelle sich zwar zum ersten Mal die Frage, wie lange es sinnvoll sei, einen Organismus »zum Leben zu zwingen«, wie Spaemann formulierte. Doch eine Sterbehilfe, wie sie der Arzt Julius Hackethal praktizierte, als er einer kranken Frau eine Giftspritze zugänglich machte, und wie sie die »Deutsche Gesellschaft für humanes Sterben« in der Bundesrepublik forderte, lehnte Spaemann ab. »Die natürliche Zeugung und der natürliche Tod«, sagte er in einem Gespräch im Februar 1988, »sind die einzigen Grenzen, alles andere ist Tyrannei … Wenn jemand sagt: ›Ich wurde in dem und dem Augenblick gezeugt und geboren‹, so meint er ja nicht, daß sein Selbstbewußtsein zu jenem Zeitpunkt begann. Vielmehr bezeichnet er ein Ich, das sich seines Ichseins damals noch gar nicht bewußt war. Es gehört zum Wesen der geschaffenen Person, daß ihr Anfang im Unvordenklichen liegt. Diese Unvordenklichkeit des personalen Anfangs können wir zeitlich nur abbilden, indem wir ihn mit dem Beginn der organischen Existenz eines menschlichen Lebens gleichsetzen – also mit dem Augenblick seiner Zeugung.« Spaemann hat diese Unvordenklichkeit des personalen Anfangs unter anderem auch in den Debatten über die Stammzellenforschung und den Embryonenschutz geltend gemacht.

Als der Philosoph seinen Brief über die Friedensbewegung an den Schriftsteller Heinrich Böll schrieb, lehrte er Philosophie an der Universität in München.

 **Robert Spaemann.** Stuttgart, 12.9.1984
Lieber Heinrich Böll, haben Sie herzlichen Dank für die »Ein- und Zusprüche« und für den Glucksmann-Aufsatz. Ich mag das dicke Buch von Glucksmann nicht lesen. Wenn er den Atomkrieg dem Kommunismus vorzieht, so ist das eine Option, die, wie Sie richtig sagen, nicht zu rechtfertigen ist, weil sie vor allem zu Lasten anderer geht, die diese Präferenzen nicht teilen. Die Frage, die mich bewegt, ist eine andere, und ich fühle mich seit langem gedrängt, sie Ihnen einmal zu stellen, weil ich weiß, daß Ihnen die Bewahrung des Friedens letzten Endes wichtiger ist als die Treue zu einer Gruppe, die sich Friedensbewegung nennt – so wie ja auch die Nachfolge Christi wichtiger ist als die Treue zu einer Partei, die sich christlich nennt.

Mich hat das Argument Sacharows nachdenklich gemacht. Sein Gedankengang sieht so aus:

1. Der Atomkrieg ist, weil vermutlich nicht begrenzbar, das größte irdische Übel und seine Verhinderung daher die wichtigste politische Aufgabe.
2. Da die Existenz von Atomwaffen ständig die Gefahr eines Atomkrieges impliziert, muß das Ziel die gänzliche Beseitigung dieser Waffen sein.
3. Unbedingt vermieden werden muß ein entscheidender Vorsprung einer Seite auf dem Gebiet des atomaren Drohpotentials aus zwei Gründen:
   a) weil es das Interesse dieser Seite am Abbau der Atomwaffen endgültig zum Erliegen brächte und die Atomdrohung verewigen würde;
   b) weil es die Gefahr eines Atomschlages dramatisch erhöhen würde. (Das letztere gälte vor allem für die Sowjetunion angesichts ihrer expansionistischen Ideologie.)
4. Die Existenz und Aufstellung der SS-20 durch die Sowjetunion stellt einen solchen unbedingt auszugleichenden Vorsprung dar.

Robert Spaemann

5. Die Rüstungsspirale wird sich im Falle der Nachrüstung vermutlich noch weitere 10–15 Jahre weiterdrehen, bis ein definitives technologisches Patt erreicht ist.

6. Ein plötzliches einseitiges Aussteigen aus dieser teuflischen Spirale würde (siehe 3) den Ausbruch eines Atomkrieges extrem wahrscheinlich machen.

7. Angesichts der Tatsache, daß ein Atomkrieg alle, Hungernde und Satte, in Mitleidenschaft ziehen würde, darf man die Kosten für seine Verhinderung nicht scheuen, obwohl diese Mittel den Hungernden fehlen. Nur die vertraglich gesicherte beiderseitige atomare Abrüstung ist eine verantwortbare Perspektive. Die Alternative darf nur lauten: Aufrechterhaltung des Gleichgewichts, d. h. notfalls: Fortsetzung der Spirale um ein weiteres Jahrzehnt.

Dies etwa Sacharows Gedankengang. Man könnte ihm entgegenhalten, daß er eine Alternative ausläßt: radikaler Pazifismus und totale Abrüstung einer Seite. Auch dies würde ja – mangels Verteidigung – den Atomkrieg verhindern. (Es ist ja immer der Verteidiger, der zuerst schießen muß!) Aber diese Alternative ist irreal. Die Friedensbewegung ist nicht stark genug, die totale Entwaffnung des Westens zu erzwingen. Sie kann nur den Westen *schwächen* und äußerstenfalls die Neutralisierung der Bundesrepublik erreichen. Dies aber würde – nach Sacharow – die Kriegsgefahr erhöhen. (Ich füge hinzu: die Gefahr, daß die Bundesrepublik Deutschland zum Niemandsland wird, auf dem die Großmächte sich im Kriegsfall ungehindert austoben können.)

Lieber Herr Böll, ich behaupte nicht, daß Sacharow in allen Punkten mit Sicherheit recht hat. Ich unterstelle ihm jedoch zweierlei: 1. Sachverstand, 2. das ernste Ziel der Verhinderung des Atomkrieges. Und wenn er nur wahrscheinlich oder *vielleicht* recht hat, wie kann man dann für die Friedensbewegung sein? Denn sie ist in diesem Fall *nur subjektiv* eine Friedensbewegung, objektiv aber ein Faktor, der die Kriegsgefahr erhöht. Dann aber darf es nicht zählen, daß in ihr sympathische Leute sind usw. Ihnen und mir wäre 1935 wahrscheinlich Churchill – wenn wir Engländer wären – auch nicht sympathisch gewesen. Aber es wäre nicht zum 2. Weltkrieg gekommen, wenn man auf ihn gehört hätte. Nicht um Gesinnungsgenossenschaft kann es heute gehen und nicht darum, lieber mit den Freunden zu irren als mit den Nicht-Freunden recht zu haben. Irrtum ist in unserer Lage schlimmer als jede Lumperei.

Ich behaupte nicht, die Nachrüstung sei richtig bzw. ich sei *gewiß*, daß sie richtig ist. Nur – angesichts des Votums von Sacharow, der *dafür* sein Leben riskiert – ist es mir unmöglich, vom Gegenteil so gewiß zu sein, daß ich mich gegen die Nachrüstung engagieren könnte.

Es kommt noch etwas hinzu: Sogar wenn ich gegen die Nachrüstung gewesen wäre, so wäre ich doch jetzt *gegen jede nachträgliche Bekämpfung*. Denn wenn es auch nur 20% Wahrscheinlichkeit gibt, daß die Russen eines Tages den beiderseitigen Abbau von Mittelstreckenraketen in Betracht ziehen, so würde diese Bereitschaft auf Null sinken, wenn sie sich noch eine Chance erhoffen, die Pershing loszuwerden, *ohne* die SS-20 abzubauen. Nur wenn die Opposition erklärt, daß, auch wenn sie wieder drankommt, sich in dieser Hinsicht nichts ändern wird, *kann* der Kalkül von Helmut Schmidt aufgehen. Auch darum halte ich die Politik der Friedensbewegung für unverantwortlich, zumindest jetzt, nach geschehenem Nachrüstungsbeschluß, weil sie die *möglichen* Früchte dieser Nachrüstung verhindert. Sie hat ein Interesse daran zu beweisen, daß die Nachrüstung falsch war. Aber politisch verantwortbar wäre es nur, jetzt wenigstens zu versuchen, das Beste aus ihr zu machen.

Lieber Heinrich Böll, ich frage mich, ob Sie einen eindeutigen Denkfehler in den Überlegungen Sacharows entdeckt haben. Denn woher nehmen Sie sonst die erstaunliche *Sicherheit*, die es Ihnen erlaubt, sich auf der Seite der Friedensbewegung zu engagieren? Meine Frage ist ehrlich, und es ist mir viel daran gelegen, die Gründe dieser Sicherheit zu kennen, da ich eine solche nicht besitze, außer der Sicherheit, daß ein Atomkrieg das Schlimmste ist, was in Europa geschehen kann. Sacharows Ansicht über das, was zu seiner Vermeidung geschehen muß, erscheint mir bis jetzt als die wahrscheinlichste. Ist sie *mit Sicherheit* falsch?

Bin ich deshalb ein »Abschreckungschrist«? Aber sogar dieses Odium wäre ich bereit, auf mich zu nehmen, wenn ich dadurch auch nur eine Winzigkeit beitragen könnte, den Atomkrieg zu verhindern. Würden Sie Sacharow einen »Abschreckungsatheisten« nennen?

Lieber Heinrich Böll, da ich nicht *gewiß* bin, bin ich belehrbar; und deshalb frage ich. Bisher halte ich den Nachrüstungsbeschluß für wahrscheinlich richtig – im Sinne der Atomkriegsverhinderung. (Das ist auch C. F. v. Weizsäckers Meinung. Er meint nur: wenn der Krieg *trotzdem* ausbricht, macht es ihn schlimmer.) Nur können für mich moralische Einschüchterungsvokabeln nicht einleuchtende Argumente ersetzen, und in der Produktion solcher Vokabeln ist die Friedensbewegung ja erfinderisch. Zweifler wie ich sind moralisch verwerfliche Subjekte.

Muß ich ein *sacrificium intellectus* bringen, um kein »Abschreckungschrist« zu sein? Aber auch hier gilt: »Il me faut des raisons pour soumettre ma raison.«

Nehmen Sie mir bitte diese Äußerungen des Zweifels nicht übel. Was mich an der Friedensbewegung so bestürzt, ist der gänzliche Mangel an Zweifel,

Robert Spaemann

diese Hundertprozentigkeit. Zwar hat die Regierungskoalition hundertprozentig für die Nachrüstung gestimmt (und die Opposition hundertprozentig dagegen). Aber die Überzeugungen, die dahinter standen, waren doch in vielen Fällen nicht so hundertprozentig, sondern eher Wahrscheinlichkeitsüberlegungen – wie auch bei vielen SPD-Mitgliedern. Bei der Friedensbewegung aber ist die Überzeugung, man wüßte, wie der Atomkrieg zu verhindert ist, genauso hundertprozentig wie die Überzeugung, *daß* er verhindert werden muß. Und da kann ich nicht mit. Mir ist das zu viel »Idealismus«, wo er nicht hingehört.

Seien Sie herzlich gegrüßt von Ihrem

Robert Spaemann

PS: In den 50er Jahren gehörte ich, wie Sie wissen, zu den engagierten Gegnern der atomaren Bewaffnung. Ich habe von allem, was ich damals schrieb, kein Wort zurückzunehmen. Nur ist die Frage heute eine andere. Es geht nicht mehr darum, ob wir Atomwaffen billigen oder nicht, sondern darum, wie wir – da es sie nun auf beiden Seiten in gewaltigem Maße gibt – ihren Einsatz verhindern und langfristig wieder von ihnen wegkommen. Dies ist ein ganz anderes Thema. Weil ich gegen Atomwaffen bin, bin ich nicht für die Friedensbewegung, die deren Existenz zu verewigen droht.   1984

Vierzig Jahre nach dem Ende des Zweiten Weltkrieges, am 8. Mai 1985, hielt Bundespräsident Richard von Weizsäcker im Bundestag eine Rede, die in der Bevölkerung große Resonanz hervorrief. Der 8. Mai, sagte Weizsäcker, sei der Tag der Befreiung Deutschlands vom Nationalsozialismus. Vierzig Jahre nach dem Ende des Krieges und der Kapitulation des nationalsozialistischen Regimes bedurfte es offensichtlich solcher deutlichen Worte, die gegen jene gerichtet waren, die im 8. Mai ausschließlich den Tag der Niederlage sahen. Der Tag der Befreiung, sagte Weizsäcker und schaute dabei vor allem zu den Vertriebenen und ihren Verbänden hinüber, sei nicht als die Ursache für die Flucht und die Vertreibung der Deutschen aus dem Osten zu verstehen. Was unmittelbar nach dem 8. Mai geschehen sei, das sei die Folge des 30. Januar 1933, als Hitler an die Macht gelangte. Nach dieser Rede meldete sich sofort der Präsident des Bundes der Vertriebenen zu Wort und erklärte, daß er in Weizsäckers Rede eine eindeutige Aussage darüber vermißt habe, wie es mit dem Recht auf Heimat für die Vertriebenen stehe. Ein Abgeordneter der Christlich-Sozialen Union meinte sogar, daß ihn das Wort Befreiung im Zusammenhang mit dem 8. Mai erschreckt habe, und fügte hinzu, daß für einige Menschen der 8. Mai 1945 zwar ein Tag der Befreiung gewesen sei, aber nicht für alle.

Richard von Weizsäcker. Der 8. Mai ist für uns Deutsche kein Tag zum Feiern. Die Menschen, die ihn bewußt erlebt haben, denken an ganz persönliche und damit ganz unterschiedliche Erfahrungen zurück. Der eine kehrte heim, der andere wurde heimatlos. Dieser wurde befreit, für jenen begann die Gefangenschaft. Viele waren einfach nur dafür dankbar, daß Bombennächte und Angst vorüber und sie mit dem Leben davongekommen waren. Andere empfanden Schmerz über die vollständige Niederlage des eigenen Vaterlandes. Verbittert standen Deutsche vor zerrissenen Illusionen, dankbar andere Deutsche für den geschenkten neuen Anfang.

Es war schwer, sich alsbald klar zu orientieren. Ungewißheit erfüllte das Land. Die militärische Kapitulation war bedingungslos. Unser Schicksal lag in der Hand der Feinde. Die Vergangenheit war furchtbar gewesen, zumal auch für viele dieser Feinde. Würden sie uns nun nicht vielfach entgelten lassen, was wir ihnen angetan hatten?

Die meisten Deutschen hatten geglaubt, für die gute Sache des eigenen Landes zu kämpfen und zu leiden. Und nun sollte sich herausstellen: Das alles war nicht nur vergeblich und sinnlos, sondern es hatte den unmenschlichen Zielen einer verbrecherischen Führung gedient. Erschöpfung, Ratlosigkeit und neue Sorgen kennzeichneten die Gefühle der meisten. Würde man noch eigene Angehörige finden? Hatte ein Neuaufbau in diesen Ruinen überhaupt Sinn?

Der Blick ging zurück in einen dunklen Abgrund der Vergangenheit und nach vorn in eine ungewisse dunkle Zukunft. Und dennoch wurde von Tag zu Tag klarer, was es heute für uns alle gemeinsam zu sagen gilt: Der 8. Mai war ein Tag der Befreiung. Er hat uns alle befreit von dem menschenverachtenden System der nationalsozialistischen Gewaltherrschaft.

Niemand wird um dieser Befreiung willen vergessen, welche schweren Leiden für viele Menschen mit dem 8. Mai erst begannen und danach folgten. Aber wir dürfen nicht am Ende des Krieges die Ursache für Flucht, Vertreibung und Unfreiheit sehen. Sie liegt vielmehr in seinem Anfang und im Beginn jener Gewaltherrschaft, die zum Krieg führte. Wir dürfen den 8. Mai 1945 nicht vom 30. Januar 1933 trennen.

Wir haben wahrlich keinen Grund, uns am heutigen Tag an Siegesfesten zu beteiligen. Aber wir haben allen Grund, den 8. Mai 1945 als das Ende eines Irrweges deutscher Geschichte zu erkennen, das den Keim der Hoffnung auf eine bessere Zukunft barg. ...

Richard von Weizsäcker

Am Anfang der Gewaltherrschaft hatte der abgrundtiefe Haß Hitlers gegen unsere jüdischen Mitmenschen gestanden. Hitler hatte ihn nie vor der Öffentlichkeit verschwiegen, sondern das ganze Volk zum Werkzeug dieses Hasses gemacht. Noch am Tag vor seinem Ende am 30. April 1945 hatte er sein sogenanntes Testament mit den Worten abgeschlossen: »Vor allem verpflichte ich die Führung der Nation und die Gefolgschaft zur peinlichen Einhaltung der Rassengesetze und zum unbarmherzigen Widerstand gegen den Weltvergifter aller Völker, dem internationalen Judentum.«

Gewiß, es gibt kaum einen Staat, der in seiner Geschichte immer frei blieb von schuldhafter Verstrickung in Krieg und Gewalt. Der Völkermord an den Juden jedoch ist beispiellos in der Geschichte.

Die Ausführung des Verbrechens lag in der Hand weniger. Vor den Augen der Öffentlichkeit wurde es abgeschirmt. Aber jeder Deutsche konnte miterleben, was jüdische Mitbürger erleiden mußten, von kalter Gleichgültigkeit über versteckte Intoleranz bis zu offenem Haß.

Wer konnte arglos bleiben nach den Bränden der Synagogen, den Plünderungen, der Stigmatisierung mit dem Judenstern, dem Rechtsentzug, den unaufhörlichen Schändungen der menschlichen Würde?

Wer seine Ohren und Augen aufmachte, wer sich informieren wollte, dem konnte nicht entgehen, daß Deportationszüge rollten. Die Phantasie der Menschen mochte für Art und Ausmaß der Vernichtung nicht ausreichen. Aber in Wirklichkeit trat zu den Verbrechen selbst der Versuch allzu vieler, auch in meiner Generation, die wir jung und an der Planung und Ausführung der Ereignisse unbeteiligt waren, nicht zur Kenntnis zu nehmen, was geschah.

Es gab viele Formen, das Gewissen ablenken zu lassen, nicht zuständig zu sein, wegzuschauen, zu schweigen. Als dann am Ende des Krieges die ganze unsagbare Wahrheit des Holocaust herauskam, beriefen sich allzu viele von uns darauf, nichts gewußt oder auch nur geahnt zu haben.

Schuld oder Unschuld eines ganzen Volkes gibt es nicht. Schuld ist, wie Unschuld, nicht kollektiv, sondern persönlich.

Es gibt entdeckte und verborgen gebliebene Schuld von Menschen. Es gibt Schuld, die sich Menschen eingestanden oder abgeleugnet haben. Jeder, der die Zeit mit vollem Bewußtsein erlebt hat, frage sich heute im stillen selbst nach seiner Verstrickung.

Der ganz überwiegende Teil unserer heutigen Bevölkerung war zur damaligen Zeit entweder im Kindesalter oder noch gar nicht geboren. Sie können nicht eine eigene Schuld bekennen für Taten, die sie gar nicht begangen haben. Kein fühlender Mensch erwartet von ihnen, ein Büßerhemd zu tragen, nur weil sie Deutsche sind. Aber die Vorfahren haben ihnen eine schwere Erbschaft hinterlassen.

Wir alle, ob schuldig oder nicht, ob alt oder jung, müssen die Vergangenheit annehmen. Wir alle sind von ihren Folgen betroffen und für sie in Haftung genommen. Jüngere und Ältere müssen und können sich gegenseitig helfen, zu verstehen, warum es lebenswichtig ist, die Erinnerung wachzuhalten.

Es geht nicht darum, Vergangenheit zu bewältigen. Das kann man gar nicht. Sie läßt sich ja nicht nachträglich ändern oder ungeschehen machen. Wer aber vor der Vergangenheit die Augen verschließt, wird blind für die Gegenwart. Wer sich der Unmenschlichkeit nicht erinnern will, der wird wieder anfällig für neue Ansteckungsgefahren.

Das jüdische Volk erinnert sich und wird sich immer erinnern. Wir suchen als Menschen Versöhnung.

Gerade deshalb müssen wir verstehen, daß es Versöhnung ohne Erinnerung gar nicht geben kann. Die Erfahrung millionenfachen Todes ist ein Teil des Innern jedes Juden in der Welt, nicht nur deshalb, weil Menschen ein solches Grauen nicht vergessen können. Sondern die Erinnerung gehört zum jüdischen Glauben.

> Das Vergessenwollen verlängert das Exil,
> und das Geheimnis der Erlösung heißt Erinnerung.

Diese oft zitierte jüdische Weisheit will wohl besagen, daß der Glaube an Gott ein Glaube an sein Wirken in der Geschichte ist. Die Erinnerung ist die Erfahrung vom Wirken Gottes in der Geschichte. Sie ist die Quelle des Glaubens an die Erlösung. Diese Erfahrung schafft Hoffnung, sie schafft Glauben an Erlösung, an Wiedervereinigung des Getrennten, an Versöhnung. Wer sie vergißt, verliert den Glauben.

Würden wir unsererseits vergessen wollen, was geschehen ist, anstatt uns zu erinnern, dann wäre dies nicht nur unmenschlich. Sondern wir würden damit dem Glauben der überlebenden Juden zu nahe treten, und wir würden den Ansatz zur Versöhnung zerstören.

Für uns kommt es auf ein Mahnmal des Denkens und Fühlens in unserem eigenen Inneren an.   1985

Im März 1985 war das Zweite Deutsche Fernsehen dazu übergegangen, zum Sendeschluß die Nationalhymne zu spielen. Das Erste Deutsche Fernsehen fand diese Idee gut und zog zwei Monate später nach. Bundeskanzler Helmut Kohl besuchte im Mai 1985 zusammen mit dem amerikanischen Präsidenten Ronald Reagan die Gedenkstätte des Konzentrationslagers Bergen-Belsen und ging danach, was Empörung in der kritischen Öffentlichkeit auslöste, mit dem Präsidenten auf den Soldatenfriedhof in Bitburg, wo auch Angehörige der Waffen-SS beerdigt sind. Einen Monat später nahm Kohl am Deutschlandtreffen der Schlesier teil, obwohl im Verbandsorgan »Der Schlesier« die Rede des Bundespräsidenten Richard von Weizsäcker zum 8. Mai angegriffen worden war.

Im Oktober 1986 verglich Helmut Kohl den sowjetischen Parteichef Michail Gorbatschow, der bald mit der Ankündigung von Reformen in der Sowjetunion von sich reden machte, mit dem nationalsozialistischen Propagandaminister Joseph Goebbels. Gorbatschow sei ein moderner kommunistischer Führer und wie Goebbels »ein Experte für Public Relations«. Im Januar 1987 nannte Kohl die Deutsche Demokratische Republik ein »Regime, das politische Gefangene in Gefängnissen und Konzentrationslagern« halte. Bundesarbeitsminister Norbert Blüm löste im Juni 1987 einen Streit zwischen den beiden christlichen Parteien aus, weil er in Chile für die Einhaltung der Menschenrechte eingetreten war und sich dafür aussprach, daß vierzehn zum Tode verurteilte Chilenen von der Bundesrepublik aufgenommen werden sollten. Im Verfassungsschutzbericht vom Mai 1988 wurde festgehalten, daß rechtsextreme Organisationen in der Bundesrepublik einen immer stärkeren Zulauf hatten.

Am 6. Juni 1986 veröffentlichte die »Frankfurter Allgemeine Zeitung« eine Rede, die der Historiker Ernst Nolte auf den »Frankfurter Römerberg-Gesprächen« hatte halten sollen, schließlich aber, wie Nolte behauptete, nicht habe halten dürfen. Der Artikel, aus dem im folgenden zitiert wird, trug den Titel »Vergangenheit, die nicht vergehen will. Eine Rede, die geschrieben, aber nicht gehalten werden konnte«. Auf diese Rede reagierte Jürgen Habermas mit einem Artikel über die apologetischen Tendenzen in der deutschen Zeitgeschichtsschreibung. In diesem Artikel setzte er sich auch mit der jüngsten Publikation des Historikers Andreas Hillgruber auseinander, die unter dem Titel »Zweierlei Untergang« im Siedler Verlag erschienen war, und mit einem Aufsatz Ernst Noltes über Geschichtslegende und Revisionismus. Der Artikel von Habermas erschien am 11. Juli 1986 in der Wochenzeitung »Die Zeit«. Auf die Kritik von Habermas reagierten unter anderem die Historiker Klaus Hildebrandt, Michael Stürmer, Andreas Hillgruber und der Journalist Joachim Fest, was wiederum Historiker und Intellektuelle aufrief, sich auf die Seite von Habermas zu schlagen.

Habermas warf seinen Gegnern vor, sie würden im Interesse einer neuen nationalen Identitätsfindung den Kampf der Wehrmacht im Osten als einen Kampf um eine europäische Mitte loben. Auch würden sie die nationalsozialistische Judenvernichtung mit dem Hinweis relativieren, daß sie unter anderem eine Reaktion auf das sowjetische Vernichtungssystem des Gulag gewesen sei. Habermas erklärte die Öffnung der Bundesrepublik gegenüber der politischen Kultur des Westens als die »große intellektuelle Leistung unserer Nachkriegszeit, auf die gerade meine Generation stolz sein könnte«. In diesem Zusammenhang fiel der Hinweis auf den Verfassungspatriotismus: »Jene Öffnung ist ja vollzogen worden durch Überwindung genau der Ideologie der Mitte, die unsere Revisionisten mit ihrem geopolitischen Tamtam von ›der alten europäischen Mittellage der Deutschen‹ (Stürmer) und der ›Rekonstruktion der zerstörten europäischen Mitte‹ (Hillgruber) wieder aufwärmen. Der einzige Patriotismus, der uns dem Westen nicht entfremdet, ist ein Verfassungspatriotismus. Eine in Überzeugungen verankerte Bindung an universalistische Verfassungsprinzipien hat sich leider in der Kulturnation der Deutschen erst nach – und durch – Auschwitz bilden können.«

Ernst Nolte, 1923 in Witten an der Ruhr geboren, war, als der Historikerstreit ausbrach, Ordinarius für Geschichte an der Freien Universität Berlin.

 **Ernst Nolte.** Die Rede von der »Schuld der Deutschen« übersieht allzu geflissentlich die Ähnlichkeit mit der Rede von der »Schuld der Juden«, die ein Hauptargument der Nationalsozialisten war. Alle Schuldvorwürfe gegen »die Deutschen«, die von Deutschen kommen, sind unaufrichtig, da die Ankläger sich selbst oder die Gruppe, die sie vertreten, nicht einbeziehen und im Grunde bloß den alten Gegnern einen entscheidenden Schlag versetzen wollen.

Die der »Endlösung« gewidmete Aufmerksamkeit lenkt von wichtigen Tatbeständen der nationalsozialistischen Zeit ab wie etwa der Tötung »lebensunwerten Lebens« und der Behandlung der russischen Kriegsgefangenen, vor allem aber von entscheidenden Fragen der Gegenwart – etwa denjenigen des Seinscharakters von »ungeborenem Leben« oder des Vorliegens von »Völkermord« gestern in Vietnam und heute in Afghanistan.

Das Nebeneinander dieser zwei Argumentationsreihen, von denen die eine im Vordergrund steht, aber sich doch nicht vollständig durchsetzen konnte, hat zu einer Situation geführt, die man als paradox oder auch als grotesk bezeichnen kann.

Eine voreilige Äußerung eines Bundestagsabgeordneten zu gewissen Forderungen der Sprecher jüdischer Organisationen oder das Ausgleiten eines Kommunalpolitikers in eine Geschmacklosigkeit werden zu Symptomen von »Antisemitismus« aufgebauscht, als wäre jede Erinnerung an den genuinen und keineswegs schon nationalsozialistischen Antisemitismus der Weimarer Zeit verschwunden, und um die gleiche Zeit läuft im Fernsehen der bewegende Dokumentarfilm »Shoah« eines jüdischen Regisseurs, der es in einigen Passagen wahrscheinlich macht, daß auch die SS-Mannschaften der Todeslager auf ihre Art Opfer sein mochten und daß es andererseits unter den polnischen Opfern des Nationalsozialismus virulenten Antisemitismus gab.

Zwar rief der Besuch des amerikanischen Präsidenten auf dem Soldatenfriedhof Bitburg eine sehr emotionale Diskussion hervor, aber die Furcht vor der Anklage der »Aufrechnung« und vor Vergleichen überhaupt ließ die einfache Frage nicht zu, was es bedeutet haben würde, wenn der damalige Bundeskanzler sich 1953 geweigert hätte, den Soldatenfriedhof von Arlington zu besuchen, und zwar mit der Begründung, dort seien auch Männer begraben, die an den Terrorangriffen gegen die deutsche Zivilbevölkerung teilgenommen hätten.

Für den Historiker ist eben dies die beklagenswerteste Folge des »Nichtvergehens« der Vergangenheit: daß die einfachsten Regeln, die für jede Vergangenheit gelten, außer Kraft gesetzt zu sein scheinen, nämlich daß jede Vergangenheit mehr und mehr in ihrer Komplexität erkennbar werden muß, daß der Zusammenhang immer besser sichtbar wird, in den sie verspannt war, daß die Schwarz-Weiß-Bilder der kämpfenden Zeitgenossen korrigiert werden, daß frühere Darstellungen einer Revision unterzogen werden.

Genau diese Regel aber erscheint in ihrer Anwendung auf das Dritte Reich »volkspädagogisch gefährlich«: Könnte sie nicht zu einer Rechtfertigung Hitlers oder mindestens zu einer »Exkulpation der Deutschen« führen? Zieht dadurch nicht die Möglichkeit herauf, daß die Deutschen sich wieder mit dem Dritten Reich identifizieren, wie sie es ja in ihrer großen Mehrheit mindestens während der Jahre 1935 bis 1939 getan haben, und daß sie die Lektion nicht lernen, die ihnen von der Geschichte aufgetragen worden ist?

Darauf läßt sich in aller Kürze und apodiktisch antworten: Kein Deutscher kann Hitler rechtfertigen wollen, und wäre es nur wegen der Vernichtungsbefehle gegen das deutsche Volk vom März 1945. Daß die Deutschen aus der Geschichte Lehren ziehen, wird nicht durch die Historiker und Publizisten garantiert, sondern durch die vollständige Veränderung der Machtverhältnisse und durch die anschaulichen Konsequenzen von zwei großen

Niederlagen. Falsche Lehren können sie freilich immer noch ziehen, aber dann nur auf einem Wege, der neuartig und jedenfalls »antifaschistisch« sein dürfte.

Es ist richtig, daß es an Bemühungen nicht gefehlt hat, über die Ebene der Polemik hinauszukommen und ein objektiveres Bild des Dritten Reiches und seines Führers zu zeichnen; es genügt, die Namen von Joachim Fest und Sebastian Haffner zu nennen. Beide haben aber in erster Linie den »innerdeutschen Aspekt« im Blick. Ich will im folgenden versuchen, anhand einiger Fragen und Schlüsselworte die Perspektive anzudeuten, in der diese Vergangenheit gesehen werden sollte, wenn ihr jene »Gleichbehandlung« widerfahren soll, die ein prinzipielles Postulat der Philosophie und der Geschichtswissenschaft ist, die aber nicht zu Gleichsetzungen führt, sondern gerade zur Herausstellung von Unterschieden.

Max Erwin von Scheubner-Richter, der später einer der engsten Mitarbeiter Hitlers war und dann im November 1923 bei dem Marsch zur Feldherrnhalle von einer tödlichen Kugel getroffen wurde, war 1915 als deutscher Konsul in Erzerum tätig. Dort wurde er zum Augenzeugen jener Deportationen der armenischen Bevölkerung, die den Anfang des ersten großen Völkermordes des 20. Jahrhunderts darstellten. Er scheute keine Mühe, den türkischen Behörden entgegenzutreten, und sein Biograph schließt im Jahre 1938 die Schilderung der Vorgänge mit folgenden Sätzen: »Aber was waren diese wenigen Menschen gegen den Vernichtungswillen der türkischen Pforte, die sich sogar den direktesten Mahnungen aus Berlin verschloß, gegen die wölfische Wildheit der losgelassenen Kurden, gegen die mit ungeheurer Schnelligkeit sich vollziehende Katastrophe, in der ein Volk Asiens mit dem anderen nach asiatischer Art, fern von europäischer Zivilisation, sich auseinandersetzte?«

Niemand weiß, was Scheubner-Richter getan oder unterlassen haben würde, wenn er anstelle von Alfred Rosenberg zum Minister für die besetzten Ostgebiete gemacht worden wäre. Aber es spricht sehr wenig dafür, daß zwischen ihm und Rosenberg und Himmler, ja sogar zwischen ihm und Hitler selbst ein grundlegender Unterschied bestand. Dann aber muß man fragen: Was konnte Männer, die einen Völkermord, mit dem sie in nahe Berührung kamen, als »asiatisch« empfanden, dazu veranlassen, selbst einen Völkermord von noch grauenvollerer Natur zu initiieren? Es gibt erhellende Schlüsselworte. Eins davon ist das folgende:

Als Hitler am 1. Februar 1943 die Nachricht von der Kapitulation der 6. Armee in Stalingrad erhielt, sagte er in der Lagebesprechung gleich voraus, daß einige der gefangenen Offiziere in der sowjetischen Propaganda tätig werden würden: »Sie müssen sich vorstellen, er (ein solcher Offizier) kommt nach Moskau hinein, und stellen Sie sich den ›Rattenkäfig‹ vor. Da unterschreibt er alles. Er wird Geständnisse machen, Aufrufe machen …«

Die Kommentatoren geben die Erläuterung, mit »Rattenkäfig« sei die Lubjanka gemeint. Ich halte das für falsch.

In George Orwells »1984« wird beschrieben, wie der Held Winston Smith durch die Geheimpolizei des »Großen Bruders« nach langen Folterungen endlich gezwungen wird, seine Verlobte zu verleugnen und damit auf seine Menschenwürde Verzicht zu tun. Man bringt einen Käfig vor seinen Kopf, in dem eine vor Hunger halb irrsinnig gewordene Ratte sitzt. Der Vernehmungsbeamte droht, den Verschluß zu öffnen, und da bricht Winston Smith zusammen. Diese Geschichte hat Orwell nicht erdichtet, sie findet sich an zahlreichen Stellen der antibolschewistischen Literatur über den russischen Bürgerkrieg, unter anderem bei dem als verläßlich geltenden Sozialisten Melgunow. Sie wird der »chinesischen Tscheka« zugeschrieben.

Es ist ein auffallender Mangel der Literatur über den Nationalsozialismus, daß sie nicht weiß oder nicht wahrhaben will, in welchem Ausmaß all dasjenige, was die Nationalsozialisten später taten, mit alleiniger Ausnahme des technischen Vorgangs der Vergasung, in einer umfangreichen Literatur der frühen zwanziger Jahre bereits beschrieben war: Massendeportationen und -erschießungen, Folterungen, Todeslager, Ausrottungen ganzer Gruppen nach bloß objektiven Kriterien, öffentliche Forderungen nach Vernichtung von Millionen schuldloser, aber als »feindlich« erachteter Menschen.

Es ist wahrscheinlich, daß viele dieser Berichte übertrieben waren. Es ist sicher, daß auch der »weiße Terror« fürchterliche Taten vollbrachte, obwohl es in seinem Rahmen keine Analogie zu der postulierten »Ausrottung der Bourgeoisie« geben konnte. Aber gleichwohl muß die folgende Frage als zulässig, ja unvermeidbar erscheinen: Vollbrachten die Nationalsozialisten, vollbrachte Hitler eine »asiatische« Tat vielleicht nur deshalb, weil sie sich und ihresgleichen als potentielle oder wirkliche Opfer einer »asiatischen« Tat betrachteten? War nicht der »Archipel GULag« ursprünglicher als Auschwitz? War nicht der »Klassenmord« der Bolschewiki das logische und faktische Prius des »Rassenmords« der Nationalsozialisten? Sind Hitlers geheimste Handlungen nicht gerade auch dadurch zu erklären, daß er den »Rattenkäfig« *nicht* vergessen hatte? Rührte Auschwitz vielleicht in seinen Ursprüngen aus einer Vergangenheit her, die nicht vergehen wollte?

Man braucht das verschollene Büchlein von Melgunow nicht gelesen zu haben, um solche Fragen zu stellen. Aber man scheut sich, sie aufzuwerfen, und auch ich habe mich lange Zeit gescheut, sie zu stellen. Sie gelten als antikommunistische Kampfthesen oder als Produkte des kalten Krieges. Sie passen auch nicht recht zur Fachwissenschaft, die immer engere Fragestellungen wählen muß. Aber sie beruhen auf schlichten Wahrheiten. Wahrheiten willentlich auszusparen, mag moralische Gründe haben, aber es verstößt gegen das Ethos der Wissenschaft.

Die Bedenken wären nur dann berechtigt, wenn man bei diesen Tatbeständen und Fragen stehenbliebe und sie nicht ihrerseits in einen größeren Zusammenhang stellte, nämlich in den Zusammenhang jener qualitativen Brüche in der europäischen Geschichte, die mit der industriellen Revolution beginnen und jeweils eine erregte Suche nach den »Schuldigen« oder doch nach den »Urhebern« einer als verhängnisvoll betrachteten Entwicklung auslösten. Erst in diesem Rahmen würde ganz deutlich werden, daß sich trotz aller Vergleichbarkeit die biologischen Vernichtungsaktionen des Nationalsozialismus qualitativ von der sozialen Vernichtung unterschieden, die der Bolschewismus vornahm. Aber so wenig wie ein Mord, und gar ein Massenmord, durch einen anderen Mord »gerechtfertigt« werden kann, so gründlich führt doch eine Einstellung in die Irre, die nur auf den *einen* Mord und den *einen* Massenmord hinblickt und den anderen nicht zur Kenntnis nehmen will, obwohl ein kausaler Nexus wahrscheinlich ist.   1986

Der Osten geriet in Bewegung. Michail Gorbatschow wurde im März 1985 zum Generalsekretär der Kommunistischen Partei der Sowjetunion gewählt. Darauf setzten dort die Diskussionen über die Demokratisierung ein. In Ost-Berlin wurden im Sommer 1987 bei Auseinandersetzungen zwischen Jugendlichen und der Volkspolizei die ersten Rufe nach Gorbatschow laut. In Ungarn gaben die Behörden im Jahr 1988 Reisepässe aus, mit denen ungarische Bürger ohne Visum in den Westen reisen durften. In Litauen und in Estland gingen im selben Jahr Demonstranten für die Unabhängigkeit von der Sowjetunion auf die Straße. Ein Jahr später schlossen sich die Georgier dieser Forderung für ihr Land an. Im Mai 1989 begannen die Ungarn damit, die Grenzbefestigungen zu Österreich abzubauen. Ende 1988 wurde Michail Gorbatschow zum sowjetischen Staatsoberhaupt gewählt. Im Juni 1989 erklärte er in Bonn, daß die innerdeutsche Mauer fallen könnte, wenn die Voraussetzungen nicht mehr bestünden, die sie notwendig gemacht hätten: die Feindschaft der Systeme.

Während sich das Schreckensjahrhundert der Ideologien, dem so viele Menschen zum Opfer gefallen waren, dem Ende zuneigte, geriet der Mensch als Geschöpf der Natur in immer größere Bedrängnis. Befürchtungen kamen auf, daß sich die Menschenzüchtungen der Nationalsozialisten wiederholen würden. Im

Januar 1985 wurde in London das »Baby Cotton« geboren. Das Baby war künstlich gezeugt und von einer Leihmutter gegen Geld ausgetragen worden. Das Oberste Gericht in London vertrat die Auffassung, daß das Kind an seine Auftraggeber übergeben werden durfte. In der Bundesrepublik und weltweit begann eine Debatte, die dazu führte, daß die Bundesregierung 1989 das Embryonenschutzgesetz verabschiedete. In diesem Gesetz wurden alle Veränderungen am menschlichen Erbgut untersagt und die Leihmutterschaft sowie die Forschung an und der Handel mit Embryonen verboten. Im Januar 1987 hatte eine Enquetekommission des Bundestages einen Bericht über die Gentechnologie vorgelegt. Im April 1988 war in den Vereinigten Staaten eine gentechnisch manipulierte Maus patentiert worden.

Im Sommer 1989 kam es in der Bundesrepublik zum Eklat um den Philosophen Peter Singer, der in Australien lehrte. Singer war nach Marburg zu einem Symposium, das unter dem Thema »Biotechnologie, Ethik und geistige Behinderung« stand, und nach Dortmund zu einem Vortrag über das Thema »Haben schwerstbehinderte Neugeborene ein Recht auf Leben?« eingeladen worden. Sowohl in Marburg als auch in Dortmund protestieren Behinderte, so daß Singer nicht auftreten konnte.

Reinhard Merkel gehört zu den profiliertesten Teilnehmern an den bioethischen Debatten und ist gegenwärtig Ordinarius für Rechtswissenschaft an der Universität Hamburg. Sein Artikel über Peter Singer, aus dem der folgende Text stammt, erschien im Juni 1989 in der Wochenzeitung »Die Zeit«, zu deren Redaktion er damals gehörte, unter dem Titel »Der Streit um Leben und Tod«.

Im Februar 1992 unterschrieben zahlreiche Hochschullehrer und Politiker, darunter die Philosophen Robert Spaemann und Odo Marquard, ein Manifest über den Schutz sterbender, behinderter und ungeborener Menschen. Die Verfasser befürchteten eine Rückkehr der Euthanasie und fragten sich, ob demnächst damit zu rechnen sei, daß ein Indikationsmodell für Pflegebedürftige von der Regierung verabschiedet werde. Sie sahen die Pflegebedürftigen schon von der Vorstellung bedrängt, daß das Recht auf Leben mit den anfallenden Pflegekosten abgewogen werden müsse. Der Anstieg der Pflegekosten sei nicht aufzuhalten, weil sich die Bevölkerungsstruktur verändere und es immer mehr alte Menschen gebe. Vielleicht werde es, vermuteten die Verfasser, bald einmal zu den sozialen Pflichten des dauerhaft Pflegebedürftigen gehören, sich töten zu lassen, weil dieser Tod die Mitwelt entlaste. Diese Diskussion wurde fünfzehn Jahre später in der Debatte über die Patientenverfügungen öffentlich weitergeführt.

Reinhard Merkel. Im deutschen Strafgesetzbuch gibt es einen Paragraphen, der die »Tötung auf Verlangen« pönalisiert. Er trägt die Nummer 216 und lautet so: »Ist jemand durch das ausdrückliche und ernsthafte Verlangen des Getöteten zur Tötung bestimmt worden, so ist auf Freiheitsstrafe von sechs Monaten bis zu fünf Jahren zu erkennen.«

Daß diese Vorschrift eine plausible Schutzfunktion erfüllt, liegt auf der Hand. Wer wollte jemanden straflos lassen, der etwa die im Augenblick ernsthafte Todesbitte eines aus Liebeskummer verzweifelten Jugendlichen mit einem Schuß in dessen Kopf umstandslos erfüllte? Die Unverzichtbarkeit des Paragraphen 216 scheint keinem vernünftigen Zweifel ausgesetzt.

Oder doch? Vor Jahren wurde in einem schwedischen Strafprozeß der folgende Fall verhandelt: Ein Lkw-Fahrer geriet mit seinem Beifahrer auf einsamer Strecke in einen schweren Unfall und wurde zwischen massiven Stahlblechteilen ausweglos eingeklemmt. Der Wagen fing Feuer. Als der Eingeklemmte am ganzen Leib zu brennen begann, flehte er seinen Begleiter an, ihn mit der Axt zu erschlagen. In höchster Gewissensnot schlug der Beifahrer zu und bewahrte den Eingeklemmten durch diesen schnellen vor einem qualvollen anderen Tod.

Strafwürdig? Nach deutschem Recht hat die Frage wenig Sinn. Der Paragraph 216 läßt keinen, jedenfalls keinen juristisch sauberen Ausweg zu. Hätte der Beifahrer zur Vermeidung einer Kriminalstrafe wegen »Tötung auf Verlangen« seinen Kollegen verbrennen lassen sollen?

Vorgänge wie dieser dürften selten sein. Doch die innere Logik seines Konflikts gehört zu den Alltäglichkeiten der Intensivstationen unserer Krankenhäuser: Darf das letzte Mittel der Schmerzbekämpfung bei schwer leidenden Todkranken deren Tötung sein? Über den zahlreichen Problemvarianten hinter dieser Frage steht als Kennzeichen ein Wort, auf das aus dem dunkelsten geschichtlichen Hintergrund unseres Jahrhunderts ein riesenhafter Schatten fällt: Euthanasie. . . .

Wer in dieser Situation zu laut, zu deutlich oder unpopulär spricht, stößt an die Toleranzgrenzen eines faulen, aber aggressiv bewachten Friedens. Der australische Moralphilosoph Peter Singer, eine der international profilierten Gestalten seines Faches, war für die ersten beiden Juniwochen zu Vorträgen in die Bundesrepublik eingeladen worden: zwei davon geplant an den Universitäten Dortmund und Saarbrücken, einer für das Symposion »Biotechnik – Ethik – geistige Behinderung«, das, organisiert von der Bundesvereinigung

Reinhard Merkel

der Eltern geistig Behinderter, in Marburg stattfinden sollte. Es kam nicht dazu. In Dortmund wurde der Vortrag, in Marburg das ganze Symposion abgesagt, nachdem verschiedene Organisationen die notfalls gewaltsame Unterbindung von Singers Auftritten angekündigt hatten.

Singer vertritt seit Jahren eine philosophische Argumentation für die Zulässigkeit bestimmter Formen der Euthanasie. Abgeleitet aus moralischen Grundprinzipien und von ihnen begrenzt, reichen seine Gedanken dennoch weit über die tabuisierten Limits der in Deutschland »sozialverträglichen« Debatte hinaus. Neben der einvernehmlichen aktiven Sterbehilfe für Leidende hält er in gewissen Fällen schwerer Behinderungen auch die Tötung von Neugeborenen für erlaubt, ja manchmal für ethisch geboten. ...

Muß, sollte, darf man? Das dem Australier in Saarbrücken vielfach entgegengeschriebene »Faschist« bezeichnet präzise die Schmerzgrenze der Diskussionsbereitschaft in einem Land, das dem Schatten seiner Vergangenheit auch in diesem Punkt nicht zu entkommen vermag. Ende Oktober 1939 unterzeichnete Hitler einen auf den 1. September rückdatierten Geheimbefehl: »Reichsleiter Bouhler und Dr. med. Brandt sind unter Verantwortung beauftragt, die Befugnisse namentlich zu bezeichnender Ärzte so zu erweitern, daß nach menschlichem Ermessen unheilbar Kranken bei kritischer Beurteilung der Gnadentod gewährt werden kann.«

Eine zu diesem Zweck ins Leben gerufene Tarnorganisation, deren Zentrale in der Berliner Tiergartenstraße 4 saß, gab der nun anlaufenden Vernichtungsmaschinerie »T 4« den konspirativen Namen und eine grausige Dimension. Rund vierzig Ärzte töteten bis zum 24. August 1941, als Unruhe in der Bevölkerung über den auf Dauer nicht geheimzuhaltenden Massenmord seinen Abbruch erzwang, über 70 000 Menschen.

Präludiert hatte dem gespenstischen Geschehen eine vom »Reichsausschuß zur wissenschaftlichen Erfassung erb- und anlagebedingter schwerer Leiden« organisierte Massenvernichtung mißgebildeter Neugeborener. Im Frühjahr 1939 war Hitler persönlich von den Angehörigen eines in Leipzig geborenen blinden, einarmigen und idiotischen Kindes gebeten worden, dessen Tötung zu veranlassen. Im August 1939 begann die geheime Erfassung aller schwerbehinderten Neugeborenen. 5000 Kinder, unter ihnen später bis zu acht-, dann zwölf-, dann siebzehnjährige und schließlich auch gesunde »fremdrassige«, fielen den Morden bis 1945 zum Opfer. Eine Einwilligung der Eltern ist lediglich in zwei Fällen nachweisbar. Der Euphemismus, mit dem sich das beispiellose Verbrechen maskierte, hieß »Euthanasie«. ...

Schon ein einziger Blick auf die in Strafrecht, Medizin und Moraltheologie kursierenden Regeln, Empfehlungen, Ge- und Verbote für den Bereich der

»Tötung auf Verlangen« zeigt ein Chaos. Der Strafrechtsprofessor Albin Eser hat bereits 1975 eine – längst nicht vollständige – Typologie von 56 unterschiedlichen Fallkonstellationen skizziert, die jeweils einer gesonderten rechtlichen Bewertung bedürften. In einem Labyrinth sich kreuzender, oft widersprüchlicher Regeln und Prinzipien verliert sich jede Spur einheitlicher und ethisch überzeugender Beurteilungskriterien.

Das ist kein Beispiel akzeptabler, sozusagen postmoderner kultureller Ideenvielfalt. Es zeigt einen Zustand schwer erträglicher Rechtsunsicherheit in der Justiz und vor allem der klinischen Praxis an. Ende 1986 wurden innerhalb einer Woche vor deutschen Strafgerichten die beiden folgenden Fälle entschieden:

Ein Mann fand seinen schwerkranken siebzigjährigen Onkel einige Tage nach dessen angekündigtem Selbstmordentschluß bewußtlos, neben ihm eine Spritze und zwanzig Ampullen des Narkoanalgetikums Scophedal – eine für den geschwächten Körper vermutlich tödliche, jedenfalls aber zu unheilbaren Dauerschäden führende Dosis. Bei der Ankündigung des Selbstmords hatte der Kranke seinen Neffen gefragt: »Würdest du mir helfen, die Spritze zu geben, wenn ich es nicht kann?« Auch hatte er dringend gebeten, »unter keinen Umständen« seine Überführung als Pflegefall in eine Klinik zuzulassen. In der Angst, der Selbstmordversuch könnte auf diese für den Onkel unerträgliche Weise halb mißlingen, spritzte der Neffe noch drei Ampullen des Giftes nach. Dies beschleunigte den wahrscheinlich ohnehin sicheren Todeseintritt »um mindestens eine Stunde«.

Das Schwurgericht Waldshut verurteilte den Neffen wegen Totschlags zu dreieinhalb Jahren Gefängnis. Der Bundesgerichtshof hob am 25.11.1986 das Urteil auf. Es handle sich lediglich um einen Fall des Paragraphen 216, also der »Tötung auf Verlangen«; die Strafe müsse geringer ausfallen. In einer Analyse des BGH-Urteils wies der Münchner Strafrechtler Claus Roxin nach, daß hier nichts anderes vorlag als eine (nachträgliche) Beihilfe zum Selbstmord. Diese ist straflos.

Am 3.12.1986 sprach das Landgericht Ravensburg einen Mann frei, der wegen »Tötung auf Verlangen« seiner Ehefrau angeklagt war. Die seit langem schwerkranke, gelähmte Frau war bewußtlos und sterbend ins Krankenhaus eingeliefert worden. In Gesprächen zuvor hatte sie darum gebeten, im Endstadium ihrer Krankheit »keinesfalls« eine künstliche Beatmung zuzulassen. Im Krankenhaus wurde die Beatmung dennoch durchgeführt. Die Frau kam wieder zu Bewußtsein. Auf einer Spezialschreibmaschine, mit der alleine sie sich noch verständlich machen konnte, schrieb sie: »Ich möchte sterben, weil mein Zustand nicht mehr erträglich ist.« In einem unbeobachteten Moment schaltete der Ehemann das Beatmungsgerät aus, blieb am Bett der Frau sitzen und hielt ihre Hand fest, bis der Tod eintrat.

Das Landgericht entschied, es liege keine aktive Tötungshandlung, vielmehr nur ein Behandlungsabbruch vor; er sei einem bloßen »Unterlassen« gleichzusetzen und im Falle ausdrücklichen Sterbeverlangens nicht strafbar.

Zwei grundsätzliche strafrechtliche Abgrenzungslinien sind in den beiden Fällen erkennbar: die zwischen bloßer Beihilfe zum Selbstmord und strafbarer Tötung auf Verlangen; und die zwischen bloß passivem »Sterbenlassen« und aktiver Tötung. Eine dritte Grenze verläuft zwischen »direkt gewolltem« und bloß »indirekt in Kauf genommenem«, wenn auch klar vorhergesehenem Todeseintritt. Sie spielt vor allem dann eine Rolle, wenn zum Zweck der Schmerzlinderung absehbar tödliche Dosen von Schmerzmitteln injiziert werden. Umstritten ist hier nahezu alles – zwischen Wissenschaft und Rechtsprechung so gut wie zwischen Medizinern, Juristen und Theologen. Sagen läßt sich immerhin soviel: Eine große Zahl täglicher klinischer Grenzfälle an den nicht mehr erkennbaren Trennlinien zwischen Recht und Unrecht verschwindet spurlos in einer gnädigen Praxis des Wegschauens bei Staatsanwälten und medizinischen Kollegen. Daß hier überhaupt noch Ärzte angeklagt und verurteilt werden – so gerecht es im Einzelfall erscheinen mag –, mutet vor diesem Horizont einer gigantischen Dunkelziffer der Normalität wie blanke Willkür an.

1986 legte eine Gruppe von Strafrechts- und Medizinprofessoren den »Alternativentwurf eines Gesetzes über Sterbehilfe« vor. Eine Reihe der gegenwärtigen Rechtsunsicherheiten, wenn auch bei weitem nicht alle, wäre damit beseitigt worden. Vor allem Paragraph 216 sollte mit der weitgehenden Möglichkeit eines »Absehens von Strafe« prinzipiell entschärft werden. Der Juristentag des Jahres 1986 lehnte den Entwurf ab. Der Bonner Gesetzgeber veranstaltete im gleichen Jahr eine Expertenanhörung und beließ anschließend die Probleme in ihren alten Wirren....

1982 verurteilte das Landgericht München einen Arzt, der ein Neugeborenes auf rohe Weise mit einer Succinyl-Spritze getötet hatte, zu zweieinhalb Jahren Gefängnis. Er hatte das Kind irrtümlich für schwer hirngeschädigt gehalten. Die informierte, an einen Hirnschaden glaubende Mutter hatte ihr Einverständnis erklärt. In einem Gutachten für das Gericht zog der renommierte Münchner Rechtsphilosoph Arthur Kaufmann strafrechtliche und ethische Grenzen um den Tabubereich »Früheuthanasie«: Jede aktive und direkte Tötung noch so schwer geschädigter Kinder sei unter allen Umständen verboten. Ein passives Sterbenlassen komme allenfalls als Behandlungsverzicht bei Krankheiten mit gesicherter Todesprognose und nur in extremen Grenzfällen schwerster und aussichtsloser Schädigung in Frage.

Doch auch auf solcher Konzessionslosigkeit lastet der lautlos normierende Druck der klinischen Realität. 1985 schlug der Mainzer Strafrechtler Ernst-Walter Hanack unter Bekräftigung des Verbots aktiver Tötung deutlich erweiterte Möglichkeiten passiver Euthanasie vor. In der Neuauflage des strafrechtlichen Standardkommentars »Schönke-Schröder« von 1988 schreibt Albin Eser: »Noch weithin ungeklärt ist das Sterbenlassen von mißgebildeten Neugeborenen, wie es – wenn auch meist insgeheim – schon praktiziert wird.«

Wo wird es praktiziert? In welchen Fällen? Auf welche Weise? Wie häufig? Wer entscheidet? Unter wessen Kontrolle? Ist jemand, der in dieser Situation öffentlich die Frage der Euthanasie an Neugeborenen aufwirft, wirklich faschismusverdächtig? 1989

Reinhard Merkel

V

Krieg und Würde

1989 – 2005

Im »Kursbuch« Nummer 4 aus dem Jahr 1966 hatte Hans Magnus Enzensberger einen »Katechismus zur deutschen Frage« veröffentlicht. Das »Deutschland-Problem«, schrieb Enzensberger, sei ein Anachronismus aus dem Kalten Krieg. Er empfahl, die Deutsche Demokratische Republik zu respektieren und die beiden Teile Deutschlands in einer Konföderation zusammenzubringen. Enzensbergers Phantasie erreichte die Wirklichkeit nicht.

Leider hätten die deutschen Staatsbeamten, klagte Martin Walser in seinem Aufsatz »Reden über Deutschland« aus dem Jahr 1988, diese Ausgabe des »Kursbuchs« nicht zur Kenntnis genommen. Linke und rechte Intellektuelle, erklärte Walser, seien sich bei uns »wahrscheinlich über wenig so einig wie darüber: die Teilung ist annehmbar … Die Grundgesetzpräambel und anderes Institutionelles ist keine belebende Gesellschaft. Und die Leute werden nicht gefragt. Das Volk! Populist wird man geschimpft, wenn man meint, die Deutschland-Frage könne nur vom Volk beantwortet werden. Eine Abstimmung in der DDR, eine bei uns. International überwacht. Das Selbstbestimmungsrecht der Völker praktiziert. So einfach wäre das. Und genauso unmöglich, undenkbar.« Er wundere sich, schloß Walser seine Rede, daß diese Aussichtslosigkeit bei ihm nicht umschlage in Hoffnungslosigkeit. Vielleicht wirke hier ermunternd sein – der Schriftsteller scheute das Wort nicht – Geschichtsgefühl.

Im August 1989 entschloß sich der Axel Springer Verlag, in seinen Zeitungen und Zeitschriften die Deutsche Demokratische Republik nicht mehr in Anführungszeichen zu setzen. Axel Springer hatte viele Jahre zuvor die Anführungszeichen verordnet, um seinen Lesern den provisorischen Charakter dieses Staates vor Augen zu führen. Zahlreiche Bürger des ehemaligen Anführungsstaates gingen 1989 vor allem über Ungarn in die Bundesrepublik. Diese Grenzöffnung hat den politischen Wandel in der Deutschen Demokratischen Republik entscheidend vorangetrieben.

Am 4. September 1989 kam es in Leipzig zur ersten Montagsdemonstration. Die Demonstranten forderten größere Reisefreiheit und die Abschaffung des Ministeriums für Staatssicherheit. Aus den Botschaften der Bundesrepublik in Prag und Warschau wurden Bürger aus Ostdeutschland, die dort ausharrten, in den Westen gebracht. Anfang Oktober demonstrierten in Leipzig zwanzigtausend Menschen. Michail Gorbatschow erklärte auf einer Feier zum vierzigsten Jahrestag der Deutschen Demokratischen Republik, wer zu spät komme, den bestrafe das Leben. Erich Honecker schlug diesen Wink in den Wind. Siebzigtausend Menschen gingen auf die Straße und erklärten laut: Wir sind das Volk. Es wurden immer mehr: Mitte Oktober waren es einhundertzwanzigtausend, die durch Leipzig zogen. Honecker verstand endlich, was das zu bedeuten hatte, und legte wenige Tage später alle seine Ämter nieder. Dreihunderttausend Menschen liefen durch die Leipziger Straßen. Egon Krenz, der neue Generalsekretär der Sozialistischen Einheitspartei, blieb bei der Stange und erklärte, daß der Sozialismus auf deutschem Boden nicht zur Disposition stünde.

Die Regierung beschloß Anfang November, daß die Bürger des Arbeiter- und Bauernstaates auf dem Weg über die Tschechoslowakei das Land verlassen dürften. Vielen Menschen mußte man das nicht zweimal sagen, sie ergriffen die Gelegenheit beim Schopfe. Einen Tag später, am 4. November 1989, kamen Hunderttausende auf dem Alexanderplatz in Berlin zusammen und demonstrierten für demokratische Reformen und gegen die Macht der Partei.

Die Schriftstellerin Christa Wolf, geboren 1929 in Landsberg, war 1949 in die Sozialistische Einheitspartei eingetreten, die sie erst 1989 wieder verließ. Sie wurde in der Deutschen Demokratischen Republik mit Preisen geehrt und gehörte zu den Initiatoren des Protestes gegen die Ausbürgerung Wolf Biermanns. In den siebziger Jahren wurde sie von der Staatssicherheit observiert. Nach der Wiedervereinigung, im Jahr 1993, mußte sie bekennen, daß sie Ende der fünfziger und Anfang der sechziger Jahre für die Staatssicherheit als Informelle Mitarbeiterin gearbeitet hatte. Auf der Kundgebung auf dem Alexanderplatz ergriff sie das Wort und erklärte, daß das Volk nicht einfach alles stehen- und liegenlassen und in den kapitalistischen Westen überlaufen, sondern bleiben und mit beiden Händen die notwendigen Veränderungen im eigenen Land anpacken sollte.

Christa Wolf. Jede revolutionäre Bewegung befreit auch die Sprache. Was bisher so schwer auszusprechen war, geht uns auf einmal frei über die Lippen. Wir staunen, was wir offenbar schon lange gedacht haben und was wir uns jetzt laut zurufen: Demokratie – jetzt oder nie! Und wir meinen Volksherrschaft, und wir erinnern uns der steckengebliebenen oder blutig niedergeschlagenen Ansätze in unserer Geschichte und wollen die Chance, die in dieser Krise steckt, da sie alle unsere produktiven Kräfte weckt, nicht wieder verschlafen; aber wir wollen sie auch nicht vertun durch Unbesonnenheit oder die Umkehrung von Feindbildern.

Mit dem Wort »Wende« habe ich meine Schwierigkeiten. Ich sehe da ein Segelboot, der Kapitän ruft: »Klar zur Wende!«, weil der Wind sich gedreht hat, und die Mannschaft duckt sich, wenn der Segelbaum über das Boot fegt. Stimmt dieses Bild? Stimmt es noch in dieser täglich vorwärtstreibenden Lage?

Ich würde von »revolutionärer Erneuerung« sprechen. Revolutionen gehen von unten aus. »Unten« und »oben« wechseln ihre Plätze in dem Wertesystem, und dieser Wechsel stellt die sozialistische Gesellschaft vom Kopf auf die Füße. Große soziale Bewegungen kommen in Gang, soviel wie in diesen Wochen ist in unserem Land noch nie geredet worden, miteinander geredet worden, noch nie mit dieser Leidenschaft, mit soviel Zorn und Trauer und mit soviel Hoffnung. Wir wollen jeden Tag nutzen, wir schlafen nicht oder wenig, wir befreunden uns mit neuen Menschen, und wir zerstreiten uns schmerzhaft mit anderen. Das nennt sich nun »Dialog«, wir haben ihn gefordert, nun können wir das Wort fast nicht mehr hören und haben doch noch nicht wirklich gelernt, was es ausdrücken will. Mißtrauisch starren wir auf manche plötzlich ausgestreckte Hand, in manches vorher so starre Gesicht: »Mißtrauen ist gut, Kontrolle noch besser« – wir drehen alte Losungen um, die uns gedrückt und verletzt haben, und geben sie postwendend zurück. Wir fürchten, benutzt zu werden. Und wir fürchten, ein ehrlich gemeintes Angebot auszuschlagen. In diesem Zwiespalt befindet sich nun das ganze Land. Wir wissen, wir müssen die Kunst üben, den Zwiespalt nicht in Konfrontation ausarten zu lassen: Diese Wochen, diese Möglichkeiten werden uns nur einmal gegeben – durch uns selbst.

Verblüfft beobachten wir die Wendigen, im Volksmund »Wendehälse« genannt, die, laut Lexikon, sich »rasch und leicht einer gegebenen Situation anpassen, sich in ihr geschickt bewegen, sie zu nutzen verstehen«. *Sie* am meisten blockieren die Glaubwürdigkeit der neuen Politik. Soweit sind wir wohl noch nicht, daß wir sie mit Humor nehmen können – was uns doch in anderen Fällen schon gelingt. »Trittbrettfahrer – zurücktreten!« lese ich auf Transparenten. Und, an die Polizei gerichtet, von Demonstranten der Ruf: »Zieht euch um und schließt euch an!« – ein großzügiges Angebot. Ökonomisch denken wir auch: »Rechtssicherheit spart Staatssicherheit!« Und wir sind sogar zu existentiellen Verzichten bereit: »Bürger, stell die Glotze ab, setz dich jetzt mit uns in Trab!« Ja: Die Sprache springt aus dem Ämter- und Zeitungsdeutsch heraus, in das sie eingewickelt war, und erinnert sich ihrer Gefühlswörter. Eines davon ist »Traum«. Also träumen wir mit hellwacher Vernunft.

Stell dir vor, es ist Sozialismus, und keiner geht weg! Sehen aber die Bilder der immer noch Weggehenden, fragen uns: Was tun? Und hören als Echo die Antwort: Was tun! Das fängt jetzt an, wenn aus den Forderungen Rechte, also Pflichten werden: Untersuchungskommission, Verfassungsgericht. Verwaltungsreform. Viel zu tun, und alles neben der Arbeit. Und dazu noch Zeitung lesen!

Zu Huldigungsvorbeizügen, verordneten Manifestationen werden wir keine Zeit mehr haben. Dieses ist eine *Demo*, genehmigt, gewaltlos. Wenn sie so bleibt, bis zum Schluß, wissen wir wieder mehr über das, was wir können, und darauf bestehen wir dann:

Vorschlag für den Ersten Mai:

Die Führung zieht am Volk vorbei.

Unglaubliche Wandlungen. Das »Staatsvolk der DDR« geht auf die Straße, um sich als – Volk zu erkennen. Und dies ist für mich der wichtigste Satz dieser letzten Wochen – der tausendfache Ruf: Wir – sind – das – Volk!

Eine schlichte Feststellung. Die wollen wir nicht vergessen.   1989

Dann ging alles schnell. Am 7. November trat die Regierung des realen Sozialismus zurück. Das Neue Forum wurde als eine politische Vereinigung zugelassen. Kurz vor sieben Uhr abends am 9. November 1989 saß Günther Schabowski, Mitglied des Politbüros, auf einer Pressekonferenz und wurde nach den neuen Ausreiseregelungen befragt. Er gab darauf als Antwort einen Beschluß des Ministerrates zu Protokoll. Der Beschluß lautete, daß private Reisen ins Ausland ohne die üblichen langwierigen Anträge erlaubt seien, und zwar, wie er auf eine Nachfrage erklärte, seines Wissens nach: sofort. Die Macht des Wissens sollte sich auch in diesem Fall rasch erweisen. Die Erstattung der Ausreise-Erlaubnis war, wie sich herausstellte, in dieser Eile gar nicht vorgesehen gewesen.

Kaum hatten die Bürger des realen Sozialismus Schabowskis Ankündigung vernommen, drängten sie in Berlin von Ost nach West, und zwar in solchen Massen, daß kurz vor Mitternacht die Schlagbäume an der Mauer in die Höhe gingen. Millionen Bürger der Deutschen Demokratischen Republik standen nun im Westen. Helmut Kohl, der an diesem Abend in Polen weilte, reiste sofort nach Berlin und sprach auf einer Kundgebung. Willy Brandt kam nach Berlin und sagte, daß jetzt zusammenwachse, was zusammengehöre. Noch hielten die Sozialisten am realen Sozialismus fest. Spätestens jetzt hätten die Staatsbeamten in Ost und West das »Kursbuch« Nummer 4 heraussuchen müssen. Das taten sie aber nicht.

Die Volkskammer wählte Hans Modrow zum neuen Ministerpräsidenten. Hans Modrow reihte sich bei Christa Wolf ein und erklärte, daß Reformen durchgeführt würden, um eine neue sozialistische Gesellschaft aufzubauen. Modrow wollte von einer Wiedervereinigung des geteilten Landes nichts wissen. Helmut Kohl mochte sich darauf nicht einlassen und legte Ende November ein »Zehn-Punkte-Programm zur Überwindung der Teilung Deutschlands und Europas« vor.

In Leipzig drangen Bürger in das Gebäude der Staatssicherheit ein, um die Vernichtung von Akten zu verhindern, die Auskunft über die Machenschaften der Staatssicherheit geben konnten. Anfang Dezember wurde Gregor Gysi zum neuen Vorsitzenden der maroden Partei gewählt, die nun das frische Anhängsel Partei des Demokratischen Sozialismus erhielt. Die alte Staatspartei wurde im Januar 1990 aufgelöst. Am 11. Dezember 1989 tauchte zum ersten Mal auf einer Leipziger Montagsdemonstration die Forderung auf, daß Deutschland wiedervereinigt werden sollte. Hans Modrow und Helmut Kohl entwarfen eine deutsche Vertragsgemeinschaft. Im Osten wurde beschlossen, alle Kombinate und volkseigenen Betriebe in Kapitalgesellschaften umzuwandeln und eine Anstalt zur treuhänderischen Verwaltung von Volkseigentum einzurichten.

Die Sozialdemokratische Partei in der Bundesrepublik war der Ansicht, daß das deutsche Volk über die Wiedervereinigung abstimmen sollte, und wenn es zu einem geeinten Deutschland käme, dann sollte das deutsche Volk auch über eine neue Verfassung abstimmen. Die christlichen Parteien waren der Ansicht, daß Ostdeutschland einfach der Bundesrepublik nach Artikel 23 des Grundgesetzes beitreten sollte. In Ostdeutschland lehnte der Runde Tisch, an dem sich mehrere Parteien zusammenfanden, diese Variante der Wiedervereinigung ab.

In die Debatte über den Verlauf und die Modalitäten der Wiedervereinigung griff auch Jürgen Habermas ein und prägte dabei den Begriff des DM-Nationalismus. Mit diesem Begriff beschrieb er die Strategie der Bundesregierung, sich den Osten mit seiner maroden Wirtschaft ohne Wenn und Aber einzuverleiben. Habermas plädierte dafür, daß die Präambel des Grundgesetzes erfüllt werde, in der die Vorläufigkeit des Grundgesetzes betont wird: Das ganze deutsche Volk solle über eine neue Verfassung abstimmen. Günter Grass sah sich als vaterlandslosen Gesellen beschimpft, weil er sich gegen die in seinen Augen rabiate Übernahme Ostdeutschlands durch Westdeutschland wehrte. Er favorisierte eine deutsche Föderation. In seiner »Rede eines vaterlandslosen Gesellen« aus dem Jahr 1990 schrieb er: »Ich fürchte mich nicht nur vor dem aus zwei deutschen Staaten zu einem Staat vereinfachten Deutschland, ich lehne den Einheitsstaat ab und wäre erleichtert, wenn er – sei es durch deutsche Einsicht, sei es durch Einspruch der Nachbarn – nicht zustande käme.«

Im Juli 1990 kam es mit dem Staatsvertrag zu einer Währungs-, Wirtschafts- und Sozialunion der beiden Teile Deutschlands. Die Menschen mit ihren unterschiedlichen deutschen Lebensläufen und ihren unterschiedlichen Erfahrungen und Vorstellungen fanden nicht so schnell zueinander. Christa Wolf fühlte sich als Opfer einer Hetzjagd, nachdem ihr neues Buch, die Erzählung »Was bleibt«, in führenden westdeutschen Zeitungen verrissen worden war. Walter Jens und der Schriftsteller Peter Schneider schlugen sich auf die Seite Christa Wolfs. Sie sprachen den Kritikern das moralische Recht ab, über eine Geschichte zu urteilen, in der Christa Wolf von ihrem Leben in der Deutschen Demokratischen Republik erzählte – in einem Land, das in den Augen Christa Wolfs den Charme einer sozialistischen Alternative nicht verloren hatte. Nur wer dabeigewesen sei – darauf einigten sich die Verteidiger Wolfs –, dürfe darüber urteilen. Sie hatten offensichtlich vergessen, daß mit diesem Argument auch die Generation der Achtundsechziger über die nationalsozialistische Vergangenheit ihrer Eltern hätte zum Schweigen verpflichtet werden können. Sie wiederholten damit nur den Vorwurf, den Hermann Lübbe in seiner Rede über die langen Nachwirkungen der nationalsozialistischen Vergangenheit in der Bundesrepublik einer Generation gemacht hatte, die mit der Inbrunst von moralisch unbescholtenen Kindern ihre Eltern kritisiert hatten, die von ihrer Vergangenheit nichts mehr wissen wollten.

Nicht nur die Moral, auch die Ästhetik wurde bemüht, als die Kunst aus der ehemaligen Deutschen Demokratischen Republik im Handumdrehen auf dem Prüfstand des Westens stand. Bildende Künstler aus dem deutschen Osten wurden mit ihren Werken von der westlichen Kunstszene beiseite geschoben und als Staatskünstler pauschal diskreditiert. Eduard Beaucamp, 1937 in Aachen geboren, war damals der leitende Kunstkritiker der »Frankfurter Allgemeinen Zeitung«. Er wandte sich gegen diese blinde Verurteilung auf der Grundlage einer porös gewordenen Avantgarde, die durch modische westliche Kunstvorstellungen ersetzt worden sei. Der ästhetische Wert eines Kunstwerks, erklärte Beaucamp, lasse sich nicht dadurch klären, daß die Künstler vor ein Gesinnungstribunal gezogen würden. Sein Aufsatz »Dissidenten, Hofkünstler, Malerfürsten. Über die schwierige Wiedervereinigung deutscher Kunst« erschien 1990.

 **Eduard Beaucamp.** Die so selbstbewußte, vom prosperierenden Markt verwöhnte westdeutsche Kunstszene scheint verunsichert. Läßt es sich anders erklären, warum sonst gegenwärtig von Künstlern, Händlern, Kritikern, Sammlern und sogar von Museumsleuten, die in einer wechselvollen Geschichte bewandert sind, so schweres Geschütz gegen die ostdeutsche Konkurrenz, die nun ins Haus steht, aufgefahren wird? Die Abwehr entlädt sich in Drohungen und Bannsprüchen, sie kulminierte in der absonderlichen Behauptung, alle guten Maler seien aus dem Osten ausgewandert, zurückgeblieben sei drüben nur Unkunst, durch und durch kompromittiert. Schon geht bei einem sonst weitherzigen Publikum das böse Wort von Künstlern als »Schreibtischtätern« um, und während der Justizminister eine

Amnestie für Stasi-Mitarbeiter empfiehlt, setzt die westdeutsche Bohème Maler auf die Anklagebank. Verunsichert ist auch die Ostseite. Schlechtes Gewissen quält sie. Sie fürchtet einen Markt, dessen üppiges Subventions-, Preis- und Förderwesen und dessen riesige, kunsthungrige Infrastruktur an Galerien sie verkennt.

Schwere Auseinandersetzungen stehen bevor. Beide Lager kennen sich kaum. Das Publikum konnte nur sporadisch östliche Kunst, nicht immer in bester Qualität, studieren. Es kennt sich immer noch besser in der Kunstszene von London, New York oder Los Angeles als in Leipzig, Dresden oder Halle aus. Vierzigjährige Fremdheit und Feindschaft werden durch die gegensätzlichen Sprachen, Stile und Inhalte der beiden deutschen Künste verschärft.

Aus der ästhetischen Diskussion ist simple Partei-, Agitations- und Propagandakunst, die drüben bis in die sechziger Jahre dominierte, herauszuhalten. Sie läßt sich, so wenig wie die NS-Kunst, wegleugnen, hat aber zuallererst die Zeitgeschichte (später vielleicht einmal das Museum für deutsche Geschichte) zu beschäftigen. Doch zu prüfen und zu verteidigen ist eine eigenständige und unverwechselbare Kunst, die sich mühsam und qualvoll ihre Freiheiten und Spielräume erkämpfte. Sie ist in der Verwicklung mit der DDR-Gesellschaft, anfangs sogar im Schutz der Partei, später auch gegen sie entstanden. Die Parteizugehörigkeit der älteren Maler zum Kunstkriterium zu machen ist vordergründig. Dann müßte man auch die Hälfte der westlichen Nachkriegsintelligenz, darunter Künstler vom Range Picassos und Légers, der noch in seinem Todesjahr von stalinistischen Aufmärschen in Prag schwärmte, und viele Heroen der New Yorker Malerei, die in die McCarthyschen Verdächtigungsmaschinerien gerieten, vor ein Gesinnungstribunal ziehen. Auch die russische Revolutionskunst und die frühe sowjetische Avantgarde waren in eine problematische Geschichte verstrickt. Sie wurden später Opfer der Entwicklung, paßten sich aber zum Teil auch dem neuen Zeitgeist an. Im Nationalsozialismus sind Bildhauer wie Kolbe oder Scheibe, Idyllenmaler von Lenk bis Dörries, trotz bedauerlicher Tribute an die Macht, ästhetisch zu verteidigen. Dalí, der dem Diktator Franco huldigte und wollüstig vor allen möglichen Thronen der Macht kroch, fabrizierte bombastische, aber keine propagandistische Kunst.

Moralische Urteile über Künstler bewegen sich im Vorhof der Kunst. Zu Recht bestehen Emigranten und Opfer des SED-Regimes auf Klärungen. Subjektiv verständlich ist die Behauptung, daß nach ihrem Weggang in der DDR nichts als Barbarei zurückblieb. Doch auch in der DDR erzeugte Druck Gegendruck. Willi Baumeister hat einmal geschrieben, der innere Widerstand in der NS-Zeit habe in ihm gewaltige Kräfte mobilisiert. Trotz Verfolgung und Vertreibung wuchsen auch in der DDR erstaunliche Potentiale heran. Im Westen hat sich das Bild ergebener Karrierekünstler verfestigt. Doch in Wirklichkeit galten Maler wie Tübke und Heisig noch in den sechziger Jahren zeitweise als Unpersonen. Die Maler wurden auf SED-Parteitagen *ex cathedra* gegeißelt. Heisig verließ für viele Jahre die Hochschule. Tübke bat damals den Besucher, seinen Namen im Westen nicht zu nennen. Einige Künstler hatten schlimme Erlebnisse: Der Bildhauer Wieland Förster saß jahrelang in Bautzen, der junge Tübke machte, wovon erst spät Freunde im Westen erzählten, Erfahrungen mit Verhören und Foltern. Noch in den achtziger Jahren bezog die Stasi-Bespitzelung auch die inzwischen etablierten Künstler ein. Wie aufrührerisch und unorthodox die Leipziger Avantgarde wirkte, bezeugt auch eine Erinnerung aus dem Jahre 1972. Als die Leipziger Schule damals auf der Bezirksausstellung mit Mattheuer, Heisig und Tübke und den Schülern Stelzmann, Gille, Zander oder Glombitza auftrat, prophezeite einer der besten Kenner und schärfsten Gegner der DDR, Ernst-Otto Maetzke, wenn die Obrigkeit solche Kunst zulasse, sei das der Anfang vom Ende der Parteiräson. ...

Kunst aus der DDR scheint vor allem deswegen fremd und irritierend, weil sie eine gesellschaftliche Verfassung hat und in Geschichte verwickelt ist. Dagegen wollte unsere Westkunst nach 1945 programmatisch aus aller Geschichte aussteigen und nur noch Prinzipien und Methoden ihrer eigenen Ästhetik folgen. Wo sie sich auf anderes einließ, beim gesellschaftlichen Konzept von Beuys oder jüngst im Terroristen-Zyklus von Gerhard Richter, blieben auch im Westen Reibungen nicht aus. Die Ost-Kunst entstand ursprünglich im Rahmen eines sozialistischen Zwangskonsenses, sie war als Auftragskunst gefaßt, stark politisch und rhetorisch geprägt.

Es war die besondere, vom Westen bis heute kaum anerkannte Leistung der Leipziger Malerei, die determinierte, eindimensionale Kunst in den sechziger Jahren zu einem vielschichtigen, verschlüsselten und vielfach gebrochenen Medium umgebaut zu haben. Sie entwickelte eine raffinierte metaphorische oder allegorische, also mehrdeutige Bildsprache, die Kritik und Kommentar, das Zitieren und Collagieren, damit eine intellektuelle Auseinandersetzung mit Thema und Auftrag erlaubte. Diese Reform machte es auch möglich, Partei und Gesellschaft in Frage zu stellen, labile Subjektivität ins Spiel zu bringen und Geschichte ins Bild zurückzuholen. ...

Im Westen sind über die komplizierte und reiche Kunst der Leipziger Avantgarde unglaubliche Vereinfachungen im Umlauf: Kunsthistoriker, die nur »stumpfe Stilisierung« sehen wollen, westliche Rivalen, die nach dem Kollaps der DDR nun die Kapitulation der Kunst fordern. Sie sprechen von Sklavensprache, die nach der Befreiung hinfällig werde (der Untergang beträfe dann freilich auch das Werk der Dissidenten). Eine Konsultierung der Geschichte ist hilfreich. Mißt und bewertet man Kunst nach den widrigen und repressiven Umständen, unter denen sie entstand, müßte man nahezu das gesamte Inventar der Kunstgeschichte verwerfen. Die freieste und selbstbewußteste Malerei, die das Abendland kennt, entfaltete sich in den verdorbensten Zeiten der Kirche am Hof der Päpste und im Spanien der Inquisition. Im Zentrum der Macht, in der Kapelle der Päpste, entstand jenes »Jüngste Gericht« Michelangelos, das schon die Zeitgenossen als protestantische Bilderpredigt verstanden und das dem Bildersturm der Gegenreformation knapp entkam. Der deutsch-deutsche Kunststreit regt die Phantasie an, sich auszumalen, was wohl Rubens und Rembrandt voneinander dachten. Sie lebten, nicht weit entfernt, in den geteilten Niederlanden: Rubens im spanisch besetzten Teil, im Dienst einer »imperialistischen« Macht und einer inquisitorisch-gegenreformatorischen Kirche, Rembrandt als malender Bürger und Zunftmitglied unter manchen »kapitalistischen« Schwierigkeiten in einer Stadtrepublik.

Was zählt, sind die Ergebnisse. Aber selbst Gönner, die in ästhetischen DDR-Produkten mehr als Unkunst erkennen können, dekretieren im Vergleich zum Westen pauschal Unterschiede des Ranges. Ohne die einzelnen Werke zu diskutieren, heißt es, die Leipziger bewegten sich unterhalb des Niveaus unserer tonangebenden westdeutschen Malerfürsten. Man kann es auch umgekehrt sehen. Für die malerisch raffinierten Bildtechniken Heisigs, welche die Sprache der Expressionisten und Veristen weiterentwickelt haben, für den Manierismus und die zeichnerische Virtuosität Tübkes, vor allem aber für sein apokalyptisches Bauernkriegsdrama findet sich zur Zeit nichts Vergleichbares und damit Ranggleiches im Westen. Diese Künstler setzten leuchtende Akzente in einer an Höhepunkten nicht eben reichen jüngeren Kunstgeschichte. Gestern noch diskutierte man hierzulande den liberalen Pluralismus der Postmoderne. Nach der Wende besteht man wieder auf dem absoluten Geltungsanspruch einer vermeintlich noch immer »schwierigen, radikalen, alles in Frage stellenden West-Avantgarde«. Diese Avantgarde sollte sich selbstkritisch befragen. Seit nunmehr zwanzig Jahren stagniert das einst großartige und dynamische Projekt der Moderne. Die Kunst lebt von Revivals und Eigenverwertungen und hat einen eklektischen Historismus entwickelt. Die spärlichen Innovationen sind vor allem Erfindungen des Marktes. Den östlichen Künstlern kann niemand die Gewissenserforschung und Katharsis abnehmen. Aber zur Selbstaufgabe besteht kein Grund. Diese Kunst ist stark und kritisch genug, auch die westliche Szene produktiv herauszufordern und zu bereichern.   1990

Nicht nur Kunstwerke aus dem Osten, sondern auch gesetzliche Bestimmungen schienen bewahrenswert zu sein. Die Schriftstellerin Monika Maron, 1941 in Berlin geboren, hatte bis 1988 in der Deutschen Demokratischen Republik gelebt. Ihr erster Roman hieß »Flugasche« und handelte von der Umweltzerstörung im Osten Deutschlands. Der Roman durfte dort nicht erscheinen.

Der Roman wurde im Westen 1980 veröffentlicht. Er erzählt die Geschichte der geschiedenen und alleinerziehenden Mutter und Journalistin Josefa Nadler, die eine Reportage über B., »die dreckigste europäische Stadt, ausgerechnet in einem sozialistischen Land«, schreiben möchte. Hier steht ein Kraftwerk, aus dessen Schornsteinen täglich hundertachtzig Tonnen Asche auf die Bevölkerung niedergehen – »ein Kraftwerk, in dem das Wort Sicherheit nicht erwähnt werden darf, aber es wird nicht stillgelegt«.

Maron ging in die Bundesrepublik. Bei der Bilanzierung dessen, was von der Deutschen Demokratischen Republik übernommen werden sollte, verteidigte sie das von der Volkskammer 1972 erlassene Gesetz für den Schwangerschaftsabbruch. Nach diesem Gesetz war ein Schwangerschaftsabbruch in den ersten drei Monaten erlaubt und kostenlos. In Bonn versammelten sich im Juni 1990 Demonstranten und forderten, den Paragraphen 218 aus dem Grundgesetz zu streichen. Bürger der Deutschen Demokratischen Republik blockierten in Berlin einen ehemaligen Grenzübergang, weil sie gegen die flächendeckende Einführung des Paragraphen 218 waren. Ende August wurde im Bundestag über den Abtreibungsparagraphen debattiert. 1992 wurde ein »Schwangeren- und Familienhilfegesetz« verabschiedet. Das Gesetz erlaubte die straffreie Abtreibung innerhalb der ersten drei Monate der Schwangerschaft, wenn sich die Frau in einer Not- und Konfliktlage befand und sich mindestens drei Tage vor dem Eingriff beraten ließ. Dagegen erhoben die bayerische Landesregierung und eine Mehrheit der christlichen Bundestagsfraktion beim Bundesverfassungsgericht in Karlsruhe Einspruch. Das Bundesverfassungsgericht erklärte Passagen des neuen Gesetzes für grundgesetzwidrig. Der Bundestag beschloß 1995, daß der Staat das Lebensrecht des Kindes vor den Grundrechten der Frau besser schützen solle. Damit war der Schwangerschaftsabbruch grundsätzlich strafbar. Doch wurde die Ausnahme der individuellen Not eingeräumt. Der staatliche Schutz des Lebensrechtes des Kindes soll nur mit der Schwangeren und nicht gegen sie durchgesetzt werden.

Monika Marons Artikel, aus dem der folgende Ausschnitt stammt, erschien im »Spiegel« im Mai 1990 unter dem Titel »Letzter Zugriff auf die Frau«.

Monika Maron. Die Frage nach der deutschen Einheit ist beantwortet. Die Frage nach der Währung wird letztlich zur Zufriedenheit der meisten Betroffenen beantwortet werden, weil niemand noch mehr ostdeutsche Geschwister im eigenen westdeutschen Haus ertragen will und weil auf die Expansionslust der Wirtschaft Verlaß ist.

Selbst der Eintritt der DDR in die Bundesrepublik über den Artikel 23 ist fast zur politischen Tatsache gereift. Und hier, ehe der § 218 wieder über die vereinigten deutschen Frauen herrscht, will ich laut um Hilfe schreien.

Befragt nach dem Bewahrenswerten in der DDR, fällt mir – außer dem grünen Pfeil für Rechtsabbieger an der roten Ampel – einzig das Abtreibungsgesetz ein, und die Vorstellung, es könnte den Frauen so willkürlich genommen werden, wie es ihnen gegeben wurde, findet in meinem Kopf keinen ruhigen Platz.

In der DDR gilt seit 1972 ausschließlich eine Fristenregelung. Der Schwangerschaftsabbruch ist kostenlos. Die Frauen in der DDR verdankten die überraschende Veränderung ihres Lebens weniger den alten Männern, von denen sie regiert wurden, als dem mutigen und lautstarken Aufbegehren der westdeutschen Frauen, die damals gegen den Anspruch des Staates auf ihre Leibeigenschaft durch die Straßen zogen. Ihr Protest weckte in den ehemaligen Proletariern Erinnerungen an die eigenen Kämpfe gegen den § 218 in der Weimarer Republik und ließ sie den hybriden Slogan der Ulbrichtzeit »Überholen ohne einzuholen« erneut beleben. Für dieses eine Mal ist es ihnen sogar gelungen. Seitdem ziert ein uneingeschränkt freiheitliches und liberales Gesetz das düstere Gesetzeswerk der DDR als ein schöner Fremdkörper.

Ich war 30 Jahre alt, als den Frauen in der DDR dieses Gesetz beschert wurde. Es kam so undemokratisch zustande wie alle anderen Gesetze auch. Nur in dem Gewissen einiger christlicher Abgeordneter rumorte ein längst vergessener Widerstand und führte zu den unglaublichen, ungeheuerlichen 14 Gegenstimmen, die sich die CDU selbst im Wahlkampf 1990 noch als einziges Ruhmesblatt in den entlaubten Kranz flocht.

Mein demokratisches Verständnis war damals durchaus teilbar, denn ich erinnere mich, frohlockt zu haben über die Aussichtslosigkeit, mit der Ärzte und Pfarrer sich gegen das neue Gesetz sträubten.

Heute denke ich darüber anders.

Wir brauchen in einem zukünftigen Deutschland eine gesetzliche Regelung über ungewollte Schwangerschaften, die in ihrem Geiste so demokratisch ist wie der Weg der Rechtsfindung, der zu ihr führt. In diesem Sinn ist das Gesetz der Bundesrepublik so wenig demokratisch legitimiert wie das der DDR.

Von 519 Abgeordneten des Bundestages sind 83 Frauen. Von 16 Verfassungsrichtern sind zwei Frauen, für jeden Senat eine. Das durchschnittliche Alter der weiblichen Bundestagsabgeordneten beträgt etwa 50 Jahre; 16 von ihnen sind unter 40.

Jener Teil der Bevölkerung also, über dessen Recht auf den eigenen Körper und die eigene Biographie entschieden wird, ist von der Rechtsfindung ausgeschlossen. Das ist undemokratisch, zumal die Abwesenheit der Frauen in den Parlamenten die gleiche Ursache hat wie das juristische Interesse an ihren Körpern: die Fähigkeit zu gebären.

Diese Fähigkeit hat die Natur den Frauen vorbehalten, was von den Männern als Segen empfunden wurde, solange die Frauen ihnen gehörten.

Wenn sie nun aber nicht mehr ihnen gehören, wenn sie statt dessen ungeniert und ohne Schande uneheliche Kinder zur Welt bringen oder es zu verhindern wissen, wenn sie sich nach Gutdünken scheiden lassen und Väter zu Erzeugern degradieren, dann müssen die Frauen wenigstens dem Staat gehören. Und so beschließen die Männer in der Gestalt unparteiischer Richter, daß ein befruchtetes Ei im Leib der Frau nach zwei Wochen als menschliches Leben angesehen werden muß und somit als ein durch Artikel 2 Absatz 2 Satz 1 des Grundgesetzes zu schützendes »selbständiges Rechtsgut«. Wenn nicht der Vater entscheiden darf, greift der Übervater ein.

In den nächsten Wochen wird das Abtreibungsgesetz der DDR zur Diskussion stehen. Entweder verlieren die Frauen in der DDR das wichtigste Recht, das sie zu verlieren haben, oder die Diskussion um den § 218 wird zur ersten Chance, im Prozeß der Vereinigung auch bundesdeutsches Recht zu korrigieren, und die westdeutschen Frauen bekommen endlich auch, wozu sie den ostdeutschen schon vor 18 Jahren verholfen haben.   1990

Im Juni 1990 hatten der Bundestag und die Volkskammer den Staatsvertrag über die Währungs-, Wirtschafts- und Sozialunion zwischen den beiden Teilen Deutschlands verabschiedet. Die Grünen, das Bündnis 90 und die Partei des Demokratischen Sozialismus lehnten den Staatsvertrag ab, weil mit diesem Vertrag nur das System der Bundesrepublik über den Osten gestülpt werde. Im Juli 1990 trat der Vertrag in Kraft. Die Deutsche Demokratische Republik übertrug damit die Hoheit über die Finanz- und die Geldpolitik auf die Bundesrepublik. Wenig später

Monika Maron

wurde in der Volkskammer über den Einigungsvertrag diskutiert und der Beitritt des Ostens zum Geltungsbereich des Grundgesetzes beschlossen. Am 3. Oktober 1990 waren die beiden deutschen Staaten wieder vereint.

Der Soziologe Niklas Luhmann, 1927 in Lüneburg geboren, hatte sich Anfang der siebziger Jahre mit Jürgen Habermas darüber gestritten, welche Theorie, ob Systemtheorie oder kritische Theorie, der Beschreibung einer modernen Gesellschaft angemessen sei. Im Laufe der achtziger Jahre wurde er zum bekanntesten Soziologen der Bundesrepublik. Luhmann nahm in seinem Artikel »Dabeisein und Dagegensein. Anregungen zu einem Nachruf auf die Bundesrepublik«, der im August 1990 in der »Frankfurter Allgemeinen Zeitung« erschien, die Feierstunde der Wiedervereinigung zum Anlaß, einen Blick auf die Bundesrepublik zu werfen. Er sah das Land einer Zukunft entgegengehen, in der sie sich nicht mehr auf ihre beiden großen Erfolge werde verlassen können, die Protestkultur und die soziale Marktwirtschaft. Seine Prognose, daß die Herausforderungen der Zukunft ein anderes Format als früher haben würden und weder von der tradierten Protestkultur noch von der gewohnten sozialen Marktwirtschaft gelöst werden könnten, hat sich in den neunziger Jahren bestätigt. Damals verstrickte sich Deutschland restlos in die Weltpolitik und in die Weltwirtschaft – wofür sich sofort ein passendes Wort fand: die Globalisierung.

Die traditionelle marxistische Kritik des Kapitalismus, die sogar in der Doktrin Stalins vom Sozialismus in einem Land ihre Hoffnung hatte bestätigt sehen können, daß sich der Kapitalismus innerhalb der nationalen Grenzen wirksam bekämpfen lasse, stand schließlich, als der Kapitalismus sich weltweit ausgedehnt hatte, vor einem Ende der Geschichte – das Gehlen und Adorno schon in den sechziger Jahren gesehen hatten. Gegner der Globalisierung formierten sich unter dem weiten Label »attac« und demonstrierten bei Weltwirtschaftsgipfeln, wie im Jahr 2002 in Genua, wo es zu Übergriffen der italienischen Polizei auf die angereisten jungen Demonstranten kam.

Die reibungslosen Analysen Luhmanns über die Systeme Gesellschaft, Wirtschaft, Kunst und Recht boten keine praktische Handhabe für einen Widerstand gegen das herrschende System, eine Handhabe, die ehemals aus den kritischen Theorien der Frankfurter Schule leicht hatte gezogen werden können. Der folgende Text stammt aus Luhmanns Artikel »Dabeisein und Dagegensein«.

Niklas Luhmann. Weniger als im Falle der DDR ist im Falle der Bundesrepublik davon die Rede, daß es demnächst zu Ende sein wird. Im Falle der DDR sind die Veränderungen offensichtlich, scharf spürbar und daher bewußt. Im Falle der Bundesrepublik erscheinen sie mehr als Vergrößerung des Volumens, also in der Form von Zahlen und Zahlungen. Hier kann man daher leicht auf die Idee kommen, es sei bisher gut gewesen und werde nun kontinuierlich noch besser. Aber werden die künftigen Historiker ebenso urteilen? Oder wird die Epoche der zwei deutschen Staaten als besondere Epoche der deutschen Geschichte gesehen werden? Und wenn so, sollte man sich nicht heute schon, aus Anlaß des Endes auch der Bundesrepublik, wenigstens um einen Nachruf bemühen?

Aber was wäre da groß zu sagen? Wenn man einmal von Weltpolitik absieht – und da wären eher Verlegenheiten zu nennen –, hat das Gebiet, das wir Bundesrepublik nennen, wenig Besonderes vorzuweisen. Wenn die Bundesrepublik demnächst verschwindet, wird das nicht viel ändern. Die unbestreitbaren ökonomischen Erfolge sind unter bestimmten weltwirtschaftlichen Bedingungen zustande gekommen, nicht zuletzt unter der Bedingung einer im Krieg zerstörten und deshalb wiederaufbaufähigen Industrie. Man mag die Fähigkeit, die in der Zerstörung liegende Chance zu nutzen, als wichtigen Faktor erwähnen oder auch die Kreditwirksamkeit des Mythos, daß Deutsche gerne arbeiten und etwas können. Im Verhältnis zu den weltwirtschaftlichen Konstellationen sind dies jedoch Nebenbedingungen.

Auch in der intellektuellen Entwicklung war Zerstörung vielleicht das wichtigste Kapital – Zerstörung im Sinne der Unnennbarkeit spezifisch deutscher Traditionen. Die Nazis hatten es mit Blubo und Brausi, wie wir damals sagten, verdorben: mit Blut, Boden, Brauchtum und Sippe. Es blieb nur die eifrig zu manifestierende Scham. Und die Möglichkeit, etwas anderes anzufangen – etwa amerikanische Soziologie oder analytische Philosophie.

Eine Phönixiade also. Eine auffallende historische Diskontinuität. Aber nichts, was bleiben könnte. Auch nichts, was zu bewahren sich lohnte. In einer Zeit der neu erwachenden Stammesnationalismen sollte man darauf insistieren. Die Geschichte der Bundesrepublik (Bayern immer ausgenommen) könnte dazu disponieren, dieses Drama der Ethnien, Stämme, Sprachen und Sonderkulturen nur als Zuschauer mitzuvollziehen. Jedenfalls fehlen wildgewordene Einteilungen, die anderswo für so viel Schwierigkeiten sorgen.

Diese Möglichkeit zur Distanz sollte man zu schätzen wissen und pflegen. In anderen Hinsichten kann man aber das Ende der Bundesrepublik nicht ohne Besorgnis betrachten. Ihre Erben haben nicht die Chance, von Zerstörung ausgehen zu können (von der DDR ist hier ja nicht die Rede). Und es kann gut sein, ja es ist zu erwarten, daß eingeübte Einstellungen unreflektiert fortgesetzt werden.

Ich möchte dies an zwei Beispielen verdeutlichen, die mit besonderer Eklatanz zeigen können, welche Nachwirkungen die bundesrepublikanische Phase der deutschen Geschichte haben kann. Das eine betrifft die Wirtschaft, das andere die Gepflogenheit, zu protestieren.

Wir haben uns daran gewöhnt, die Erfolge einer ausdifferenzierten Geldwirtschaft mit dem Ausdruck Marktwirtschaft zu belegen und unter diesem Etikett zu feiern. Wir fügen das Merkmal »sozial« hinzu, um zu betonen, daß eine menschenfreundliche Komponente mitfinanziert werden kann. Dasselbe wird man von ökologischen Rücksichten sagen können. Der Zusammenbruch der sozialistischen Wirtschaftsordnungen, und zwar ihr spezifisch wirtschaftliches Versagen, wird als Triumph der Marktwirtschaft gesehen. Und es zeigt sich, je mehr Tatsachen auf den Tisch kommen, wie stark die ökonomischen, sozialen und ökologischen Tatsachen in beiden Wirtschaftsordnungen divergieren. Aber rechtfertigt das den Triumph?

Vielleicht neigt man gerade auf dem Boden der Bundesrepublik allzu schnell dazu, dies zu bejahen. Neben der gelungenen Realisierung einer demokratischen Verfassung ist es ja vor allem dieser ökonomische Erfolg, an den man sich, so meint man heute, erinnern wird, wenn es um die Geschichte der Bundesrepublik geht. Aber nüchtern gesehen stehen eigentlich nur zwei Erfahrungen fest: Erstens ist mit dem Sozialismus das Jahrhundertexperiment einer ethischen Steuerung der Wirtschaft gescheitert; und zweitens sind für die Prüfung und Entscheidung der Frage, ob Investitionen wirtschaftlich rational sind oder nicht, unternehmensspezifische Bilanzen unerläßlich. Eine Beobachtung der Wirtschaft durch die Politik anhand eigener Datenaggregationen oder gar eigener Produktionspläne würde immer nur zur Information der Politik über sich selbst führen, etwa über Erfüllung oder Nichterfüllung der selbstaufgestellten Pläne. Damit sind jedoch viele wichtige Fragen, mit denen uns die sogenannte Marktwirtschaft konfrontiert, nicht beantwortet.

Das gilt etwa für den Zweifel, ob nicht wirtschaftliche Rationalität zwangsläufig zu einer Art Abweichungsverstärkung, also zur Verstärkung von Ungleichheit führt. Und ferner für die Frage, was geschehen wird, wenn man durch Spekulationen auf den internationalen Finanzmärkten Geld schneller, also kurzfristiger, also mit besseren Anpassungsmöglichkeiten verdienen oder verlieren kann als mit Investition in Produktionsmittel, die aus technischen Gründen heute oft sehr langfristig geplant sein will. Einfacher und drängender gefragt: Wo sollen die riesigen Kapitalmittel herkommen, die man für eine radikale Umstellung der Technologien – zum Beispiel, aber nicht nur: der Energieerzeugung – im nächsten Jahrhundert benötigen wird? Dies sind natürlich Probleme der Weltwirtschaft, nicht Sonderprobleme der Bundesrepublik. Aber sie lassen doch zweifeln, ob man die sich anbietende Erfolgsstory so fraglos übernehmen kann. Es könnte ja sehr wohl sein, daß der sozialistische Gedanke einer ethisch-politischen Steuerung der Wirtschaft so verfehlt war, daß es auch noch verfehlt ist, sich davon unterscheiden zu wollen. Es war, könnte man meinen, derart absurd, daß es nichts Positives sagt, wenn man feststellt: Wir haben diesen Irrweg vermieden. Sowenig wie die Landtiere etwas Sinnvolles über sich selbst erfahren, wenn sie eines Tages feststellen, daß sie nicht so leben und nicht so umkommen wie Fische im Wasser. Die Frage ist vielmehr: Mit welchen Kategorien, Formen, Unterscheidungen beobachten wir eigentlich unser Wirtschaftssystem? Und sind wir möglicherweise durch die Auseinandersetzung mit dem Sozialismus und gerade durch deren Ergebnis motiviert, in dieser zukunftswichtigen Frage falsche, jedenfalls kurzsichtige und unergiebige Schemata zu wählen – nur weil wir uns selbst in der Unterscheidung Marktwirtschaft/Planwirtschaft auf der Siegerseite placieren können?

Stärker noch als das Bekenntnis zur sozialen Marktwirtschaft und zu ihrer demokratischen Dividende hat die Gewohnheit zu protestieren einen festen Platz in der Geschichte der Bundesrepublik. Und damit treten wir auch weltweit hervor. Die Themen haben gewechselt, und zwar so schnell, daß biographische Brüche in der Protestiergeneration unvermeidlich gewesen wären, hätte es nicht die Möglichkeit gegeben, von Protest zu Protest überzugehen. Auf Proteste gegen Remilitarisierung und Atombewaffnung folgen Ostermarschierer und Notstandsopposition, Studentenbewegung und Neomarxismus, Bürgerinitiativen-Initiativen, Antiberufsverbot-Kampagnen, Friedensbewegung, Frauenbewegung, Selbsthilfegruppen und mit besten Ergebnissen die Ökologiebewegung. Neue soziale Bewegungen formieren sich unter dem Zeichen des »Wertewandels« und nehmen Übersiedler aus den marxistischen Lagern auf, die nur noch an ihrem Akzent zu erkennen sind. Verteilungsthemen werden durch Risikothemen ergänzt, wenn nicht ersetzt. Man bleibt alternativ. Dagegensein verpflichtet. Und der Bedarf für Ersetzung alter Themen durch neue Themen, das heimliche Diktat der Massenmedien, trägt Wichtiges zur Aktualisierung von Aufmerksamkeit bei. In Paris sieht man das zuweilen als eine Sequenz typisch deutscher Neurosen. Das mag sein. Aber es hat in einem Kontext funktionierender Demokratie auch

Niklas Luhmann

einen Frühwarneffekt, vor allem in bezug auf Probleme der Ökologie und auf die Themen eines möglichen politischen Widerstandes.

Die Marktwirtschaft und der Protest – wenn das die Leistungen waren, könnte man sich am Ende der Bundesrepublik fragen, ob das kontinuieren soll. Man wird es weder aufgeben wollen noch aufgeben können. Aber vielleicht könnte man die Naivität etwas reduzieren, mit der Bejahung und Verneinung in der Bundesrepublik betrieben worden waren. Die Herausforderungen der Zukunft haben ein anderes Format. 1990

Luhmann sollte recht behalten. Zwei Jahre nach dem Abschied von der alten Bundesrepublik verlor die Protestkultur ihr moralisches Mandat. Es ließ sich nicht mehr einfach zwischen schlechter Politik und guter Moral unterscheiden. Anfang August 1992 marschierten irakische Truppen in Kuwait ein. Der Sicherheitsrat der Vereinten Nationen verhängte ein Handelsembargo gegen den Irak. Im Oktober drohten die Vereinigten Staaten mit einer militärischen Offensive. Der Sicherheitsrat stellte dem Irak ein Ultimatum für den Rückzug seiner Truppen aus Kuwait. Die Nato schickte Kampfflugzeuge in die Türkei, darunter Flugzeuge der Bundeswehr, um einen drohenden Angriff auf die Türkei abzuwehren. In Deutschland demonstrierten Tausende gegen den sich abzeichnenden Golfkrieg. Das Ultimatum lief ab, und die multinationalen Truppen begannen mit Luftangriffen auf den Irak. Die Führung bei dieser »Operation Wüstenfuchs« lag bei den Vereinigten Staaten. Ein neues Ultimatum wurde von den Amerikanern gestellt. Das Ultimatum lief ab, und die Alliierten begannen mit ihrer Bodenoffensive. Vier Tage später zog der Irak seine Truppen zurück und unterwarf sich den UNO-Resolutionen. Eine UNO-Truppe sollte im Irak kontrollieren dürfen, ob dort die Massenvernichtungswaffen und deren Fabriken vernichtet würden.

Unmittelbar vor dem unvorhersehbar raschen Ende des Golfkrieges schrieb der Liedermacher Wolf Biermann, 1936 in Hamburg geboren, in der Wochenzeitung »Die Zeit« einen Artikel, in dem er sich gegen die deutschen Friedensdemonstranten stellte und ein militärisches Vorgehen gegen den Irak begrüßte. Der Artikel, aus dem das folgende Zitat stammt, trug den Titel »Kriegshetze, Friedenshetze«. Hans Magnus Enzensberger hatte ebenfalls im Februar 1991 in einem Artikel im »Spiegel« den irakischen Diktator Saddam Hussein zu Hitlers Wiedergänger und zum neuen »Feind der Menschheit« erklärt. Er schrieb: »Die Beseitigung Hitlers hat ungezählte Menschen das Leben gekostet. Der Preis für die Entfernung Saddam Husseins von der Erdoberfläche wird astronomisch sein, auch wenn ihm die Erfüllung des Wunsches, einen Atomkrieg zu entfesseln, vielleicht um Haaresbreite versagt bleiben wird.«

 **Wolf Biermann.** Auch ich glotze entsetzt in die Glotze und denke: Schade um uns Menschlein. Der dritte Weltkrieg beginnt, und, wie es im Liedchen heißt: »Die Erde wird ein öder Stern wie andre öde Sterne.« Also Frieden! Frieden ohne Wenn und Aber! Jeder Krieg ist ein Verbrechen, auch der gerechte.

Aber dann fällt mir die Nazizeit ein. Vier Friedenskämpfer haben 1938 das Münchener Abkommen besiegelt: Chamberlain, Daladier, Mussolini und Hitler – ein lehrreiches Gruppenphoto. Als Hitler dann gemeinsam mit Stalin Polen überfallen und annektiert hatte, wurde in den USA darüber gestritten, ob man in den Krieg gegen Nazi-Deutschland eingreifen sollte. Zwei Sorten Amerikaner waren gegen den Krieg; die amerikanischen Nazis (»The German Bund«) und die KP der USA. In ihrer Zeitung *Daily Worker* denunzierten die moskautreuen Kommunisten Roosevelt als Kriegstreiber mit Messer im Maul.

Diese Allianz zwischen echten Rechten und falschen Linken gibt es auch heute. Faschist Le Pen verteidigt den Überfall auf Kuwait, er sagt, es gehöre zum Irak wie Elsaß-Lothringen zu Frankreich. Die deutschen Reps vergleichen Saddams Griff nach dem Erdöl mit großdeutschen Ansprüchen auf Tirol und Schlesien. Der ehemalige SS-Mann Schönhuber ist besorgt, daß deutsche Soldaten für den *American way of life* verheizt werden könnten.

In Frankreich fragten die linken Friedenskämpfer 1938: *Mourir pour Dantzig?* – und die Antwort war klar: Nein! Laß doch dem Herrn Hitler das bißchen Österreich und Tschechoslowakei und Polen ... Füttert das Raubtier, dann beißt es uns nicht. Darf man vergleichen mit damals? Ist heute alles anders, vielleicht weil die Waffen furchtbarer geworden sind und weil das Leben der Menschheit auf dem Spiele steht? – Ihr lieben Friedensfreunde, dieses Leben steht sowieso auf dem Spiel, auch ohne Krieg. Ihr selbst verbraucht zuviel von dem Öl, um das es den Gangstern geht, ihr selbst freßt der hungernden Welt die Haare vom Kopf.

Ich fahre Auto wie ihr, heize mit Öl, esse gut und rase mit euch in die Umweltkatastrophen. Ein Fuß drückt aufs Gaspedal, der andre auf die Bremse. Aber ich kaue in diesen Tagen auch die Losungen auf den Demos in Deutschland und kriege das große Kotzen. Lieber pazifistisch gesinnter Leser, liebe friedensbewegte Leserin, damit wir einander von Anfang an richtig mißverstehn: Ich bin für diesen Krieg am Golf. Sie müssen ja nicht weiterlesen. Noch schlimmer: Ich hoffe, daß dieser Krieg das westöstlich zusammengekaufte Waffenarsenal zur Vernichtung Israels ganz und gar zerstört.

Von den Friedensdemonstranten hörte ich auch ein gutes Argument: Hätte

Wolf Biermann

man nicht lieber geduldig auf die Wirkung des Embargos warten sollen? Mag sein. Aber ich glaube es nicht. Allein durch den befreundeten Todfeind Iran konnte Saddam Hussein alles ins Land holen, was er für zivile und militärische Zwecke brauchte. Das Beispiel Südafrika lehrt uns, wie langsam ein Embargo Wirkungen zeigt. Nehmen wir optimistisch an, es hätte in zehn Jahren gegriffen – in drei Jahren hätte der Irak aber die Atombombe gehabt. Dramatisch in die Enge getrieben durch die Ächtung der halben Welt, kopflos durch Versorgungsschwierigkeiten in einem Land, das zu achtzig Prozent von Lebensmitteleinfuhren lebt, und angefeuert durch seine Anhänger in allen arabischen Staaten, hätte Sadam Hussein Israel mit einer einzigen Bombe verdampfen können.

Die Schrecken des Krieges kenne ich nicht nur aus Filmen und Büchern. Wer mir die *desastres de la guerra* predigen will, kommt zu spät. 1943 war ich mitten im furchtbarsten Feuersturm von Hamburg. Phosphorübergossene Menschen brannten wie Fackeln. Manche warfen sich von der Brücke ins Wasser, und wenn sie wieder auftauchten, brannten sie weiter. Wenige überlebten den Bombenteppich im Arbeiterviertel Hammerbrook. Wir irrten durch das Inferno. Ein Wunder rettete mich: Es war die Tatkraft meiner Mutter. Sie nahm mich auf den Rücken und schwamm mit mir durch den Kanal aus dem Feuer ins Offene. Kennst du die geschmolzene Uhr von Hiroshima? In Hammerbrook ist meine kleine Lebensuhr stehngeblieben. Seit dieser Nacht unter dem britischen Bombenteppich vom Dienstag, dem 27. auf den 28. Juli, bin und bleibe ich sechseinhalb Jahre alt. Süderstraße/Nagelsweg/ Ausschläger Weg. Brennende Dächer flogen durch die Luft wie Drachen. Vierzigtausend Tote. Weltende. Nichts ist vergessen, keine Feuersäule, kein abgeworfener Tannenbaum, keine verkohlte Leiche am Kantstein, kein Schrei und kein zerfetztes Gesicht.

> *Und weil ich unter dem gelben Stern*
> *In Deutschland geboren bin*
> *Drum nahmen wir die englischen Bomben*
> *Wie Himmelsgeschenke hin …*

Liebe Inge Aicher-Scholl. Was würde Ihre ermordete Schwester Sophie zu diesem Krieg sagen? Soll man einen Hitler machen lassen um des Friedens willen? Gewiß erinnern Sie sich daran, wie wir vor fünf Jahren in Mutlangen auf dem Asphalt saßen, gegen die Cruise Missiles. Ich seh noch die gewaltigen Trucks der US-Army auf uns zurollen. Und wie die deutschen Polizisten uns dann wegschleppten. Und wie der Richter in Schwäbisch Gmünd unsre kleine Schar im Fließbandverfahren wegen »Nötigung aus niederen Motiven« verurteilte. 3000 Mark Strafe. Das ging mir am Arsch vorbei und war, dachte ich, eine gute Investition in den Weltfrieden. Aber was heute?

In den Nachrichten sehe ich die Bilder von Friedensdemonstrationen vor US-Air-Bases. Die meisten Losungen sind antiamerikanisch, als wären die USA der Aggressor. Modische Palästinensertücher und kein Wort für Israel. Man kommt sich vor wie auf der falschen Beerdigung. Die Tränen fließen aus Menschenaugen über Krokodilsleder. Die Friedensbewegung konnte die Aufrüstung des Irak durch deutsche Firmen nicht verhindern, schlimm genug. Aber jetzt möchte sie die Zerstörung der ABC-Fabriken und Raketen aufhalten, mit denen Saddam & Co. Israel vernichten wollen.

Was Hitler seine Leute in jahrelanger blutiger Handarbeit üben ließ: die Ausrottung des jüdischen Volkes, das wird Saddam Hussein jetzt auf einen Streich mit einem Knopfdruck versuchen.

Wollt ihr den totalen Krieg? fragte Goebbels.

In den Geschichtsbüchern steht, was eure Großväter Hitlers hinkendem Gehirnauskratzer im Berliner Sportpalast entgegenjauchzten: Jaaaaa!!!! Wer mich aber heute fragt: Willst du den totalen Frieden? – dem sage ich nein danke. . . .

Wir erleben in diesen Zeiten einen zynischen Beweis für den Fortschritt in der Geschichte. Juden sitzen 45 Jahre nach Auschwitz zu Haus in ihren gemütlichen Gaskämmerchen hinter Plastikfolie und Tesa-Klebestreifen, das ist Fortschritt. Sie warten in Tel Aviv und Jerusalem mit deutschen Gasmasken über der Judennase auf den Moment, wo das Giftgas von oben eingeworfen wird. Das ist der Fortschritt: Diesmal ist es kein SS-Mann, der das körnige Zyklon-B von Hand aus einer IG-Farben-Dose durch den Luftschacht einschüttet. Heute warten die jüdischen Menschenkinder auf das modernere Sarin-Gas, auf Tabun-Gas und auf das gefürchtete Senf-Gas, eingeworfen durch den jordanischen Luftkorridor mit einer sowjetischen Scud-B-Rakete.

Und wie damals in dem Duschraum ohne Duschen: Die Juden wehren sich nicht. Sie harren und hoffen, wie in der Nazizeit, auf das Kriegsglück der Alliierten. Aber auch hier eine kleine Variation: Die Opfer sind bis an den Goldzahn bewaffnet. Ist das Fortschritt? Israel hat die Atombombe und könnte noch im Sterben in einem Vergeltungsschlag Saddam Hussein und seine kriegsbegeisterte Bande mit in den Abgrund reißen.

Fortschritt, eine Spirale vom Urknall zum Endknall. Alles wiederholt sich und immer anders. Die Ausrottung war den Juden sowohl von Hitler als auch von Saddam Hussein offen angekündigt. Damals wie heute kam die

Wolf Biermann

Drohung von einem blutigen Emporkömmling, einem Tyrannen, Demagogen und Machtparanoiker. Aber auch hier ein Fortschritt: Man muß nicht mehr mutmaßen. Der Autor von »Mein Kampf« war bis 1933 nur eine Großfresse, und keiner konnte wissen, ob er sein blutiges Gerede dann auch wahr macht. Saddam Hussein aber ist ein gestandener Massenmörder. Er überfiel den Iran und schickte Millionen Menschen in den Tod. Er vergaste aus Gründen strategischer Zweckmäßigkeit einen Teil seiner eigenen Zivilbevölkerung: die Kurden. Er zerfetzte mit seiner sowjetischen Artillerie Abertausende iranische Kindersoldaten, die Chomeini gegen ihn in die Schlacht geschickt hatte. Die Kinder trugen alle um den Hals einen Plastikschlüssel für die Tür ins Himmelreich. ...

Der Krieg begann weder an diesem 15. Januar noch am Tag des Überfalls auf Kuwait. Dieser Krieg ist nur der Punkt aufs »I«. Zu spät unser Geschrei. Alles begann, als Breschnew den Irak mit Panzern, Raketen, Mig-Düsenbombern und schwerer Artillerie und Kalaschnikows ausrüstete. Der Krieg begann, als die Franzosen dem Irak die Atombombenfabrik bauten und die Mirage-Düsenjäger lieferten. Alles war gelaufen, als deutsche Kriegsprofiteure dem Irak wie auch Libyen Giftgasfabriken verkauften. Und alles war verdorben, als die Amerikaner alle Augen zudrückten, weil ihr Todfeind Chomeini geschwächt werden sollte. Das Verbrechen wurde schon begangen, als die Stasi des Markus Wolf dem irakischen Diktator einen mehrfach verschachtelten Spitzelapparat gegen das eigene Volk installierte: ein Machtmittel, mit dessen Hilfe Saddam Hussein jede innere Opposition im Keime ersticken konnte. Und so hatte das irakische Volk immer weniger Chancen, sich selbst von dieser Tyrannei zu befreien. Noch unter PDS-Modrow und CDU-Eppelmann wurde korrekt weitergeliefert und unterstützt. Es wurden sogar palästinensische Terroristen im PDS-Staat bis zum Ende ausgebildet und ausgerüstet – Vertrag ist Vertrag. Bis heute arbeiten Militärberater der sowjetischen Armee im Dienst des Irak.

Wer sah nicht die rührenden Fernsehbilder, als Willy Brandt ein Flugzeug voll deutscher Geiseln befreit hatte. Nun hören wir, daß etliche von diesen losgebettelten Technikern und Ingenieuren flugs wieder zurückgeflogen sind, weil sie im Irak für 60 000 Mark Lohn im Monat die unterbrochene Arbeit fortsetzen wollten. Vertrag ist Vertrag. Ich denke, solche Menschen müßten erhängt werden wie Kriegsverbrecher. Und die feinsinnigen Rechtsanwälte, die wasserdichten Notare, die hanseatischen Kaufleute und respektablen Geschäftsführer, die alle am Geschäft mit dem Tod verdient haben, verdienen den Tod, genau wie Göring und Krupp und Eichmann.

Der Golfkrieg ist wie eine blutige Karikatur der Völkergemeinschaft. Alle haben zusammengearbeitet. Die Sowjets liefern die Scud-Rakete, und die Deutschen verbessern sie so, daß sie den Weg über Jordanien bis nach Israel schafft. Grade weil er so schön komplex ist, führt uns dieser Krieg modellhaft das Perpetuum mobile unserer Selbstvernichtung vor. Die Rüstungskonzerne in aller Welt liefern an alle Welt Waffen, zu deren Bekämpfung sie dann aber neue und noch mehr Waffen liefern müssen. Die armen Völker bezahlen die Waffen mit Hunger, Durst, Krankheiten und Unwissenheit. Die reichen Länder bezahlen mit genau dem Überfluß, den sie den armen Ländern abgeben könnten und müßten, damit die Welt nicht vollends in eine arme und eine reiche Hälfte zerbricht.

Kein Blut für Öl – das ist nun die antiamerikanische Losung. Heilige Einfalt! Natürlich geht es auch den Amerikanern ums Öl. Noch schlimmer: Das Pentagon brannte schon lange darauf, seine Waffen auszuprobieren. Noch perverser: Die US-Rüstungslobby braucht dringend den Beweis dafür, daß die Billionen Dollars kein rausgeschmissenes Steuergeld waren. Der lukrative Ost-West-Konflikt ist ihnen verdorben, aber die Aktionäre der Kriegsindustrie wollen, daß das Wettrüsten trotzdem weitergeht. Und bei den Präsidentschaftswahlen will kein Kandidat die jüdischen Stimmen verspielen.

Alles niedrigste Motive. Und ich sage mir: zum Glück! Denn wenn es um die hehren Prinzipien der Menschlichkeit ginge, um Freiheit und Demokratie, dann würde Präsident Bush seine Jungs nicht kämpfen lassen. Die USA sahn ja auch gelassen zu, als Iran und Irak sich zerfleischten. Saddams Völkermord an den Kurden war denen eine häßliche Lappalie, und Saddams Terror gegen das eigene Volk war ein totalitäres Kavaliersdelikt. ...

Ja, ich bin Partei in diesem Streit, und ich bin kein Jude. Die aus mir einen hätten machen können, sind alle ermordet worden.

Das begeisternde Erlebnis meines Vaters in den zwanziger Jahren war, daß er eben nicht Jude ist, sondern Mensch. Als Kommunist und Werftarbeiter verdrängte er das Judentum seiner Kindheit. Nach Hitlers Machtergreifung kämpfte er im illegalen Widerstand und wurde verhaftet. Als er im Hamburger Hafen Waffenschiffe sabotierte, die Nachschub für Hitlers Legion Condor nach Spanien bringen sollten, kämpfte er auf seiten der spanischen Republik. Er tat auf seine Weise dasselbe wie seine Genossen, die in den Internationalen Brigaden gegen Franco kämpften und starben. Der faschistische General hatte ja auch seine Unterstützung in aller Welt. Allein die Tatsache, daß er den ganzen Krieg nur machen konnte, weil die US-amerikanische Texaco ihm auf Pump 1936 bis 1939 alles an Flugzeugbenzin und Diesel für die Panzer lieferte, das werde ich auch nicht vergessen, wenn eine Dea-Tankstelle am Straßenrand winkt.

Eine Gerichtsverhandlung gegen meinen Vater begann mit den üblichen Formalitäten. Name? – Biermann, Dagobert. Geboren? – 1904 in Hamburg. Beruf? – Maschinenschlosser. »Religion keine« – ergänzte der Richter. Nein, schrie da mein Vater, ich bin Jude! – Idiot! Lieber Idiot! Meine alte Mutter weinte in diesen Tagen wie eine junge Frau, als wär's grad eben passiert: Hätte er doch geschwiegen! Vielleicht wäre er durchgekommen! Sie hätten es vielleicht übersehn.

Das stimmt. Im Gefängnis hätte er überleben können, er wäre vielleicht gar nicht entlassen worden ... nach Auschwitz. Wäre hätte könnte. Er saß noch sicher im Knast Bremen-Oslebshausen, als seine Eltern, als seine Geschwister und deren Ehegatten und alle Kinder auf die große Reise nach Osten gingen. Über zwanzig Hamburger Juden, die 1942 ermordet wurden. Mein Vater hatte sich gewehrt gegen das Unrecht, und so lebte er ein Jahr länger. ...

Heute ist Montag, der 28. Januar. Man mag nur noch in Tagen denken in dieser Endzeit. In den Nachrichten kam eine Neuigkeit, die mich entsetzt und gar nicht wundert: Saddam kündigt nach dem konventionellen Raketenvorspiel nun den nichtkonventionellen großen Vernichtungsschlag gegen Israel an. Er wird also meinen Freund Walter Grab und seine Frau Ali in Tel Aviv das erste Mal im Leben vergasen und meinen toten Vater zum zweiten Mal. Und ich höre schon den lapidaren Kommentar von einigen besonders fortschrittlichen deutschen Friedensfreunden: selber schuld. Na dann! Bindet euer Palästinensertuch fester, wir sind geschiedene Leute. 1991

Der Golfkrieg war zu Ende, aber die deutschen Diskussionen über Krieg und Frieden, Politik und Moral gingen weiter. In Europa kehrte nach dem Ende des internationalen Sozialismus der kriegerische Nationalismus zurück. Die jugoslawischen Teilrepubliken Kroatien und Slowenien erklärten im Juni 1991 ihre Unabhängigkeit. Das Bundesparlament Jugoslawiens, in dem die Serben von einem serbischen Großreich zu träumen anfingen, mochte die Unabhängigkeit nicht akzeptieren und schickte die Bundesarmee gegen die beiden abtrünnigen Länder in den Krieg. Serben kämpften gegen Kroaten, Tausende von Albanern flüchteten. In der Teilrepublik Bosnien-Herzegowina rief im Januar 1992 die serbische Minderheit einen eigenen Staat aus und suchte den Anschluß an das nur noch aus Serbien und Montenegro bestehende Restjugoslawien. Friedenstruppen der Vereinten Nationen wurden entsandt. Bosnien-Herzegowina, Kroatien und Slowenien wurden in die UNO aufgenommen. Die europäische Gemeinschaft erließ ein Handelsembargo gegen Serbien und Montenegro. Im Sommer

1992 wurde Sarajevo, die Hauptstadt von Bosnien-Herzegowina, von serbischen Truppen eingekesselt.

In der Debatte über den Krieg im zerfallenden Jugoslawien und über das militärische Nichteinschreiten des Westens hatte der österreichische Schriftsteller Peter Handke 1992 den Abfall Sloweniens von Jugoslawien bedauert und 1996 in einem Artikel, den er in der »Süddeutschen Zeitung« veröffentlichte, Gerechtigkeit für Serbien gefordert. Er sah Serbien durch die Berichterstattung der westlichen Medien in die Rolle des Kriegstreibers gedrängt. Als die Deutschen schließlich 1999 in den Kosovo-Krieg eingriffen, nannte Handke den damaligen Verteidigungsminister Rudolf Scharping einen »Tötungsminister« und gab aus Protest gegen die deutsche Politik den Büchnerpreis zurück.

Die 1953 in Rumänien geborene Schriftstellerin Herta Müller forderte 1992 in dem Artikel »Die Tage werden weitergehen«, der in der »tageszeitung« erschien, den Westen auf, den Krieg im zerfallenden Jugoslawien rasch zu beenden.

Herta Müller. Wer jetzt noch was zu sagen hat, weiß, daß es längst schon zu spät ist. Daß viel, fast alles gesagt worden ist. Daß wenig, fast nichts getan worden ist. Und doch ist die Sprache – vor allem die der Politik – so deutlich wie schon lange nicht mehr eine gezielte Verwirrung.

Zu lange wurde in den Nachrichten des deutschen Fernsehens von den »abtrünnigen Republiken« Jugoslawiens gesprochen, ohne einen Gedanken darüber zu verlieren, daß dies die Sprachregelung des großserbischen Denkens ist. Wie lange wurde und wie lange noch wird in den Äußerungen der Politiker Krieg durch »Krise«, »Konflikt« oder »Bürgerkrieg« umschrieben? Wie lange noch wird von den »verfeindeten Lagern« gesprochen, nur um gleiche Schuld vorzutäuschen?

Kroaten, Muslime und Serben sind so gleichermaßen stupid, verhängnisvoll und blindwütig ins Schießen, Schlachten und Foltern verstrickt. Daß aber all das auf dem Gebiet Kroatiens und Bosnien-Herzegowinas stattfindet, daß man in Serbien am hochsommerlichen Nachmittag im Café sitzt und Siegesmeldungen in der serbischen Zeitung wie Sportergebnisse liest, daß nicht nur kein Schuß fällt, kein Gesicht vor Todesangst verzerrt sein muß, sondern, wie eine Umfrage gezeigt hat, 40 Prozent der serbischen Bevölkerung mit dem Morden einverstanden sind – es wird durch Worte verschleiert.

Weshalb fällt es Westeuropäern so schwer, wenigstens das Wort »Aggressionskrieg« auszusprechen? Und weshalb spricht man so leicht über die vi-

Herta Müller

suellen Eindrücke vor dem Bildschirm, den Schrecken des Auges und der »Seele«, also von dem Unvermögen, diese Bilder auszuhalten? Selbstmitleid wird wichtiger als die Tatsachen. Die Angst vor den Bildern des Krieges wäre eine Verfeinerung der Sensibilität, würde damit nicht kompensiert, daß man sich mit dem Tod von Menschen abfindet.

Wem nützt der Pazifismus, der beteuert, daß er gegen jeden Krieg ist, wenn ein Krieg tobt? Wenn das Vorbild für Gesetze die Judengesetze des Faschismus sind? Wenn wir im Sommer 1992 schwarz auf weiß in der Zeitung lesen: »Menschen, die nicht serbischer Abstammung sind, dürfen sich weder in den Cafés der Stadt aufhalten noch in den Flüssen baden oder ein Auto benutzen.« Wenn in der Drina bei Wind und starkem Wellengang 20 Leichen in der Stunde flußabwärts treiben, so daß die Menschen an Brechreiz leiden, wegen des süßlichen Gestanks der Leichen? Aus dem Wasser gefischt, sind sie mit Stacheldraht zusammengebunden, die Körper voller Folterspuren. Man tötet, als wäre das menschliche Hirn eine Schießbudenfigur auf dem Jahrmarkt: eine Kugel bohrt sich die blutige Bahn durch mehrere Köpfe. Das ist Morden als Verzückung, als Sport. Wenn die Lippen der großserbischen Herrenmenschen »ethnische Säuberung« sagen, können wir uns nicht hinter Interpretationen verstecken: die offizielle Bezeichnung des Mordens sagt, was sie meint und tut.

Weshalb fällt einem westdeutschen Intellektuellen, wenn er von Kroaten und Muslimen spricht, das Wort »Nationalismus« so schnell ein und auf Serbien bezogen so allmählich, so langsam oder nie? Nationalist ist derjenige, der anderen seine Identität aufzwingt und ihnen ihre eigene nimmt. Und das tun zur Zeit die Serben.

Weshalb will ein westdeutscher Intellektueller nicht hören, daß Jugoslawien ein totalitärer Staat war und das gerne bleiben will? Daß Diktaturen, so klein das Land auch sein mag, Großmachtallüren haben und Diktatoren, auch wenn sie nicht in den Krieg ziehen können, einen Ausgleich dafür finden? Der war für Ceauşescu das Gesetz, das alle Frauen zwang, dem Staat fünf Kinder zu gebären. Einem Staat, dem die Grundnahrungsmittel fehlten: Kinder ohne Milch, ohne Heizung, ohne Strom. Wenn schon kein großes Land, so doch ein großes Volk.

In Diktaturen ist Lüge und Täuschung die Hauptbeschäftigung des Apparats. Wenn ich Miloševićs Gesicht sehe, fällt mir das ganze Register der Tricks ein. Auch das Angebot regelmäßiger Inspektionen der serbischen Lager. Eines ist sicher: Wer diese Orte betritt, wird sie dümmer verlassen, als er sie betreten hat. Den wirklichen Zustand der Gefangenen werden die Serben nicht zeigen. Die zu Skeletten Abgemagerten und von Folterungen Entstellten werden sie wegbringen, und sei es von einem Ort zum anderen und sei es täglich und sei es Tag und Nacht.

Wer in seiner eigenen Biographie die Erfahrung der Diktatur nicht hat, der denkt mit Absicht oder aus Unwissenheit weit daneben. Der glaubt auch nicht, daß ein Wirtschaftsembargo Psychotherapie ist. Für die, die es verhängen, und für jeden Diktator der Welt lächerlich. Der glaubt nicht, daß keiner zum Diktator wird, der nicht Macht behalten will um jeden Preis, der nicht vorher Menschenverachtung geübt hat und tausendmal bereit ist, die Bevölkerung krepieren zu lassen. Der glaubt nicht, daß dies einer wird, weil er den Boden der Realität verlassen hat und ein Volk braucht, das nachts wie ein Teppichmuster in den Stadien im Flutlicht Fahnen schwingt und johlt. . . .

Weshalb wundert sich ein westdeutscher Intellektueller darüber, daß Slowenien, Kroatien, Bosnien-Herzegowina, das Kosovo die erste historische Möglichkeit wahrnehmen wollten, um vom serbischnationalen Jugoslawien wegzukommen, wenn Deutschland selber diese erste Gelegenheit, sich zu vereinigen, genutzt hat. Die Deutschen aus der DDR erstickten an der Diktatur. Sie waren keine Minderheit in ihrem Land. Die Kroaten und Muslime erstickten zweimal: einmal an der Diktatur und einmal an der unterdrückten nichtserbischen Identität. Und nach diesem doppelten Ersticken sah man, daß Belgrad nicht zu mehr bereit war als zu einer schönheitschirurgischen Veränderung. Die gravierenden wirtschaftlichen Nachteile kamen dazu, alles verschwand in Belgrad, in einem Sack ohne Boden.

Eine grobe Fälschung, ein Abwiegelungsspiel ist es auch, wenn man eine militärische Intervention als Krieg bezeichnet. Wenn man ein Schlachtbild mit hunderttausend UNO-Soldaten malt, eine Materialschlacht mit Schützengräben und Suppe im Blechnapf, Soldaten mit Gewehr und Tornister, denen heimtückischer Karst unter den Schuhsohlen bröckelt. Ein Krieg also »von Mann gegen Mann«. Die Wehrmacht bringt man ins Spiel, als ginge es darum, ein Land zu erobern, und nicht einen Krieg zu beenden. Dabei weiß man, daß man nur die Nachschubwege zerstören müßte, auf denen die schweren Waffen aus Belgrad rollen, die Abflug- und Landebahnen der serbischen Militärflugplätze. Und diese Orte sind keine Stadtzentren und Tummelplätze der Zivilbevölkerung. Daß man nur ein Zeichen der Drohung geben müßte, das große Maul von Milošević würde klein. Statt dessen standen UNO-Soldaten in der Verwüstung herum, spielten aus Langeweile Fußball mit den serbischen Tschetniks, handelten sich ihrer Ratlosigkeit und der weißen Kleidung wegen den Spitznamen »Eisverkäufer« ein. . . .

Schwarzmalerei ist gefragt. Wer sich darin betätigt, wirkt informiert und sensibel. In Deutschland gibt es dafür viele Spezialisten. Die haben schon zur

Herta Müller

Einsicht in die Stasi-Akten Bilder von ausgehebelter Justiz und Selbstjustiz und Racheakten gemalt, so als hätte es für dieses Stück Geschichte eine andere Alternative gegeben als hineinzusehen und darüber zu reden. Das ist geschehen, und was von all den Prophezeiungen des Bösen ist danach eingetreten? Nichts. So könnte es auch sein, wenn sich die UNO entschließen würde, endlich diesen Krieg zu beenden. Verschlimmern könnte eine Intervention nichts. Es kann sein, es wäre bald Frieden. 1992

Die Truppen der Vereinten Nationen richteten im Sommer 1992 eine Luftbrücke für die eingeschlossene Bevölkerung Sarajevos ein, an der sich auch Flugzeuge der Bundeswehr beteiligten. Die serbischen Truppen bombardierten die Stadt aus der Luft. Ende November wurden die bosnischen Serben von der Menschenrechtskommission der Vereinten Nationen wegen »ethnischer Säuberungen« und anderer Menschenrechtsverletzungen verurteilt. Sarajevo wurde schließlich von den Serben durch einen Großangriff von der Außenwelt abgeschnitten.

In Kroatien brach Anfang 1993 erneut der Krieg aus. Ende Februar verabschiedete der Sicherheitsrat der Vereinten Nationen eine Resolution, in der die Errichtung eines Internationalen Gerichtshofes in Den Haag beschlossen wurde, wo über die Kriegsverbrechen im ehemaligen Jugoslawien Gericht gehalten werden sollte. Im April 1993 klagte die Regierung von Bosnien-Herzegowina vor diesem Internationalen Gerichtshof Restjugoslawien an, zwei Millionen Bosnier vertrieben und zweihunderttausend Zivilisten ermordet zu haben.

Während in Deutschland darüber diskutiert wurde, ob und mit welchem Recht der Westen in den jugoslawischen Bürgerkrieg eingreifen und sich damit in die inneren Angelegenheiten anderer Staaten einmischen sollte, bewältigte der neue deutsche Staat die Vergangenheit der Deutschen Demokratischen Republik. Gegen Erich Honecker lief ein Ermittlungsverfahren wegen Amtsmißbrauchs und Korruption. Er wurde aus der Sozialistischen Einheitspartei ausgeschlossen. Im November 1989 war ein Haftbefehl gegen ihn erlassen worden, weil er als früherer Vorsitzender des Nationalen Verteidigungsrats des gemeinschaftlichen Totschlags verdächtigt wurde. Honecker flüchtete nach Moskau. Die russische Regierung wies ihn aus. Honecker fand darauf Asyl in der chilenischen Botschaft in Moskau.

Im Sommer 1992 wurde er von der Berliner Staatsanwaltschaft angeklagt, mit dem Schießbefehl an der innerdeutschen Grenze zum Totschlag angestiftet zu haben. Im Juli 1992 saß der an Leberkrebs erkrankte Honecker im Haftkrankenhaus Moabit. Im Januar 1993 wurde er entlassen. Das Berliner Verfassungsgericht erklärte, daß aufgrund des Gesundheitszustandes des Angeklagten eine Fortsetzung des Verfahrens gegen die Menschenwürde verstoße. Das Verfahren wurde im April eingestellt. Honecker reiste nach Chile. Dort starb er im Mai 1994 im Alter von einundachtzig Jahren.

Über den Prozeß gegen Honecker schrieb Jens Reich 1993 im »Kursbuch« einen Aufsatz unter dem Titel »À la lanterne? Über den Strafanspruch des Volkes«. Reich, 1939 in Göttingen geboren und in Halberstadt aufgewachsen, war Wissenschaftler am Zentralinstitut für Molekularbiologie der Akademie der Wissenschaften in Berlin-Buch gewesen. Er hatte Ende der sechziger Jahre den privaten Freitagskreis mitbegründet, in dem sich Oppositionelle trafen, um über das verrottete System des realen Sozialismus zu sprechen. Ende der achtziger Jahre veröffentlichte er in der Zeitschrift »Lettre International« unter einem Pseudonym kritische Artikel über den deutschen Staat im Osten. Er war 1990 Abgeordneter der Volkskammer für das Neue Forum in der Fraktion aus Bündnis 90/Die Grünen sowie für kurze Zeit Mitglied des Bundestages. Danach ging er wieder in die Wissenschaft und Forschung nach Berlin.

Nach der Wiedervereinigung wurden zahlreiche Prozesse gegen ehemalige Bürger der Deutschen Demokratischen Republik eingeleitet. Den Angeklagten wurden Handlungen vorgeworfen, die nach dem in der Deutschen Demokratischen Republik geltenden Recht straffrei gewesen waren. Die Bundesregierung, die diese Taten verfolgen wollte, hob daher das Rückwirkungsverbot auf, nach dem Handlungen rückwirkend nur bestraft werden können, wenn sie in dem staatlichen System, in dem sie ausgeführt worden waren, strafrechtlich hätten verfolgt werden können.

Das Rückwirkungsverbot war geltend gemacht worden, als in der Bundesrepublik nationalsozialistische Verbrechen strafrechtlich verfolgt werden sollten. Der Rechtsphilosoph Gustav Radbruch hatte sich damals mit dieser Rechtslage nicht abfinden wollen und erklärt, daß das Verbot der Rückwirkung aufzuheben sei, wenn die begangenen Untaten den elementarsten moralischen Grundsätzen und den Normen der Menschheit widersprächen, wie das zum Beispiel bei der Euthanasie von geistig und körperlich Behinderten der Fall sei. Das im Nationalsozialismus geltende Gesetz habe, erklärte Radbruch, in diesen Fällen als »unrichtiges Recht« der Gerechtigkeit zu weichen.

Die Radbruch-Formel wurde bei der strafrechtlichen Verfolgung von nationalsozialistischen Verbrechern durch die Bundesrepublik weitgehend nicht berücksichtigt, weshalb auch die Richter des Freislerschen Volksgerichtshofs in zahlreichen Fällen straffrei blieben. Die Deutsche Demokratische Republik wurde generell zum Unrechtsstaat erklärt, und Strafverfolgungen, die durch das Rückwirkungsverbot nicht erlaubt gewesen wären, wurden unter anderem eben mit dem Hinweis gerechtfertigt, daß die Taten den elementaren Geboten der Gerechtigkeit widersprechen würden.

Die Radbruch-Formel

Jens Reich. Am 21. Januar 1793 wurde der Bürger Louis Capet, vormals Ludwig XVI., auf der Grundlage eines Schuldspruchs des Konvents – 387 zu 334 Stimmen – zum Tode verurteilt. Das Urteil wurde zwar nicht à la lanterne vollstreckt, wohl aber in Gegenwart von Militär und einer riesigen Menschenmenge als Enthauptung auf dem Platz der Revolution.

Genau zweihundert Jahre später werden die Ost-Deutschen an ihrem gewesenen Staatsoberhaupt *keinen* Schuldspruch vollstrecken. Es wird kein Tribunal über die politische Vergangenheit Erichs I., des Roten, geben; kein Parlament wird sich richterliche Souveränität verleihen, kein öffentlicher Ankläger wird die Liste der politischen Verfehlungen verlesen, kein Verteidiger wird wie damals de Sèze ein elegantes Plädoyer für die Immunität des Königs halten (die auch Honecker beansprucht). ...

Die Deutschen werden auch das andere Extrem vermeiden. Kein Kaiser türmt diesmal unbehelligt nach Spa. Kein abgesetzter Präsident begibt sich in eine Bananenrepublik ins Exil und lebt dort vom Schweizer Konto. Sie blieben hartnäckig und holten ihn heim, als er zunächst unter den Schutzmantel der Kirche, dann in die innere Emigration zu den Russen nach Beelitz, schließlich in die äußere Emigration, die doppelte, in die chilenische Botschaft nach Moskau flüchtete. Es blieb ihm nichts übrig; er mußte seine Marie-Antoinette verlassen (sie ist mindestens ebenso verhaßt wie die jenes Capet in Paris) und ins vergitterte Moabit zurückkehren, schon von der Krankheit geschwächt, mußte sich dem Prozeß stellen, der sich aus humanitären Gründen nicht zu Ende bringen ließ. So endete seine politische Laufbahn, wie sie begann, mit einem als Strafprozeß verkleideten politischen Prozeß. Die zehn Jahre, die er damals zu Unrecht in Brandenburg saß, werden ihm jetzt erlassen. Er hat sie schon abgesessen. Ein einleuchtendes Urteil fehlt allerdings, eine Urteilsbegründung steht aus. Dabei wird es bleiben. ...

Gegen den Totschlagsvorwurf bei den Maueropfern wird (meist von westdeutschen Juristen) eine ganze Batterie von verteidigenden Argumenten vorgebracht:

1. Schußwaffengebrauch war geltendes positives Recht.

2. Wie jeder Staat hatte auch die DDR das Recht, ihre Grenzen zu sichern. Sie hatte auch eine Art Fürsorgepflicht gegen die eigene Bevölkerung, unter anderem, dafür zu sorgen, daß die Bevölkerung ihr nicht fortlief und damit den Bestand der Gesellschaft gefährdete (also Mauerbau zur Rettung der zivilen Gesellschaft). Dieses Argument bedeutet, daß der Schußwaffenge-

brauch nicht nur positive Rechtsnorm war, sondern ihre Setzung auch angemessen und akzeptabel.

3. Wenn es Überschreitungen dieser Gesetze gab, dann ist weder Honecker noch anderen Schreibtischaktivisten ein persönliches Verschulden nachzuweisen.

Auf die Stärke dieser Argumente muß ich nicht eingehen. Sie beruht auf dem Prinzip, daß nur zur Tatzeit im Gesetz mit Strafe bedrohte Handlungen strafrechtlich verfolgt werden dürfen.

Dieser Standpunkt ist deshalb so gewichtig, weil er der herrschende ist. Die Bürger der DDR sind dieser Rechtsform beigetreten und haben im Einigungsvertrag mitunterschrieben, daß (verkürzt gesagt) für Handlungen vor 1989 DDR-Recht nach formalen Prozeduren und Prinzipien der Bundesrepublik angewendet werden wird. Dahinter können wir jetzt nicht mehr zurück. ...

Für die Beurteilung von Strafvorwürfen zu DDR-Zeit muß die Justiz nach meiner festen Überzeugung die Radbruch-Formel oder etwas Analoges anwenden. Es muß für einen wohldefinierten Kernbereich festgestellt werden, daß es staatlich gesetztes Unrecht gab und weder vorhandene Vorschriften noch fortgeschaffte Beweise das zu ändern vermögen. Die einzige Alternative dazu wäre nämlich, konsequent auf jede Rechtsprechung im DDR-Gebiet überhaupt zu verzichten, bis hin zum Trunkenheitsdelikt am Steuer. Das ist nicht durchführbar. Die statt dessen applizierten Verlegenheitslösungen erzeugen eine unerträgliche, völlig willkürliche, zum Teil zufällige Grauzone zwischen dem, was durch DDR-Recht formal gedeckt war, und dem, was auch dort strafbar war. Bei den Mauerschüssen haben wir ein eklatantes Beispiel dafür; Mißhandlungen bei Ermittlungsverfahren, der verheerende Zustand des Strafvollzugs (z. B. in Bautzen), vom Politbüro oder MfS vorentschiedene politische Urteile oder der Einsatz der Psychiatrie zur Brechung politischen Widerstandes sind andere Beispiele. ...

Die Menschenjagd auf Flüchtende (von hinten) mit der Automatikwaffe im Anschlag ist durch kein Grenzgesetz zu rechtfertigen. Für die Tötungsmaschinen gibt es nicht einmal ein solches Feigenblatt. Die Verantwortlichen tun, als seien diese vom Himmel gefallen. Und heute: Mit der MP erschossen – tut uns leid, können wir nicht verfolgen, das war positives Recht. In eine Tötungsmaschine gelaufen – tut uns leid, können wir nicht verfolgen, es gab keinen ausdrücklichen Befehl. Die einen Täter sind entschuldigt, weil es Befehle gab, die anderen, weil es keine gab, und die für beides verantwortlich zeichneten, retteten im Kalten Krieg den Frieden und sind deshalb vorab exkulpiert. Eine feine Rechtsprechung! ...

Jens Reich

Es ist, so lerne ich, schwierig, Honecker & Co. den direkten »Schießbefehl« als Schriftstück nachzuweisen. Wenn jedoch irgendwo Zeugnisse und Indizien vorhanden sind, dann in diesem Fall. Tausende ehemalige Grenzsoldaten könnten bezeugen, daß überall ein koordinierter und unglaublich starker Indoktrinations- und Befehlsdruck vorgelegen hat, daß ein Grenzdurchbruch mit allen Mitteln, bis hin zur Vernichtung, zu verhindern war. Es gab harte Strafen, wenn man im Dienst »versagte«. Die Befehlskette lief nachweisbar lückenlos von oben (Verteidigungsrat) nach unten, die Berichtskette bei »Vorkommnissen« ebenso lückenlos nach oben. Die Verantwortlichen oben schwiegen beharrlich zu den zahlreichen internationalen Protesten, bestritten die Zwischenfälle, taten die Berichte als Aufbauschung und Verleumdung ab. Und dann das Wunder: Auf Drängen von Strauß sagte Honecker schließlich zu, die gar nicht existierenden Tötungsgeräte abzuziehen. Das wurde dann als humanitäre Vorleistung vor irgendwelchen Vertragsabschlüssen verkauft. Und der Warschauer Pakt, ohne dessen Befehl Honecker angeblich keine Küchenschabe erschlagen konnte, der segnete diesen Deal mit dem Klassenfeind ab!

Honecker hatte damit gezeigt, daß er seit 1973 die Macht- und Verhandlungsmittel hatte, das Grenzregime zu ändern, wenn er wollte. Wenn er trotzdem zuließ, daß noch bis 1989 Dutzende junger Menschen zu Tode kamen, dann beweist das Schreibtischmittäterschaft bei allen Verletzungs- und Todesfällen zwischen 1971 und 1989, zumindest bei den durch Minen und Tötungsmaschinen verursachten (die er ja einfach mit Federstrich abzustellen wußte, als es opportun war).

À la lanterne? Oder besser ins Gefängnis, vielleicht wegen dutzendfachen Totschlags?

Nein, ich meine nichts dergleichen. Aber nicht, weil das Unrecht wäre, sondern weil es sinnlos ist. Wir haben den starren alten Mann und seine Satrapen zu lange im Amt alt werden lassen und können uns jetzt nicht beschweren, wenn sie nicht mehr verhandlungsfähig sind. ...

Ein Land wurde heruntergewirtschaftet, zwei Generationen wurden im Käfig gehalten, zu Bettlern gemacht und in die depressive Resignation gestoßen, die Menschheitsideale der großen sozialen Revolutionsbewegungen wurden verraten (zum Beispiel die Freizügigkeit mit gezielten Schüssen erstickt). Das Staatsoberhaupt, mit der Erfahrung von zehn Jahren rechtswidriger Haft im Lebensgepäck, läßt es geschehen, daß wegen politischer Vergehen Zehntausende von Menschenlebensjahren in Bautzen und anderswo verbracht werden; anstatt die Gefängnisse freizumachen, verkauft er die Gefangenen gegen Devisen und läßt die Herstellung von Verurteiltennachschub zu, gibt solchen Kuhhandel noch als humanitäre Leistung aus; anstatt die Freiheit des Wortes einzuführen, für die er von 1930 bis 1945 gekämpft zu haben beansprucht, fördert er in einem Rausch von Sicherheitsparanoia einen exponentiellen Zuwachs des Spitzelsystems; anstatt dem Trend zu Freizügigkeit und internationalem Verkehr zu folgen, läßt er an der Grenze weiter schießen und verteidigt ein absurdes Besuchserlaubnisprivilegiensystem. ...

Gibt es für diese politischen Verfehlungen einen Strafanspruch gegenüber Honecker & Co.?

Leider nein. Es gibt nur Unmut, Wut über unser verpfuschtes Leben im Käfig. Über das verpraßte »Volks«vermögen. Über die verratenen Ideale. Über die hunderttausendfachen Spitzeldienste. Über die schmählichste Bittstellerlage, in die wir geraten sind.

Jeder Strafanspruch ist gegenstandslos, weil wir beteiligt waren. Wir haben zugesehen. Wir haben weggesehen. Wir haben geschwiegen. Wir haben die Augen gen Himmel geschlagen. Wir haben alles besser gewußt. Viele haben mitgetan. Nur ein ärmliches Häuflein von Menschen hat versucht, den Prozeß aufzuhalten. ...

Hunderttausende hätten sie nicht abschießen können – sie hätten klein beigegeben. Ich erinnere mich noch an die Kaffeerevolution Ende der siebziger Jahre: Da wollte das Regime den Kaffeepreis verdoppeln und hätte fast eine Revolte ausgelöst. Ganz schnell wurde die Sache zurückgenommen. Ein paar Jahre zuvor der Bettwäschekrieg: Auch da ein Rückzug im Politbüro, als das Volk laut und hörbar zu murren anfing. Leider hat das Volk zu murren vergessen, als die Panzer nach Prag rollten. Als die Solidarność streikte. Als in Danzig auf der Werft Arbeiter erschossen wurden.

Ich denke trotz allem, wir lassen die Sache so stehen. Für die Milliarden gibt es keinen Ersatz. Wir können Totschlag, Körperverletzung, Folterung und Rechtsbeugung in schweren Fällen sühnen, und ich habe wenig Verständnis, wie dargelegt, für pseudo-rechtsstaatliche formale Rabulistik zum Schutz von Schreibtischtätern. Vielleicht kann Schalck-Golodkowski statt am Tegernsee auch in der StVA Rummelsburg stationiert werden. Aber Genugtuung wird uns das alles nicht verschaffen. Die vergeudete Lebenszeit ist hin.

Für die Zukunft ist der tribunale Abschluß des Unternehmens DDR auch in dieser unfertigen Form wichtig. Wir werden uns gegen Legenden zu wehren haben. Und wir werden unser Gemeinwesen gegen den Zugriff Inkompetenter verteidigen müssen. So wie diese sich zu tarnen und zu verschanzen verstehen, ist dazu erhebliche Zivilcourage notwendig.

Heute, drei Jahre danach, mit Hoyerswerda und Rostock und dem Vereinigungskatzenjammer, sage ich nun doch: Geschlagen ziehen wir nach Haus,

Jens Reich

die Enkel fechten's besser aus. Zum 3. Oktober 1990 hätte ich diese Niederlage noch nicht eingestanden. Zu viele Enttäuschungen haben mich zur Einsicht bekehrt.

Das nächste Mal besser aufpassen: Damit allein können wir dem Anspruch des Volkes Genüge tun. Allerdings stehen die Aussichten nicht gut, ich weiß. Laternen als Galgen zu benutzen ist dennoch obsolet. Nach 1793 führt kein Weg zurück. Wir müssen neue Wege finden.   1993

In Leipzig waren Anfang Dezember 1989 Bürger in das Gebäude der Staatssicherheit eingedrungen, um der Vernichtung von Akten zuvorzukommen. Mitte Januar 1990 besetzten Demonstranten in Berlin die Zentrale des Ministeriums für Staatssicherheit, um die Akten vor dem Zugriff des noch existierenden Apparates der Staatssicherheit zu schützen, bei dem in den achtziger Jahren rund einhundertachtzigtausend Informelle Mitarbeiter geführt worden waren.

Der Theologe Joachim Gauck, 1940 in Rostock geboren, war von März bis Oktober 1990 Abgeordneter der Volkskammer für das Neue Forum gewesen. Er übernahm die Leitung des Sonderausschusses zur Kontrolle der Auflösung des Ministeriums für Staatssicherheit. Zusammen mit anderen brachte er ein Gesetz in der Volkskammer ein, in dem gefordert wurde, die Akten der Staatssicherheit für die politische, juristische und historische Aufarbeitung zu öffnen. Dieses Gesetz wurde von den beiden deutschen Regierungen zunächst nicht in den Einigungsvertrag aufgenommen.

Rund fünfundzwanzigtausend westliche Politiker, Journalisten, Manager und Geheimdienstler wurden von der Staatssicherheit überwacht. Im Juli 1990 erschien in einem Boulevardblatt eine Serie mit Ausschnitten aus Abhörprotokollen, die im Westen aufgenommen worden waren. Westdeutsche Politiker sahen sich öffentlich preisgegeben und forderten, daß die gesamten Akten weggeschlossen werden sollten. Soweit kam es nicht.

Im Einigungsvertrag war vorgesehen, daß die Akten über Westdeutsche vernichtet, dem Zugriff der Bürger entzogen oder ins Bundesarchiv überwiesen werden sollten. Dagegen protestierten Bürger und Parlamentarier der Volkskammer, worauf in einem Zusatzprotokoll schließlich das Staatssicherheits-Unterlagen-Gesetz, das die Volkskammer verabschiedet hatte, in den Einigungsvertrag aufgenommen wurde. Das Gesetz wurde 1991 vom ersten gesamtdeutschen Bundestag verabschiedet und Joachim Gauck zum Bundesbeauftragten für die Unterlagen des Staatssicherheitsdienstes ernannt.

Bis zum Beschluß des Gesetzes sind Akten verschwunden, im Frühjahr 1990 sollen es fast eintausend laufende Meter gewesen sein. In der Gauck-Behörde in

Berlin, in der über zweieinhalbtausend Mitarbeiter tätig sind, lagern Millionen von Karteikarten, Hunderttausende von Ton-, Video- und Bilddokumenten. Die Regale ziehen sich rund einhundertachtzig Kilometer hin.

Über eine Millionen Menschen haben seit 1992 bei der Gauck-Behörde Akteneinsicht beantragt. Als die Akte über Helmut Kohl freigegeben werden sollte, reichte Kohl dagegen Klage ein. Im September 2003 erklärte das Berliner Verfassungsgericht, daß die Akten über Kohl grundsätzlich herausgegeben werden dürften. Diesen Beschluß hatte die Nachfolgerin von Joachim Gauck in der Behörde, Marianne Birthler, bei Gericht erwirkt. Zwei Jahre später wurde ein kleiner Teil der Kohl-Akten zu Forschungszwecken herausgegeben.

In der Debatte um die Staatssicherheits-Unterlagen vertrat die eine Seite den Persönlichkeitsschutz, die andere Seite machte geltend, daß sowohl die Opfer der Staatssicherheit ein Recht auf Aufklärung hätten als auch die Personen der Zeitgeschichte sich nicht der Aufklärung entziehen dürften. Zu den Opfern der Staatssicherheit gehörte der Schriftsteller Günter Kunert, geboren 1929 in Berlin. Er war 1976 aus der Sozialistischen Einheitspartei ausgeschlossen worden, weil er die Protesterklärung gegen die Ausbürgerung Wolf Biermanns unterschrieben hatte. Drei Jahre später siedelte er in den Westen über. Teile seiner Staatssicherheits-Akte hat er in seinen 1997 erschienenen Erinnerungen »Erwachsenenspiele« verarbeitet. Sein Text »Meine Nachbarn« erschien 1992.

 **Günter Kunert.** Lügen die Stasi-Akten, wie es manche Zeitgenossen, weil es sie in jeglicher Hinsicht *entlasten* würde, ständig behaupten? Doch wenn dem so wäre, wozu dann der ungeheure, ja, ungeheuerliche, ein Volksvermögen verschlingende Aufwand? Um den eigenen Dienstherrn, die Partei, zu desinformieren? Der Überwachungsapparat nur ein Instrument des Selbstbetruges?

Meine Nachbarn, das heißt: meine einstigen Nachbarn werden über derlei beweisloses Gerede vermutlich ganz anders urteilen: Ich habe sie alle in meinen Akten wiedergefunden, und diese Begegnung war tatsächlich die einzige, die mich beim Studium des gebündelten Irrsinns erschüttert hat.

Nachdem mich die Helfershelfer des Big Brother zu einem *Operativen Vorgang* mit dem einfallsreichen Decknamen »Zyniker« ernannt hatten, entschlossen sie sich zu weiteren besonderen Maßnahmen. Über die »normale« Observierung hinaus, also neben dem Einsatz »Informeller Mitarbeiter«, neben Briefzensur, telefonischen Lauschangriffen und der Benutzung

»zuverlässiger Quellen« wie von »Kontaktpersonen«, sollte nahe unserem Einfamilienhaus in Berlin-Buch ein ständiger »Stützpunkt« zwecks Dauerbeobachtung eingerichtet werden. Wie das Material erkennen läßt, wurde der Plan sorgfältig, nämlich »generalstabsmäßig« vorbereitet. In einem den Akten beigefügten Umschlag als erstes: Fotos von unserem Domizil. Diesen folgte eine Skizze: Der Lageplan des Anwesens, kleiner Maßstab, nur drei, vier umgebende Straßen roh angedeutet. Danach eine ausführlichere Zeichnung, größerer Maßstab, mit den unseren Wohnbereich einschließenden Häusern und dem Straßenraster. Endlich eine gedruckte Generalstabskarte des gesamten Bezirks. Auf jeder der drei Karten rot markiert: die Unterkunft »des Kunert«, wie man von der Sprache des Unmenschen tituliert wurde. Oder noch abwertender, durch die Wahl der Bezeichnung die fatale Verbindung zur finstersten deutschen Vergangenheit herstellend: als »Objekt«. Und, als hätten die Beamten in Mielkes Schloß eifrig Kafka studiert: als »K«.

Weiterblätternd, nach der topographischen Einleitung, Aufzeichnungen über meine sämtlichen Nachbarn. Formblätter des MfS mit Notizen, Bewertungen, Anweisungen. Die Widerwärtigkeit eines Systems, das seinen Bürgern nicht nur in die Töpfe, sondern auch in die Schlafzimmer zu lugen pflegte, taucht aus den Papieren auf. Wie diese Menschen da in die Mühle gerieten, die doch *nur* mich zermahlen sollte – das ist an sich schon ein Akt aus dem Narrenparadies namens DDR. Ich immerhin war mir der Überwachung bewußt gewesen, mal bedrückter, mal wurstiger. Nun sah ich, wie diese harmlosen Durchschnittsbürger »erfaßt« worden waren, unter die Lupe genommen wie Insekten, ausgeforscht und »behandelt«: Mitglieder der sogenannten »Nischengesellschaft«, in der es, entgegen einem häufig gehörten Beteuern, keinen Schlupfwinkel gegeben hat, wenn ein »höheres Interesse« sich regte. In diesem Lande gab es nie und nirgendwo eine Zuflucht vor den Augen des Apparates, und es fällt einem, obgleich es anders gemeint gewesen ist, Brechts Gedicht ein, in welchem es heißt: »Die Partei hat tausend Augen ...« Bei unserem Edelklassiker war das noch positiv gemeint gewesen und keineswegs auf die Realität bezogen, wie sie mir aus den Akten entgegentritt.

Über alle dokumentierten Fakten hinaus, bei deren Kenntnisnahme, wie ich gestehen und mit einem Anflug von Pathos sagen muß, mir schwer ums Herz wurde, machte ich dennoch eine trostreiche, ja, ermutigende Erfahrung: Keiner meiner Nachbarn scheint eingewilligt zu haben, seine Wohnung, sein Haus als »Stützpunkt« zur Verfügung zu stellen. Den Beweis für den menschlichen Anstand der Umwohnenden meine ich darin zu entdecken, daß erst mehrere Häuser von dem unseren entfernt sich ein einziger zur Mitarbeit verstand, und der war noch dazu Offizier der »Zivilverteidigung«, ergo sowieso eine Stütze von Thron und Altar des real existierenden Sozialismus. Eifrig berichtete er den Werbern, er sei sogar schon in unserem Haus gewesen – als er uns die Kohlenkarten gebracht habe! Dazu kann man bloß sagen: Ein Staat, der dreißig Jahre nach dem Zweiten Weltkrieg Kohlenkarten verteilen läßt, als sei dieser Krieg noch im Gange, hat sehr, aber auch sehr sehr viele Geheimpolizisten nötig.

Eigentlich müßte ich mich jetzt und hier und alsogleich bei meinen Nachbarn entschuldigen, von denen ich, selber von der Seuche des allgemeinen Mißtrauens infiziert, einige für Informanten gehalten habe: Gerade sie waren es nicht. Auch das ist eine durch die Akten vermittelte Wahrheit, derentwegen man sie liest und lesen sollte. Sie belasten nicht bloß Mitbürger, sie rehabilitieren sie auch. Wir haben in dem untergegangenen System unter deformierten zwischenmenschlichen Beziehungen und Bedingungen gelebt: Wir waren unfrei selbst in unserem beiläufigen Benehmen gegenüber Dritten – wie eben den Nachbarn. Wir blockierten selber automatisch unsere Empfindungen, wir schränkten unsere Kontaktfreudigkeit ein, sobald uns ein Blick zu neugierig vorkam, eine Frage zu forschend, ein Interesse an unserer Person nicht ausreichend begründet. Wir führten weithin ein Austerndasein.

Denn: Zu oft hatten wir ja mit unseren Verdächten recht. Das bestätigten ebenfalls die Akten. Jener junge Lyriker, der mich einst aufsuchte, um mit mir über Gedichte zu palavern – ein Abgesandter von Major Tischendorf, in Wirklichkeit ein IM »Imans«, der stolz meldete, ich hätte mich fünf Stunden lang mit ihm unterhalten. Lektoren meiner DDR-Verlage haben über mich Auskunft gegeben, über meine Pläne, mein Befinden, meine politischen Ansichten, über meine Frau, die permanent als böser Geist im Spiel klassifiziert wird, weil sie »den Kunert in seiner feindlich-negativen Einstellung bestärkt«. Auch Zunftgenossen haben mich fleißig ausgehorcht, gar Gutachten über meine Gedichte geschrieben, aus denen, wie sie unwiderlegbar schlußfolgerten, meine parteifeindliche, sozialismusverneinende, pessimistische, nihilistische, untergrabende, gegnerische Gesinnung eindeutig hervorginge. Wie nicht anders zu erwarten, hat auch der Exspräsident des Ex-Schriftstellerverbandes der Ex-DDR in einem Gespräch mit einem MfS-Offizier manches über mich anzumerken gehabt, wobei ihm die Fantasie, die seinen Büchern fehlt, in die Quere kam, da er zu Protokoll gibt: Kunerts, beide, hätten tagelang geweint, weil sie die DDR verlassen würden ... Ach ja, immer zu Späßen aufgelegt, der Hermann Kant. Gar ein Verleger reiht sich in die Schar der geheimen Informanten ein, Deckname »Hans«, doch leicht identifizierbar, da er uns sowohl 1980 wie 1988 in Schleswig-Holstein auf-

Günter Kunert

suchte, und viele Freireisende kamen ja nicht zu uns. Eine Selbstenttarnung ersten Ranges.

Und die Lehre aus solch obskurer Lektüre? Was nimmt der OV »Zyniker« an immateriellem Gewinn mit nach Hause? Wieder und wie stets die Gewißheit, daß die Intellektuellen (prozentual) anfälliger sind für das Zusammenwirken mit der Macht, und sei sie noch so geheim: Etwas davon kräftigt das eigene schwache Ego, richtet die mühselige und beladene Psyche auf. Dazu im Gegensatz die erstaunliche Resistenz des »Common man«, der im Grunde mehr zu verlieren und mehr zu befürchten hatte als ein Verlagsleiter, als ein Lektor, als ein Regisseur, als ein Autor. Aber gerade sie sind der Verlockung anheimgefallen, da sie vermutlich meinten, im Bunde mit der Macht würden sie selber mächtiger, einflußreicher, überhaupt: bedeutender. Sind jedoch einzig Jämmerlinge geworden und bleiben es für den Rest ihres Lebens.

Ein Resümee? Möglicherweise sind die Menschen doch nicht ganz so mies, wie man sonst anzunehmen gezwungen ist. Jedenfalls die meisten meiner Nachbarn sind es nicht. Das jedenfalls war das Studium der Akten eines Gesellschaftssystems wert, das, unter anderem, an seinem zum Verfolgungswahn, und zwar Verfolgungswahn in zweifacher Hinsicht, entarteten Sicherheitsbedürfnis zugrunde ging. Nicht zuletzt ist das eine wichtige Wahrheit, welche man den Dossiers entnehmen kann.   1992

Rechtsextremisten überfielen im September 1991 im sächsischen Hoyerswerda vietnamesische Gastarbeiter. Es kam zu Zusammenstößen mit der Polizei. Darauf zogen sie gegen ein Asylbewerberwohnheim los. Zuschauer standen herum und zollten ihnen Beifall. In Rostock zündeten Rechtsextremisten im August 1992 unter dem Beifall von Zuschauern einen Wohnblock an, in dem vor allem Vietnamesen wohnten. In Berlin demonstrierten zwei Monate darauf mehrere tausend Menschen gegen die Ausländerfeindlichkeit in Deutschland. Im selben Monat verübten Rechtsextremisten in der Kleinstadt Mölln in Schleswig-Holstein einen Brandanschlag, bei dem drei Türkinnen ums Leben kamen und sieben Personen verletzt wurden. Darauf wurde die rechtsextremistische Organisation »Nationale Front« verboten. Wenig später demonstrierten in München rund vierhunderttausend Menschen mit einer Lichterkette gegen die Ausländerfeindlichkeit in Deutschland. Noch kursierte die Formel von der multikulturellen Gesellschaft, die in den achtziger Jahren aufgekommen war. Die Bundesregierung einigte sich darauf, das Asylrecht zu ändern. Asylbewerber aus anderen Staaten der Europäischen Union und aus sogenannten sicheren Drittländern sollten zukünftig ohne

Gerichtsverfahren zurückgeschickt werden können. Das Gesetz wurde im Mai 1993 beschlossen. Drei Tage später verübten Rechtsextremisten auf ein von Türken bewohntes Haus in Solingen einen Brandanschlag, bei dem fünf Menschen starben und zwei schwer verletzt wurden.

Im Februar 1993 erschien im »Spiegel« der Aufsatz »Anschwellender Bocksgesang« des Schriftstellers Botho Strauß. Der Aufsatz löste empörte Reaktionen aus. Strauß, geboren 1944 in Naumburg, war in den siebziger und achtziger Jahren vor allem durch seine Theaterstücke über den Stand der Beziehungen zwischen Mann und Frau berühmt geworden. Mit seiner Gesellschaftskritik in Drama und Prosa schien er damals immer noch in der Nähe der Avantgarde aus den sechziger Jahren zu stehen. In der Empörung der Kritiker über den »Spiegel«-Aufsatz von Strauß schwang deshalb auch die Enttäuschung darüber mit, daß Strauß offensichtlich endgültig die Seite gewechselt hatte und zu den Konservativen übergelaufen war.

Der »Anschwellende Bocksgesang« war eine grundlegende Abrechnung mit einer Kultur, die aus der alten Bundesrepublik in das wiedervereinigte Deutschland hineinreichte. Insofern war dieser Artikel auch eine radikale Fortführung des ersten frühen Nachrufes, den Niklas Luhmann 1990 der alten Bundesrepublik gewidmet hatte. Strauß griff die Intellektuellen der Bundesrepublik an, die an den herrschenden Verhältnissen kein gutes Haar ließen – und stand damit in einer Reihe mit Hermann Lübbe und dessen Kritik an der jungen Generation. Die kulturellen Konflikte, die der Schriftsteller heraufziehen sah, wurden von dem amerikanischen Politologen Samuel Huntington wenige Monate später als ein Kampf der Kulturen bezeichnet.

Neben den Empörten meldeten sich auch Stimmen zu Wort, die Botho Strauß recht gaben. Zu ihnen zählte der Schriftsteller Bodo Kirchhoff. Er berichtete in einem Artikel in der »Zeit« über die Fallstricke seiner intellektuellen Sozialisation in den siebziger Jahren, die am Seminar für Erziehungswissenschaften in Frankfurt am Main und den damals üblichen sozialpsychologischen Weltformeln ihren Ausgang nahm. »Was hat Botho Strauß denn im Kern gesagt?« fragte Kirchhoff. »Doch nur, daß der Mensch mehr ist als die Weltsicht und das Menschenbild der Linken. Und was empfiehlt er? Einen Wechsel der Leitbilder – Marc Aurel statt Max Frisch. Und dabei hat er sich sehr vorsichtig ausgedrückt; kein strammer Rechter könnte ihn als Zeugen benennen, wohl aber einer, den es schüttelt, immer nur Pappis alte Kursbücher und Mammis alte Frauenkalender im Wohnzimmer stehen zu sehen, der vielleicht lieber erst mal in eine Kirche geht, wo übrigens immer schon Kerzen brannten, um dort zu erleben, was um ihn und in ihm geschieht, bevor er sich anhört, daß der Mensch nur das Resultat seiner Umgebung ist.« Fritz J. Raddatz und sein »Bruder Baader« lagen auf einmal sehr weit zurück.

Botho Strauß. Man kann tun, was man will: morden oder beten, revolutionieren oder freie Parlamente wählen – irgendwann zerbricht jede Form, zerbrechen die Krüge, und die Zeit läuft aus. Und man wird anschließend wiederum alles aufklären und nachträglich die trügerischen Vorhersehbarkeiten, die trügerischen Gesetzmäßigkeiten bloßlegen bzw. konstruieren. Dabei handelt es sich um Verwerfungen, die aus dem schwerverständlichen Rumoren, aus dem Erdinneren alles dessen, was wir mit viel Erfolg betrieben haben, beinahe zwangsläufig hervorgehen. Die Blindheit, mit der uns schlug der Erfolg: daß wir nicht sehen, wieviel Erlöschen er mit sich brachte. Das von uns Angerichtete, es ganz allein, bringt seinen Kraftschwund hervor. Der einzige Feind, gegen den man nicht kämpfen kann und dessen Bedrohung die Kräfte nicht anspornt: Volksreichtum. Sind wenige reich, so herrscht Korruption und Anmaßung. Ist es das Volk insgesamt, so korrodiert die Substanz. Jedenfalls schützt Wohlhaben nicht vor der Demontage des Systems, dem es sich verdankt.

Welche Transformierbarkeit besetzt das Unsere, das Angerichtete noch? Allem Anschein nach keine mehr. Wir sind in die Beständigkeit des sich selbst korrigierenden Systems eingelaufen. Ob das noch Demokratie ist oder schon Demokratismus: ein kybernetisches Modell, ein wissenschaftlicher Diskurs, ein politisch-technischer Selbstüberwachungsverein ...? Sicher ist, dieses Gebilde braucht immer wieder, wie ein physischer Organismus, den inneren und äußeren Druck von Gefahren, Risiken, sogar eine Periode von ernsthafter Schwächung, um seine Kräfte neu zu sammeln, die dazu tendieren, sich an tausenderlei Sekundäres zu verlieren. Es ist bislang konkurrenzlos, weder Totalitarismus noch Theokratie brächten etwas Besseres zum Wohl der größtmöglichen Zahl zustande als dieses System der abgezweckten Freiheiten. Natürlich gilt das nur so lange, als wir davon überzeugt sind, daß allein der ökonomische Erfolg die Massen formt, bindet und erhellt. Nach Lage der Dinge dämmert es manchem inzwischen, daß Gesellschaften, bei denen der Ökonomismus nicht im Zentrum aller Antriebe steht, aufgrund ihrer geregelten, glaubensgestützten Bedürfnisbeschränkung im Konfliktfall eine beachtliche Stärke oder gar Überlegenheit zeigen werden. Wenn wir Reichen nur um minimale Prozente an Reichtum verlieren, so zeitigt das in unserem reizbaren, nervösen System nicht nur innenpolitische Folgen, sondern vor allem abrupte Folgen der politischen Innerlichkeit, den impulsiven Ausbruch von Unduldsamkeit und Aggression.

Wir warnen etwas zu selbstgefällig vor den nationalistischen Strömungen in den osteuropäischen und mittelasiatischen Neu-Staaten. Daß jemand in Tadschikistan es als politischen Auftrag begreift, seine Sprache zu erhalten, wie wir unsere Gewässer, das verstehen wir nicht mehr. Daß ein Volk sein Sittengesetz gegen andere behaupten will und dafür bereit ist, Blutopfer zu bringen, das verstehen wir nicht mehr und halten es in unserer liberal-libertären Selbstbezogenheit für falsch und verwerflich. Es ziehen aber Konflikte herauf, die sich nicht mehr ökonomisch befrieden lassen; bei denen es eine nachteilige Rolle spielen könnte, daß der reiche Westeuropäer sozusagen auch sittlich über seine Verhältnisse gelebt hat, da hier das »Machbare« am wenigsten an eine Grenze stieß. Es ist gleichgültig, wie wir es bewerten, es wird schwer zu bekämpfen sein: Daß die alten Dinge nicht einfach überlebt und tot sind, daß der Mensch, der einzelne wie der Volkszugehörige, nicht einfach nur von heute ist.

Zwischen den Kräften des Hergebrachten und denen des ständigen Fortbringens, Abservierens und Auslöschens wird es Krieg geben.

Wir kämpfen nur nach innen um das Unsere. Wir werden nicht zum Kampf herausgefordert durch feindliche Eroberer. Wir werden herausgefordert, uns Heerscharen von Hungerleidern und heimatlos Gewordenen gegenüber mitleidvoll und hilfsbereit zu verhalten, wir sind per Gesetz zur Güte verpflichtet. Um dieses Gebot bis in die Seele der Menschen (nicht nur der Wähler und Wählerinnen) zu versenken, bedürfte es nachgerade einer Rechristianisierung unseres modernen egoistischen Heidentums. Da die Geschichte nicht aufgehört hat, ihre tragischen Dispositionen zu treffen, kann niemand voraussehen, ob unsere Gewaltlosigkeit den Krieg nicht bloß auf unsere Kinder verschleppt.

Die Hypokrisie der öffentlichen Moral, die jederzeit tolerierte (wo nicht betrieb): die Verhöhnung des Eros, die Verhöhnung des Soldaten, die Verhöhnung von Kirche, Tradition und Autorität, sie darf sich nicht wundern, wenn die Worte in der Not kein Gewicht mehr haben. Aber in wessen Hand, in wessen Mund sind die Macht und das Sagen, die Schlimmeres von uns abwenden?

Es scheint undenkbar, daß jemand in den Verhältnissen, in denen er lebt, die letzte und beste Erfüllung des gesellschaftlich *möglichen* Zusammenlebens erfährt. Wer vermöchte schon der Apologie der Schwebe, des Geradeeben-Noch, einen glaubwürdigen Ausdruck zu verleihen?

Von ihrem Ursprung (in Hitler) an hat sich die deutsche Nachkriegs-Intelligenz darauf versteift, daß man sich nur der Schlechtigkeit der herrschenden Verhältnisse bewußt sein kann; sie hat uns sogar zu den fragwürdigsten Alternativen zu überreden gesucht und das radikal Gute und

Andere in Form einer profanen Eschatologie angeboten. Diese ist mittlerweile so in sich zusammengebrochen wie gewisse Sektenversprechen vom nahen Weltenende.

Die heile Welt des Schmunzel-Moderators: »das bunte, gemütlich beieinander wohnende Völkchen der Prostituierten, Drogensüchtigen, deutschen Hausfrauen, Asylanten und Intellektuellen ...«

Der Liberale ist nicht liberal durch sich selbst, sondern er wird es mehr und mehr als entschiedener, sich immer liberaler rüstender Gegner des Antiliberalismus: Er gilt für liberal, er hat sich als solcher Geltung verschafft, er ist – in seinem öffentlichen Amt – geltungssüchtig und wird folglich immer rücksichtsloser liberal. Er ist ein ständig sich proklamierender, innerlich hochreizbarer, höchst benachbarter Widersprecher des Antiliberalen.

Zuweilen sollte man prüfen, was an der eigenen Toleranz echt und selbständig ist und was sich davon dem verklemmten deutschen Selbsthaß verdankt, der die Fremden willkommen heißt, damit hier, in seinem verhaßten Vaterland, sich die Verhältnisse endlich zu jener berühmten (»faschistoiden«) Kenntlichkeit entpuppen, wie es einst (und heimlich wohl bleibend) in der Verbrecher-Dialektik des linken Terrors hieß.

Intellektuelle sind freundlich zum Fremden, nicht um des Fremden willen, sondern weil sie grimmig sind gegen das Unsere und alles begrüßen, was es zerstört – wo solche Gemütsverkehrung ruchbar wird, und im Verborgenen geschieht dies vielerorts, scheint sie geradezu bereit und begierig, einzurasten mit einer rechten Perversion, der brutalen Affirmation.

Selbstverständlich muß man grimmig sein dürfen gegen den »Typus« des Deutschen als Repräsentanten der Bevölkerungsmehrheit. Die Würde der bettelnden Zigeunerin sehe ich auf den ersten Blick. Nach der Würde – ach, Leihfloskel vom Fürstenhof! – meines deformierten, vergnügungslärmigen Landsmannes in der Gesamtheit seiner Anspruchsunverschämtheit muß ich lange, wenn nicht vergeblich suchen. Wie sähe, denke ich oft, mein protziger Nächster aus, wenn ihn der jähe Schmerz oder Kummer träfe? Vielleicht träte zum Vorschein dann seine Würde. Man muß sie doch wenigstens einmal gesehen haben, bevor man sie ins gesetzliche Glaubensbekenntnis aufnimmt. Die meisten Überzeugungsträger, die sich heute vernehmen lassen, scheinen ihren Nächsten überhaupt nur als den grell ausgeleuchteten Nachbarn in einer gemeinsamen Talkshow zu kennen. Sie haben offenbar das sinnliche Gespür – und das ist oft auch: ein sinnliches Widerstreben und Entsetzen – für die Fremdheit *jedes* anderen, auch der eigenen Landsleute, verloren.

Seltsam, wie man sich »links« nennen kann, da links doch von alters her als Synonym als das Fehlgehende gilt. Man heftet sich also ein Zeichen des Verhexten und Verkehrten an, weil man, voller Aufklärungshochmut, seine Politik gerade auf den Beweis der Machtlosigkeit von magischen Ordnungsvorstellungen begründet.

Rechts zu sein, nicht aus billiger Überzeugung, aus gemeinen Absichten, sondern von ganzem Wesen, das ist, die Übermacht einer Erinnerung zu erleben, die den *Menschen* ergreift, weniger den Staatsbürger, die ihn vereinsamt und erschüttert inmitten der modernen, aufgeklärten Verhältnisse, in denen er sein gewöhnliches Leben führt. Diese Durchdrungenheit bedarf nicht der abscheulichen und lächerlichen Maskerade einer hündischen Nachahmung, des Griffs in den Secondhandshop der Unheilsgeschichte. Es handelt sich um einen anderen Akt der Auflehnung: gegen die Totalherrschaft der Gegenwart, die dem Individuum jede *Anwesenheit* von unaufgeklärter Vergangenheit, von geschichtlichem Gewordensein, von mythischer Zeit rauben und sie ausmerzen will. Anders als die linke, Heilsgeschichte parodierende Phantasie malt sich die rechte kein künftiges Weltreich aus, bedarf keiner Utopie, sondern sucht den Wiederanschluß an die lange Zeit, die unbewegte, und ist ihrem Wesen nach Tiefenerinnerung und insofern eine religiöse oder protopolitische Initiation. Sie ist immer und existentiell eine Phantasie des Verlustes und nicht der (irdischen) Verheißung. Eine Phantasie also des Dichters, von Homer bis Hölderlin.

Der Rechte in solchem Sinn ist vom Neonazi so weit entfernt wie der Fußballfreund vom Hooligan, ja mehr noch: Der Zerstörer *innerhalb* seiner Interessensphäre wird ihm zum ärgsten, erbittertsten Feind. (Freilich: dürfen von uns verwahrloste Kinder zu unseren Feinden werden?)

Der Rechte – in der Richte: ein Außenseiter. Das, was ihn zutiefst von der problematischen Welt trennt, ist ihr Mangel an Passion, ihre frevelhafte Selbstbezogenheit, ihre ebenso lächerliche wie widerwärtige Vergesellschaftung des Leidens und des Glückens. Es müßte unterdessen aufgefallen sein, daß dieser Außenseiter nicht mehr so aussieht, wie ihn die gesellschaftskritische Intelligenz und Literaturgeschichte seit Dezennien hagiographiert, links und subversiv. Es mag in Osteuropa geschehen, was will, bei uns ist links nach wie vor dort, wo sich die kulturelle Mehrheit befindet. Ohne großen Unterschied ist es die öffentliche Intelligenz, sind es die gewitzten und zerknirschten Gewissenswächter, die ihren aufrechten Gang im wesentlichen nutzen, um zum nächsten Mikrofon oder Podium zu schreiten, und die gegenwärtig allesamt sich der erbitterten Anstrengung unterziehen, mit *rationalen* Mitteln eine Beschwörung zu betreiben, als erstrebten sie, wenigstens für sich und ihre Rede, gerade jene magische oder sakrale Autorität, die sie als aufrechte Wächter aufs schärfste bekämpfen.

Die Modernität wird nicht mit ihren sanften postmodernen Ausläufern beendet, sondern abbrechen mit dem Kulturschock. Der Kulturschock, der nicht die Wilden trifft, sondern die verwüstet Vergeßlichen. ...

Von der Gestalt der künftigen Tragödie wissen wir nichts. Wir hören nur den lauter werdenden Mysterienlärm, den Bocksgesang in der Tiefe unseres Handelns. 1993

Wer über den Rechtsextremismus diskutierte, der konnte an den Schulen, an den Lehrern und an der Erziehung nicht vorbeigehen. Hartmut von Hentig, geboren 1925 in Posen, Professor für Pädagogik in Göttingen, später in Bielefeld, leitete in den siebziger und achtziger Jahren die berühmte Bielefelder Laborschule, durch deren Räume der Geist der Reformpädagogik wehte. Hentig veröffentlichte 1993 das Buch »Die Schule neu denken«, aus dem der folgende Text stammt. Er forderte die Politiker auf, mehr Mut für erzieherische Experimente zu zeigen und neben den staatlichen Schultypen andere Schulen zu fördern. Er widersprach der gängigen These von der Schuld der Achtundsechziger am Niedergang des zivilen Lebens und schloß sich auch nicht der Rede vom »Werteverfall« an, der sich durch die Gesellschaft fresse. Die Probleme mit und in den staatlichen Schulen nahmen in den neunziger Jahren zu, ohne daß es zu großen öffentlichen Debatten gekommen wäre. Die Öffentlichkeit wurde erst wieder aufgeschreckt, als die Pisa-Untersuchungen den desolaten Zustand der deutschen Schulen dokumentierten.

Hartmut von Hentig. Daß die Schule mit dem Lehrer stehe und falle ist ein Gemeinplatz und wie die meisten Gemeinplätze sogar wahr. Er hilft freilich schon bei der täglichen Verbesserung und bei der periodischen Veränderung der Schule wenig, sagt er doch nicht, wo der treffliche Mann oder die treffliche Frau herzunehmen seien. Die Hochschulen und Ausbildungsseminare »machen« sie oder ihn nicht zum »guten Lehrer«, sie  machen sie oder ihn zum sicheren, einsatzfähigen, erfolgreichen Inhaber eines Amtes, das durch die ihr oder ihm in der Schule zugedachte Tätigkeit definiert ist. Um ihrerseits gut zu sein, muß die erteilte Ausbildung mit der erwarteten Ausübung übereinstimmen. Diese Übereinstimmung ist zum Beispiel in der Schweiz sehr hoch. Der Vorstellung von der Schule als gewissenhafter Unterrichtsanstalt entspricht dort die didaktische und psychologische Ausbildung der Lehrer – in gleichem Maß weit entfernt von einer Ausbildung zum Forscher wie zum Sozialingenieur. Wenn bei uns die Lehrerbildung gescholten und von den Lehrern selbst als unzureichend empfunden wird, dann weil das vermittelte Lehrerbild und der erlebte Lehreralltag so weit auseinanderklaffen. Sind wir entschlossen, die Schule neu zu denken, werden wir bei dieser Gelegenheit auch die Lehrerbildung neu denken müssen und die fehlende Übereinstimmung (wieder-)herzustellen suchen. Eine neue Lehrerbildung muß den Anforderungen der neuen Schule folgen. Das ist an diese Reihenfolge gebunden. Eine Hilfe beim »Übergang« ergibt sich hier nicht.

Wenn ich die Lehrerbildung hier trotzdem unter den Notwendigen Übergängen aufführe, dann weil die Lehrerbildung ja weitergeht und die nächste Lehrergeneration mit den alten Vorstellungen, Einstellungen und Fähigkeiten an die Schule entläßt. (Es wird eine relativ große Generation sein müssen, wenn die Jahrgänge des Lehrerbooms der endsechziger Jahre so schnell ausscheiden, wie sie eingeworben und eingestellt worden sind.) Die hier erwartete Übergangshilfe ist eine negative: Man möge den Lehramtskandidaten nicht mit der Lehrerausbildung von heute die Forderungen und Möglichkeiten von morgen verstellen. Die entscheidende Schwäche der heutigen Lehrerausbildung ist ihre Konzentration auf drei konvergierende Erkenntnissysteme: die Wissenschaften der an den Schulen gelehrten Fächer, die Wissenschaften von Erziehungs- und Lernprozessen und Theorien sozialer Organisation, unter ihnen der Schule. Die Realitäten: Kinder, Lehrer, Eltern, Schule, Unterricht, Schüler, Schülerunordnung, Schülerleid und Schülerausflucht, Fernsehen und Computer als Mit- und Gegenerzieher ... und so fort in der Liste der Schwierigen Veränderungen kommen nicht oder nur am Rande vor. Für die Schule als Lebensraum fehlt der Blick auf das Leben, für die Schule als Erfahrungsraum fehlt die Erfahrung mit der Erfahrung. ...

Woher kommen die neuen Lehrer? Die alten kamen von der Schulbank, von der Universität, vom Seminar. Das hat ihr Selbstbild geprägt: sie gehören auf die Seite der Wörter, Zeichen, symbolischen Handlungen. »Draußen« und »danach« ist das wirkliche Leben, die Bewährung, das Geschehen, das zählt. Wenn die Schule nun auch Lebensraum ist und die Schülerinnen und Schüler am Leben lernen sollen, dann muß man *specimens of real life* mit hereinbringen – und das kann einer, der einmal einen anderen Beruf ausgeübt hat, wohl besser als einer, dessen *real life* sich auf den Autoverkehr, den eigenen Schrebergarten, die Steuererklärung und die Ferienreise nach Norwegen beschränkt. ...

Da kann dann der künftige Lehrer AIDS-Kranke gepflegt, mit der Cap Anamur *boat people* gerettet, in der Sahelzone Brunnen gebaut, in Bethel spastische Kinder betreut haben. Aber (und deshalb kommt dies unter dem

Stichwort »Rekrutierung«) vernünftigerweise sollten auch Menschen, die einen anderen Beruf ausgeübt haben, also Maschinenschlosser, Hotelkoch, Kaufmann waren, Lehrer werden können, wenn sie es wollen und geeignet sind – und das nicht nur als Ausnahme und nicht unter Nachholung des 1. und 2. Staatsexamens, sondern normalerweise und nach einer Probezeit. Ja, diese müßte, weil die neue Konstellation von Eigenschaften nicht durch Prüfungen feststellbar ist, allgemein eingeführt werden. Man kennt den Seufzer des Schulleiters: Es sei schon schwer, gute Lehrer zu bekommen, aber vollkommen aussichtslos, die schlechten loszuwerden! Auch dieses Leiden könnte ein grundsätzliches Probejahr für alle beseitigen helfen.

Ich bin freilich überzeugt, daß man den neuen Lehrer für die neuen Schulen mit einiger Selbstverständlichkeit erst bekommen wird, wenn diese schon selber als Schüler in neue Schulen gegangen sind, also in etwa 20 Jahren.

Wenn in der Schule Belehrung, wo immer möglich und tunlich, durch Beteiligung ersetzt werden soll – Beteiligung an einer Tätigkeit, die, auch ohne daß es Schule gibt, wichtig ist –, dann hat das Konsequenzen für die Form, die Orte und die Anlässe des Lernens auch der jungen Lehrerin. Sie wird ihren Beruf, wenn sie ihn selber in Vorlesungsräumen und aus Büchern gelernt hat, kaum anders als in eben der Form ausüben. Ich habe selber durch Zufall einen anderen Weg genommen: Bevor ich Lehrer wurde, war ich Erzieher an einem Internat, Familienvater von zwölf schwierig-netten pubertierenden Knaben, Tierbändiger und Seelenführer, Arrangeur von Geländespielen und Theateraufführungen, Bienenzüchter und Chauffeur, Ski-Schüler meiner Schüler und im Gegenzug Geber von Literatur und Musik. Angestellt freilich war ich für 18 Wochenstunden Latein und Griechisch. Die lehrte ich nebenbei – und schlecht. Später wurde ich ein sicherer, einigermaßen einfallsreicher und, wie man mir nachsagt, auch erfolgreicher Lehrer, ich bin überzeugt: weil ich vorher mit jungen Menschen zu leben und umzugehen gelernt hatte. Das kann man steigern. Ich stelle mir vor, daß eine künftige Lehrerin – als Teil ihrer offiziellen Vorbereitung – ein Jahr oder ein halbes mit Personen arbeitet, die nur bedingt durch das Wort lenkbar sind, was uns zur Belehrung verführt, also Mongoloide oder sehr alte Leute oder Asylanten aus Sri Lanka betreut. Diese Erfahrung kann man vermutlich nur für wenige bereitstellen, aber eine Grundfigur des pädagogischen Handelns wird daran sichtbar, die die neue Schule mehr beanspruchen wird, als die alte Schule es getan hat: Führung durch Eingehen auf den anderen, durch Vormachen, durch Vorbild, durch Beteiligung.

Die entscheidende Ausstattung der neuen Lehrerin ist die Fähigkeit, zu beobachten und hinzuhören. ...

»Kenntnisse und Fertigkeiten« – diese mehr als die anderen Stichwörter –
müssen widerspiegeln, was die neue Schule vorhat. Den Satz, daß der Lehrplan neu vermessen werde, haben wir seit Ende des Zweiten Weltkrieges, in
unserer Ära also, oft genug gehört. Die Neuvermessung bestand am Ende in
Umbenennungen, Zusammenlegungen, Schnipseleien. Die vielleicht kühn
gedachten und klug begründeten Entwürfe haben in der Praxis keine Spur
hinterlassen. Diesmal müßte es anders sein, weil das Wissen und das Können
andere Funktionen haben; es genügt nicht, daß sie »aufgelockert« oder »ge-
strafft« oder »ergänzt« oder einfach anders eingeteilt werden.

Ich gehe wieder von formalen Erwartungen aus: In der Schule soll auch
Wissen erworben werden; Wissen muß für die meisten Zwecke geprüftes,
methodisch erworbenes, sachangemessenes Wissen sein; im unendlichen
Reich des Wissenswerten erwirbt der Schüler ausgewähltes Wissen und
lernt, wie es zustande kommt, nach welchen Kriterien es Wissen heißt und
nach welchen es ausgewählt worden ist. Darum muß auch der Lehrer erstens
ein solches Wissen haben – wenigstens auf einem Gebiet, und das sollte nicht
durch eine wissenschaftliche Disziplin, sondern durch einen Lebenszusam-
menhang definiert sein – und zweitens in der Lage sein, die Auswahl, die
man für die Schüler bereithält, zu begründen. Er braucht also ein Fachwissen
und eine allgemeine Bildung. Die letztere vor allem sollte er repräsentieren
und auf ihren verschiedenen Gebieten auch Unterricht zu erteilen bereit
sein. Jede »Arbeitsteilung«, die man hier glaubt vornehmen zu können,
macht die Anforderung an die jungen Leute unglaubwürdig, sie sollten doch
bitte in ihrer Person vereinigen, was die Schule auf viele Personen verteilt.

Sodann soll der junge Mensch in der Schule *sich selbst* erproben – an einer
Reihe von interessanten, verschiedenartigen, vergnüglichen Tätigkeiten oder
Gegenständen. . . .

Schließlich – wir wissen inzwischen: eigentlich in erster Linie – soll der
Schüler neben Wissen und Können die Fähigkeit erwerben, in der Gemeinschaft zu leben, also zum *politeuein*, und die Gewohnheit nachzudenken, sein
Denken zu prüfen, nach dem Sinn der Dinge zu fragen, also zum *philoso-
phein*. Ein Lehrer, der diese Gewohnheiten nicht hat, muß sie sich aneignen.
Seminare (oder das, was an ihre Stelle tritt) müssen selber solche Gemeinschaften sein und Gespräche über solche Fragen führen.

Ja, und jeder Lehrer sollte einmal ein halbes Jahr wenigstens im Ausland
gewesen sein! . . .

Eines freilich kann man gleich tun, um die Lehrer zu Förderern des Über-
gangs von der Unterrichtsschule zur Schule als Lebens- und Erfahrungsraum
zu machen: Man muß ihnen Zeit geben – Zeit nicht zum müßigen Spekulie-

Hartmut von Hentig

ren und schon gar nicht zum Abwarten, sondern zum Sammeln anschaulicher, bedeutender, lehrbarer Unterrichtsbeispiele und zum Ausdenken von Lagen, in denen diese den Schülern anschaulich, bedeutend und lernbar sind, Zeit auch, an diesen Beispielen weiterzuarbeiten, Bücher zu lesen, Vorträge zu hören, den Unterricht an anderen Schulen zu besuchen, bei den Kollegen zu hospitieren, die Gedanken und Materialien auszutauschen und aufzuzeichnen. Denn wenn sie dies alles gut machen, sind sie auf dem Weg zur neuen Schule. 1993

In den Diskussionen über die Jugend und den Rechtsextremismus gerieten auch die Medien und deren Darstellung von Gewalt ins Visier der Kritik. »Erziehung nach Mölln«, nannte der Schriftsteller Peter Schneider seine Überlegungen dazu, die er im »Kursbuch« 1993 veröffentlichte und mit denen er sich von den sozialpsychologischen und pädagogischen Vorstellungen aus dem Repertoire der Achtundsechziger verabschiedete. Der Titel seines Aufsatzes ist eine Anspielung auf Adornos Essay »Erziehung nach Auschwitz«. Peter Schneider, 1940 in Lübeck geboren, stand unter den Achtundsechzigern an vorderer Front und hat 1973 die vielgelesene Erzählung »Lenz« veröffentlicht. Die Geschichte des Helden war das Psychogramm einer Generation, die sich von den großen Gesellschaftstheorien verabschiedete und sich auf den Weg zu sich selbst und ihren verdrängten privaten Bedürfnissen machte.

Peter Schneider. Eine Gesellschaft, die auf einen wissenschaftlichen Beweis wartet, daß zwischen dem Gewaltexzeß in den Medien und der realen Zunahme der Gewalt ein Zusammenhang besteht, kann man nur auf den Mond schießen. Der entscheidende Punkt ist, daß Gewaltdarstellungen, wenn sie nicht mehr auf ein Umfeld von akzeptierten Wertvorstellungen und Tabuvorschriften stoßen, als bloße Information wirken, als  Mitteilung: das alles ist möglich. Wer auf eine automatisch abschreckende Wirkung von Gewaltbildern vertraute, hatte in den letzten Jahren hinreichend Gelegenheit, seine Auffassungen zu überprüfen. Es steht fest, daß die Live-Bilder über die Plünderungen in Los Angeles, die von einem vier Meter über der Szene schwebenden Hubschrauber in sämtliche Haushalte geschickt wurden, entscheidend zu deren Ausbreitung beigetragen haben. Es hat sich erwiesen, daß die »hautnahe« Berichterstattung über die bestialischen Morde in Mölln und Solingen keinen Augenblick der Irritation oder Besinnung bei den Mordbrennern bewirkt hat. Ganz im Gegenteil: je scheußlicher und »erfolgreicher« die Anschläge, desto mehr folgten. Es ist nichts weiter als lächerlich, wenn sich die Medienmacher bei ihrem Run auf Live-Bilder von Greueltaten auf ihre Informationspflicht berufen. Keine Informationspflicht gebietet es, live die erfolgreiche Stürmung eines Asylantenheimes zu senden. Wer es tut, muß wissen und weiß, daß er ein anderes Bedürfnis befriedigt als das nach Information. Ich habe einmal einem ehemaligen RAF-Terroristen die folgende Frage gestellt: gesetzt, er sei Innenminister – welches wäre die schlimmste Maßnahme, die er gegen Terroristen ergreifen könnte? Der Gefragte zögerte keinen Augenblick mit der Antwort: jede Berichterstattung über Terrorakte verbieten!

Es liegt auf der Hand, daß eine Demokratie diesem Rat eines sachkundigen Mannes nicht folgen kann. Aber die Medien können auch die unübersehbare Spirale von Berichterstattung über Gewalt und neuer Gewalt nicht länger ignorieren und müssen über eine Selbstkontrolle nachdenken. Ein solches Nachdenken hätte mit der jedem Medienmenschen geläufigen Erfahrung zu beginnen, daß bewegte Bilder eine ungleich höhere emotionale Kraft entfalten als Worte. Der beste gesprochene Kommentar über eine Greueltat ist hilflos gegenüber einem gleichzeitig laufenden detailfreudigen Bildbericht.

Einen Ausweg aus der hier beschriebenen Suchtspirale zeigt ein scheinbar paradoxer Satz: die Erzieher und Lehrer müssen ein positives Verhältnis zu dem in ihnen angestauten Gewaltpotential gewinnen. Es ist bekannt, daß keine Kulturleistung ohne einen gewissen Anteil von Aggression zustande kommt. Aber auch die Kontrolle der grausamen, barbarischen Anteile der Aggression setzt voraus, daß man ihre Existenz anerkennt. Mir scheint, daß die Kindererzieher, die Lehrer und die Ausbilder von Lehrern sich weit von dieser Bedingung entfernt haben. Im Umgang mit dem Gewaltpotential herrscht ein leugnerisches, verdrängendes, geradezu panisches Verhalten vor. ...

Es ist viel darüber spekuliert worden, daß die bei pubertierenden Männern kraß hervortretende Aggression einer verfehlten Erziehung zu danken sei. In meiner und der nachfolgenden Generation gibt es wohl kaum ein Elternpaar, das nicht versucht hat, die entsprechenden Glaubenssätze in die Praxis umzusetzen. Kleine Jungen wurden mit Puppen, Babyküchen, Nähzeug, Kuscheltieren verwöhnt; kleine Mädchen mit Plastikschwertern, mit Ritterrüstungen, mit Pfeil und Bogen oder mit Imitaten von Maschinenpistolen überhäuft. Jedes dieser Elternpaare kann bezeugen, daß die guten Absichten rasch an ihre Grenze stießen. Kleine Mädchen legen ihre Waffen

Peter Schneider

und Rennautos ziemlich rasch uninteressiert aus der Hand, während der männliche Winzling, kaum kann er zwei Finger koordinieren, aus seinen ersten drei Legosteinen einen länglichen, waffenähnlichen Gegenstand zusammensetzt, dem Vater vor die Brust hält und peng! sagt.

Die Ratlosigkeit der Gesellschaft gegenüber dem Aggressionspotential heranwachsender Männer, die bis zu dessen Verleugnung geht, deutet auf einen kollektiven Dämmerzustand. Alle sogenannten primitiven Kulturen haben aufwendige Rituale entwickelt, um die Aggression männlicher Pubertierender zu formen und zu lenken. Nach allem, was wir wissen, dienten diese schmerzhaften und langwierigen Initiations- und Mannbarkeitsriten keineswegs der Vorbereitung auf einen Kriegsfall. Sie hatten die Aufgabe, den aggressiven Strebungen den Weg zu zeigen, auf dem allein die Gemeinschaft ihnen erlaubte, sich zu äußern. Von diesen Riten hat die industrielle Zivilisation nur den Massensport und den militärischen Drill in Gestalt des Wehrdienstes übrig gelassen. Nur zivilisatorische Hybris und Selbstvergessenheit konnte zu dem Irrtum verleiten, das aggressive Potential pubertierender männlicher Jugendlicher könne durch Wegsehen zum Verschwinden gebracht werden.

Die Neigung zur Verleugnung hat wohl speziell in Deutschland damit zu tun, daß die Deutschen nach dem Exzeß »des Bösen« sich und die Welt vergessen machen wollten, daß es das Böse gibt und daß es jederzeit wieder unter dem dünnen Firnis der Zivilisation hervorbrechen kann. Um nicht in den Bann der Naziväter und ihrer Untaten zu geraten, hat die nachfolgende Generation sich und ihren Kindern einzureden versucht, daß sie frei sei von destruktiven und barbarischen Instinkten. Die Folge war eine Unfähigkeit, auch noch mit den schüchternsten Formen dieser Strebungen umzugehen. Wer einmal beobachtet hat, mit wieviel Verlegenheit und innerer Abwehr die vierzig- oder fünfzigjährigen Erzieher die Herausforderung ihrer Sprößlinge zum Zweikampf mit dem Plastikschwert annehmen, der wird zugeben, daß es hier ein Problem der Erzieher gibt. Hinzu kommt häufig eine tiefe Verachtung für jede Art von körperlicher Auseinandersetzung und die entsprechende Untüchtigkeit. So öffnet sich eine Schere zwischen dem Unterricht in der Schule und der außerschulischen Erfahrung. In der Schule ist hauptsächlich vom Frieden, von Versöhnung mit der Natur, von Ökologie die Rede, im Pausenhof und erst recht außerhalb der Schule regiert immer mehr die Gewalt. Seit Jahren weisen Beobachter darauf hin, daß die Schlägereien in Schulhöfen eine neue Qualität angenommen haben. Noch vor ein paar Jahren war es einigermaßen selbstverständlich, daß ein Kampf zwischen Halbwüchsigen beendet war, wenn der eine von beiden wehrlos am Boden lag.

Heute, so ist zu hören, treten die Sieger auf das wehrlose Opfer ein, bis es sich nicht mehr rührt. Ich fürchte, daß die einfachste Erklärung für dieses barbarische Verhalten die zutreffendste ist. Diese Halbwüchsigen »verachten« die elementarsten Regeln der Fairneß nicht etwa, sie kennen sie gar nicht und haben sie nie, nach den Gesetzen von Lohn und Strafe, erlernt. Sie sind nicht entmenscht und zu Bestien geworden, sie wurden erst gar nicht zu Menschen gemacht. Selbstverständlich gehört das Thema Gewalt in den Unterricht, ihre Äußerungsformen müssen studiert, nach Regeln geübt und bewertet werden.

Das wichtigste Antriebsmittel der hervorbrechenden barbarischen Gewalt ist ihr Erfolg. Wenn viele Lehrer inzwischen physische Angst vor ihren halbwüchsigen Schülern haben müssen, wenn sie sich gar nicht mehr trauen, in solche Roheiten einzugreifen, ist die soziale Macht des Gewalttäters bekräftigt. Und wenn eine Gesellschaft sich nicht mehr erlaubt, die Äußerungen barbarischer Gewalt mit notfalls martialischer Gegengewalt zu unterdrücken, so fehlt ihr der Überlebenswille.

Für das Versagen der »seelischen« und auch der institutionellen Gegenkräfte gegen die Ausbrüche roher Gewalt sind strukturelle Veränderungen verantwortlich, die sich durch Appelle nicht rückgängig machen lassen. Die »zerrütteten« Familien werden nicht plötzlich zusammenwachsen, die Ehen nicht auf einmal heilen, die Lehrer ihre verlorene Autorität nicht wiedererlangen, nur weil ein paar konservative Propheten entsprechende Mahnungen ausstoßen. Wenn Schule und Familie immer weniger in der Lage sind, den zivilen Konsens weiterzugeben, so kommt die vielbeschworene »Wiederbesinnung auf die traditionellen Werte« der Empfehlung gleich, ins Epizentrum des Erdbebens zurückzukehren. Die Zurückdrängung der Barbarei verlangt eine Anstrengung der gesamten zivilen Gesellschaft, fast möchte man sagen: einen erneuerten »contrat social«. Kommt er nicht zustande, so wird diese Gesellschaft die Monster ausbrüten, die sie in aller Unschuld umbringen werden.   1993

Im August 1996 erschien das Buch »Hitlers willige Vollstrecker. Ganz gewöhnliche Deutsche und der Holocaust« des jungen amerikanischen Wissenschaftlers Daniel Jonah Goldhagen von der Harvard University. Das Buch erregte Aufsehen. Historiker wie Eberhard Jäckel, Hans-Ulrich Wehler und Hans Mommsen kritisierten die Studie über die Deutschen. Sie genügte in ihren Augen weder den Erkenntnissen der Holocaust-Forschung noch den methodischen Standards wissenschaftlicher Argumentation. Goldhagen behauptete, daß sich durch die Geschichte der

Peter Schneider

Deutschen ein »eliminatorischer, ein mörderischer Antisemitismus« ziehe. Dieser eliminatorische Antisemitismus habe im zwanzigsten Jahrhundert unter dem nationalsozialistischen Regime dazu geführt, daß die Deutschen die Juden vernichteten. Goldhagens Kritiker sahen damit die These von der Kollektivschuld der Deutschen an den Verbrechen der Nationalsozialisten wiederauftauchen. Die Kollektivschuldthese war in den alliierten Staaten während des Krieges immer wieder aufgekommen.

Daniel Jonah Goldhagen ging mit seinem provokanten Buch auf eine Diskussionsreise durch das wiedervereinigte Deutschland und fand in allen Städten, in denen er Station machte, ein großes und interessiertes Publikum vor, das sich in den Diskussionen über seine Studie weitgehend auf seine Seite stellte. In Hamburg traf Goldhagen auf Jan Philipp Reemtsma, den Leiter des Hamburger Instituts für Sozialforschung. Dieses Institut zeichnete für die Ausstellung über die Verbrechen der Wehrmacht verantwortlich, die seit 1995 gezeigt wurde und die Gemüter zahlreicher Deutscher erregte. Reemtsma bestätigte Goldhagen insofern, als er den antisemitischen Konsens in der deutschen Gesellschaft vor 1945 betonte. In Hamburg traf Goldhagen auch auf den Historiker und Journalisten Götz Aly, der Goldhagen darin zustimmte, daß die Täter nicht Bestien gewesen seien, sondern gewöhnliche Deutsche. Götz Aly veröffentlichte im Jahr 2005 sein Buch über »Hitlers Volksstaat. Raub, Rassenkrieg und nationaler Sozialismus«. Darin wies er darauf hin, welche persönlichen materiellen Vorteile die Deutschen aus den sozialpolitischen Wohltaten, Versorgungsleistungen, kleinen Steuererleichterungen und aus dem Raubkrieg der Gefälligkeitsdiktatur Hitlers zogen, so daß sich die Vorstellung von einer Kollektivbereicherung der Deutschen durch den Staat Hitlers aufdrängte.

In Berlin traf der Harvard-Assistent auf den Historiker Hans Mommsen aus Bielefeld. Mommsen mochte sich mit den Zirkelschlüssen Goldhagens, die er ihm vorwarf, nicht anfreunden. Er sah sich methodisch außerstande, Rückschlüsse von der sozialen Zusammensetzung und der psychischen Disposition der am Vernichtungskrieg beteiligten Polizeibataillone auf die ganze deutsche Gesellschaft zu ziehen. Der Historiker Jürgen Kocka unterstützte Mommsens Angriffe. Nur der Historiker Wolfgang Wippermann von der Freien Universität Berlin verteidigte das Buch. Goldhagen untersuche persönliche Entscheidungen und Einstellungen und nicht, wie die meisten deutschen Historiker, die Strukturen des Systems. Er beuge damit einer Historisierung der nationalsozialistischen Verbrechen vor und stelle die Forschung vor die Frage, warum der Holocaust nur bei den Deutschen möglich gewesen sei.

Daniel Jonah Goldhagen wurde 1997 für sein Buch mit dem Demokratiepreis ausgezeichnet. Der Preis wurde von der Zeitschrift »Blätter für deutsche und internationale Politik« vergeben. Die Laudatio hielt Jürgen Habermas. Im Dezember 1996 veröffentlichte Christian Meier, 1929 in Stolp in Pommern geboren, in der »Frankfurter Allgemeinen Zeitung« seinen Rückblick auf die Goldhagen-Debatte unter dem Titel »Auszug aus der Geschichte«. Der in München lehrende Altphilologe Meier erklärte sich den Erfolg des Buches in Deutschland damit, daß die junge Generation im wiedervereinigten Deutschland die nationalsozialistische Geschichte weit hinter sich gelassen habe, sich nicht mehr als Nachkommen der Generation der Täter fühle und deswegen Goldhagens These vom eliminatorischen Antisemitismus ihrer Vorfahren ertrage. Die mangelhafte Identifizierung der jungen Deutschen mit der deutschen Geschichte resultiere aus der mangelhaften Identität Deutschlands, das in Ost und West zerrissen sei. Hermann Lübbe hatte Jahre zuvor ebenfalls die Vergangenheitsbewältigung der Deutschen und die Zustimmung der Deutschen zur gesellschaftlichen und politischen Gegenwart miteinander verbunden und erklärt, daß die mangelhafte Identifizierung der jungen Deutschen mit der Bundesrepublik aus der mangelhaften Identität Deutschlands resultiere, das in das demokratische Deutschland der Ankläger, der jungen Generation, und in das nationalsozialistische Deutschland der Angeklagten, der Generation der Eltern, zerrissen sei.

Christian Meier. Zu den bemerkenswerten Geschehnissen des nun zu Ende gehenden Jahres in Deutschland gehört die monatelange Auseinandersetzung um Daniel Goldhagens Buch »Hitlers willige Vollstrecker«, die Mitte September im sogenannten »Triumphzug« des Autors gipfelte. ...
Wie erklärt sich das? Seit einiger Zeit ist klar, daß die Ermordung der sechs Millionen europäischen Juden in immer neue Wellen ein nachhaltiges Erschrecken hervorrufen muß. Dieses unfaßbare Verbrechen ist nirgends einzuordnen, man kann mit ihm nicht in Frieden leben. Bei allen Versuchen, es sich bewußt zu halten, muß es im Gedächtnis immer wieder ein Stück weit absinken – um dann nicht nur von Fall zu Fall, sondern immer wieder auch für große Teile der Gesellschaft sich aufs empfindlichste zu regen. So Anfang der sechziger Jahre, im zeitlichen Umfeld des Eichmann-, des Auschwitzprozesses, so am Ende des Jahrzehnts, so anläßlich des Holocaust-Films 1979, im Gefolge von Bitburg und beim Historikerstreit (1986 bis 1988). Und nun also wieder.

Gewiß folgten diese Wellen keiner strengen Chronologie. Und immerhin stellt Goldhagens Buch eine ganz neue Behauptung auf: Die Deutschen wollten bis Anfang Mai 1945 aufgrund jahrhundertealter Dispositionen die Juden beseitigen. Daher waren sie so willfähige Vollstrecker. So geraten die Entdeckungen, die vor ihm Christopher Browning schon gemacht hatte, in einen neuen Zusammenhang: Seit Browning ist nicht nur nach den Vernichtungslagern, sondern auch nach den Erschießungen zu fragen, denen mehr als eine Million Juden zum Opfer fielen. Und nach denen, die sie vornahmen. Für Browning aber waren es »ganz normale Männer«, für Goldhagen »normale Deutsche«.

Goldhagens These macht die Ermordung der europäischen Juden leicht begreiflich. Wenn ein ganzes Volk dies seit Jahrhunderten will, dann versteht man, daß es das bei gebotener Gelegenheit auch tut. Dann braucht es die Strukturen nicht, nicht die schwierigen (wenngleich sehr überzeugenden) Überlegungen Brownings darüber, wie normale Männer dazu kamen, andere Menschen, ja Frauen und Kinder, grundlos zu erschießen, obwohl es ihnen freistand, sich diesem Befehl zu entziehen. Dann wird es einfach.

Hier liegt eine Erklärung für Goldhagens Erfolg. Was bisher, gewiß sehr ernsthaft, wohlbegründet und ohne die geringsten Absichten zu beschönigen, von den zuständigen Historikern vorgebracht worden war, mußte das breitere Publikum irgendwie unbefriedigt lassen. Es mochte auch zu gelehrt erscheinen. Und jedenfalls konnte aufgrund von deren wissenschaftlicher Kühle leicht der Eindruck entstehen, daß diese Forschung nicht genügend mitgenommen war von der ganzen Bedeutung nicht nur des ungeheuerlichen Geschehens, sondern auch des emotionalen Pensums, das uns als Nachfolgenden, als Hinterlassenen und Hinterbliebenen damit aufgegeben ist. Ein Geschehen, das die Grundlagen menschlichen Zusammenlebens auf dem Globus erschüttert, und dann eine Wissenschaft, die das Emotionale aus ihren Erörterungen weitgehend verbannt! Vielleicht spielte gar der Überdruß einer neuen Generation an dieser Art Geschichtsbetrachtung eine Rolle.

Doch wie dem auch sei, bestehen bleibt, daß Goldhagens Erklärungen, ob sie nun zutreffend (und zulässig) sind oder nicht, für die Deutschen eigentlich sehr peinlich sind; um es gelinde zu sagen. Gewiß, er hat nicht behauptet, vielmehr stets bestritten, daß es eine Kollektivschuld gebe. Schuld sind nur die, die etwas getan haben. Und das waren zwar sehr viele und vor allem: Sie waren austauschbar (mehr oder weniger jeder »normale Deutsche« hätte an ihrer Stelle genauso bei den Mordaktionen mitgemacht!), doch wer das Glück hatte, nicht dabeigewesen zu sein, hat sich nicht schuldig gemacht.

Seit Deutschland eine Demokratie ist, soll seine jahrhundertealte Tradition des »eliminatorischen Antisemitismus« nach Goldhagen ohnehin abgeschlossen sein. »Wir« als die heutigen Deutschen sind also nicht betroffen. Aber unsere Eltern, Großeltern, Vorfahren und auf andere Weise unsere ganze Überlieferung geraten dafür um so mehr in den Anklagezustand. Mehr oder weniger alle sollen von den Massenmorden an Juden gewußt, mehr oder weniger alle sollen sie gutgeheißen haben. Und Goldhagen macht das stilistisch höchst ärgerlich, ja emotional aufpeitschend deutlich, indem er immer wieder die Täter als »die Deutschen« bezeichnet, selbst dort, wo andere Deutsche den gequälten, gejagten Juden Brot geben wollten. Nein, »die Deutschen«, keineswegs nur die Bewacher, sorgten dafür, daß diese Juden nichts zu essen bekamen.

Warum nahm man das nicht nur zähneknirschend, sondern weithin mit so viel Sympathie hin? Soll man es psychologisch erklären: daß man nach so viel Kritik durch Fachleute von Anfang an aus einer Art Fairneß dem Autor zuneigte? Soll man darin ein positives Zeichen dafür sehen, daß die deutsche Gesellschaft erstmals bereit ist, sich gegen die empfindlichsten Thesen über die Deutschen vor 1945 nicht abzuschotten, sondern sich ihnen offen zu stellen und das Bedürfnis zu empfinden, ebenso offen darüber zu diskutieren?

Nach meiner Erfahrung ist das nur möglich, weil wir inzwischen vom Deutschland unserer Eltern, Groß- und Urgroßeltern so weit entfernt sind, daß wir meinen können, mit ihnen nichts mehr zu tun zu haben. Mindestens für diejenigen, die dem Buch mit großer Sympathie begegneten, muß das gelten. Sonst müßte doch wenigstens mehr Trauer über das, was unsere Eltern und Großeltern waren, was sie taten und was sie vielfach doch auch litten, tun mußten oder zu tun verführt wurden, herrschen; eine Trauer, die keineswegs ohne Scham sein muß, auch nicht ohne Vorwurf, ja Empörung – und die doch einen Willen zum Verstehen enthalten müßte, wenn sie denn Trauer wäre, einen Willen, der in vielen Fällen keineswegs ins Leere greifen muß. Doch das ist ein anderes, wenngleich mit der Zeit immer dringender werdendes Thema.

Immer hatte die Reaktion oder Nicht-Reaktion auf die namenlosen Untaten des Zweiten Weltkriegs mit Identifizierungen zu tun. Man kann geradezu die Geschichte des Umgangs mit dieser Vergangenheit als Identitätsgeschichte der Bundesrepublik schreiben. Die größten Schwierigkeiten ergaben sich letztlich daraus, daß die Anerkennung dessen, was geschehen war, und die der weiten Beteiligung daran unendlich schwerfiel – weil es uns selbst und unsere Leute und vor allem auch, weil es die Wehrmacht betraf, mit der man sich aus so vielen gewichtigen und durchaus verständlichen Gründen aufs engste verbunden fühlte. Nicht zuletzt, weil so viele dort, wie man meinte, für das Vaterland gefallen waren, verwundet und mit vielfältigen Folgen über Jahre strapaziert worden waren. Warum haben sich solche Blockaden so weitgehend gelockert, daß Goldhagens Buch eine so offene Aufnahme fand?

Christian Meier

Die Erklärung dafür kann man zunächst im Biologischen suchen. Die Generationen haben mehrfach gewechselt. Es sind für die meisten von uns nicht mehr die Eltern und für viele auch schon nicht mehr die Großeltern, die am Krieg und möglicherweise am Mord an den Juden teilgenommen haben. Doch kann das nicht ausreichen. Schließlich ist man in die Geschichte seines Landes auch eingebunden, wenn es um Groß- und Urgroßeltern geht. Und gerade bei einer Vergangenheit, die, wie wir erfahren haben, nicht vergehen will und kann. Daher muß mehr im Spiel sein. Wenn ich meine Vermutung grob formulieren darf, ist es ein Ausstieg aus der Geschichte, der hier stattgefunden hat. Die Nachkommen können so »betroffen« sein, weil sie sich als Nachkommen nicht mehr betroffen fühlen.

Ein neues Stadium der Identitäts-, genauer: der Desidentifikationsgeschichte ist erreicht. Vielleicht trägt es zur Erklärung auch bei, daß diese Auseinandersetzung mit den Untaten der Deutschen die erste ist, die nach der Vereinigung geführt wird, nach dem großen Schritt also in die deutsche Postnationalität, die darin besteht, daß die Deutschen Ost und die Deutschen West nichts mehr miteinander zu schaffen haben wollen. So etwas überträgt sich notwendig auch auf das Verhältnis zur eigenen Geschichte.   1996

Nicht nur Goldhagens Buch sorgte für Aufregung über die nationalsozialistische Vergangenheit. Auch die Ausstellung über die Verbrechen der Wehrmacht, die vom Hamburger Institut für Sozialforschung unter der Leitung des Historikers Hannes Heer erarbeitet worden war, löste heftige Diskussionen aus. Die Ausstellung trug den Titel »Vernichtungskrieg. Verbrechen der Wehrmacht 1941 bis 1944« und lief von März 1995 bis zum November 1999 durch dreiunddreißig Städte Deutschlands und Österreichs. Mit der Ausstellung sollte gezeigt werden, daß die Wehrmacht vor allem in Osteuropa Verbrechen an der Zivilbevölkerung und an gefangenen Soldaten begangen hatte. Es kam zu Demonstrationen und Krawallen nicht nur rechtsextremistischer Kreise. Kritiker stellten sich vor die Wehrmachtssoldaten, die sie durch die Ausstellung insgesamt verunglimpft sahen. Einwände kamen auch von Historikern. Der polnische Historiker Bogdan Musial und der ungarische Historiker Krisztián Ungváry wiesen auf Fehler bei der Fotodokumentation hin. Die Ausstellung wurde deswegen im November 1999 vom Hamburger Institut für Sozialforschung zurückgezogen. Das Institut setzte eine Historikerkommission ein, die erhebliche Mängel aufdeckte, aber die Grundaussage der Ausstellung über den Vernichtungskrieg der Wehrmacht im Osten nicht anzweifelte. Die Ausstellung wurde neu konzipiert, hieß nun »Verbrechen der Wehrmacht. Dimensionen des Vernichtungskrieges 1941–1944« und konzentrierte sich auf persönliche Geschichten von Wehrmachtssoldaten zwischen Gehorsam und Befehlsverweigerung. Die Ausstellung war von November 2001 bis März 2004 in mehreren deutschen Städten zu sehen. Sie liegt heute archiviert im Magazin des Deutschen Historischen Museums in Berlin.

Als Otto Schily, 1932 in Bochum geboren, in der Aussprache des Bundestages über die Ausstellung 1997 das Wort ergriff, war er noch nicht Innenminister. Er war Strafverteidiger in den Prozessen gegen Mitglieder der Roten Armee Fraktion gewesen, 1983 für die Grünen in den Bundestag gegangen und 1989 in die Sozialdemokratische Partei eingetreten.

Otto Schily. Die Debatte über die Rolle der Wehrmacht ist schwierig und schmerzhaft, gewiß. Aber sie ist unausweichlich. Die Grammatik der politischen Sprache bevorzugt leider häufig in der historischen Retrospektive die Passivform: es wurde, es passierte, es ereignete sich, es fand statt. Hinter diesen Wortgeweben verschwinden das Subjekt, das Individuum, die Schuld und die Verantwortung. Die Debatte kann uns aber auch in die Versuchung bringen – wer wollte das nicht eingestehen –, sie im Stil einer selbstgefälligen Moral zu führen. Davor ist niemand gefeit; davor sollten wir uns alle hüten. Wenn wir ehrlich mit uns umgehen, wird jeder einzelne von uns sich fragen müssen, wie er selbst in einer Extremsituation gehandelt hätte. Wer von uns könnte ohne weiteres behaupten, daß er zum Beispiel den Mut eines deutschen Soldaten aufgebracht hätte, der sich der Exekution von wehrlosen Zivilisten verweigerte und sich schweigend in ihre Reihe stellte, um den Tod mit ihnen zu teilen?

(Der Redner hält inne)

Gestatten Sie mir an dieser Stelle einige persönliche Bemerkungen. Mein Onkel Fritz Schily, ein Mann von lauterem Charakter, war Oberst der Luftwaffe.

(Der Redner hält erneut inne)

– Entschuldigung. – Zum Ende des Krieges war er Kommandeur eines Fliegerhorstes in der Nähe von Ulm. Er suchte in Verzweiflung über die Verbrechen des Hitler-Regimes bei einem Tieffliegerbeschuß den Tod. Mein ältester Bruder Peter Schily verweigerte sich der Mitgliedschaft in der Hitler-Jugend und versuchte zunächst ins Ausland zu fliehen. Da ihm das nicht gelang, meldete er sich freiwillig an die Front. Er wurde nach kurzer Ausbildung als Pionier im Rußlandfeldzug eingesetzt, erlitt schwere Verletzungen und verlor ein Auge sowie die Bewegungsfähigkeit eines Armes. Mein Vater, eine herausragende Unternehmerpersönlichkeit, dem ich unendlich viel für mein Leben verdanke, war ein erklärter Gegner des Nazi-Regimes, empfand es aber als Reserveoffizier des Ersten Weltkrieges als tiefe Demütigung, daß er auf Grund seiner Mitgliedschaft in der von den Nazis verbotenen Anthroposophischen Gesellschaft nicht zum Wehrdienst eingezogen wurde. Erst später hat er die Verrücktheit – ich verwende seine eigenen Worte – seiner damaligen Einstellung erkannt. Der Vater meiner Frau, Jindrich Chajmovic, ein ungewöhnlich mutiger und opferbereiter Mensch, hat als jüdischer Partisan in Rußland gegen die deutsche Wehrmacht gekämpft. Nun sage ich einen Satz, der in seiner Härte und Klarheit von mir und uns allen angenommen werden muß: Der einzige von allen vier genannten Personen – der einzige! –, der für eine gerechte Sache sein Leben eingesetzt hat, war Jindrich Chajmovic. Denn er kämpfte gegen eine Armee, in deren Rücken sich die Gaskammern befanden, in denen seine Eltern und seine gesamte Familie ermordet wurde. Er kämpfte gegen eine Armee, die einen Ausrottungs- und Vernichtungskrieg führte, die die Massenmorde der berüchtigten Einsatztruppen unterstützte oder diese jedenfalls gewähren ließ. Er kämpfte, damit nicht weiter Tausende von Frauen, Kindern und Greisen auf brutalste Weise umgebracht wurden. Er kämpfte gegen eine deutsche Wehrmacht, die sich zum Vollstrecker des Rassenwahns, der Unmenschlichkeit des Hitler-Regimes erniedrigt und damit ihre Ehre verloren hatte.

(Beifall bei der SPD, dem BÜNDNIS 90/DIE GRÜNEN und der PDS sowie bei Abgeordneten der CDU/CSU)

Was glauben Sie, wie auf einen, der als Partisan für eine gerechte Sache gekämpft hat, folgender Kommentar in der »Frankfurter Allgemeinen Zeitung« vom 26. Februar 1997 zu der Wehrmachtsausstellung wirken würde? Ich zitiere:

»Gewiß wirkt erschreckend, wenn zu sehen ist, wie ein nach der Uniform unverkennbarer Wehrmachtssoldat jemandem den Strick um den Hals legt. Aber es verschwindet unter der scheinbar dokumentarischen Suggestivkraft des Bildes, ob es sich um eine Hinrichtung von Partisanen handelt – bis heute gerechtfertigt vom Kriegsvölkerrecht, das das Recht zum Töten den ›Kombattanten‹ vorbehält, also den von ihrem Staat in die Pflicht des Tötens genommenen Soldaten. Selbst der NS-Staat hat, als er Ende 1944 das letzte Aufgebot, den ›Volkssturm‹, aus halben Kindern und gebrechlichen älteren Männern aufstellte, darauf Bedacht genommen, die Reste der Uniformvorräte zusammenzukratzen, damit die Volkssturm-Männer als Kombattanten anerkannt würden.«

Verstehen Sie, was in dieser eiskalten, trüben Logik zum Ausdruck kommt? Gerechtfertigt war es, einen Menschen, der für eine gerechte Sache kämpfte, zu erhängen. Es war ganz selbstverständlich, daß die Soldaten vom NS-Staat zum Töten in die Pflicht genommen wurden. Der NS-Staat findet eine Huldigung, weil er in seiner verbrecherischen Energie immer noch so penibel ordnungsliebend blieb, daß er die Kinder und Greise, die er am Schluß des Krieges in das Granatfeuer geschickt hat, mit Uniformen ausstattete. Meine Damen und Herren, das ist eine erbärmliche Logik, die in der starren Welt formalistischer Begriffe nicht mehr die Wirklichkeit zu erreichen vermag.

(Beifall bei der SPD, dem BÜNDNIS 90/DIE GRÜNEN
und der PDS sowie bei Abgeordneten der CDU/CSU und der F.D.P.)

Wer sich aus dieser Starrheit nicht befreien kann, macht sich blind dafür, was in jenen Schreckensjahren wirklich vor sich gegangen ist. Zu den Starrsinnigen gehören – ich kann Ihnen das nicht ersparen, Herr Kollege Dr. Dregger – leider immer noch Sie. Ich sage Ihnen, Herr Dr. Dregger: Wir haben hier im Hause festgestellt, daß Sie im Laufe der Jahre zu einigen sehr beachtlichen Einsichten gelangt sind, für die Sie den Beifall des ganzen Hauses erhalten haben. Aber wenn Sie, Herr Dr. Dregger, äußern, die Wehrmachtsausstellung verdiene – ich zitiere Sie wörtlich – »nur Verachtung, besser noch Nichtbeachtung«,

(Zustimmung bei Abgeordneten der CDU/CSU)

schmähen Sie damit nicht auch Ignatz Bubis, Andrzej Szczypiorski, Jutta Limbach, die Präsidentin des Bundesverfassungsgerichts, und viele andere bedeutende Persönlichkeiten, die Eröffnungsreden für diese Wehrmachtsausstellung gehalten haben?

(Beifall bei der SPD, dem BÜNDNIS 90/DIE GRÜNEN
und der PDS sowie bei Abgeordneten der F.D.P.)

Schlimmer aber ist, daß Sie – Sie haben das heute wieder getan – immer noch an Ihrer These vom verlorenen Zweiten Weltkrieg festhalten. Sie sollten sich endlich zu der Einsicht durchringen, daß Deutschland nur dadurch zur Demokratie geworden ist, daß Nazi-Deutschland den Krieg verloren hat. Das ist die Wahrheit.

(Beifall bei der SPD, dem BÜNDNIS 90/DIE GRÜNEN
und der PDS sowie bei Abgeordneten der CDU/CSU und der F.D.P.)

Herr Präsident, meine Damen und Herren, es sind noch viele Aufräumungsarbeiten im Bewußtsein unseres Volkes zu leisten. Wir dürfen unsere Augen nicht von den Bildern des Schreckens abwenden, weil wir nicht nur die Vergangenheit, sondern auch Gegenwart und Zukunft zu verantworten haben.

Die Wehrmachtsausstellung ist ein wichtiger Beitrag zur Aufklärung. Sie verleiht den Opfern eine Stimme und hoffentlich auch unserem Gewissen. Dann können wir auch die Mahnung von Jan Philipp Reemtsma annehmen, die er in folgende Worte gefaßt hat, mit denen ich schließen möchte:

»Auch wenn wir am Ende dieses Jahrhunderts, angesichts seiner Destruktivität, seiner Schrecken innewerden und mit nichts in der Hand dastehen als einer Buchführung über Verbrechen, Fehler, Versagen und skeptische Vorschläge zur Ergänzung internationaler Abmachungen, ist es doch nicht statthaft, alles untergehen zu lassen in einem summarischen ›Jahrhundert der Barbarei‹. Ein Verbrechen hat Ort, Zeit, Täter, Opfer – und man sollte sich nicht einem Sprachgebrauch, der die forensische Präzision der Wörter ›Täter‹ und ›Opfer‹ zu rhetorischen Passepartouts verkommen läßt, überlassen. Der Hinweis auf Rechtsnormen ist so wenig schal, wie das Ethos der Sozialwissenschaften: die Welt zur Kenntnis zu nehmen.«

(Langanhaltender Beifall bei der SPD, dem BÜNDNIS 90/DIE GRÜNEN und der PDS – Beifall bei Abgeordneten der F.D.P. sowie des Abg. Dr. Friedbert Pflüger [CDU/CSU])   1997

Ein Jahr nach der Aussprache im Bundestag über die Wehrmachtsausstellung nahm der Schriftsteller Martin Walser in der Frankfurter Paulskirche den Friedenspreis des Deutschen Buchhandels entgegen. In seiner Dankesrede wehrte er sich gegen die Instrumentalisierung von Auschwitz und gegen die »Dauerpräsentation unserer Schande« in den Medien. Auschwitz eigne sich nicht dafür, »Drohroutine«, »Moralkeule«, »Einschüchterungsmittel« zu werden. Der Vorsitzende des Zentralrats der Juden in Deutschland, Ignatz Bubis, nannte darauf Walser einen »geistigen Brandstifter«. In dem folgenden Gespräch zwischen Walser und Bubis erklärte Walser, daß er sich eine Normalisierung im Umgang mit der deutschen Geschichte wünsche. Er erhielt in der sich anschließenden Diskussion dafür von vielen Seiten Zustimmung, so daß sich der Eindruck herstellte, bei der Walser-Bubis-Debatte handle es sich um eine Grundsatzdebatte der Berliner Republik über den Umgang mit der nationalsozialistischen Vergangenheit. Eine neue alte Vaterlandsliebe regte sich öffentlich im wiedervereinten Deutschland und bedrängte den offiziellen bundesrepublikanischen Verfassungspatriotismus und die entsprechende offizielle Erinnerungskultur.

Martin Walser, 1927 am Bodensee geboren, hatte als Flakhelfer in den Krieg gehen müssen. Er gehörte zur Schriftstellervereinigung »Gruppe 47«, setzte sich in den sechziger Jahren für die Wahl Willy Brandts zum Bundeskanzler ein und galt in den siebziger Jahren als ein Sympathisant der 1968 gegründeten Deutschen

Kommunistischen Partei. Vier Jahre nach seiner Friedenspreisrede veröffentlichte er im Suhrkamp Verlag seinen Roman »Tod eines Kritikers«, dessen Vorabdruck die »Frankfurter Allgemeine Zeitung« in einem offenen Brief an den Schriftsteller ablehnte – mit dem Vorwurf, der Roman sei antisemitisch. Darauf entstand eine hitzige Diskussion darüber, ob der Roman diesen Vorwurf verdiene oder nicht. In dem Roman spielte die Karikatur und der Tod eines jüdischen Literaturkritikers eine entscheidende Rolle, in dem der Leser den Literaturkritiker Marcel Reich-Ranicki wiedererkennen konnte, von dessen kritischen Rezensionen sich Martin Walser ein Schriftstellerleben lang verfolgt und öffentlich gedemütigt fühlte.

Im Mai 2002 redete Martin Walser mit Bundeskanzler Gerhard Schröder im Willy-Brandt-Haus in Berlin über Nation und Patriotismus, versank dabei im »Erlebnis Nation« und nannte die Deutschen eine »Schicksalsgenossenschaft«. Der Bundeskanzler sah in der Nation eine »Gedächtnisgemeinschaft« und dachte beim Wort Patriotismus an den Verfassungspatriotismus. Ihm seien, sagte er, die Vorstellungen Walsers »fremd und rational nicht zugänglich«. Martin Walsers Rede trug den Titel »Erfahrungen beim Verfassen einer Sonntagsrede«.

Martin Walser. In jeder Epoche gibt es Themen, Probleme, die unbestreitbar die Gewissensthemen der Epoche sind. Oder dazu gemacht werden. Zwei Belege für die Gewissensproblematik dieser Epoche. Ein wirklich bedeutender Denker formulierte im Jahr 92: »Erst die Reaktionen auf den rechten Terror – die aus der politischen Mitte der Bevölkerung und die von oben: aus der Regierung, dem Staatsapparat und der Führung der Parteien – machen das ganze Ausmaß der moralisch-politischen Verwahrlosung sichtbar.« Ein ebenso bedeutender Dichter ein paar Jahre zuvor: »Gehen Sie in irgendein Restaurant in Salzburg. Auf den ersten Blick haben Sie den Eindruck: lauter brave Leute. Hören Sie Ihren Tischnachbarn aber zu, entdecken Sie, daß sie nur von Ausrottung und Gaskammern träumen.« Addiert man, was der Denker und der Dichter – beide wirklich gleich seriös – aussagen, dann sind Regierung, Staatsapparat, Parteienführung und die braven Leute am Nebentisch »moralisch-politisch« verwahrlost. Meine erste Reaktion, wenn ich Jahr für Jahr solche in beliebiger Zahl zitierbaren Aussagen von ganz und gar seriösen Geistes- und Sprachgrößen lese, ist: Warum bietet sich mir das nicht so dar? Was fehlt meiner Wahrnehmungsfähigkeit? Oder liegt es an meinem zu leicht einzuschläfernden Gewissen? Das ist klar, diese beiden Geistes- und Sprachgrößen sind auch Gewissensgrößen. Anders wäre die Schärfe der Verdächtigung oder schon Beschuldigung nicht zu erklären. Und wenn eine Beschuldigung weit genug geht, ist sie an sich schon schlagend, ein Beweis erübrigt sich da.

Endlich tut sich eine Möglichkeit auf, die Rede kritisch werden zu lassen. Ich hoffe, daß auch selbstkritisch als kritisch gelten darf. Warum werde ich von der Empörung, die dem Denker den folgenden Satzanfang gebietet, nicht mobilisiert: »Wenn die sympathisierende Bevölkerung vor brennenden Asylantenheimen Würstchenbuden aufstellt ...« Das muß man sich vorstellen: Die Bevölkerung sympathisiert mit denen, die Asylantenheime angezündet haben, und stellt deshalb Würstchenbuden vor die brennenden Asylantenheime, um auch noch Geschäfte zu machen. Und ich muß zugeben, daß ich mir das, wenn ich es nicht in der intellektuell maßgeblichen Wochenzeitung und unter einem verehrungswürdigen Namen läse, nicht vorstellen könnte. Die tausend edle Meilen von der Bildzeitung entfernte Wochenzeitung tut noch ein übriges, um meiner ungenügenden moralisch-politischen Vorstellungskraft zu helfen; sie macht aus den Wörtern des Denkers fett gedruckte Hervorhebungskästchen, daß man das Wichtigste auch dann zur Kenntnis nehme, wenn man den Aufsatz selber nicht Zeile für Zeile liest. Da sind dann die Wörter des Denkers im Extraschaudruckkästchen so zu besichtigen: »Würstchenbuden vor brennenden Asylantenheimen und symbolische Politik für dumpfe Gemüter.« Ich kann solche Aussagen nicht bestreiten; dazu sind sowohl der Denker als auch der Dichter zu seriöse Größen. Aber – und das ist offenbar meine moralisch-politische Schwäche – genausowenig kann ich ihnen zustimmen. Meine nichts als triviale Reaktion auf solche schmerzhaften Sätze: Hoffentlich stimmt's nicht, was uns da so kraß gesagt wird. Und um mich vollends zu entblößen: Ich kann diese Schmerz erzeugenden Sätze, die ich weder unterstützen noch bestreiten kann, einfach nicht glauben. Es geht sozusagen über meine moralisch-politische Phantasie hinaus, das, was da gesagt wird, für wahr zu halten. Bei mir stellt sich eine unbeweisbare Ahnung ein: Die, die mit solchen Sätzen auftreten, wollen uns weh tun, weil sie finden, wir haben das verdient. Wahrscheinlich wollen sie auch sich selber verletzen. Aber uns auch. Alle. Eine Einschränkung: alle Deutschen. Denn das ist schon klar: In keiner anderen Sprache könnte im letzten Viertel des 20. Jahrhunderts so von einem Volk, von einer Bevölkerung, einer Gesellschaft gesprochen werden. Das kann man nur von Deutschen sagen. Allenfalls noch, soweit ich sehe, von Österreichern.

Jeder kennt unsere geschichtliche Last, die unvergängliche Schande, kein Tag, an dem sie uns nicht vorgehalten wird. Könnte es sein, daß die Intellektuellen, die sie uns vorhalten, dadurch, daß sie uns die Schande vorhalten, eine

Sekunde lang der Illusion verfallen, sie hätten sich, weil sie wieder im grausamen Erinnerungsdienst gearbeitet haben, ein wenig entschuldigt, seien für einen Augenblick sogar näher bei den Opfern als bei den Tätern? Eine momentane Milderung der unerbittlichen Entgegengesetztheit von Tätern und Opfern. Ich habe es nie für möglich gehalten, die Seite der Beschuldigten zu verlassen. Manchmal, wenn ich nirgends mehr hinschauen kann, ohne von einer Beschuldigung attackiert zu werden, muß ich mir zu meiner Entlastung einreden, in den Medien sei auch eine Routine des Beschuldigens entstanden. Von den schlimmsten Filmsequenzen aus Konzentrationslagern habe ich bestimmt schon zwanzigmal weggeschaut. Kein ernstzunehmender Mensch leugnet Auschwitz; kein noch zurechnungsfähiger Mensch deutelt an der Grauenhaftigkeit von Auschwitz herum; wenn mir aber jeden Tag in den Medien diese Vergangenheit vorgehalten wird, merke ich, daß sich in mir etwas gegen diese Dauerpräsentation unserer Schande wehrt. Anstatt dankbar zu sein für die unaufhörliche Präsentation unserer Schande, fange ich an wegzuschauen. Ich möchte verstehen, warum in diesem Jahrzehnt die Vergangenheit präsentiert wird wie noch nie zuvor. Wenn ich merke, daß sich in mir etwas dagegen wehrt, versuche ich, die Vorhaltung unserer Schande auf Motive hin abzuhören, und bin fast froh, wenn ich glaube, entdecken zu können, daß öfter nicht mehr das Gedenken, das Nichtvergessendürfen das Motiv ist, sondern die Instrumentalisierung unserer Schande zu gegenwärtigen Zwecken. Immer guten Zwecken, ehrenwerten. Aber doch Instrumentalisierung. Jemand findet die Art, wie wir die Folgen der deutschen Teilung überwinden wollen, nicht gut und sagt, so ermöglichten wir ein neues Auschwitz. Schon die Teilung selbst, solange sie dauerte, wurde von maßgeblichen Intellektuellen gerechtfertigt mit dem Hinweis auf Auschwitz. Oder: Ich stellte das Schicksal einer jüdischen Familie von Landsberg a. d. Warthe bis Berlin nach genauester Quellenkenntnis dar als einen fünfzig Jahre durchgehaltenen Versuch, durch Taufe, Heirat und Leistung dem ostjüdischen Schicksal zu entkommen und Deutsche zu werden, sich ganz und gar zu assimilieren. Ich habe gesagt, wer alles als einen Weg sieht, der nur in Auschwitz enden konnte, der macht aus dem deutsch-jüdischen Verhältnis eine Schicksalskatastrophe unter gar allen Umständen. Der Intellektuelle, der dafür zuständig war, nannte das eine Verharmlosung von Auschwitz. Ich nehme zu meinen Gunsten an, daß er nicht alle Entwicklungen dieser Familie so studiert haben kann wie ich. Auch haben heute lebende Familienmitglieder meine Darstellung bestätigt. Aber: Verharmlosung von Auschwitz. Da ist nur noch ein kleiner Schritt zur sogenannten Auschwitzlüge. Ein smarter Intellektueller hißt im Fernsehen in seinem Gesicht einen Ernst, der in diesem Gesicht wirkt wie eine Fremdsprache, wenn er der Welt als schweres Versagen des Autors mitteilt, daß in des Autors Buch Auschwitz nicht vorkomme. Nie etwas gehört vom Urgesetz des Erzählens: der Perspektivität. Aber selbst wenn, Zeitgeist geht vor Ästhetik.

Bevor man das alles als Rüge des eigenen Gewissensmangels einsteckt, möchte man zurückfragen, warum, zum Beispiel, in Goethes »Wilhelm Meister«, der ja erst 1795 zu erscheinen beginnt, die Guillotine nicht vorkommt. Und mir drängt sich, wenn ich mich so moralisch-politisch gerügt sehe, eine Erinnerung auf. Im Jahr 1977 habe ich nicht weit von hier, in Bergen-Enkheim, eine Rede halten müssen und habe die Gelegenheit dazu benutzt, folgendes Geständnis zu machen: »Ich halte es für unerträglich, die deutsche Geschichte – so schlimm sie zuletzt verlief – in einem Katastrophenprodukt enden zu lassen.« Und: »Wir dürften, sage ich vor Kühnheit zitternd, die BRD so wenig anerkennen wie die DDR. Wir müssen die Wunde namens Deutschland offenhalten.« Das fällt mir ein, weil ich jetzt wieder vor Kühnheit zittere, wenn ich sage: Auschwitz eignet sich nicht dafür, Drohroutine zu werden, jederzeit einsetzbares Einschüchterungsmittel oder Moralkeule oder auch nur Pflichtübung. Was durch solche Ritualisierung zustande kommt, ist von der Qualität Lippengebet. Aber in welchen Verdacht gerät man, wenn man sagt, die Deutschen seien jetzt ein normales Volk, eine gewöhnliche Gesellschaft?

In der Diskussion um das Holocaustdenkmal in Berlin kann die Nachwelt einmal nachlesen, was Leute anrichteten, die sich für das Gewissen von anderen verantwortlich fühlten. Die Betonierung des Zentrums der Hauptstadt mit einem fußballfeldgroßen Alptraum. Die Monumentalisierung der Schande. Der Historiker Heinrich August Winkler nennt das »negativen Nationalismus«. Daß der, auch wenn er sich tausendmal besser vorkommt, kein bißchen besser ist als sein Gegenteil, wage ich zu vermuten. Wahrscheinlich gibt es auch eine Banalität des Guten.

Etwas, was man einem anderen sagt, mindestens genauso zu sich selber sagen. Klingt wie eine Maxime, ist aber nichts als Wunschdenken. Öffentlich von der eigenen Mangelhaftigkeit sprechen? Unversehens wird es Phrase. Daß solche Verläufe schwer zu vermeiden sind, muß mit unserem Gewissen zu tun haben. Wenn ein Denker »das ganze Ausmaß der moralisch-politischen Verwahrlosung« der Regierung, des Staatsapparates und der Führung der Parteien kritisiert, dann ist der Eindruck nicht zu vermeiden, sein Gewissen sei reiner als das der moralisch-politisch Verwahrlosten. Wie fühlt sich das an, ein reineres, besseres, ein gutes Gewissen? Ich will mir, um mich vor weiteren Bekenntnispeinlichkeiten zu schützen, von zwei Geistesgrößen helfen lassen, deren Sprachverstand nicht anzuzweifeln ist. Heidegger und Hegel. Heidegger, 1927, »Sein und Zeit«. »Das Gewißwerden des Nichtgetanhabens hat überhaupt nicht den Charakter eines Gewissensphänomens. Im Gegenteil: dieses Gewißwerden kann eher ein Vergessen des Gewissens bedeuten.« Das heißt, weniger genau gesagt: Gutes Gewissen, das ist so wahrnehmbar wie fehlendes Kopfweh. Aber dann heißt es im Gewissensparagraphen von »Sein und Zeit«: »Das Schuldigsein gehört zum Dasein selbst ...« Ich hoffe nicht, daß das gleich wieder als eine bequeme Entlastungsphrase für zeitgenössige schuldunlustige Finsterlinge verstanden wird. Jetzt Hegel. Hegel in der Rechtsphilosophie: »Das Gewissen, diese tiefste innerliche Einsamkeit mit sich, wo alles Äußerliche und alle Beschränktheit verschwunden ist, diese durchgängige Zurückgezogenheit in sich selbst ...«

Ergebnis der philosophischen Hilfe: Ein gutes Gewissen ist keins. Mit seinem Gewissen ist jeder allein. Öffentliche Gewissensakte sind deshalb in der Gefahr, symbolisch zu werden. Und nichts ist dem Gewissen fremder als Symbolik, wie gut sie auch gemeint sei. ...

Mein Vertrauen in die Sprache hat sich gebildet durch die Erfahrung, daß sie mir hilft, wenn ich nicht glaube, ich wisse etwas schon. Sie hält sich zurück, erwacht sozusagen gar nicht, wenn ich meine, etwas schon zu wissen, was ich nur noch mit Hilfe der Sprache formulieren müsse. Ein solches Unternehmen reizt sie nicht. Sie nennt mich dann rechthaberisch. Und bloß, um mir zum Rechthaben zu verhelfen, wacht sie nicht auf. Etwa um eine kritische Rede zu halten, weil es Sonntagvormittag ist und die Welt schlecht und diese Gesellschaft natürlich besonders schlecht und überhaupt ohne ein bißchen Beleidigung alles fade ist; wenn ich ahne, daß es gegen meine Empfindung wäre, mich ein weiteres Mal dieser Predigtersatzfunktion zu fügen, dann liefere ich mich der Sprache aus, überlasse ihr die Zügel, egal, wohin sie mich führe. Letzteres stimmt natürlich nicht. Ich falle ihr in die Zügel, wenn ich fürchten muß, sie gehe zu weit, sie verrate zuviel von mir, sie enthülle meine Unvorzeigbarkeit zu sehr. Da mobilisiere ich furcht- und bedachtsam sprachliche Verbergungsroutinen jeder Art. Als Ziel einer solchen Sonntagsrede schwebt mir allenfalls vor, daß die Zuhörer, wenn ich den letzten Satz gesagt habe, weniger von mir wissen als bei einem ersten Satz. Der Ehrgeiz des der Sprache vertrauenden Redners darf es sein, daß der Zuhörer oder die Zuhörerin den Redner am Ende der Rede nicht mehr so gut zu kennen glaubt wie davor. Aber eine ganz abenteuerliche Hoffnung kann der Redner dann doch nicht unterdrücken, sozusagen als apotheotischen Schlenker: daß nämlich der Redner dadurch, daß man ihn nicht mehr so klipp und klar kennt wie vor der Rede, dem Zuhörer oder der Zuhörerin eben dadurch vertrauter gewor-

Martin Walser

den ist. Das ist, auch wenn es auf einer Zielgeraden gesagt ist, ein bißchen groß geraten. Es soll einfach gehofft werden dürfen, man könnte einem anderen nicht nur dadurch entsprechen, daß man sein Wissen vermehrt, seinen Standpunkt stärkt, sondern, von Sprachmensch zu Sprachmensch, auch dadurch, daß man sein Dasein streift auf eine nicht kalkulierbare, aber vielleicht erlebbare Art. Das ist eine reine Hoffnung. 1998

Während der Bundeskanzler von der deutschen Nation als einer »Gedächtnisgemeinschaft« sprach, verzögerte sich der Baubeginn für das Holocaust-Mahnmal in Berlin. Der Berliner Bauverwaltung waren Fehler bei der europaweiten Ausschreibung unterlaufen. Im September 1988 hatte sich ein »Förderkreis zur Errichtung eines Denkmals für die ermordeten Juden« in Berlin gegründet. Im Juni 1995 entschied sich die Jury für einen Entwurf, der eine riesige schiefe Ebene vorsah, in welche die Namen der Holocaust-Opfer eingemeißelt werden sollten. Sowohl die Bundesregierung als auch der Zentralrat der Juden erhoben Einwände gegen den Entwurf. Einen Monat später meldete sich Bundeskanzler Helmut Kohl zu Wort und erklärte den Entwurf für »nicht akzeptabel«. Zwei Jahre später lag der Entwurf des New Yorker Architekten Peter Eisenman vor, der ein riesiges Stelenfeld bauen wollte. Wieder meldete sich Bundeskanzler Kohl zu Wort und forderte eine Überarbeitung des Entwurfs, der ihm zu monumental erschien. Im Oktober 1998 legte die neue rot-grüne Bundesregierung in ihrem Koalitionsvertrag fest, daß der Bundestag über den Bau des Mahnmals entscheiden sollte. Der erste Kulturstaatsminister des wiedervereinigten Deutschland, Michael Naumann, trat wenige Wochen später mit dem Vorschlag an die Öffentlichkeit, statt eines Mahnmals ein Holocaust-Museum zu bauen. Die Idee wurde insoweit aufgenommen, als der Eisenman-Entwurf nun um ein Museum, ebenfalls von Eisenman, erweitert wurde. Am 4. April 2003 wurden die ersten Stelen aufgestellt. Im Oktober 2003 brach ein Streit aus, weil von einem Tochterunternehmen der Firma Degussa ein Graffiti-Schutzmittel für die Stelen verwendet werden sollte, Degussa aber unter Hitler an der Produktion des Giftgases Zyklon-B beteiligt war, das bei der Ermordung der Juden eingesetzt worden war. Das Kuratorium des Mahnmals entschloß sich schließlich, dennoch an Degussa den Auftrag zu vergeben, nachdem sich auch Eisenman und der Jüdische Weltkongreß mit dem Argument dafür eingesetzt hatten, eine Nachfolgefirma sollte nicht für die Taten ihrer Vorgängerin büßen. Im Dezember 2004 wurde die letzte der über 2700 Stelen aufgestellt.

In der Debatte über das Holocaust-Mahnmal meldete sich der in Göttingen lehrende herausragende Historiker Reinhart Koselleck mehrmals zu Wort. Koselleck, 1923 in Görlitz geboren, hat 1954 seine berühmte Dissertation »Kritik und

Krise. Eine Studie zur Pathogenese der bürgerlichen Welt« vorgelegt – der ursprüngliche Untertitel hieß »Eine Untersuchung der politischen Funktion des dualistischen Weltbildes im achtzehnten Jahrhundert«. Die Dissertation wurde 1959 als Buch veröffentlicht. Den Aufklärern mit ihrem dualistischen Weltbild, in dem es hier die Guten und dort die Bösen gab, warf Koselleck Heuchelei vor. Die Aufklärer, schrieb der Historiker, hätten ihren Kampf gegen den Absolutismus als ein moralisches Aufbegehren im Namen der Menschheit ausgegeben. Ernst Topitsch hat einige Jahre später den Achtundsechzigern allen Ernstes vorgeworfen, hinter ihren humanitären Forderungen nur ihre Machtinteressen zu verstecken. Für manche Intellektuelle in den sechziger und siebziger Jahren konnte Kosellecks Studie eine historische Folie sein, vor der sich Moral und Politik der rebellierenden Gemüter besser bewerten ließen.

In einem Interview aus dem Jahr 2002 sah Koselleck die dualistische Achse des Guten und des Bösen bei den Amerikanern wiederauftauchen. Deren Definition des Terrors erlaube es den Amerikanern, jederzeit und überall zu intervenieren. »Diese Politik«, sagte Koselleck, »nimmt für sich in Anspruch, Menschenrechte zu verteidigen, aber mit Maßnahmen, die sich von Menschenrechten entfernen … Die dualistischen Grundfiguren von Gut und Böse sind immer abrufbar. Nur sind sie leider als politische Handlungsmuster nicht sehr hilfreich – weil sie mangels Anerkennung des anderen nicht friedensfähig sind.« Reinhart Koselleck hat lange über die Erinnerungsstätten der Toten geforscht. Sein Artikel erschien unter dem Titel »Die Widmung. Es geht um die Totalität des Terrors« im März 1999 in der »Frankfurter Allgemeinen Zeitung«.

 **Reinhart Koselleck.** Auf den Bundestag kommt eine Entscheidung von ähnlicher Tragweite zu wie die 1969 erfolgte Aufhebung der Verjährung, um den Völkermord weiterhin ahnden zu können. Nach offener und fairer Debatte entschied sich damals der Bundestag trotz rechtsstaatlicher Bedenken gegen die Verjährung. Damit stellte er sich politisch bewußt auf die Legitimationsbasis, kraft derer sich das Grundgesetz von der nationalsozialistischen Vergangenheit abhob. Wie der Artikel 1 lautet: »Die Würde des Menschen ist unantastbar. Sie zu achten ist Verpflichtung aller staatlichen Gewalt.« Und wie der Artikel 79 bekräftigt, ist jede Abänderung dieses Artikels unzulässig. An diese Selbstverpflichtung der Deutschen, die aus der Erfahrung der nationalsozialistischen Zeit, ihrer Verbrechen und ihrer Völkermorde in ganz Europa hervorgegangen ist, muß erinnert wer-

den, wenn demnächst der Bundestag über das Holocaust-Denkmal zu befinden hat.

Es gibt, wie der Artikel 3 bekräftigt, kein ethnisches, kein rassisches, kein sprachliches, kein religiöses, kein politisches, kein genetisches oder räumliches Kriterium, das die Gleichheit vor dem Gesetz durchbrechen darf. An diesem bundesrepublikanischen Legitimitätstitel unserer politischen Identität ist auch das Nationaldenkmal zu messen, das die vergangenen Verbrechen der Nazizeit einklagen soll.

Welche Fragen also haben sich die gewählten Vertreter des deutschen Volkes zu stellen? Welche Fragen müssen sie sich beantworten, wenn sie ein Mahnmal gutheißen und errichten wollen, das die mörderischen Taten der Deutschen zwischen 1933 und 1945 in ihre verantwortungsbewußte Erinnerung einbinden soll?

Die erste Frage lautet: Wie unterscheidet sich ein Mahnmal, das die Täter und ihre Taten erinnern soll, von einem Mahnmal, das die Opfer dieser Taten einklagt? Opfermale gibt es auf dem ganzen Globus, verteilt nach den Graden der Betroffenheit. Yad Vashem erinnert die Holocaust-Märtyrer, im Namen aller Juden, die sich in Israel ihren Staat geschaffen haben. Auch in anderen Staaten der Welt, wo Angehörige der von den Deutschen ermordeten Juden leben, gibt es darauf bezogene Gedenkstätten. Ebenso gibt es zahlreiche Mahnmale, die andere Opfergruppen einklagen. Es sei nur verwiesen auf das eindrucksvolle Denkmal für die umgebrachten Homosexuellen und ein anderes für die vergasten Zigeuner, beide in Amsterdam, deren Andenken von den Niederländern wachgehalten wird. Gleiches gilt für die zahllosen Denkmale, die auf die ermordeten Polen, Russen, Serben oder Griechen zurückblicken, auf Italiener, Belgier oder Franzosen, auf Dänen oder Norweger – stets um auch eine dauerhafte Abkehr von jedem Völkermord zu beschwören.

Alle diese Denkmale sind Opfermale, auf die wir als Deutsche zu antworten haben, weil wir als Angehörige der Täternation die politische Verantwortung und in einem moralischen Sinne auch Schuld zu übernehmen haben. Denn wer hat denn die Opfer getötet? Die Täter natürlich, weshalb ein Tätermal an etwas anderes erinnert, als wenn die Täter in die Rolle der Opfer schlüpfen würden.

Vor langer Zeit gab es christliche Sühnemale, kraft derer die Täter im theologischen Sinne Abbitte zu leisten hatten. Oder es gab Schandmale, die die Täter, etwa Aufrührer in Stadtgemeinden, zur Strafe errichten mußten oder wie es im siebzehnten Jahrhundert der französische König einmal dem Papst in Rom aufgenötigt hatte. Derartige Sühnemale haben freilich darunter gelitten, daß sie von den jeweiligen Siegern erzwungen und nicht aus freier Entscheidung der Täter selbst heraus begründet wurden. Genau dieses aber ist die Aufgabe des Denkmals, das die Bundesrepublik für die schuldlos Ermordeten errichten will: Unsere Rolle als Täter muß hier visualisiert werden, um jene Legitimation zu bekräftigen, die uns verpflichtet, die Würde des Menschen unbeschadet aller Unterscheidungskriterien zu wahren.

Als Deutsche können wir keinesfalls die Rolle der Opfer übernehmen und ein Holocaust-Mal errichten, wie es selbstverständlich die Juden in den verschiedenen Staaten dieser Welt tun können. Es ist exakt diese Scheidungslinie zwischen einem Opfermal und einem Tätermal, die der Deutsche Bundestag zu reflektieren hat, wenn er sich denn politisch verantwortlich und moralisch eindeutig entscheiden will. Ein Tätermal, das in Berlin an zentraler Stelle zu errichten ist, muß deshalb die Totalität des Terrorsystems in Erinnerung halten, auch wenn zahllose, unter sich verschiedene Opfergruppen ideologisch kategorisiert und bürokratisch selektiert worden sind, um – früher oder später – derselben Vernichtung, Ermordung oder Vergasung ausgeliefert zu werden.

Die zweite Frage, die zu beantworten ist, lautet also: Können wir uns als Deutsche, also als Nation, die die Täter gestellt hat, darauf beschränken, nur der ermordeten Juden zu gedenken, unter Ausschluß aller anderen von uns ebenso Ermordeten?

Die Gefahr, mit einem Holocaust-Denkmal alle Trauerverpflichtung abgegolten und alle Trauerarbeit geleistet zu haben, ist nicht zu verkennen. Aber was bleibt dann zurück? Wir werden ein anti-antisemitisches Denkmal erhalten, und bleiben wird die Frage: Wo sind die anderen Ermordeten in unserem Gedenkraum – die Millionen Menschen, die ebenso vergast, erschlagen, erschossen oder sonstwie umgebracht worden sind –, diese dürfen wohl aus der dann offiziell abgesegneten nationalen Trauer ausgespart bleiben? Das Holocaust-Denkmal, wie es bisher geplant ist, schließt ausdrücklich alle nichtjüdischen Opfer aus der Gedenkstätte aus.

Dürfen wir uns entlasten, indem wir uns der vergasten Geisteskranken nicht erinnern? Dürfen wir uns entlasten, indem wir die vergasten Zigeuner aus unserem Täterdenkmal ausklammern, um ausschließlich der vergasten und erschlagenen Juden zu gedenken? Können wir uns der schuldlos ermordeten Russen, Polen, Serben, Italiener oder Franzosen, oder der anderen Völker entledigen, indem wir als Täter nur die ermordeten Juden erinnern? Es gibt viele und treffende Argumente, die die Morde an den Juden als herausragend, als einmalig oder zu Recht als einzigartig betonen. Aber bindet uns dieses Urteil, wenn wir als Täternation zum Gedenken der schuldlos von

Reinhart Koselleck

uns Ermordeten ein Mahnmal errichten? Als Täternation haben wir die Pflicht, alle zu erinnern, wenn es denn eine nationale Gedenkstätte in Berlin werden soll. Und als Täter dürfen wir uns nicht anmaßen, eine Hierarchie der Opfer festzuschreiben. Ohne Zweifel sind die Geisteskranken von denselben Gaswagen und denselben Tötungskolonnen umgebracht worden wie danach die Juden, die Zigeuner und auch Russen und andere Slawen. Aus der Sicht der Täter ist hier kein Unterschied zu treffen. Im Gegenteil. Die rassisch und weltanschaulich begründeten Morde haben eben nicht nur Juden vernichtet. Wer das Gedenken an die schuldlos Ermordeten nach Opfergruppen sortiert, bedient sich weiterhin jener Kategorie, mit denen die SS ihre Opfer definiert hat, um sie zu vernichten.

Falls sich der Bundestag entschließt, allein der ermordeten Juden zu gedenken – im Holocaust-Denkmal – unter Ausschluß aller anderen Millionen Ermordeter, so muß er zu den Folgelasten stehen, die er sich damit aufbürdet. Falls er heute nur ein Holocaust-Denkmal zu finanzieren bereit ist, muß er sich moralisch konsequent und politisch zwingend verpflichten, nicht erst morgen, sondern ebenfalls heute die Mittel zu bewilligen und jene Pläne auszuschreiben, die auch der anderen Opfergruppen zu gedenken erheischt. Sind zirka 220 000 Sinti und Roma, sind die Homosexuellen, 100 000 Geisteskranke, rund 700 000 slawische Zwangsarbeiter und 3,3 Millionen russische Kriegsgefangene, sind zweieinhalb Millionen polnische Christen und die anderweitig als minderwertig definierten Völker oder sind die Kriminellen, die ja keineswegs eines todesstrafenwürdigen Verbrechens bezichtigt worden waren, vielleicht nicht ermordet worden?

Der Artikel 1 unseres Grundgesetzes zwingt uns, unsere Vergangenheit nicht selektiv entlang den Nazikriterien zu erinnern, sondern jeden Toten einzeln. Wie Salomon Korn nüchtern feststellte: »Denn selbst wenn Deutschland neben dem ›Denkmal für die ermordeten Juden Europas‹ in Zukunft für alle übrigen Opfergruppen Denkmäler errichten sollte, so wird am Ende doch das zentrale Mahnmal fehlen, in dem der nationalsozialistischen Verbrechen nicht ratenweise, sondern in ihrer Gesamtheit gedacht wird.«

Die Bundesrepublik würde ihre eigene Legitimation in Frage stellen, wollte sie für ein nationales Mahnmal nach einem halben Jahrhundert jene Kritierien zum Maßstab nehmen, die seinerzeit die Rassenfanatiker motiviert hatten, die Morde zu organisieren. Weder viele Einzeldenkmale noch ein Ensemble von verschiedenen Erinnerungsmalen für die Opfergruppen vermag das einzulösen, was erforderlich ist: ein umfassendes Mahnmal für die Totalität der Verbrechen der Nationalsozialisten zu stiften.   1999

Im Sommer 1994 hatte das Bundesverfassungsgericht erklärt, daß es prinzipiell zulässig sei, wenn die Bundeswehr an Kampfeinsätzen der UNO im ehemaligen Jugoslawien teilnehme. Vor jedem Einsatz der Bundeswehr müsse aber der Bundestag mit einfacher Mehrheit dem Einsatz zustimmen. Im Sommer des folgenden Jahres eroberten bosnische Serben die UN-Schutzzone Srebrenica und vertrieben rund vierzigtausend muslimische Zivilisten. Es kam dabei zu Massakern. Einen Monat später eroberte die kroatische Armee das Gebiet Krajina und zwang einhundertzwanzigtausend Serben zur Flucht.

Im Oktober 1998 stimmte der Bundestag einer möglichen Beteiligung der Bundeswehr an einem Militärschlag der Nato gegen Restjugoslawien zu. In Restjugoslawien träumte Präsident Milošević immer noch von einem serbischen Großreich. Im Kosovo kämpften Serben gegen Albaner. Mitte Oktober 1998 wurde Gerhard Schröder zum Bundeskanzler gewählt und Joschka Fischer zum Außenminister ernannt. Im März 1999 begann die serbische Armee eine großangelegte Offensive gegen die kosovo-albanische Untergrundarmee. Fast eine Million Kosovo-Albaner flohen nach Mazedonien und Albanien. Kampfflugzeuge der Nato warfen über zehntausend Bomben auf jugoslawische Ziele ab. Die Bundeswehr flog bei diesen Einsätzen mit.

Am 24. März 1999 hatte Gerhard Schröder im Fernsehen erklärt, daß deutsche Soldaten zum ersten Mal seit 1945 unmittelbar in einem Krieg eingesetzt würden. Am 13. Mai 1999 fand in Bielefeld ein Sonderparteitag der Grünen statt, wo sich die große Mehrheit der Partei dafür votierte, die Nato-Angriffe auf Jugoslawien zu unterbrechen. Außenminister Fischer sprach sich gegen die Mehrheitsmeinung seiner Partei aus. Im Juni 1999 akzeptierte Milošević die Kapitulationsforderungen der Nato, die darauf ihre Luftangriffe einstellten.

Joschka Fischer, 1948 in Gerabronn geboren, war in Frankfurt am Main Mitglied der militanten Gruppe »Revolutionärer Kampf«, ging 1983 für die Grünen in den Bundestag, wurde 1985 für zwei Jahre und erneut 1991 hessischer Umweltminister und war maßgeblich an der Ausarbeitung des Friedensplans für die Kosovo-Region beteiligt. Fischer sprach auf dem Bielefelder Parteitag der Grünen ohne Manuskript. Die Rede wurde vom Seminar für Allgemeine Rhetorik in Tübingen zur Rede des Jahres gewählt. Auch hier, wie in Wolf Biermanns Artikel zum Golfkrieg, tauchte Auschwitz als moralische Ultima ratio des politischen Handelns auf. Karl Heinz Bohrer hatte in den achtziger Jahren bei den bundesrepublikanischen Reaktionen auf den Falklandkrieg eine Entpolitisierung des Denkens beklagt. Die Friedenssehnsucht schien ohne Machtpolitik auskommen zu wollen. Der Schritt aus dem entpolitisierten Denken wurde im wiedervereinigten Deutschland durch Hinweise auf den Nationalsozialismus und die anfangs blinde oder auch nur zögerliche Politik der freien Welt gegenüber Hitler forciert. In den

Debatten über Krieg und Frieden wurde der Bezug zum Nationalsozialismus und zu damaligen Entscheidungsnöten immer wieder hergestellt, um das moralische Denken aus dem gewohnten machtpolitischen Vakuum herauszuführen und zu politisieren – womit eine den revolutionären Kritikern der Bundesrepublik aus den sechziger Jahren entgegengesetzte Richtung eingeschlagen wurde, die wie Ulrike Meinhof die Moralisierung der Politik betrieben.

Joschka Fischer. Liebe Freundinnen und Freunde, liebe Gegner, geliebte Gegner, ein halbes Jahr sind wir jetzt hier in der Bundesregierung, ein halbes Jahr – ja, ich hab nur drauf gewartet – hier spricht ein Kriegshetzer und Herrn Milošević schlagt ihr demnächst für den Friedensnobelpreis vor. Wenn die Parteifreundin sich hinstellte und sagte, die Parteiführung spricht über ihre Zerrissenheit, ich weiß ja nicht, wie es euch geht,  wenn ihr die Bilder seht. Ich hätte mir nie träumen lassen, daß wir hier einen Grünen-Parteitag nach einem halben Jahr ...

Ich dachte, wir wollen hier diskutieren und daß die Friedensfreunde vor allem am Frieden Interesse haben. Und wenn ihr euch so sicher seid, dann solltet ihr doch die Argumente wenigstens anhören und eure Argumente dagegen setzen. Mit Sprechchören, mit Farbbeuteln wird diese Frage nicht gelöst werden, nicht unter uns und auch nicht außerhalb. Und wir erleben es ja bei diesem Parteitag, und insofern ist es keine innere Zerrissenheit, sondern eine äußere Zerrissenheit. Ich hätte mir auch nicht träumen lassen, daß wir Grüne unter Polizeischutz einen Parteitag abhalten müssen. Aber warum müssen wir unter Polizeischutz diskutieren? Doch nicht, weil wir diskutieren wollen, sondern weil hier offensichtlich welche nicht diskutieren wollen, wie wir gerade erlebt haben. Das ist doch der Punkt! Ich weiß, als Bundesaußenminister muß ich mich zurückhalten, darf da zu bestimmten Dingen aus wohlerwogenen Gründen nichts sagen. Nicht so, wie mir wirklich das Maul am liebsten übergehen würde von dem, was ich in letzter Zeit gehört habe: Ja, »der Diplomatie eine Chance«, ich kann das nur nachdrücklich unterstützen. Nur ich sage euch: Ich war bei Milošević, ich habe mit ihm 2 1/2 Stunden diskutiert, ich habe ihn angefleht, drauf zu verzichten, daß die Gewalt eingesetzt wird im Kosovo. Jetzt ist Krieg, ja. Und ich hätte mir nie träumen lassen, das Rot/Grün mit im Krieg ist. Aber dieser Krieg geht nicht erst seit 51 Tagen, sondern seit 1992, liebe Freundinnen und Freunde, seit 1992! Und ich sage euch, er hat mittlerweile Hunderttausenden das Leben

gekostet, und das ist der Punkt, wo Bündnis 90/Die Grünen nicht mehr Protestpartei sind. Wir haben uns entschieden, in die Bundesregierung zu gehen, in einer Situation, als klar war, daß hier die endgültige Zuspitzung der jugoslawischen Erbfolgekriege stattfinden kann. Ich erinnere mich noch …
– Nein, ich höre nicht auf! Den Gefallen tue ich euch nicht! – … Ich kann mich noch erinnern: Die Bundestagswahlen waren gerade vorbei. Da sind Schröder und ich nach Washington geflogen. Wir waren noch in der Opposition, da war schon klar, daß wir ein Erbe mitbekommen, das unter Umständen in eine blutige Konfrontation, in einen Krieg führen kann. Und ich kann euch an diesem Punkt nur sagen: schon damals, als wir die Koalition beschlossen haben, war uns klar, daß wir in einer schwierigen Situation antreten.

Ich hätte mir nicht träumen lassen, daß wir im ersten halben Jahr nicht nur die Agenda 2000, nicht nur die Frage der Krise der Kommission, sondern auch die Frage Rambouillet und schließlich das Scheitern von Rambouillet und den Krieg dort haben. Nur ich kann euch nochmals sagen, was ich nicht bereit bin zu akzeptieren: Frieden setzt voraus, daß Menschen nicht ermordet, daß Menschen nicht vertrieben, daß Frauen nicht vergewaltigt werden. Das setzt Frieden voraus! Und ich bin der Letzte, der nicht sagen würde, daß ich keine Fehler gemacht habe. Auch gerade in letzter Zeit, wenn darauf hingewiesen wird auf die Lageberichte. Ja, das war ein Fehler, den muß ich akzeptieren. Ich konnte im ersten halben Jahr vor allem unter dem Druck nicht alles machen, aber ich trage dafür die Verantwortung und werde zu Recht deswegen kritisiert. Andere Fehler sind gemacht worden. Nur auf der anderen Seite möchte ich euch sagen, und da möchte ich auch mal der Partei meine persönliche Situation berichten. Der entscheidende Punkt ist doch, daß wir wirklich alles versucht haben, um diese Konfrontation zu verhindern. Und da sage ich euch, ich bin ja nun weiß Gott kein zartes Pflänzchen beim Nehmen und beim Geben, weiß Gott nicht, aber es hat weh getan, wenn der persönliche Vorwurf erhoben wurde, ich hätte da die Bundesrepublik Deutschland in den Krieg gefingert. Ich kann euch nur eines sagen: Die G8 hat jetzt beschlossen, eine gemeinsame Grundlage, eine Prinzipienerklärung auf der vollen Grundlage von Rambouillet. Und ich kann euch nur versichern, ich habe alles getan, was in meinen Kräften stand, um diese Konfrontation zu verhindern. Und wenn einer in dieser Frage meint, er könne eine Position einnehmen, die unschuldig wäre, dann müssen wir die Position mal durchdeklinieren. Mir wurde moralischer Overkill vorgeworfen und ich würde da eine Entsorgung der deutschen Geschichte betreiben und ähnliches. Ich will euch sagen: Für mich spielten zwei zentrale Punkte in meiner Biographie eine entscheidende Rolle, und ich kann meine Biographie da nicht ausblenden. Ich frage mich, wer das kann in dieser Frage! In Solingen, als es damals zu diesem furchtbaren mörderischen Anschlag auf eine ausländische Familie, auf eine türkische Familie, kam, die rassistischen Übergriffe, der Neonazismus, die Skinheads. Natürlich steckt da auch bei mir immer die Erinnerung an unsere Geschichte und spielt da eine Rolle. Und ich frage mich, wenn wir innenpolitisch dieses Argument immer gemeinsam verwandt haben, warum verwenden wir es dann nicht, wenn Vertreibung, ethnische Kriegsführung in Europa wieder Einzug halten und eine blutige Ernte mittlerweile zu verzeichnen ist. Ist das moralische Hochrüstung, ist das Overkill? Auschwitz ist unvergleichbar. Aber ich stehe auf zwei Grundsätzen: Nie wieder Krieg, nie wieder Auschwitz; nie wieder Völkermord, nie wieder Faschismus. Beides gehört bei mir zusammen, liebe Freundinnen und Freunde, und deswegen bin ich in die Grüne Partei gegangen. Was ich mich frage ist, warum ihr diese Diskussion verweigert? Warum verweigert ihr mit Trillerpfeifen diese Diskussion, wenn ihr euch als Linke oder gar Linksradikale bezeichnet? Ihr mögt ja alles falsch finden, was diese Bundesregierung gemacht hat und die Nato macht, das mögt ihr alles falsch finden. Aber mich würde mal interessieren, wie denn von einem linken Standpunkt aus das, was in Jugoslawien seit 1992 an ethnischer Kriegsführung, an völkischer Politik betrieben wird, wie dieses von einem linken, von euerm Standpunkt aus denn tatsächlich zu benennen ist. Sind es etwa alte Feindbilder, an die man sich gewöhnt hat, und Herr Milošević paßt in dieses Feindbild so nicht rein? Ich sage euch, mit dem Ende des kalten Krieges ist eine ethnische Kriegsführung, ist eine völkische Politik zurückgekehrt, die Europa nicht akzeptieren darf.   1999

Im März 2003 setzten sich die Amerikaner über das Votum der Vereinten Nationen hinweg und griffen den Irak erneut an. Sie rechtfertigten ihr Vorgehen sowohl mit dem Hinweis darauf, daß atomare und chemische Waffen im Irak gelagert seien, als auch mit dem Kampf gegen den internationalen Terrorismus, der seit den Anschlägen von islamischen Fundamentalisten auf die beiden Türme des World Trade Center in New York am 11. September 2001 zu einer der wichtigsten Vorgaben der amerikanischen Politik geworden war. Während sich die Bundesregierung dem Kampf gegen den internationalen Terrorismus grundsätzlich anschloß, verweigerte sie ihre Gefolgschaft beim Kriegszug gegen den Irak. Auch Frankreich hielt sich zurück, während sich Großbritannien, Italien, Spanien und einige osteuropäische Länder, wie Ungarn und Polen, an die Seite der Vereinigten Staaten stellten. Das führte zu einem angespannten Verhältnis zwischen den

Amerikanern und den Deutschen. Der amerikanische Verteidigungsminister unterschied zwischen einem alten und einem neuen Europa.

Henning Ritter, leitender Redakteur für Geisteswissenschaften bei der »Frankfurter Allgemeinen Zeitung«, hat über das Verhältnis von Politik und Moral, von Vereinten Nationen und Vereinigten Staaten im Januar 2004 in der »Frankfurter Allgemeinen Zeitung« einen Artikel veröffentlicht. Er trug den Titel »Das Schisma«. Ritter beschrieb die schwierige Lage der Moral innerhalb einer Weltpolitik, die in den Zuständigkeitsbereich einer Institution, der Vereinten Nationen, und in den Interessenbereich eines Staates, der Vereinigten Staaten von Amerika, geraten ist und sich dort behaupten möchte. In den Diskussionen in Deutschland über Krieg und Frieden, die in den ersten fünfzehn Jahren der deutschen Einheit geführt worden sind, trat der Hinweis auf den Nationalsozialismus schließlich zurück. Moral und Politik waren neue Verbindungen eingegangen, das Denken hatte sich wieder politisiert: Die Moralpolitik stand neben der Machtpolitik, und beide stritten sich um die humanitäre Legitimation ihrer Missionen. Humanitätsforderung und Machtstrategie waren kein Deutungsmuster mehr für die Aufschlüsselung der innenpolitischen Lage, wie beim Weltanschauungskritiker Ernst Topitsch, sondern weltpolitisch und offen miteinander verknüpft. Vor diesen großen Koordinaten hat sich eine neue Protestkultur noch nicht beweisen können.

Die Debatten um Krieg und Frieden werden ebenso wie die anderen entscheidenen Debatten der letzten Jahre mit dem Wissen von Experten geführt, mag es sich dabei um das Völkerrecht oder um biologische und bioethische Fragen handeln. Hans Magnus Enzensberger hatte in den siebziger Jahren mit der Wende zum ökologischen Denken den Intellektuellen unter dem Druck gesehen, Experte auf mehreren Wissensgebieten werden zu müssen. Heute geraten die öffentlichen Debatten immer mehr in die Hand von Experten – wirkliche Experten des Wissens auf Lebenszeit oder temporäre Experten der unterschiedlichen Sachzwänge in den Medien. Die gesellschaftlichen Visionen sind verschwunden, die das Denken und die Debatten vor allem in den sechziger und siebziger Jahren leiteten oder provozierten. Die politischen Bastionen der Forderungen jener Jahre, wie Gerechtigkeit und Demokratie, sind weitgehend auf das Machbare geschliffen. Es sieht so aus, als bliebe statt dessen – neben den Menschenrechten – erst einmal nur die Menschenwürde als zentraler, umstrittener und deswegen Positionen bestimmender Begriff in den Debatten im vereint pragmatischen Deutschland übrig.

Henning Ritter. In seiner Rede zum Weltfrieden am Jahresanfang hat Papst Johannes Paul II. eindrucksvoll dazu aufgerufen, es nicht bei den bisherigen Bemühungen um den Frieden bewenden zu lassen. Ihn zu predigen ist leicht, ihn zu verwirklichen schwer. Diese Diskrepanz veranlaßte den Papst, besonders an die Völkerrechtler zu appellieren. Die Vereinten Nationen erwähnte er vor allem wegen ihrer Charta und der da-  durch geschaffenen Rechtsgrundlagen. Von den Mächten dieser Welt ist nicht die Rede. Aber es ist nicht zu übersehen, daß die Betonung des Völkerrechts eine Mahnung an die Adresse der Vereinigten Staaten ist. Das ist auch der aktuelle Sinn der Bemerkung, »daß die Anwendung von Gewalt gegenüber Terroristen den Verzicht auf die rechtsstaatlichen Prinzipien nicht rechtfertigen kann«.

Besonders aufschlußreich ist ein Selbstzitat des Papstes aus einer Ansprache von 1997: »Das internationale Recht war lange Zeit ein Recht des Krieges und des Friedens. Ich glaube, daß es mehr und mehr dazu berufen ist, ausschließlich zu einem Recht des Friedens zu werden, wobei der Friede als Voraussetzung für die Gerechtigkeit und Solidarität verstanden werden soll. In diesem Kontext muß die Moral das Recht fruchtbar machen; sie kann sogar dem Recht in dem Maße vorgreifen, wie sie ihm die Richtung dessen, was gerecht und gut ist, aufzeigt.« Mit dieser Utopie einer Verschmelzung von Recht und Moral stand der Papst schon damals nicht allein. Sie ist heute zu einer verbreiteten Erwartung an die Politik geworden.

Im Vorfeld des Irak-Krieges standen sich beide Auffassungen der Politik unversöhnlich gegenüber: eine Politik, die den Frieden will, aber sich vorbehält, den Krieg zu wählen, und eine andere, die den Frieden ausschließlich friedlich herbeiführen will. Ähnlich wie der Papst es für das Recht forderte, macht die Moral hier die Politik »fruchtbar« und greift der Politik vor. Die Auseinandersetzungen um diese zwei Auffassungen von Politik sind aus dem vergangenen Jahr noch in deutlicher Erinnerung. Den Vereinten Nationen wurde nicht nur die Legitimation, sondern auch die Handlungsfähigkeit zugesprochen, eine moralische Politik in die Tat umzusetzen. Den Beweis mußten sie jedoch schuldig bleiben, weil die Vereinigten Staaten auf eigene Rechnung und unter Verletzung von Grundsätzen des Völkerrechts agierten.

Ob die Moralpolitik die Gefahren und Abgründe der Machtpolitik tatsächlich umschiffen kann, wurde allerdings kaum gefragt, wie auch die moralische Integrität der von den Vereinten Nationen repräsentierten Politik in der Vergangenheit nur selten erörtert worden ist. Jörg Friedrich hat in die-

ser Zeitung (F.A.Z. vom 2. August 2003) eine düstere Chronik der völker-
rechtlichen Versäumnisse und Verbrechen veröffentlicht, die im Zeichen des
von dem amerikanischen Präsidenten Wilson inaugurierten internationalen
Sicherheitssystems geduldet und begangen wurden. In dieser Chronik geben
die Vereinten Nationen ein beschämendes Bild ab, wie schon die Tatsache belegt, daß sie einen Führer der Roten Khmer, Ieng Sary, einen der Hauptver-
antwortlichen für den kambodschanischen Völkermord mit 1,5 Millionen
Toten, 1979 zum Repräsentanten Kambodschas ins Plenum wählten. Li-
byens Vorsitz in der Menschenrechtskommission kann daneben nur als ko-
mische Dreingabe wirken. Solche Beispiele, von denen es zahllose gibt, sind
symptomatisch für eine lange Reihe von Entscheidungen und Entschlüssen,
die wie ein Hohn auf die Charta der Vereinten Nationen wirken.

Die Amnesie gegenüber den Verfehlungen der Vereinten Nationen ist
leicht zu erklären: Man ist froh, daß es sie gibt, und sieht ihnen deswegen
nach, was sie tun. Es wächst ein Schuldkonto der Völkergemeinschaft heran,
für das es keinen Tag des Gerichts gibt. Denn die Völkergemeinschaft ist ihr
eigener Richter. Im Unterschied zur gewöhnlichen Politik, die sich die Folgen ihres Handelns zurechnen muß und zumindest gelegentlich zur Rechenschaft gezogen wird, ist die der Vereinten Nationen weitgehend der Kritik
entzogen. Die Öffentlichkeit sieht der Institution, die dem Frieden und der
Sicherheit dienen soll, das meiste nach, was sich mit ihren hehren Zielen nicht
verträgt. Es wäre besser, die Vereinten Nationen würden sich auf Deklaratio-
nen beschränken, als ihre Prinzipien durch ihr Handeln Lügen zu strafen.

Der ungeheure Kredit, den die Vereinten Nationen immer noch genießen,
hat sich in beiden Irak-Kriegen am Ende nicht hilfreich ausgewirkt. Im ersten Krieg führte der Respekt vor dem Mandat der Vereinten Nationen dazu,
daß die Amerikaner die vor ihnen liegende Eroberung Bagdads und den
Sturz Saddam Husseins unterließen. Ein großer Fehler, wie sich herausstellte,
weil der zweite Krieg damit vorgezeichnet war – auf einer viel schwächeren
Legitimationsbasis. Und im Vorfeld des zweiten Irak-Krieges trauten sich
die Vereinten Nationen zu, eine Mission zu erfüllen, die weit über ihre realen
Möglichkeiten ging. Aber der Offenbarungseid ihrer Politik blieb ihnen erspart durch den vom heutigen Völkerrecht nicht gedeckten Angriff der Amerikaner. Die Vereinten Nationen konnten den moralischen Bonus ihrer Politik ungekürzt verbuchen.

Der Grundfehler ist leichter zu benennen als zu beheben: Eine Institution,
die sich die Verwirklichung rarer Güter wie der Menschenrechte zum Ziel
setzt, kann nur aus so vielen Mitgliedern bestehen, wie diesen Prinzipien
nachweislich zu folgen willens sind. Es kann nur ein Bund sein, der seinen

Henning Ritter

Umfang beschränkt und vielleicht allmählich erweitert, um schließlich eines Tages das erstrebte Ziel einer umfassenden Völkergemeinschaft zu erreichen. So vorsichtig war man jedenfalls im achtzehnten Jahrhundert, als man zum ersten Mal über Friedensföderationen nachdachte. Cesare Beccaria, der berühmte Reformer des Strafrechts (»Verbrechen und Strafe«), war zum Beispiel der Ansicht, man könne in Europa keinen Bund für den ewigen Frieden schließen, solange es im fernsten Asien auch nur eine einzige Despotie gebe.

Aus der Sicht derer, die, von Saint-Pierre bis Kant, über einen Friedensbund nachgedacht haben, wäre deswegen der Zusammenschluß Europas – verstanden nicht als ein Instrument der Selbstbehauptung im Wettstreit der Nationen, sondern als Begründung einer neuen Art von Politik – gegenüber den Vereinten Nationen, die Despoten, Schurken und Demokraten unter ihrem Dach vereinen, das vernünftigere Modell. Tatsächlich ist Europa im vergangenen Jahr von dem amerikanischen Publizisten Robert Kagan in seinem Buch »Paradise and Power« als eine politische Utopie karikiert worden. Die Europäer, meinte Kagan, lebten schon heute mit ihrem Politikverständnis in einer »posthistorischen« Welt, in der nur der Ausgleich gesucht und verhandelt werde und in der man als Einwirkung auf andere das Mittel der Gewalt nur dann anzuwenden bereit ist, wenn die Zwecke rein moralisch definiert werden können.

Kagans polemische Beschreibung, die in den Äußerungen des amerikanischen Verteidigungsministers über das »alte« und das »neue« Europa ein Echo fand, enthielt aber im Kern richtige Beobachtungen. Es gibt schon heute – dafür ist das »alte Europa« ein Beispiel – zwei konkurrierende und miteinander unvereinbare Auffassungen von Politik, über die aber nicht einmal in Institutionen wie den Vereinten Nationen offen debattiert wird. Der durch den »präemptiven« Schlag der Amerikaner vollzogene Bruch mit der Politik der Vereinten Nationen hat dieses Schisma des Politischen zum ersten Mal weltweit sichtbar gemacht: die Kluft zwischen herkömmlicher Politik, die den Krieg aus Machtgründen mit einschließt, auf der einen Seite und einer Verbindung von Diplomatie und humanitärer Mission auf der anderen, die den Krieg als humanitäre Aktion oder allenfalls als kollektive Strafaktion der Völkergemeinschaft zuläßt.

Der Balkan-Krieg zu Anfang der neunziger Jahre hat aber gezeigt, daß auch auf der Seite der humanitären Politik machtpolitisches Kalkül eine Rolle spielen kann, wenn auch in der Form der Vermeidung eines Vorgehens, das machtpolitisch wirken könnte. Als zweifelsfrei »humanitärer Krieg« konnte der Einsatz der Nato erst begonnen werden, nachdem es zu spät war. Denn hätte man die Nato frühzeitig, gleichsam »präventiv humanitär«, eingesetzt, um die sich abzeichnenden Greuel zu verhindern, so hätte dies als herkömmliche kriegerische Aktion mit politischen Absichten und Parteinahmen erscheinen können. Da man aber zu spät kam, um das Übel zu verhindern, durfte man glaubwürdig behaupten, ohne politisches Interesse und ohne Hinterabsichten für eine gerechte Sache Krieg zu führen.

Die grausame Logik dieses Vorgehens steht den Abgründen der Machtpolitik in nichts nach. Als »humanitär« können solche Einsätze uneingeschränkt nur deswegen gelten, weil man sich die humanen Kosten nicht zurechnet. Eine ähnliche Moralparadoxie hat sich im Irak gezeigt: Die Vereinten Nationen haben sich die Opfer ihrer Embargomaßnahmen, deren Zahl im Irak in die Hunderttausende gegangen sein soll, nie zugerechnet. Auch hier gilt also die alte Logik der Macht, daß der Zweck die Mittel heiligt.

Die ungewollte Verstrickung der humanitären Politik in die Logik der Macht ist ein Beleg dafür, daß es sich bei den zwei Politikstilen, die sich im Vorfeld des Irakkrieges zum ersten Mal deutlich gegenüberstanden, um zwei globale Machtformen handelt, die sich nach dem Ende des Kalten Krieges anschicken, eine neue Spaltung der Welt herbeizuführen. Sie verhalten sich schon heute nicht mehr so zueinander wie etwa der Vatikan zu den Vereinigten Staaten. Vielmehr sind sie echte Konkurrenten, und in ihren Wirkungen sind sie einander ähnlicher, als ihr Selbstverständnis es erwarten läßt. Beide können, mit ihren jeweiligen Mitteln, als Bedrohung der Souveränität von Staaten auftreten. Die Vereinten Nationen erlaubten sich im Irak nach dem Golfkrieg jede mit wirtschaftlichen Mitteln zu erzielende Schwächung der Souveränität des Staatsgebildes, während sie sich im letzten Augenblick, als die Machtpolitik den Ernstfall gekommen sah, zu Verteidigern der Souveränität aufwarfen.

Diese Beispiele belegen, daß sich die Asymmetrie, die offensichtlich zwischen beiden Arten von Politik besteht, allein aus der moralischen Überlegenheit der Friedenspolitik ergibt, nicht aber aus ihrem tatsächlichen Verhalten. In dem Maße, wie sich die Kluft zwischen Macht- und Moralpolitik weiter vertieft, muß es zu einem Wettstreit um die bessere Moral, nicht nur um die Erfolge, kommen. In dieser gefährlichen Auseinandersetzung wird die Moral gut daran tun, sich auf einen neutralen Boden zu flüchten – etwa bei der Kirche Zuflucht zu suchen.   2004

Im Herbst 1990 hatte der Bundestag das Embryonenschutzgesetz verabschiedet, das im Januar 1991 in Kraft trat. Das Gesetz ließ eine Lücke: Die Einfuhr von embryonalen Stammzellen wurde nicht ausdrücklich verboten. Am 30. Juli 1999 veröffentlichte der Bonner Neuropathologe Oliver Brüstle einen Aufsatz in der Zeitschrift »Science«. Dort beschrieb er einen von amerikanischen Wissenschaftlern unternommenen Tierversuch, bei dem es gelungen war, Stammzellen zu transplantieren und dadurch zerstörtes Nervengewebe wiederherzustellen. Brüstle stellte im Sommer 2000 einen Förderantrag bei der Deutschen Forschungsgemeinschaft.

Im April 2000 teilte der Amerikaner Craig Venter mit, daß es seinem privaten Unternehmen Celera Genomics Corp gelungen sei, das menschliche Genom fast vollständig zu entschlüsseln. Im Dezember 2000 veröffentlichte die Zeitung »Die Woche« einen Artikel von Bundeskanzler Schröder. Darin wandte sich Schröder gegen »eine Politik der ideologischen Scheuklappen und grundsätzlichen Verbote« in der Gentechnik. Im Mai 2001 wurde vom Bundeskanzler ein Nationaler Ethikrat einberufen, in dem seit Juni 2001 Wissenschaftler, Politiker und Vertreter der Kirche zusammenkommen. Der Nationale Ethikrat sprach sich Ende November 2001 für den Import von embryonalen Stammzellen aus. Im Sommer 2002 wurde das Gesetz vom Bundestag verabschiedet, nach dem der Import von embryonalen Stammzellen im Prinzip verboten, aber für hochrangige Forschungszwecke erlaubt ist. Die Deutsche Forschungsgemeinschaft genehmigte darauf Oliver Brüstles Förderantrag.

Christiane Nüsslein-Volhard wurde 1995 mit dem Nobelpreis für Medizin ausgezeichnet. Sie ist Professorin für Entwicklungsbiologie an der Universität in Tübingen. Sie gehört, wie unter anderen Jens Reich, zum Nationalen Ethikrat. Im Sommer 2002 hielt sie auf Schloß Elmau, wo der Philosoph Peter Sloterdijk im Sommer 1999 seine biotechnischen Phantasien durch den »Menschenpark« schweifen ließ, den Vortrag »Wann ist der Mensch ein Mensch?«. In den ideologischen sechziger und siebziger Jahren konnte über Menschenzüchtung und über die Genmanipulation diskutiert werden, ohne daß die maßgeblichen Intellektuellen davon öffentlich Kenntnis nahmen und dazu Stellung bezogen. Das hat sich grundlegend geändert. Die biopolitischen und bioethischen Debatten sind in das Zentrum der öffentlichen Aufmerksamkeit gerückt.

Christiane Nüsslein-Volhard. Das menschliche Genom ist das bisher größte entzifferte Genom, 20mal größer als das der Fliege. Etwa 32000 Gene hat der Mensch. Obwohl sie komplexer sind als die anderer vielzelliger Organismen, sind sie nicht prinzipiell anders. Beim Menschen, aber auch bei anderen Säugetieren, sind die Regionen, die in Protein übersetzt werden, von sehr großen, bisher nur schlecht definierten und in ihrer Funktion unverstandenen Sequenzen unterbrochen. Im Laufe der Jahrzehnte ist bereits eine große Zahl von menschlichen Genen, die auf Grund besonderer Eigenschaften isoliert worden waren, bekannt geworden, doch sind die allermeisten Gene des Menschen neu durch das Genomprojekt entdeckt worden. Auf Grund der Proteinsequenz allein läßt sich ihre Funktion nicht genau erschließen. Die wichtigste Quelle für das Verständnis der Funktion dieser Gene kommt durch den Vergleich mit Tiergenen, besonders mit denen von Wirbeltieren. Bei diesen Organismen kann man Mutanten konstruieren, denen ein Gen ganz fehlt, und die Auswirkungen auf das Tier analysieren. Mit Ausnahme von Genen, deren Ausfall erbliche Krankheiten bedingen (die also solche natürlichen Mutanten darstellen), läßt sich diese Form der Analyse beim Menschen nicht durchführen. Das bedeutet, daß wir für die allergrößte Zahl der Gene nicht mehr als vage Vermutungen der Funktion haben können. Das reicht bei weitem nicht aus, um auf die Konsequenz einer Genänderung oder des Genausfalls zu schließen. Das bedeutet umgekehrt, daß die Genanalyse einzelner Menschen kaum Voraussagen auf deren Konstitution erlaubt. Es ist heute nicht zu erkennen, auf welchem Wege sich unser Unwissen, was die genaue Funktion der menschlichen Gene betrifft, in Zukunft ändern wird. ...

Was ist das Besondere an der Entwicklung von Säugetieren? Bei Fröschen, Vögeln und Fischen werden kurz nach der Befruchtung Eier gelegt, die sowohl das genetische Programm als auch alle Nährstoffe und Faktoren enthalten, die zur Entwicklung eines Kükens, einer Fliegenmade außerhalb des mütterlichen Organismus notwendig sind. Das abgelegte Ei braucht von außen nicht mehr als eine bestimmte Temperatur, Feuchtigkeit und Luft, um ein selbständiges Wesen zu bilden. Beim Säugetier ist das nicht so. Das Ei ist winzig klein, und das Zytoplasma der Eizelle enthält nur die Information, um nach der Befruchtung eine sogenannte Blastozyste zu bilden, ein Gebilde aus wenig mehr als hundert Zellen. Nur wenige der inneren Zellen der Blastozyste bilden später den Embryo, sie sind alle gleichwertig, und noch nicht auf ihr zukünftiges Schicksal festgelegt. Um ein Tier zu bilden, muß sich die

Blastozyste in den Uterus des mütterlichen Tieres einnisten, um fortan durch diesen ernährt zu werden. Die Blastozyste schlüpft aus der Eihülle, der Zona pellucida, und wandert mit Hilfe ihrer äußeren Zellen in die Uterusschleimhaut ein. Im intimen Kontakt mit dem mütterlichen Gewebe, das den Embryo zum Wachstum anregt, nimmt der Embryo Gestalt an. Vom mütterlichen Blutkreislauf versorgt, übernimmt der Uterus die Ernährung und den Schutz des werdenden Tieres. Bei Säugern besteht also eine eigentümliche zeitliche Verschiebung der Fürsorge durch den mütterlichen Organismus relativ zum Zeitpunkt der Befruchtung. Was bei eierlegenden Tieren vor der Befruchtung stattfindet, nämlich die Versorgung des Embryos mit Nährstoffen und Wachstumsfaktoren, ist hier auf einen späteren Zeitpunkt, nach der Einnistung, verschoben. Von einem Hühner- oder Fliegenei kann man schon eher sagen, es enthielte das volle Entwicklungsprogramm (obwohl man auch ein Hühnerei noch nicht Huhn nennt und eine Fliegenmade noch längst keine Fliege ist), aber nicht von einem Säugerei. Denn bei Säugetieren ist erst mit der Einnistung in den Uterus der Mutter das Entwicklungsprogramm vollständig. Und erst während dieser erstaunlichen und wundersamen Symbiose zweier Individuen wird das Programm ausgeführt.

Die frühe Entwicklung der Maus (und auch des Menschen) im Ei, von der Befruchtung an bis zur Blastozyste, kann auch außerhalb des mütterlichen Organismus stattfinden, denn dafür bedarf es noch keiner Nährstoffe. Die befruchtete Eizelle teilt sich mehrmals. Die Entnahme von ein oder zwei Zellen im Achtzellstadium schadet dem Embryo nicht. Die inneren Zellen der Blastozyste können auf einem Nährboden in einer Petrischale vermehrt werden, ohne ihren embryonalen, undifferenzierten Zustand zu verändern. Das sind die embryonalen Stammzellen oder ES-Zellen, die es bei der Maus seit 20 Jahren gibt. Transplantiert man diese Zellen in eine Blastozyste eines Wirtsembryos, so nehmen sie an dessen Entwicklung genau wie die Zellen des Wirtes Teil. Das heißt, daß sie pluripotent sind, also vieles noch können. Embryonale Stammzellen haben besondere Eigenschaften, die für die Forschung einzigartige Möglichkeiten bieten. Sie vermehren sich willig in oder: als Kultur, ohne ihre Eigenschaften zu ändern. Wie bei anderen Zellkulturen, die gut wachsen, kann man bestimmte Gene in die Zellen einbringen, oder auch inaktivieren. Solche genetisch veränderten Zellen können in eine Blastozyste transplantiert werden und sich mit dieser zu einer Maus entwickeln. Dieses Verfahren stellt eine der wichtigsten Methoden zur Erforschung der Funktion verwandter menschlicher Gene in der Maus dar. Eine weitere Fähigkeit von embryonalen Stammzellen der Maus ist, daß sich durch Zugabe bestimmter Stoffe die Bildung bestimmter Zelltypen stimulieren und die anderer unterdrücken läßt. In der Maus hat man solche differenzierten Zellen auch wieder in einen erwachsenen Organismus implantiert, und diese Zellen haben sich in das Gewebe integriert. Diese Experimente sind nicht nur für die Grundlagenforschung, sondern auch für die Entwicklung von Therapien, die auf Zellersatz beruhen, von großer Bedeutung.

Ich komme nun zu den Möglichkeiten des Eingriffs in die Entwicklung des menschlichen Embryos, die sich durch neue an Tieren erprobte Techniken eröffnen. Das Verfahren, menschliche Embryonen in vitro zu befruchten und bis zur Implantation zu kultivieren, ist in England entwickelt worden. Dort wurde 1990 durch ein Gesetz die Forschung an Embryonen, soweit sie der Verbesserung der In-vitro-Verfahren zur Heilung von Unfruchtbarkeit dient, erlaubt, und zwar mit der Begründung, daß man Patienten nur erforschte und erprobte Therapien anbieten darf. Das deutsche Embryonenschutzgesetz vom gleichen Jahr verbietet jeden Umgang mit Embryonen, der nicht zur Einleitung einer Schwangerschaft führt.

Im Zentrum der Debatten im Umgang mit menschlichen Embryonen stehen heute drei Themenkreise. Das sind:

1. Diagnose-Verfahren im Zusammenhang mit künstlicher Befruchtung, die Präimplantationsdiagnostik oder PID;
2. die Möglichkeiten der Einflußnahme auf die genetische Konstitution des Menschen durch Selektion oder Gentherapie und
3. der Einsatz von menschlichen embryonalen Stammzellen in Forschung und Therapie.

In-vitro-Fertilisation wird in Deutschland häufig angewendet. Die Forschung im Ausland hat zum Ziel, die Rate der erfolgreichen Schwangerschaften nach IVF zu erhöhen. Diagnoseverfahren werden entwickelt, um genetisch defekte Embryonen zu erkennen. Geforscht wird zum Beispiel auch mit Kulturen von Uterusschleimhaut, um den Prozeß der Einnistung zu verstehen. Das läuft in der Presse unter künstlichem Uterus und weckt Assoziationen mit Huxleys Utopie von der schönen neuen Welt, ist aber himmelweit von dieser entfernt.

Bei der Präimplantationsdiagnostik (PID) wird im 8-Zell-Stadium eine Zelle entnommen, in der ein Gentest gemacht werden kann. Zwei Indikationsgebiete: 1. mehr als die Hälfte der menschlichen Eier trägt Chromosomenschäden, die wohl auf Fehler bei der Chromosomenverteilung während der Eireifung zurückgehen und unvermeidbar sind. Das ist eine wichtige Ursache für die niedrige Erfolgsrate der IVF, denn solche Embryonen haben keine Überlebenschance. Chromosomenschäden vorher zu diagnostizieren kann

Christiane Nüsslein-Volhard

die Rate der erfolgreichen Schwangerschaften nach In-vitro-Fertilisation erhöhen und den Anteil an den sehr problematischen Mehrlingsgeburten verringern. 2. bei Erbkrankheiten, bei denen beide Partner Träger für die gleiche (recessive monogene) Krankheit sind, besteht für die Zygoten eine Chance von 1 zu 4, die Krankheit zu bekommen. Das kann diagnostiziert werden und nur gesunde Embryonen implantiert werden. Diese Indikation ist sehr selten. PID ist in Deutschland verboten. Erbkranke Föten können durch Plänataldiagnose (relativ spät) während der Schwangerschaft erkannt werden. Diese werden in der Regel abgetrieben. Eine Frühdiagnose vor der Implantation würde die Tötung solcher Föten in fortgeschrittenem Stadium vermeiden.

Selektion: Bedenken gegen die Einführung von PID bestehen in der Angst, daß sich die Anwendungsspektren erweitern können, und auch nach anderen Genkonstellationen als nur schädliche Mutationen in Krankheitsgenen ausgelesen wird. Bei diesen Utopien spielt man mit einer anderen Sorte von Genen; nicht diejenigen, die in defektem Zustand zu Krankheiten führen, sondern jene, die in subtilerer Form die angenehmen oder gesunden Eigenschaften des Menschen bestimmen. Und diese Gene kennt man am allerwenigsten. Es gibt auch kaum Möglichkeiten, sie zu erkennen. Tierversuche helfen nicht besonders weit, weil die Maus die uns interessierenden Eigenschaften nicht hat. Man weiß also nicht ohne weiteres, welche individuellen Eigenschaften ein Mensch haben wird, auch wenn man seine DNA analysiert, und erst recht nicht, was aus ihm würde, wenn einige seiner Gene in alternativen Formen vorlägen.

Hier zeigen sich enge natürliche Grenzen, die den Visionen Schranken setzen: 1. Was an Genvarianten durch die Eltern nicht in den Embryo gekommen ist, kann auch nicht ausgewählt werden. 2. Diagnostiziert werden kann lediglich das Gen, nicht die Eigenschaft. Und der Zusammenhang zwischen Gen und Eigenschaft ist komplex. 3. Viele Eigenschaften kommen durch die Konstellation mehrerer Gene zustande, diese liegen in der Regel auf verschiedenen Chromosomen, die unabhängig voneinander in die Keimzellen verteilt werden. Aus rein statistischen Gründen sind gewünschte Konstellationen entsprechend selten.

Gewiß, wenn mehr analysiert wird, wird auch mehr bekannt werden, und es mag bei einzelnen Genen Indizien dafür geben, daß sie wünschenswerte Eigenschaften beeinflussen. Aber bereits jetzt wissen wir, daß selbst bei vollständiger Übereinstimmung der Gene, bei eineiigen Zwillingen, keineswegs die Eigenschaften des einen sichere Voraussagen über die des anderen zulassen.

Genveränderungen in der Keimbahn: Aus ähnlichen Gründen ist jeder

Gedanke an eine genetische Manipulation des Menschen durch Einbringen ausgewählter Gene in den Bereich der Science-fiction zu verweisen. Wie bereits erläutert, beeinflußt jedes Gen viele Eigenschaften, daher ist kaum vorauszusagen, welche Auswirkungen es, zusätzlich eingebracht, haben würde. Und beim Menschen ist genetische Forschung, wie man sie bei Tieren machen kann, nicht möglich. Ein weiterer Punkt, der selten angesprochen wird, ist, daß es derzeit kein Verfahren gibt, das erlaubt, in einen Organismus genau eine Kopie eines Gens so einzubringen, daß alle Zellen dieses Gen erhalten und keine unliebsamen Nebeneffekte entstehen. Das bedarf einer Erklärung: Bei der Maus, bei der Fliege und dem Fisch ist es doch möglich, Gene einzuschleusen, warum also nicht beim Menschen? Bei den Modellorganismen stehen dem Forscher zwar Kohorten von ähnlichen Tieren mit definiertem Erbgut zur Verfügung, jedoch ist eine funktionierende Genübertragung ein sehr seltenes Ereignis, bei dem sich der Erfolg zudem erst in den Nachkommen des behandelten Tiers feststellen läßt. Das heißt, daß beim Tier Erfolge mit großen Zahlen an nicht gelungenen Versuchen einhergehen. Beim Menschen wäre das Szenario ein vollkommen anderes. Hier müßte ja ein ganz bestimmtes Individuum mit zunächst unbekannten und unbestimmbaren Eigenschaften im frühen Embryonalstadium mit praktisch vollkommener Sicherheit auf Erfolg behandelt werden. Das ist jedoch undenkbar schwierig. Daraus folgt, daß das, was beim Tier »geht«, beim Menschen eben doch nicht geht.

Klonen: Klonen wäre die Erzeugung eines Menschen, der erbgleich mit einem bereits existierenden ist, also ein verspäteter Zwilling wäre. Dabei würde durch Kerntransfer aus einer Körperzelle (auch CNR – »Cell nucleus replacement«, Zellkernaustausch-Embryo – genannt) in eine entkernte Eizelle ein Embryo hergestellt werden. Ich habe bereits darauf hingewiesen, daß Klonen bei Tieren nur in sehr seltenen Ausnahmefällen zu gesunden Tieren führt und die meisten Versuche in Fehlgeburten oder Mißbildungen enden. Schon aus diesen Gründen ist es kriminell, Klonen beim Menschen zu versuchen. Klonen ist in vielen Ländern auch aus ethischen Gründen ausdrücklich verboten.

Bei dem umstrittenen sogenannten therapeutischen Klonen ist das Ziel lediglich, eine Blastozyste, die erbgleich mit einem Patienten ist, zu erzeugen. Daraus würden dann embryonale Stammzellen gewonnen werden, die bei einer Therapie dieses Patienten eingesetzt werden könnten. Dabei ist die Idee, Abstoßungsreaktionen, die beim Transplantieren von genetisch fremden Zellen auftreten könnten, zu vermeiden. Diese Versuche sind ebenfalls sehr schwierig und haben noch keine Erfolge erzielt.

Christiane Nüsslein-Volhard

Kulturen menschlicher embryonaler Stammzellen gibt es seit 1998. Sie sind nicht leicht zu etablieren, und wegen der vielen ethischen Vorbehalte ist man mit der Forschung an ihnen noch nicht sehr weit. Anwendungsgebiete sind vor allem Krankheiten, bei denen bestimmte Zelltypen degenerieren und nicht vom Körper ersetzt werden können, zum Beispiel Kinderdiabetes und Morbus Parkinson, auch multiple Sklerose. Für diese gibt es bisher kaum eine Heilung. Für Parkinson sind bereits vor 10 Jahren Heilerfolge durch die Übertragung spezifischer Zellen, die aus 8 Wochen alten Föten gewonnen wurden, erzielt worden, die sich allerdings nicht zu einer praktikablen Therapie entwickeln ließen. Diese Zellen (die zu den sogenannten adulten Stammzellen gehören) lassen sich nämlich bisher nicht in Kultur vermehren, ohne ihre spezifischen Eigenschaften zu verlieren. Das gilt für viele adulte Stammzelllinien. Es ist kürzlich amerikanischen Forschern gelungen, menschliche embryonale Stammzellen zu vermehren und in Kultur zu besonderen Nervenzellen differenzieren zu lassen. Diese konnten die Symptome von Ratten, die Parkinson-krank sind, deutlich abmildern. Das heißt, daß die Forschung mit embryonalen Stammzellen sehr vielversprechend ist und wahrscheinlich auf diesem und keinem anderen Wege bald Heilung für diese schwere Krankheit möglich sein wird. Ähnlich vielversprechende Versuche laufen derzeit für Diabetes Typ 1. Die Etablierung menschlicher embryonaler Stammzellkulturen ist in Deutschland verboten, ein neues sehr strenges Gesetz regelt die Forschung an importierten Kulturen. Diesen Regeln werden deutschen Forschern nicht erlauben, bei der internationalen Forschung auf diesem Gebiete mitzuhalten. Es ist aber klar, daß Therapien auf der Basis von menschlichen embryonalen Stammzellen, sollten sie im Ausland entwickelt werden, deutschen Patienten nicht vorenthalten werden können. In diesem Lichte ist es geboten, sich auch an der Forschung zu beteiligen, und zwar bevor die Erfolge sich eingestellt haben, um nicht das Risiko dieser aufwendigen Forschung ganz den ausländischen Forschern zu überlassen.

Wie gesagt ist es nicht die Aufgabe der biologischen Wissenschaft, über Schutz, Würde und Rechte menschlichen Lebens zu befinden. Aber Richtlinien für eine Einschätzung geben kann sie schon. Gewiß ist bereits die Eizelle mit dem Zytoplasma, das die Faktoren zur Instruktion des embryonalen Genoms bis zur Blastozystenbildung enthält, eine besondere kostbare Zelle (Millionen von Spermien haben sie umschwärmt und sind zugrunde gegangen). Die befruchtete Eizelle (allerdings nicht jede, denn mehr als die Hälfte der Eier sind nicht lebensfähig) hat das gesamte Erbgut – die Summe aller Gene eines möglichen Menschen und damit sein genetisches Programm. Um dieses zur Ausführung zu bringen, braucht es aber zusätzlich die intensive Wechselwirkung, die Symbiose mit dem mütterlichen Organismus. Diese ist unersetzlich und unabdingbar. Damit ist erst mit der Einnistung in den Uterus das Programm zur Menschwerdung vollständig, und erst mit der Geburt ist es ausgeführt. Erst mit der Geburt ist aus dem werdenden Menschen ein getrennter, selbständiger Organismus, der atmet und nun einen eigenen unabhängigen Stoffwechsel hat, geworden. Sicher ist der Säugling noch bedürftig, aber er wird jetzt von außen ernährt und kann daher zur Not auch ohne Mutter weiterleben. Dann ist der Mensch ein Mensch. Und da sind sich wirklich alle einig. 2002

Frank Schirrmacher, einer der Herausgeber der »Frankfurter Allgemeinen Zeitung«, hat in seinem im Jahr 2004 erschienenen Buch »Das Methusalem-Komplott« das Altern der deutschen Gesellschaft und dessen soziale und seelische Folgen beschrieben und damit ein Thema in die öffentliche Debatte gerückt, das in Fachkreisen zwar bekannt, aber über diese Fachkreise kaum hinausgelangt war. Dabei hatte es davor alarmierende Stimmen gegeben, darunter prominent Meinhard Miegel, der das »Institut für Wirtschaft und Gesellschaft« in Bonn leitet und als Berater in Politik und Wirtschaft arbeitet. Er hatte im Jahr 2002 sein Buch »Die deformierte Gesellschaft. Wie die Deutschen ihre Wirklichkeit verdrängen« veröffentlicht, in dem er auch auf den demographischen Wandel in Deutschland und dessen Folgen mit deutlichen Worten hinwies. Das Buch erlebte mehrere Auflagen.

Das rasante Altern der deutschen Gesellschaft hat Schirrmacher in einen Zusammenhang mit der berühmten These vom Kampf der Kulturen gestellt, die Samuel Huntington in den neunziger Jahren formuliert hatte. Nach den Anschlägen auf das World Trade Center schien der Kampf der Kulturen an Schärfe gewonnen zu haben. In dem von Schirrmacher entworfenen Szenario verschieben sich die zukünftigen ethnischen Altersgruppen in einem Land, das sich immer noch nicht bewußt zu sein scheint, daß es ein Einwanderungsland geworden ist. Es gehört zu den intellektuellen Erblasten der nationalsozialistischen Vergangenheit, daß bevölkerungspolitische Erwägungen, sobald sie öffentlich vorgetragen wurden, jahrzehntelang sofort in die Nähe völkischen Denkens gestellt worden sind.

Zu dem Krieg der Kulturen gehörte auch der Streit um den Beitritt der Türkei zur Europäischen Union im Jahr 2004. Der Historiker Hans-Ulrich Wehler und der ehemalige Verfassungsrichter Ernst-Wolfgang Böckenförde wandten sich vehement gegen die Aufnahme von Beitrittsverhandlungen mit der Türkei, vor allem mit dem Argument, daß die Türkei nicht die kulturellen Vorstellungen Europas teile und Deutschland dem prognostizierten Zustrom an Einwanderern aus diesem Land nicht gewachsen sei.

Frank Schirrmacher. Im Sommer 1993 erschien in der Zeitschrift *Foreign Affairs*, der Strategiezeitschrift der amerikanischen Außenpolitik, ein Artikel, der zum Wirkungsvollsten gehören sollte, was dort – oder sonstwo in den letzten Jahren – je publiziert wurde. Verfaßt von dem Politologen Samuel Huntington, ging es darin um den mittlerweile sprichwörtlich gewordenen »Clash of Civilizations«, um die neue Weltordnung,  die, so Huntington, vor allem an den Grenzlinien von muslimischer und westlicher Welt zu enormen Konflikten führen wird. Huntingtons Prognose wurde von vielen als *blueprint* für die amerikanische Außenpolitik im 21. Jahrhundert verstanden. Jedenfalls schienen die nachfolgenden Ereignisse – bis hin zum Irak-Krieg – wie von Huntington modelliert.

Viel unbekannter blieb ein Artikel, der sechs Jahre später in *Foreign Affairs* erschien und sich ausdrücklich auf Samuel Huntingtons Thesen bezog, aber scheinbar von etwas ganz anderem handelte: der Alterung der Gesellschaft. Peter G. Peterson, Nixons Wirtschaftsminister, dann Vorstandsvorsitzender von Lehman Bros., publizierte unter dem Titel »Graue Dämmerung« seinen eigenen Krieg der Kulturen. Er sagte voraus, daß schon in der nächsten Generation »die ökonomischen und politischen Systeme der entwickelten Länder« durch die Alterswelle umdefiniert werden könnten. Am Ende schlug er einen »Altersgipfel« vor, an dem sich alle entwickelten Staaten beteiligen sollten, ein Vorschlag, der nur wegen der Anschläge auf das World Trade Center nicht sofort aufgegriffen wurde.

In Wahrheit versteht man den »Krieg der Kulturen« nicht, wenn man nicht auch den »Krieg der Generationen« versteht; beides, die Bedrohung durch einen aufstrebenden Fundamentalismus und die Selbst-Bedrohung durch die graue Dämmerung unserer Welt gehören zusammen. Huntington hat das in seinem Aufsatz (und später in seinem Buch) längst ausgesprochen; doch noch fehlten ihm die Daten, die belegten, mit welch unvorstellbarer Geschwindigkeit die europäischen Gesellschaften von 2010 an altern werden.

Jetzt wird klar: Die Alterung der Industrienationen wird wie eine Sinuskurve in den nächsten 30 Jahren durch die gewaltige Jugendwelle der muslimischen Länder überdeckt. »Es ist vielleicht kein reiner Zufall, daß der Anteil der Jugendlichen an der iranischen Bevölkerung in den 70er Jahren dramatisch anstieg, wobei er in der letzten Hälfte dieses Jahrzehnts 20 Prozent erreichte, und daß die iranische Revolution 1979 stattfand.« Seither hat es einen weiteren Modernisierungsschub in vielen anderen islamischen Ländern gegeben, und gleichzeitig ist eine Art Wirtschaftsbürgertum entstanden, aus dessen Mitte eine neue muslimische Jugend in die Welt tritt. In vielem gleicht die Protesthaltung der jungen Muslime jener der Studenten von 1968. Die aus Saudi-Arabien stammenden Gefolgsleute Bin Ladens reden über ihr Land nicht anders, als die Achtundsechziger einst über das ihre redeten. Immer mehr Kinder aus bürgerlichen muslimischen Mittelstandsmilieus sammeln sich, geprägt von einer fundamentalistischen Ideologie und erbittert über die Ungerechtigkeit der Welt, zu einer Wiederaufführung des Revolutionsdramas von einst genau in dem Augenblick, da die westlichen Revolutionäre, die Achtundsechziger aus Berkeley, Berlin und Paris, im Begriff sind, in Rente zu gehen.

Huntington hat in seinem Buch auch Länder genannt, deren Jugendanteil nach Prognosen der Vereinten Nationen in den nächsten Jahren auf mindestens 20 Prozent steigen wird. Im jetzigen Jahrzehnt handelt es sich um Ägypten, Iran, Saudi-Arabien und Kuwait. Noch beunruhigender wird für uns die Entwicklung in Staaten sein, die Huntington aus Gründen ihres Altersaufbaus ab 2010 für gefährdet hält: Pakistan, Irak, Afghanistan und Syrien.

Es ist ein Bild von großartiger Symbolik: In dem historischen Moment, da in den muslimischen Ländern der Anteil der Jugend auf 20 Prozent steigt, haben die meisten europäischen Länder diesen Wert für die Alten erreicht oder überschritten. Und zwar mit einer unglaublichen Dynamik, die im Jahre 2050 den Anteil der Personen über 60 Jahre etwa in Spanien auf über 43 Prozent katapultieren wird.

Das Olympia-Attentat in München 1972, das eine ganze Generation prägte, erscheint in der Rückschau wie das Initial eines Generationenerlebnisses, eine Kettenreaktion, die im 11. September ihren vorläufigen Höhepunkt fand. Jetzt spricht vieles dafür, daß in den Jahrzehnten ihres Altwerdens, von 2010 bis 2050, die Krise zur Katastrophe wird.

Wir werden aus dem terroristischen Krieg der Kulturen zeit unseres Lebens nicht mehr entlassen werden – der 11. September markiert auch hier den Beginn einer neuen Zeitrechnung. Das aber heißt auch, daß die Vorstellung ziemlich unrealistisch ist, wonach die Älteren von morgen aufgrund ihrer hohen Zahl der Jüngeren politisch dominieren werden. Wir werden uns in den Schutz der Jungen begeben. Die Jungen sind weniger, aber sie sind stark: Es sind die Polizisten, die Bankbeamten, die Journalisten, die Ärzte, die Krankenschwestern, die sich gegen uns auflehnen werden, wenn wir wirklich beabsichtigen, mit Hilfe unserer Wählerstimmen uns als ausbeutende Klasse über sie zu erheben. Das ist auch deshalb undenkbar, weil Deutschland und die EU selbst nach konservativsten Berechnungen ein solches Maß an Zuwanderung erleben werden, daß die Integrationsfähigkeit unserer Gesellschaft bis aufs äußerste herausgefordert sein wird. Die neuen Mittelmeer-Anrainerstaaten von Marokko bis zur Türkei werden weiter wachsen, so daß »der Einwanderungsdruck in die Länder der EU allein schon demographisch bedingt« stark ansteigt. Aber umgekehrt wächst die Nachfrage nach jungen Menschen, die von außen in unsere alternden Milieus einwandern. Man muß sich stets vor Augen halten, daß noch den pessimistischsten Prognosen über unsere gesellschaftliche Zukunft die Annahme zugrunde liegt, daß Deutschland faktisch ein Zuwanderungsland wird. Ohne Zuwanderung würde sich die Bevölkerungszahl in Deutschland bis zum Jahre 2080 – dem Jahr, da unsere Kinder alt sein werden – praktisch um die Hälfte vermindern.

Die Integrationsaufgabe, die den heute lebenden Generationen bevorsteht, ist außerordentlich: Sie müssen die Vielzahl der vermutlich überwiegend muslimischen Einwanderer integrieren, sie müssen unsere Kinder, angesichts einer Überzahl von Älteren, davon abbringen, das Land zu verlassen, und sie müssen gleichzeitig künftige junge Mütter in die Lebens- und Arbeitswelt integrieren. In einem Augenblick, da unsere Gesellschaft wegen ihres desaströsen Altersaufbaus selbst in eine Werte- und Selbstbewußtseinskrise geraten wird, muß es uns außerdem gelingen, die mindestens jährlich 200 000 Zuwanderer auf westliche Werte, die Landessprache und einen aufgeklärten westlichen Patriotismus zu verpflichten.

Einer bedrohten Gesellschaft ein Selbstbewußtsein zu geben, das aus Lebenserfahrung und Weisheit kommt – das ist die große Lebensaufgabe derjenigen, die in 15 Jahren in diesem Land leben.

Daß alt sein nicht gleichzusetzen ist mit schwach sein oder müde, und daß der Alternde nicht schwach gemacht werden darf, wird eine der Überlebensregeln unserer gefährdeten Gemeinschaft sein.   2004

Die Debatten, die in den letzten Jahren begonnen wurden, sei es die Debatte um die embryonale Stammzellenforschung, sei es die Debatte um die rapide Alterung der Gesellschaft, sei es die Debatte um die aktive Sterbehilfe, sei es die Debatte um eine bessere Bildung, sind noch nicht zu einem Ende gekommen. Neue Probleme und neue Debatten werden auftauchen. Man möchte fast von einer Inflation der Debatten reden. Das Wort selbst hat dabei an Bedeutung verloren. Die Darstellung der deutschen Debatten seit 1945 legt das Wort großzügig aus: Es sind Probleme und Sorgen, Themen und Tendenzen, welche die Deutschen beschäftigt haben und beschäftigen und die nicht immer durch Gesetze oder politische Handlungen gelöst wurden oder gelöst werden können.

Die deutsche Debattenkultur hat sich im Laufe der vergangenen sechzig Jahre verändert. Neben Zeitschriften, Zeitungen und Bücher traten seit den sechziger Jahren das Radio und das Fernsehen. Theodor W. Adorno und andere Intellektuelle verstanden es sofort, das Radio für die Verbreitung ihrer Gedanken durch einen Vortrag oder durch ein Streitgespräch zu nutzen. Das Fernsehen unterläuft die Vorstellung von der intellektuellen Stringenz der Diskussionen, die sich nun in einen publikumswirksamen Schlagabtausch auflösen. Man kann sich den jungen Enzensberger, der immerhin die Intellektuellen ansporntе, sich der Medien zu bedienen, im Kreis um Sabine Christiansen nicht vorstellen – Rudi Dutschke vielleicht, und er hätte die Talkshow zum Platzen gebracht –, man kann sich Robert Spaemann in Reinhold Beckmanns Sendung nicht vorstellen. Andere Intellektuelle und vor allem die Politiker haben den Sprung ins Fernsehen und in die dortige Debattenkultur gemacht – die Politiker haben diesen Sprung machen müssen, weil die Wähler gerne vor dem Fernseher sitzen.

Das Feuilleton der Zeitungen und einige Zeitschriften nähren noch die traditionelle intellektuelle Vorstellung einer räsonierenden demokratischen Öffentlichkeit, die am gleichsam offiziellen hohen Reigen der Diskussionen mit Verstand teilnimmt. Debatten lassen sich heute inszenieren, ein zaghaftes Für und Wider der Stimmen läßt sich schnell zur Debatte erklären. Eine Debatte zu führen heißt, ein Thema zu finden und vor großem Publikum in Szene zu setzen und dadurch jene Aufmerksamkeit zu gewinnen, die dem Thema und seiner Verbreitung dient. Dabei ist, was sich als Debatte deklariert, nur ein Teil dessen, was die Gesellschaft umtreibt. Viele Probleme geraten unter dem inszenatorischen medialen Debattendruck in Vergessenheit – wie zum Beispiel die Anti-Atomkraft-Bewegung. Diese Probleme bestehen in den Milieus weiter, die sich mit ihnen nicht nur theoretisch, sondern auch praktisch auseinandersetzen und die im Internet ihre adäquate Form der Öffentlichkeit gefunden haben.

Seit die Idee und die Wirklichkeit des Sozialismus zu den Akten der Geschichte gelegt worden sind, fehlte in den Debatten jenes grobe Raster, mit dem sich Themen herausfiltern und auf Position bringen ließen. Debatten mit ideologischem Hintergrund zu führen ist leichter, als Debatten mit freiem Kopf auszutragen. Solange eine Alternative zum Kapitalismus denkbar schien, glaubte die Gesellschaftskritik auf dem festen Boden einer besseren Provinz zu stehen, die sich einmal einrichten lassen würde. Jede Gesellschaftskritik heute sieht die Vorstellung einer besseren gesellschaftlichen Provinz sofort von globalen Zusammenhängen erfaßt und durch die Wirklichkeit weltweiter wirtschaftlicher Verstrickungen vereitelt. Für die großen gesellschaftlichen Entwürfe, von denen zahlreiche Debatten der sechziger und siebziger Jahre geprägt waren, fehlt heute der Optimismus. Er ist von einem Pragmatismus ersetzt worden, der sich ganz auf die Gegenwart konzentriert.

　　　　　　　　　　　　　　　　　　　　　　　　　　　　　　Nachwort

Die Diskussionen über die Gegenwart haben sich seit dem Fall der Mauer völlig aus der früheren ideologischen Umklammerung gelöst. Der wiedervereinigte deutsche Staat hat beim Kosovo-Konflikt bewiesen, daß er in den Krieg zu ziehen bereit ist, und hat beim Irak-Krieg gezeigt, daß er nicht am Gängelband der Amerikaner hängt. Der Frieden im Land ist durch keine Revolution bedroht, doch der Frieden ist auch nicht fest begründet. Die deutsche Wiedervereinigung ist ökonomisch und sozial auf weiten Strecken gescheitert. Die um gemeinsame Lösungen bemühten Debatten kreisen gegenwärtig vor allem um neue alte Probleme, mit denen gleichsam der innere Zustand der Berliner Republik auf den Prüfstand gehoben wird: um die Bildung, die Kinderlosigkeit, die Überalterung der Gesellschaft, den Verlust sozialer Sicherungen, die ökonomischen Ungerechtigkeiten, die Einwanderung und so weiter.

Die großen Protagonisten der vergangenen Debatten, die stilvollen Essayisten, eigensinnigen Journalisten, visionären Politiker und politisch versierten Schriftsteller, spielen in den heutigen Diskussionen keine herausragende Rolle, sie markieren keine eindeutigen Positionen – aus einem einfachen Grund: Es gibt sie fast nicht mehr. Sie sind alle groß geworden im langen Schatten des Nationalsozialismus, und sie alle gewannen auch an persönlicher Statur durch das Schreckensgewicht der deutschen Geschichte, das keiner ablegen konnte, welche biographischen Verbindungen im einzelnen bestanden haben mögen.

Das gilt auch für jene Nachkriegsgeneration, der Ernst Topitsch bloße Machtstrategien beim Kampf um mehr Humanität unterstellte und die Hermann Lübbe des moralischen Hochmuts gegenüber den Eltern und der Bundesrepublik zieh, welcher Lübbe zugute hielt, daß sie sich mit der nationalsozialistischen Vergangenheit nur im Interesse des Aufbaus arrangiert habe. Der in der Bundesrepublik fortwirkende Druck der nationalsozialistischen Vergangenheit, die verdrängt oder aufgedeckt wurde, schärfte die Gemüter und Geister und stellte sie einander frontal gegenüber. Die Gegenwart steckte in den Fängen der dunklen Vergangenheit und einer hellen Zukunft.

Vor wenigen Jahren sorgten junge Historiker für einigen Wirbel, als sie sich der Geschichte ihres Faches und den nationalsozialistischen Verstrickungen von Historikern widmeten, die in der Bundesrepublik wissenschaftlichen Einfluß hatten. Die Entdeckungen über die Forschungen von Wissenschaftlern im von den Nationalsozialisten besetzten Osten wurden kommentiert, aber eine Sensation wurde daraus nicht mehr. Sechzig Jahre nach Kriegsende, drei Generationen nach der Kapitulation und der Befreiung, lösen sich langsam die letzten persönlichen Verbindungen mit dem Nationalsozialismus. Die dunkle deutsche Vergangenheit prägt in naher Zukunft unmittelbar keine Biographie mehr.

Die Intellektuellen, die aus dem Kampf gegen die fortwirkende Vergangenheit und den Einsatz für eine bessere Zukunft ihre moralische Legitimation für die Kritik der Gegenwart zogen, haben an Bedeutung verloren. Die Sorgen und Probleme, die heute die Deutschen umtreiben und sich manchmal zu Debatten verdichten, drücken den Blick auf den Boden einer Provinz, in der die Pragmatiker zu Hause sind. Für große gesellschaftliche Theorien scheint hier kein Platz mehr zu sein. Die Moral des Pragmatikers beweist sich darin, gemeinverträgliche Lösungen zu finden.

Die Zukunft aber taucht vor allem in den von ethischen, juristischen und rechtsphilosophischen Erwägungen geprägten Diskussionen über den Bestand des Menschen auf, den die Erfolge der Biowissenschaften auszumalen erlauben. Fast sieht es hier manchmal so aus, als werde sich Günther Anders Vorstellung von der Antiquiertheit des Menschen doch noch erfüllen.

Hier wie an all jenen Fronten, wo es um den Bestand von Werten und um die Folgen von Gedanken geht, wird sich entscheiden, ob wir etwas aus den vergangenen sechzig Jahren deutscher Debattenkultur gelernt haben. Diese von Engagement getragene Kultur erschöpfte sich nicht darin, der Gegenwart und ihren Zwängen zu willfahren, sondern bewies – bei allen Nöten der Vergangenheit und bei allen Zauberformeln der Zukunft – manches Mal jenen Eigensinn, der den Blick über den Zaun des Pragmatismus schweifen ließ und über das Komplott einer Politik der Gegenwart weit hinausreichte. Echte Debatten sprengen die Provinz.

Anhang

Textnachweis

Wolfgang Abendroth: Zusätzliche Notstandsermächtigungen? Das Problem der Grundgesetz-Änderung (1962), aus: ders.: Antagonistische Gesellschaft und politische Demokratie. Aufsätze zur politischen Soziologie, Luchterhand, Neuwied u.a. 1967 © Lisa Abendroth

Alexander Abusch: Der Irrweg einer Nation. Ein Beitrag zum Verständnis deutscher Geschichte © Aufbau-Verlag GmbH, Berlin 1946

Konrad Adenauer: Grundsatzrede des 1. Vorsitzenden der Christlich-Demokratischen Union für die Britische Zone in der Aula der Kölner Universität (1946), aus: ders.: Reden 1917–1967, hg. von Hans-Peter Schwarz © 1975 Deutsche Verlags-Anstalt GmbH, Stuttgart

Theodor W. Adorno: Was bedeutet: Aufarbeitung der Vergangenheit (1959), aus: ders.: Kulturkritik und Gesellschaft II, Gesammelte Schriften Bd. 10.2, hg. von Rolf Tiedemann © Suhrkamp Verlag, Frankfurt am Main 1977

Heinrich Albertz: Von der Angst der Kirche vor der Bergpredigt (1982), aus: Aufbrüche. Die Chronik der Republik 1961–1986, hg. von Freimut Duve, Rowohlt Verlag, Reinbek bei Hamburg 1986 © Ilse Albertz

Rüdiger Altmann: Das Erbe Adenauers, Seewald Verlag Dr. Heinrich Seewald, Stuttgart-Degerloch 1960

Jean Améry: Der ehrbare Antisemitismus. Eine Rede (1976), aus: ders.: Weiterleben – aber wie? Essays 1968–1978, hrsg. und mit einem Nachwort von Gisela Lindemann, Klett-Cotta, Stuttgart 1982

Günther Anders: Die Welt als Phantom und Matrize, aus: Merkur, IX. Jahrgang, Nr. 87, Mai 1955, und Nr. 88, Juni 1955

Hannah Arendt und Hans Magnus Enzensberger: Politik und Verbrechen (1964/65), aus: Merkur, XIX. Jahrgang, Nr. 205, April 1965 © Hans Magnus Enzensberger

Rudolf Augstein: Geht Berlin verloren? (1961), aus: Die Mauer oder Der 13. August, hg. von Hans Werner Richter, Rowohlt Taschenbuch Verlag, Reinbek bei Hamburg 1961

Rudolf Bahro: Die Alternative. Zur Kritik des real existierenden Sozialismus © Europäische Verlagsanstalt / Sabine Groenewold Verlage, Hamburg 1977

Eduard Beaucamp: Dissidenten, Hofkünstler, Malerfürsten. Über die schwierige Wiedervereinigung deutscher Kunst (1990), aus: Der verstrickte Künstler. Wider die Legende von der unbefleckten Avantgarde © DuMont Buchverlag, Köln 1998

Hellmut Becker: Kulturpolitik und Schule. Probleme der verwalteten Welt © 1956 Deutsche Verlags-Anstalt GmbH, Stuttgart

Ernst Benda: Auszug aus dem Protokoll des Deutschen Bundestages vom 10. März 1965, aus: ders.: Der Rechtsstaat in der Krise. Autorität und Glaubwürdigkeit der demokratischen Ordnung, hg. von Manfred Hohnstock, Seewald Verlag, Stuttgart-Degerloch 1972 © Ernst Benda

Wolf Biermann: Kriegshetze, Friedenshetze (1991), aus: Der Sturz des Dädalus von Wolf Biermann © 1992 by Verlag Kiepenheuer & Witsch Köln

Ernst Bloch: »Wer zu Vietnam schweigt, hat kein Recht, über die ČSSR zu urteilen.« Ein Gespräch mit Barbara Coudenhove-Kalergi (1968), aus: Rainer Traub und Harald Wieser (Hrsg.): Gespräche mit Ernst Bloch © Suhrkamp Verlag, Frankfurt am Main 1975

Karl Heinz Bohrer: Anstatt einer Einleitung: Falkland und die Deutschen (1982), aus: Provinzialismus. Ein physiognomisches Panorama, Carl Hanser Verlag, München Wien 2000 © Alle Rechte vorbehalten. Frankfurter Allgemeine Zeitung GmbH, Frankfurt. Zur Verfügung gestellt vom Frankfurter Allgemeine Archiv

Heinrich Böll: Brief an einen jungen Nichtkatholiken (1966), aus: ders.: Werke. Essayistische Schriften und Reden 2. 1964–1972 © 1977 by Verlag Kiepenheuer & Witsch Köln

Willy Brandt: Wieder in Deutschland (1966), aus: Bundesrepublikanisches Lesebuch. Drei Jahrzehnte geistiger Auseinandersetzung, hg. von Hermann Glaser, Carl Hanser Verlag, München Wien 1978

Peter Brückner und Alfred Krovoza: Staatsfeinde. Innerstaatliche Feinderklärung in der BRD © 1972 Verlag Klaus Wagenbach, Berlin

Daniel Cohn-Bendit: Eine Schwalbe macht noch keinen Sommer. Die Reduktion der Alternativbewegung auf ihre Projekte. Eine Diskussion mit Daniel Cohn-Bendit (1978), aus: Autonomie oder Ghetto? Kontroversen über die Alternativbewegung, hg. von Wolfgang Kraushaar © 1978 Verlag Neue Kritik KG Frankfurt

Jürgen Dahl: Auf Gedeih und Verderb. Kommt Zeit, kommt Unrat. Zur Metaphysik der Atomenergie-Erzeugung © 1974 Langewiesche-Brandt, Ebenhausen bei München

Ralf Dahrendorf: Gesellschaft und Demokratie in Deutschland © Piper Verlag GmbH, München 1965

Marion Gräfin Dönhoff: Versöhnung: ja, Verzicht: nein. Die Oder-Neiße-Gebiete: ein innen- und außenpolitisches Problem (1964), aus: dies.: Im Wartesaal der Geschichte. Vom Kalten Krieg zur Wiedervereinigung © 1993 Deutsche Verlags-Anstalt GmbH, Stuttgart

Rudi Dutschke: Eine Welt gestalten, die es noch nie gab (1967), aus: Günter Gaus: Was bleibt, sind Fragen. Die klassischen Interviews, hg. von Hans-Dieter Schütt © 2000 Das Neue Berlin Verlagsgesellschaft mbH

Rainer Eppelmann: Perspektive Entmilitarisierung und Wiedervereinigung? Interview mit Robert Havemann und Rainer Eppelmann (1981), aus: Friedensbewegung in der DDR. Texte 1978–1982, hg. von Wolfgang Büscher, Peter Wensierski und Klaus Wolschner, Scandia-Verlag, Hattingen 1982

Theodor Eschenburg: Herrschaft der Verbände? (1954) © 1955 Deutsche Verlags-Anstalt GmbH, Stuttgart

Joachim Fest: Linke Schwierigkeiten mit »links«. Ein Nachwort zu R. W. Fassbinder (1976), aus: Die Fassbinder-Kontroverse oder Das Ende der Schonzeit, hg. von Heiner Lichtenstein, mit einem Nachwort von Julius H. Schoeps, Athenäum, Königstein/Ts. 1986 © Alle Rechte vorbehalten. Frankfurter Allgemeine Zeitung GmbH, Frankfurt. Zur Verfügung gestellt vom Frankfurter Allgemeine Archiv

Joschka Fischer: Rede des Außenministers zum Nato-Einsatz im Kosovo (1999) © Joschka Fischer

Hans Joachim Fränkel: Was haben wir aus dem Kirchenkampf gelernt? Vortrag von Bischof D. Fränkel am 8. November 1973 in der Annenkirche zu Dresden, epd Dokumentation Nr. 50 © Evangelischer Pressedienst

Ernst Friedlaender: Die Abrechnung (1947), aus: Ernst Friedlaender: Klärung für Deutschland. Leitartikel in der ZEIT 1946–1950, hg. von Norbert Frei und Franziska Friedlaender, aus der Reihe: Dokumente unserer Zeit, hg. von Rudolf Birkl und Günter Olzog, Bd. 6 © 1982 by Günter Olzog Verlag GmbH, München

Arnold Gehlen: Die Seele im technischen Zeitalter. Sozialpsychologische Probleme in der industriellen Gesellschaft © 1957 by Rowohlt Taschenbuch Verlag GmbH, Reinbek bei Hamburg

Günter Grass: Die Bundesrepublik ist (k)ein Einwanderungsland. Rede auf dem Kongreß der Sozialdemokratischen Wählerinitiative in Berlin (1981), aus: ders.: Essays und Reden Bd. 3 / 1980–1997 (Werkausgabe in 18 Bänden, Bd. 16), hg. von Volker Neuhaus und Daniela Hermes © Steidl Verlag, Göttingen 1997/2002

Jürgen Habermas: Rede über die politische Rolle der Studentenschaft in der Bundesrepublik (1967), aus: ders.: Kleine Politische Schriften (1–4) © Suhrkamp Verlag Frankfurt am Main 1981

Sebastian Haffner: Die Anerkennung der DDR (1970), aus: Neue Rundschau 1970/Heft 3, S. Fischer Verlag, Frankfurt am Main 1970 © Sarah Haffner

Wolfgang Harich: Kommunismus ohne Wachstum? Babeuf und der »Club of Rome«. Sechs Interviews mit Freimut Duve und Briefe an ihn, Rowohlt Verlag, Reinbek bei Hamburg 1975

Robert Havemann: Dialektik ohne Dogma? Naturwissenschaft und Weltanschauung, Rowohlt Verlag, Reinbek bei Hamburg 1964

Wilhelm Hennis: »Demokratisierung«. Zu einem häufig gebrauchten und vieldiskutierten Begriff (1969) © Alle Rechte vorbehalten. Frankfurter Allgemeine Zeitung GmbH, Frankfurt. Zur Verfügung gestellt vom Frankfurter Allgemeine Archiv

Hartmut von Hentig: Die Schule neu denken. Eine Übung in praktischer Vernunft, Carl Hanser Verlag, München Wien 1993

Theodor Heuss: Vom Recht zum Widerstand – Dank und Bekenntnis (1954), aus: ders.: Die großen Reden. Der Staatsmann © 1965 Rainer Wunderlich Verlag Hermann Leins Tübingen, mit freundlicher Genehmigung der Deutschen Verlags-Anstalt GmbH

Stefan Heym: Memorandum zum Juni-Aufstand (1953), aus: 17. Juni 1953. Arbeiteraufstand in der DDR, hg. von Ilse Spittmann und Karl Wilhelm Fricke, Edition Deutschland Archiv, Köln 1982

Hans Egon Holthusen: Brief an Rolf Hochhuth (1963), aus: Summa iniuria oder Durfte der Papst schweigen? Hochhuths »Stellvertreter« in der öffentlichen Kritik, hg. von Fritz J. Raddatz, Rowohlt Taschenbuch Verlag, Reinbek bei Hamburg 1963

Marielouise Janssen-Jurreit: Sexismus. Über die Abtreibung der Frauenfrage, Carl Hanser Verlag, München Wien 1976

Karl Jaspers: Die Atombombe und die Zukunft des Menschen (1956) © Piper Verlag GmbH, München 1957

Walter Jens: Antiquierte Antike? Perspektiven eines neuen Humanismus (1971), aus: ders.: Reden, Gustav Kiepenheuer Verlag, Leipzig Weimar 1989 © Walter Jens

Petra Kelly: In der Tradition der Gewaltfreiheit (1983), aus: Die Grünen entern das Raumschiff Bonn. Ein Lesebuch über den Start im Bundestag © 1983 Flieter Verlag, Hattingen/Ruhr

Eugen Kogon: Gericht und Gewissen (1946), aus: Der SS-Staat. Das System der deutschen Konzentrationslager © 1974 by Kindler Verlag GmbH, München

Reinhart Koselleck: Die Widmung. Es geht um die Totalität des Terrors (1999) © Alle Rechte vorbehalten. Frankfurter Allgemeine Zeitung GmbH, Frankfurt. Zur Verfügung gestellt vom Frankfurter Allgemeine Archiv

Erich Kuby: Das Volk ist seine Presse wert (1964), aus: Information oder Herrschen die Souffleure? 17 Untersuchungen, hg. von Paul Hübner, Rowohlt Taschenbuch Verlag, Reinbek bei Hamburg 1964

Günter Kunert: Meine Nachbarn (1992), aus: Aktenkundig, hg. von Hans Joachim Schädlich
© 1992 by Rowohlt Berlin Verlag GmbH, Berlin

Hans Küng: Unfehlbar? Eine Anfrage, Benzinger Verlag, Zürich u.a. 1970 © Hans Küng

Hermann Lübbe: Es ist nichts vergessen, aber einiges ausgeheilt. Der Nationalsozialismus im
Bewußtsein der deutschen Gegenwart (1983) © Alle Rechte vorbehalten. Frankfurter All-
gemeine Zeitung GmbH, Frankfurt. Zur Verfügung gestellt vom Frankfurter Allgemeine
Archiv

Niklas Luhmann: Dabeisein und Dagegensein (1990) © Alle Rechte vorbehalten. Frankfurter
Allgemeine Zeitung GmbH, Frankfurt. Zur Verfügung gestellt vom Frankfurter Allgemeine
Archiv

Thomas Mann: Warum ich nicht nach Deutschland zurückgehe (1945) © S. Fischer Verlag
GmbH, Frankfurt am Main 1960, 1974

Monika Maron: Letzter Zugriff auf die Frau (1990), aus: dies.: Nach Maßgabe meiner Begrei-
fungskraft. Artikel und Essays © S. Fischer Verlag GmbH, Frankfurt am Main 1993

Christian Meier: Auszug aus der Geschichte (1996) © Alle Rechte vorbehalten. Frankfurter Allgemeine Zeitung GmbH, Frankfurt. Zur Verfügung gestellt vom Frankfurter Allgemeine
Archiv

Ulrike Meinhof: Hitler in euch (1961), aus: dies.: Deutschland Deutschland unter anderem.
Aufsätze und Polemiken © 1995 Verlag Klaus Wagenbach, Berlin

Reinhard Merkel: Der Streit um Leben und Tod, aus: Die Zeit, 23. Juni 1989 © 1989 Die Zeit

Karl Markus Michel: Die sprachlose Intelligenz © Suhrkamp Verlag, Frankfurt am Main 1968

Alexander Mitscherlich: Die Unwirtlichkeit unserer Städte. Anstiftung zum Unfrieden © 1965
Suhrkamp Verlag, Frankfurt am Main

Heiner Müller: Ich glaube an Konflikt. Sonst glaube ich an nichts. Ein Gespräch mit Sylvère
Lotringer über Drama und Prosa, über PHILOKTET und über die Mauer zwischen Ost und
West (1982), aus: ders.: Gesammelte Irrtümer. Interviews und Gespräche © Verlag der Au-
toren, Frankfurt am Main 1986

Herta Müller: Die Tage werden weitergehen (1992), aus: Europa im Krieg. Die Debatte über
den Krieg im ehemaligen Jugoslawien © Suhrkamp Verlag, Frankfurt am Main 1992

Ernst Nolte: Vergangenheit, die nicht vergehen will. Eine Rede, die geschrieben, aber nicht gehalten werden konnte (1986), aus: »Historikerstreit«. Die Dokumentation der Kontroverse
um die Einzigartigkeit der nationalsozialistischen Judenvernichtung, Piper, München
Zürich 1987 © Alle Rechte vorbehalten. Frankfurter Allgemeine Zeitung GmbH, Frankfurt.
Zur Verfügung gestellt vom Frankfurter Allgemeine Archiv

Christiane Nüsslein-Volhard: Wann ist der Mensch ein Mensch? (2002), von der Tagung: Ge-
netik und die Zukunft des Menschen – Positionen aus dem Ethikrat, 19.–21. 7. 2002, sowie
vor der juristischen Studiengesellschaft Karlsruhe, 10. 10. 2002

Georg Picht: Die deutsche Bildungskatastrophe. Analyse und Dokumentation, Walter-Verlag,
Olten Freiburg im Breisgau 1964 © Robert Picht

Helmuth Plessner: Deutschlands Zukunft (1948), aus: ders.: Gesammelte Schriften, hg. von
Günter Dux, Odo Marquard und Elisabeth Ströker, Bd. 6: Die verspätete Nation © 1982
Suhrkamp Verlag Frankfurt am Main

Fritz J. Raddatz: Bruder Baader (1978), aus: ders.: Geist und Macht. Essays I. Polemiken, Glossen
und Profile © 1989 by Rowohlt Taschenbuch Verlag GmbH, Hamburg

Karl Rahner: Zum Problem der genetischen Manipulation aus der Sicht des Theologen (1969), aus: Menschenzüchtung. Das Problem der genetischen Manipulierung des Menschen, hg. von Friedrich Wagner, Beck'sche Reihe 63, Verlag C.H.Beck, München 1969

Jens Reich: À la lanterne? Über den Strafanspruch des Volkes (1993), aus: Kursbuch 111/1993, Rowohlt Berlin Verlag, Berlin 1993 © Jens Reich

Henning Ritter: Das Schisma (2004) © Alle Rechte vorbehalten. Frankfurter Allgemeine Zeitung GmbH, Frankfurt. Zur Verfügung gestellt vom Frankfurter Allgemeine Archiv

Helmut Schelsky: Die skeptische Generation. Eine Soziologie der deutschen Jugend, Eugen Diederichs Verlag, Düsseldorf Köln 1957

Otto Schily: Rede zur Wehrmachtsausstellung (1997), aus: Hans-Günther Thiele (Hrsg.): Die Wehrmachtsausstellung. Dokumentation einer Kontroverse © Edition Temmen, Bremen 1997

Frank Schirrmacher: Das Methusalem-Komplott, erschienen 2004 im Karl Blessing Verlag, München, einem Unternehmen der Verlagsgruppe Random House GmbH

Carlo Schmid: Vaterländische Verantwortung (1945), aus: ders.: Politik als geistige Aufgabe, Scherz, Bern München Wien 1973 © Martin Schmid

Helmut Schmidt: Rede in der Antiterror-Debatte (1975), aus: Die Anti-Terror-Debatten im Parlament. Protokolle 1974–1978, zusammengestellt und kommentiert von Hermann Vinke und Gabriele Witt, Rowohlt Taschenbuch Verlag, Reinbek bei Hamburg 1978

Peter Schneider: Erziehung nach Mölln, aus: Kursbuch 113/1993, Rowohlt Berlin Verlag, Berlin 1993

Kurt Schumacher: Konsequenzen deutscher Politik (1945), aus: Arno Scholz und Walther G. Oschilewski (Hrsg.): Turmwächter der Demokratie. Ein Lebensbild von Kurt Schumacher, Bd. 2: Reden und Schriften, arani-Verlags-GmbH, Berlin-Grunewald 1953 © Annemarie Renger

Alice Schwarzer: Frauen gegen den § 218. 18 Protokolle, aufgezeichnet von Alice Schwarzer © Suhrkamp Verlag, Frankfurt am Main 1971

Hans Sedlmayr: Verlust der Mitte. Die bildende Kunst des 19. und 20. Jahrhunderts als Symptom und Symbol der Zeit, Ullstein, Berlin 1958 © Otto Müller Verlag, Salzburg 1998, 11. Auflage

Elisabeth Selbert: Rede zur Gleichstellung von Mann und Frau (1949), aus: Barbara Böttger: Das Recht auf Gleichheit und Differenz. Elisabeth Selbert und der Kampf der Frauen um Art. 3.2 Grundgesetz © Verlag Westfälisches Dampfboot, Münster 1990

Friedrich Sieburg: Die Lust am Untergang. Selbstgespräche auf Bundesebene, Rowohlt Verlag, Hamburg 1954 © Alexandra Senfft und Johann-Heinrich Senfft

Wolf Jobst Siedler: Behauptungen © 1987 by Limes Verlag, Wiesbaden in der F. A. Herbig Verlagsbuchhandlung GmbH, München

Robert Spaemann: Brief an Heinrich Böll (1984), aus: ders.: Grenzen. Zur ethischen Dimension des Handelns, Klett-Kotta, Stuttgart 2001

Dolf Sternberger: Verfassungspatriotismus (1979), aus: Schriften, Bd. 10 © Suhrkamp Verlag, Frankfurt am Main 1990

Botho Strauß: Anschwellender Bocksgesang (1993), aus: ders.: Der Aufstand gegen die sekundäre Welt. Bemerkungen zu einer Ästhetik der Anwesenheit, Carl Hanser Verlag, München Wien 1999

Franz Josef Strauß: Rede zu den Pariser Verträgen (1955), aus: ders.: Bundestagsreden und Zeitdokumente, Verlag az studio, Bonn 1975

Ernst Topitsch: Machtkampf und Humanität (1970) © Alle Rechte vorbehalten. Frankfurter Allgemeine Zeitung GmbH, Frankfurt. Zur Verfügung gestellt vom Frankfurter Allgemeine Archiv

Richard von Weizsäcker: Von Deutschland aus. Reden des Bundespräsidenten, erschienen im Wolf Jobst Siedler Verlag, München, einem Unternehmen der Verlagsgruppe Random House GmbH 1985

Martin Walser: Erfahrungen beim Verfassen einer Sonntagsrede © Suhrkamp Verlag, Frankfurt am Main 1998

Christa Wolf: Sprache der Wende. Rede auf dem Alexanderplatz (1989), aus: dies.: Im Dialog. Aktuelle Texte, Aufbau-Verlag, Berlin Weimar 1990 © Random House

Bildnachweis

Trotz aller Bemühungen ist es dem Verlag nicht gelungen, sämtliche Rechteinhaber ausfindig zu machen. Wir bitten darum, sich mit dem Verlag in Verbindung zu setzen, damit wir eventuelle Korrekturen bzw. übliche Vergütungen vornehmen können.

Sachregister

(Die unten aufgeführten Wörter kommen entweder wörtlich im Text vor, oder sie weisen auf ein naheliegendes semantisches Feld hin.)

Abendland 31, 52, 66, 104, 108, 208, 353
Absolutes Böse 132
Abtreibung/Schwangerschaftsverhütung 59, 160, 170, 227, 229, 354, 356
Achtundsechziger 99, 143, 166, 199, 298, 387
Alliierte 15, 125, 291, 317
Amnestie 31, 40
Antiamerikanismus 143
Anti-Atomkraftbewegung 75, 273
Antiberufsverbot-Kampagnen 360
Antifaschismus 27, 46
Antisemitismus 104, 119, 257, 333, 395
Arbeiter 46, 63, 185, 236, 253, 275, 309
Arbeitslager, sowjetische 17, 335
Asylanten 285, 381, 392, 405, 417
Atomkraftwerk 247, 273, 276, 314
Atomwaffen 16, 50, 75, 91, 123, 125, 145, 165, 240, 291, 311, 313, 324, 327, 360, 363
Attentat des 20. Juli 1944 79, 84
Aufbau 15, 17, 19, 20, 29, 30, 100, 108, 172, 174, 246
Aufklärung 112, 265, 386
Auschwitz 117, 130, 132, 144–148, 155, 166, 332, 364, 367, 391, 396, 403, 406, 414, 417
Ausländer 285, 305
Ausrottung 146, 401, 404

Banalität des Bösen 131, 167
Barbarei 35, 52, 351, 394
Befreiung 16, 327
Befreiungskampf 197, 259
Berlin 122, 174, 287, 403
Bevölkerung 226, 254, 337
Bewußtseins-Industrie 109
Bildung 87, 111, 150, 153, 185, 207, 231, 233, 323, 390
Biotechnologie 337
Bodenreform 49

Bolschewismus 31, 64
Bundesverfassungsgericht 126, 160, 227, 354, 414
Bundeswehr 90, 121, 123, 181
Bürgerinitiative 248, 273, 284, 297, 360
Bürgerrechte 150, 167, 283

Christentum 226, 294
Christlicher Sozialismus 60

Demokratie 70, 75, 113, 127, 129, 195, 201, 236, 261
Demokratische Revolution 48
Demokratisierung 206, 207, 219, 220, 323, 336
Demonstration gegen den Schah 189, 294
Der Deutsche 26, 42, 44, 147
Der Durchschnittsnazi 29
Deutsche Geschichte 18, 24, 33, 45, 51, 82, 125, 174, 176, 179, 185, 287, 304, 308, 333
Dialektik 108, 136
Diktatur 370
Diktatur des Proletariats 251
DM-Nationalismus 349
Dritte Welt 192, 306, 307
Dritter Weltkrieg 50
Drittes Reich 28, 144, 149, 155, 241, 315

Ehe 57, 102, 180, 212, 221, 224, 226, 394
Eichmann-Prozeß 118, 120
Einheit, deutsche 49, 60, 63, 121, 227, 355, 357, 377
Einwanderung 154, 430, 433
Eltern 119, 120, 134, 239, 257
Emanzipation 226, 265, 270, 323
Embryonenschutz 324, 337, 423
Ende der Geschichte/Posthistoire 34, 108, 357
Endlösung 146, 148, 332

Entpolitisierung des Denkens 302, 414
Erster Weltkrieg 16, 21, 91
Erziehung 85, 86, 88, 109, 111, 150, 154, 167,
    208, 230, 234, 323, 388, 392
Europa 248, 421
Euthanasie 169, 337, 338, 341

Familie 56, 58, 105, 180, 394
Faschismus 30, 110, 190, 235, 270, 417
Faschismus-Theorien 322
Feminismus 255
Flucht 99, 327
Flüchtlinge 97, 139, 287
Föderation der deutschen Staaten 52
Frankfurter Schule 165, 166, 218, 247, 357
Frau 57, 211, 227, 228, 256, 360
Freiheit 120, 199, 206, 212, 258
Frieden 65, 76, 222, 240, 290, 295, 302, 311,
    313, 324, 327, 360, 362, 364, 393, 422
Friedensbewegung 294, 310

Gaskammer 166, 404
Gastarbeiter 97, 112, 168, 170, 261, 285, 288
Generation 98, 318
Gentechnik 210, 228, 336, 423, 426
Gesamtarbeiter, geistiger 200
Geschlechtsrolle 256
Gesellschaft, 45, 113, 152, 165, 186, 199, 207,
    253, 256, 270, 279, 296, 306, 381, 394, 431
Gesinnung 157, 219, 350
Gewalt 313, 391
Gewissen 32, 404
Globalisierung 357
Golfkrieg 49, 257, 361, 365
Grundgesetz 56, 128, 153, 246, 282, 283, 297,
    313, 349
Grundrechte 126
Gruppen, extremistische 196

Hauptstadt 73
Hausbesetzerszene 276
Heimatvertriebene 138
Herrschaft 157, 202, 204, 235
Herrschaft der Männer 56, 227, 229, 256
Historikerstreit 282, 332, 396

Hochschule 85, 119, 151, 165, 195, 198, 206,
    208, 219, 234, 387
Holocaust, atomarer 313, 315, 394, 396, 407,
    409
Homosexualität 180
Humanisierung 220, 233
Humanismus 22, 24, 46, 52, 155, 166, 311
Humanität 167, 171, 218, 219

Idee der Menschheit 26, 190
Idee der Menschlichkeit 117
Ideologie 97, 114, 218, 226
Innerlichkeit, deutsche 21
Institutionen 70, 97, 106
Intellektuelle 98, 102, 142, 143, 154, 195, 199,
    386, 406
Internationalismus 190
Irak-Krieg 419

Judenfrage, neue 260
Judenvernichtung 21, 397
Jugend 50, 97, 108, 257, 275, 315, 320, 391, 432
Jugoslawien 117, 367, 421

Kalter Krieg 121, 240
Kampf der Kulturen 382, 430, 431
Kapitalismus/Imperialismus 45, 48, 51, 61,
    134, 203, 247, 252, 265, 321
Katholizismus 32, 120, 222, 180
Kaufhausbrand 189, 190, 203, 298
Kirche 185, 222, 225, 237, 241, 384, 422
Klassen 27, 32, 145, 152, 166, 235, 265, 335
Kollektivscham 26
Kollektivschuld 25, 26, 27, 397
Kollektivverbrechen der Stalinzeit 266
Kommunismus 21, 67, 185
Konformismus 86, 98, 168, 170
Konsumterror 165
Konzentrationslager 16, 21, 27, 34, 35, 41, 120,
    166, 169, 183, 331, 406
Konzerne 254
Kosovo-Krieg 368, 414
Krieg, nuklearer 291
Kriegsführung, ethnische 417
Kriegsschuldfrage 16

Kriegsverbrecher 365
Kriegsverbrecherprozesse 41
Kriegsvölkerrecht 401
Kritik 109, 113, 142, 220, 409
Kultur 21, 23, 48, 88, 104, 108, 109, 114, 151,
154, 191, 387
Kulturrevolution, nationalsozialistische 317
Kunst 52, 106, 159, 306, 350, 351, 351

Leben, personales 228
Linke 114, 134, 205, 261, 267, 417
Linksfaschismus 262

Machtpolitik 219, 418, 419
Marktwirtschaft, soziale 134, 357, 359
Marxismus 33, 60, 145, 165, 203, 205, 239, 360
Masse 29, 70, 76, 77, 89, 132, 154, 192, 201, 235,
270
Massenmord 157, 237, 339
Materialismus, dialektischer 135, 218, 239
Mauer 31, 121, 134, 155, 203, 307, 336, 348, 373
Medien 45, 63, 69, 76, 98, 104, 108, 143, 146,
154, 158, 165, 179, 182, 190, 196, 198, 236,
244, 256, 284, 301
Megatod 148
Menschenbild 52, 53, 56, 103, 232, 239, 382
Menschenrechte 225, 239, 241, 283, 295, 310,
312, 331, 371, 410, 418, 420
Menschenwürde 127, 230, 239, 323, 372, 412,
418, 429
Menschheit 24, 33, 92 213, 251, 253, 361, 372,
410
Menschlichkeit 44, 168, 330
Militarisierung 28, 56, 174, 313, 360
Minderheiten 309
Mittelmäßigkeit, deutsche 72
Moderne 52, 200, 353
Modernisierung 165, 200, 431
Modernität 387
Montagsdemonstrationen 295, 345, 349
Moral/Politik 104, 113, 116, 117, 171, 185, 265,
275, 384, 407, 410, 418, 421

Nationaler Ethikrat 423
Nationalgefühl 72, 217, 300

Nationalsozialismus 28, 31, 32, 33, 72, 111, 114,
117, 217, 300, 315
NATO 63, 123, 192, 194, 277, 312, 414,
Naturschutz 253
Naturwissenschaften 210, 273
Nazi- und Kriegsverbrecher 162
Nazismus 28, 29, 40, 41
Neonazismus 162, 280, 386, 417
Neutralisierung 325
Neutralität, bewaffnete 59
Notstandsgesetze 120, 126, 190, 202, 360
Nürnberger Kriegsverbrecherprozesse 15,
85, 183

Öffentliche Gewissensakte 408
Öffentliche Meinung 156, 157, 159, 199
Ökologie 247, 253, 360, 393
Opposition, außerparlamentarische 91, 196,
198, 255, 313, 315
Oppositionelle 304
Ostermarschbewegung 165, 297, 360
Ostprovinzen 18, 51, 114, 122, 138, 287

Patientenverfügungen 337
Patriotismus 17, 73, 186, 299, 332, 433
Pazifismus 93, 303, 325, 369
Pflege 337
Planwirtschaft 360
Polizei- und Justizverbrechen 171
Polizeistaat 120, 195, 198, 219
Postmoderne 200, 353
Produktionsweise, kapitalistische 192, 205,
236, 293
Protestantismus 34, 37, 49
Protestgeneration 320, 357, 360
Provinzialisierung 72, 73, 298

Radbruch-Formel 319, 320, 372, 374
Radikalenerlaß 234, 242
Recht auf den eigenen Körper 356
Recht auf Heimat 327
Recht zum politischen Irrtum 44, 314
Rechtsextremismus 112, 381, 391
Rechtstaat/Rechtssicherheit 45, 81, 128, 164,
235, 245, 340, 347

Reform 229, 266, 269, 387
Renazifizierung 27
Restauration 175
Revolution 190, 203, 336
Rüstung 251, 296, 310, 312, 325, 366

Sarajevo 368, 371
Säuberungen 60
Scham/Schande 26, 405
Schießbefehl 371, 375
Schuld 25, 28, 30, 32, 35, 48, 329, 332
Schule 85, 87, 100, 387, 390
Selbstbewußtsein, postnationales deutsches 282
Sexualpolitik 56
Siegerjustiz 16
Solidarität 200, 289, 297, 300, 310
Sonderweg, deutscher 49
Sozialismus 34, 45, 159, 194, 203, 220, 251, 359, 367
Sozialistischer Deutscher Studentenbund 113, 165, 190, 193, 214
Staat 32, 43, 70, 129, 176, 217, 237, 283, 301, 321, 346, 349, 369, 372, 377
Staatsvertrag 349, 356
Städtebombardement 149
Stalinismus 134
Stalin-Note 59
Stammheim 116, 242
Stammzellen 324, 423, 425
Sterbehilfe 323, 338
Studenten 118, 195, 196, 273, 275, 360
System 116, 191, 193, 202, 226, 253

Terror 35, 46, 116, 118, 119, 179, 190, 196, 203, 218, 234, 242, 274, 277, 278, 286, 309, 335, 385, 391, 400, 417, 431
Theater 77, 99, 230
Tod der Literatur 53
Totalitarismus 104, 130, 134, 383

Umweltzerstörung 247, 276, 354

Vaterland 17, 45, 186, 282, 300, 349
Verblendungszusammenhang 109, 110, 204
Verdinglichung 108
Verdrängung 172, 314, 319
Vereinte Nationen 49, 225, 240, 261, 361, 371, 419
Verfassungspatriotismus 18, 183, 282, 304, 332, 403
Verfassungsschutz 237, 279, 331
Verfassungswirklichkeit 126
Vergangenheit/Erinnerung 26, 85, 110, 116, 126, 132, 134, 172, 308, 314, 319, 330, 396, 403
Verjährung 160, 163, 320, 410
Vernichtung der Juden 142, 131, 282
Vernichtungssystem, sowjetisches 332
Vertreibung 139, 327
Vietnam 75, 165, 189, 192, 194, 197, 202, 204, 332
Völkergemeinschaft 365, 420
Völkermord 160, 298, 334

Wehrmacht 332, 370, 395, 399
Wehrpflicht 90, 180 289
Weimarer Republik 49, 68, 111, 114, 151, 175, 355
Weltanschauung 33, 34, 135, 137, 239, 410
Weltfriede 62, 419
Weltpolitik 357, 358, 418
Weltrevolution 64
Weltwirtschaft 24, 357, 360
Werte 387, 391, 394, 433
Wettrüsten 366
Widerstand 46, 80, 84, 120
Wiederbewaffnung 63, 127, 165, 181
Wiedergutmachung 162
Wiedervereinigung 59, 64, 73, 86, 117, 122, 141, 171, 190, 192, 215, 282, 292, 304, 346, 348, 372
Wirtschaftswunder 26, 71, 151, 193, 204, 288
Wohlfahrtsstaat 194

Zivilisationsbruch 16, 108